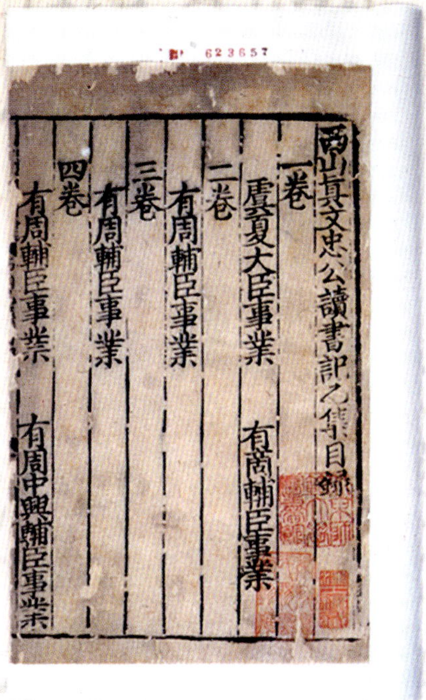

①

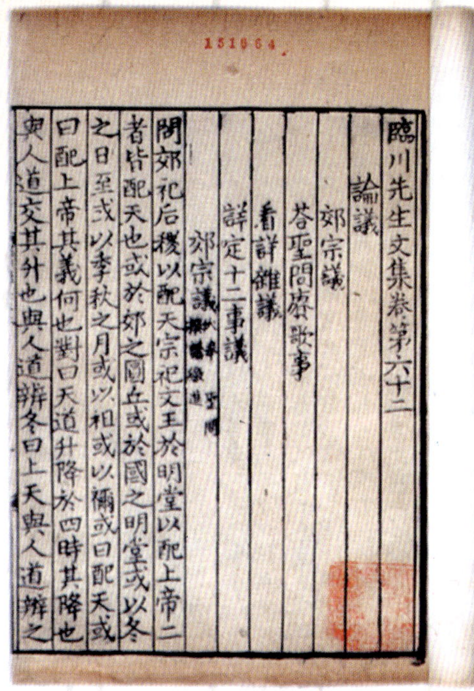

②

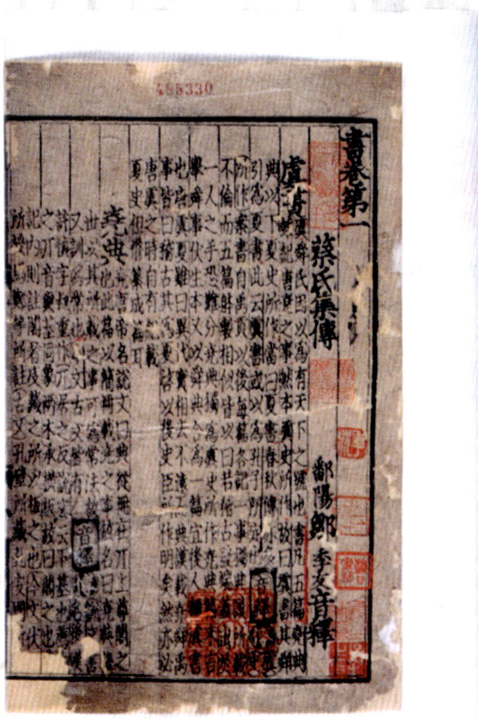

③

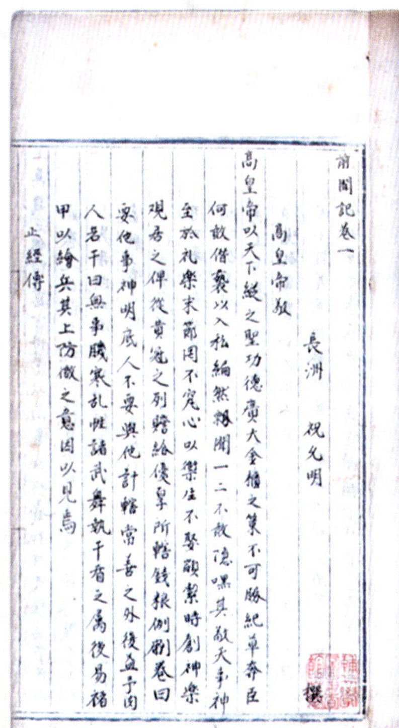

④

1.西山真文忠公讀書記
(宋)真德秀撰
宋福州學官刻元明遞修本

2.臨川先生文集
(宋)王安石撰
宋紹興二十一年兩浙西路轉運司王珏刻元明遞修本

3.書集傳
(宋)蔡沈撰
(元)鄒季友音釋
元至正十一年德星書堂刻本

4.前聞記
(明)祝允明撰
明藍格抄本(《國朝典故》之一種)

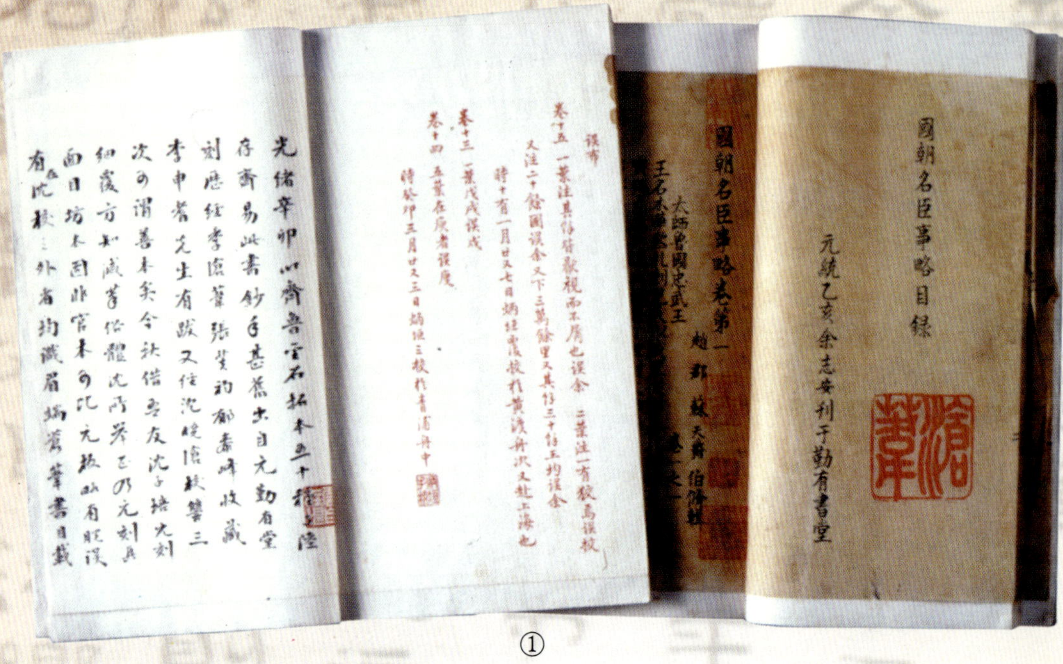

①

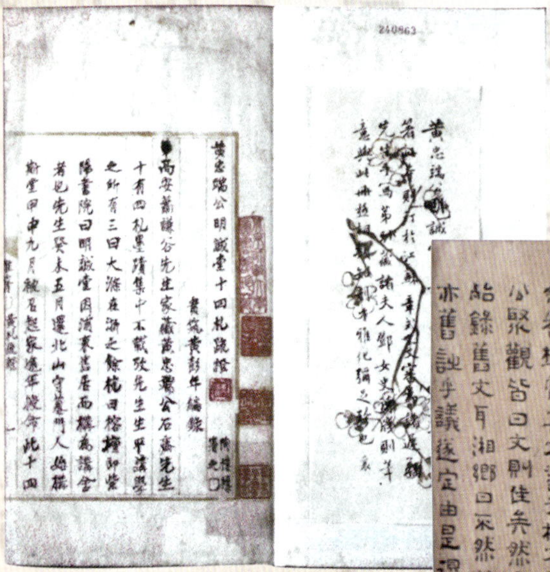

②

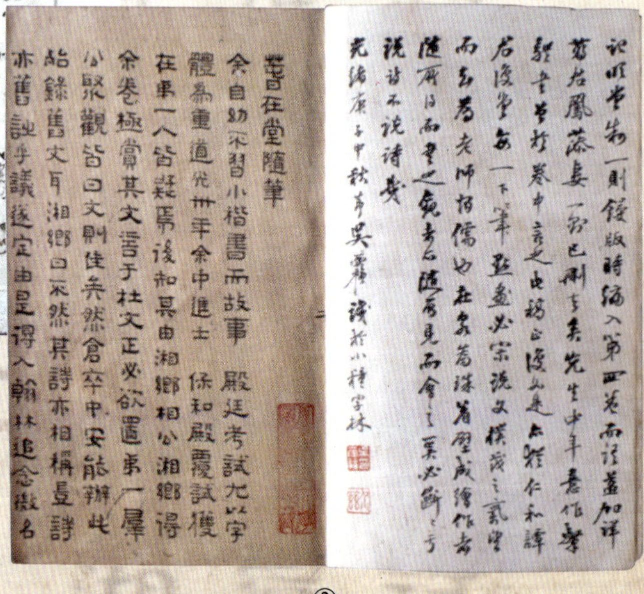

③

1.國朝名臣事略
(元)蘇天爵輯
清影元抄本　(清)沈炳垣校並跋　(清)李兆洛跋　繆荃孫跋

2.黄忠端公明誠堂十四札疏證附題詞
(明)黄道周撰　(清)黄彭年疏證
清諸可寶抄本　黄襄成題識

3.春在堂隨筆
(清)俞樾撰
稿本　張鳴珂　曹楙跋

1902-2002

北京師範大學圖書館
古籍善本書目

北京師範大學圖書館古籍部　編

北京圖書館出版社

圖書在版編目(CIP)數據

北京師範大學圖書館古籍善本書目/北京師範大學圖書館古籍部編. —北京:北京圖書館出版社,2002.7

ISBN 7-5013-1898-0

Ⅰ.北… Ⅱ.北… Ⅲ.院校圖書館—古籍—善本—圖書目錄—北京市 Ⅳ.Z838

中國版本圖書館 CIP 數據核字(2002)第 021361 號

書名 北京師範大學圖書館古籍善本書目

著者 北京師範大學圖書館古籍部 編

出版 北京圖書館出版社 (100034 北京西城區文津街 7 號)

發行 (010)66126153 傳真(010)66174391

E-mail Btsfxb@publicf.nlc.gov.cn

Website www.nlcpress.com

經銷 新華書店

印刷 北京雙橋印刷廠

開本 787×1092 毫米 1/16

印張 25

版次 2002 年 7 月第 1 版 2002 年 7 月第 1 次印刷

字數 400(千字)

印數 1—1500

書號 ISBN 7-5013-1898-0/Z·294

定價 80.00 元

前　言

北京師範大學圖書館（含系、所資料室）現藏有古籍約 37 萬册，它是以原國立北京師範大學和輔仁大學舊藏爲基礎，又經過解放後幾十年的採集蒐購而形成現有的規模。

國立北京師範大學源於 1902 年成立的京師大學堂師範館，其後校名屢經更改。由於戰亂和經費的緣故，師大的古籍收藏極爲有限，謝興堯謂其："不過全屬普通書及雜志、萬有書庫，毫無佳本珍籍，可云乏善足述。"即使以今天的善本標準衡量，其庫藏中亦只有元刊明修的《書學正韻》及少量明版書可入善本之列。解放前夕，學校接受了本校已故國文系著名教授高步瀛的遺囑贈書 15000 多册。高步瀛（1873—1940），字閬仙。河北霸縣人。清光緒二十年舉人。學問淵深，陳垣譽之爲"河北大儒"。入民國後，先後在北平師範大學、輔仁大學任教二十餘載，講授《史記》、《文選》、杜詩、辭賦、駢文、唐宋文諸課程。其贈書中有部分明版書及高步瀛的批校題跋本、過録本數種，均列爲館藏善本。

輔仁大學的藏書質量較師大爲好。陳垣校長親自過問文史圖書的購置，趙進修經手購入。其圖書收藏"少而精"，内有《國朝典故》等幾種明抄本頗讓人企慕。建校之初，輔大曾購入馬叙倫的"天馬山房藏書"近兩萬册。此事載入倫明撰《辛亥以來藏書紀事詩》中，記曰："數年前，君（馬叙倫）以所藏，全歸輔仁大學，凡兩萬餘册，近代人詞集，多至數百册，君不善詞，而好收詞集。"馬叙倫所收詞集中頗有幾種不易見到，可資清詞整理及研究之用。此外，"天馬山房藏書"中譚獻、王仁俊等及馬叙倫本人的批校題跋本均極珍貴。輔仁館藏中還有清代學者黄彭年的後人黄襄成捐贈的藏書（當時尚未整理編目），其中有黄氏三代黄輔辰、黄彭年、黄國瑾的手稿、批校題跋本十數種。

館藏古籍的大部分入藏於 20 世紀 50 年代至 60 年代初。1952 年院校調整後，政府加大了對文教事業的投入，圖書經費充裕。加之社會方經歷變動重組，一些私家藏書陸續散出，書價相對低廉，圖書館乃大力收集。李石涵副館長實主持其事，周騄良協助之。其時除大量購於北京中國書店及琉璃廠各書坊外，還曾派人到上海、杭州、揚州等地，購回不少古籍，是爲圖書館老館員所津津樂道的"三下江南採書"。館藏圖書中兩部宋刻元明遞修本及元、明刻本的絶大部分均購於其時。

"文化大革命"後，古籍圖書日缺，圖書館和中國書店開展了以館藏古籍復本交换新品種的業務，1986 年交换來張次溪私人藏書 2600 多種，1987 年又换來清人文集 70 餘種。此后，圖書館接受了幾批贈書。較大宗的有：1996 年原外交部副部長陳家康的私人藏書 619 種，4300 余册；1999 年劉盼遂教授劫後餘書 359 種，近 2800 册。劉盼遂（1896—1966），河南息縣人。1928 年畢業於清華大學國學研究院，1946 年後一直在北京師範大學任教授，從事古文字學、音韻學、訓詁學等方面研究。雅好藏書，搜集善本不遺餘力。"文革"初，劉盼遂被揪斗并遭迫害致死。其藏書全部被抄，其中的珍本後被康生攫去。撥亂反正後，劉盼遂之子劉三立於 1992 年將發還之抄家物資領回，慨然將劫後餘書贈於劉盼遂生前工作過的北京師範大學中文系古典教研室。1999 年，爲保護這批書，古典教研室決定將此書交由圖書館庋藏。經整理編目，内有明刻清抄等善本近 30 種，其中明正德六年司禮監刻本《大明會典》、明萬曆十八年汪一鸞刻本《武德全書》、清抄本《維風詩集》等都是難得的珍本。此前,圖書館於 1993 年有幸收得劉盼遂 1926 年的稿本《世説新語校箋》一册,亦視爲善本實藏之。

隨着館藏古籍藏量的日益增加,編制書目以揭示館藏遂提上日程。1959 年底,李石涵副館長編訂了《北京師範大學圖書館收藏地方志目録》,收録館藏地方志 2000 多種;1962 年趙進修編撰了《北京師範大學圖書館中文古籍書目》,收録 1960 年以前入藏的古籍 14200 餘種(高步瀛、黄襄成舊藏其時因未編目,亦未收入)。後者於外界影響較大,其後編撰的聯合目録、版刻辭典等多引以爲參考。限於當時的條件,書目中分類不當及版本考訂方面的錯訛在所難免。此外,兩種書目均未區分善本與普通古籍,造成讀者使用上的不便。

1979 年始,我館積極參加《中國古籍善本書目》的編纂,陳憲章副館長主持了其時整理上報善本的工作。《中國古籍善本書目》收入本館所藏善本爲 1500 餘種,其中宋刻元明遞修本 1 種,元刻本 22 種,明刻本 986 種,清刻本 232 種,其他爲稿抄校本。由於各種原因,當時存放於普通古籍書庫中的大部分清初刻本、部分明刻本並未上報;宋紹興二十一年兩浙西路轉運司王珏刻元明遞修本《臨川先生文集》、元至元間刻《資治通鑑》(殘本)因未能確定版本亦未上報。以此次上報的善本品種爲基礎,并稍擴充之,1982 年圖書館編印了《北京師範大學圖書館中文古籍善本書目》。

2002 年爲北京師範大學百年校慶。爲展示館藏精品,加强古籍善本的保管及表彰百年來北師大人,尤其是圖書館人艱苦蒐集的精神,2000 年初,圖書館領導决定在校慶之際重新編訂并出版《北京師範大學圖書館古籍善本書目》。此後古籍部全力投入這項工作,歷時二載,於今告竣。

參照 1978 年全國古籍善本總目編輯工作會議確定的"歷史文物性、學術資料性及藝術代表性"的原則,並結合我館古籍收藏的實際情况,確立以下 7 條作爲篩選館藏善本的標準:

1. 明代及明代以前刻印、抄寫的圖書(包括有特殊價值的殘本)。
2. 清代乾隆及乾隆以前能代表清代雕版藝術的寫刻本或流傳較少的刻本。
3. 辛亥革命以前經著名學者校勘的仿宋精刻或流傳很少的刻本。
4. 中華人民共和國建立以前具有一定學術參考價值的稿本、抄本、批校本、過録本。
5. 能代表一定時期印刷技術的活字本、套印本、版畫作品等。
6. 符合上述標準的日本、朝鮮漢文古籍。
7. 整套叢書已收入者,其零種一般不再收入。

依照上述標準,《北京師範大學圖書館古籍善本書目》共收入館藏善本 3281 種。其中經部 394 種,史部 955 種,子部 573 種,集部 1300 種,叢書部 59 種。以時代劃分,宋刻元明遞修本 2 種,元刻本及元刻明修本 27 種,明刻本 1260 餘種,清刻本 1300 餘種,另有明清稿本、抄本凡 530 餘種。

宋刻元明遞修本除前文提及的《臨川先生文集》外,尚有南宋福州學官刻元明遞修本《西山先生真文忠公讀書記》,汪士鐘舊藏,原書有四輯,我館殘存甲、乙、丁輯。元刻本中極珍貴的有元至正十一年德星書堂刻本《書集傳》,經周星詒、曹家駼、繆荃孫、陳立炎、黄裳等人收藏,可謂流傳有自;元刻本《纂圖互註老子道德經》、《冲虚至德真經》,爲孫星衍平津館舊藏,后經近代藏書家秦更年之手;元刻明修本《大學衍義》,原清宫舊藏;元刻《十七史詳節》本《諸儒先生標註三國志詳節》,國内僅本館收藏。明及清初刻本構成館藏善本的主體,其中不乏稀如星鳳的珍本、孤本,如:明正德十三年慎獨齋刻本《歷代經籍考》,成化四年劉氏日新堂刻本《新刊宋學士夾漈先生六經奥論》，嘉靖間刻本《唐詩類鈔》、《新編通鑑集要》、《稽古緒論》，隆慶三年王建勛刻本《精選繩尺論》，萬曆間刻本《易原》、《今易圖學心法釋義》、《劉季子書經講意》、《玄晏齋文鈔》、《汪六可先生集》，崇禎十一年刻本《以易解》，以及清順治間刻本《湯陰縣志》、康熙間刻本《新城縣志》和清初刻本《字牖》、《夢餘集》等數十種書，或未見其他書目著錄，或據《中國古籍善本書目》爲本館獨藏。一些刻本因名人學者的批校題識而彌足珍貴，館藏中有蔣玢、傅山、惠周惕、惠士奇、汪琬、沈大成、錢大昕、馮浩、周振采、丁晏、吳熙載、郁松年、莫友芝、韓應陛、唐翰題、莫裳、王仁俊、葉德輝、高步瀛等名人學者的批校題跋本。稿、抄本中亦不乏精品，如《大乘妙法蓮花經》，明萬曆二十七年雲南麗江羅春泥金寫本，經折裝，共8册。卷前有金繪佛説經像，金碧輝煌。卷後有韋馱護法像。整部書繪畫生動，書法勁美，實爲不可多得的藝術珍品。清季名人書札數百通，既是難得的書法墨寶，又是研究中國近代史的重要資料。《脂硯齋重評石頭記》，陶洙抄校本，爲傳統意義上庚辰本系統最後一個抄本，亦是第一個校訂本。此外如明藍格抄本《國朝典故》、《國史紀聞》、明霄峥閣抄本《紺珠》、明秦氏雁里草堂抄本《春秋諸國統紀》等，清人查繼佐稿本《釣業》、王引之《字典考證》、俞樾《春在堂隨筆》等均極珍貴，玆不一一述及。

此次編纂館藏善本書目中，我們進行了大量的版本考訂工作，糾正了以往分編中某些古籍版本著錄的錯誤；同時參考《中國古籍善本書目》的分類，對館藏善本的分類略加調整。爲了便於版本工作者的使用，此次編撰的館藏善本書目除著錄書名、卷數、撰述者、版本、册數、索書號外，另標明了行款格式、版刻主要特徵、藏板地、鈐印等，還對一些書籍的内容、作者、版本作了必要的説明。

《北京師範大學圖書館古籍善本書目》的編纂由圖書館古籍部集體完成，參加編纂的人員有楊健、何宗慧、吳英梅、田斌同志。董淑萍同志參加了後期的書稿整理及校對工作。書影由宫偉同志拍攝。我館資深館員周駼良先生以80歲高齡，每日親臨指導，並解決了諸多版本鑒定及分類上的疑難。全書最後由楊健同志統稿。《書目》的編纂得到了館領導的大力支持和兄弟館的熱情幫助。《書目》的出版則賴於北京圖書館出版社的領導和責任編輯的辛勞。在此一並致以衷心感謝。

由於我們水平有限，加之時間倉促，錯訛之處在所難免，敬請讀者批評指正。

編　者

2002年1月

編　　例

1. 本書目著錄北京師範大學圖書館（含系、所資料室）收藏的古籍善本 3281 種。收錄標準是遵照全國古籍善本總目編撰會議提出的"歷史文物性、學術資料性及藝術代表性"三項標準的精神，並結合館藏的實際情況確定的。
2. 本書目依照《中國古籍善本書目》的分類表，分經、史、子、集、叢書五部排列，具體類目結合館藏情況，略有改動。
3. 每類排列次序，一般按著者時代或内容時代，個别按地區或小類排列。
4. 每書著錄書名、卷數、著者、版本、册數、行款格式、版刻特徵、藏板地、鈐印、附注説明、書號等項；方志於書名前冠以纂修時代，並加括號標明；殘存的書，先於書名後著錄原書卷數，後著錄殘存卷數。
5. 爲了便於檢索，本書目附有書名索引、著者索引（惟叢書子目不作索引）。依漢語拼音順序排列。著者索引除收入主要責任者外，還收入部分次要責任者。
6. 本書目用繁體字排印。

目　錄

子部

集部

叢書部

書名索引

著者索引

經　　部

總類

0001

古香齋鑒賞袖珍五經八卷

清乾隆十三年(1748)武英殿刻本

十三册

十二行十七字,小字雙行同,白口,四周雙邊。鈐"志在青雲"印。

子目:

周易一卷

尚書一卷

毛詩二卷

禮記三卷

春秋一卷

(與《古香齋鑒賞袖珍四書》十九卷合函) 善 19638

0002

九經五十一卷

(明)秦鏷訂正

清觀成堂刻本

四十册

十三行二十四字,白口,四周雙邊。

子目:

周易圖説一卷周易三卷

書經四卷

詩經四卷

周禮六卷

禮記六卷

春秋十七卷

論語二卷

孝經一卷

孟子七卷　善 091.1/675

0003

十三經註疏三百三十三卷

明崇禎元年(1628)至十二年(1639)毛氏汲古閣刻本

一百四十六册

經文大字九行二十一字,注文中字二十一字,疏文小字雙行同,白口,左右雙邊。版心下鎸"汲古閣"。

子目:

周易兼義九卷　(魏)王弼　(晉)韓康伯注　(唐)孔穎達正義

尚書註疏二十卷　題(漢)孔安國傳　(唐)陸德明音義　(唐)孔穎達疏

毛詩註疏二十卷　(漢)毛亨傳　(漢)鄭玄箋　(唐)陸德明音義　(唐)孔穎達疏

周禮註疏四十二卷　(漢)鄭玄注　(唐)陸德明音義　(唐)賈公彦疏

儀禮註疏十七卷　(漢)鄭玄注　(唐)陸德明音義　(唐)賈公彦疏

禮記註疏六十三卷　(漢)鄭玄注　(唐)陸德明音義　(唐)孔穎達疏

春秋左傳註疏六十卷　(晉)杜預注　(唐)陸德明音義　(唐)孔穎達疏

春秋公羊註疏二十八卷　(漢)何休注　(唐)陸德明音義　(唐)徐彦疏

春秋穀梁註疏二十卷　(晉)范甯集解　(唐)陸德明音義　(唐)楊士勛疏

論語註疏解經二十卷　(魏)何晏集解　(宋)邢昺疏

孝經註疏九卷　(唐)玄宗李隆基注　(宋)邢昺校

爾雅註疏十一卷　(晉)郭璞注　(宋)邢昺疏

孟子註疏解經十四卷　(漢)趙岐注　題(宋)孫奭疏　善 091.2/180.1-02

0004

十三經注疏附考證三百四十八卷

清乾隆四年(1739)至十二年(1747)武英殿刻本

一百十四册

十行二十一字,小字雙行同,白口,左右雙邊。版心上鎸"乾隆四年校刊"。

子目:

周易注疏十三卷附考證　(魏)王弼　(晉)韓康伯注　(唐)陸德明音義　(唐)孔穎

達疏　略例一卷　(魏)王弼撰　(唐)陸德明音義　(唐)邢璹注
尚書注疏十九卷附考證　(漢)孔安國傳　(唐)陸德明音義　(唐)孔穎達疏
毛詩注疏三十卷附考證　(漢)毛亨傳　(漢)鄭玄箋　(唐)陸德明音義　(唐)孔穎達疏
周禮注疏四十二卷附考證　(漢)鄭玄注　(唐)陸德明音義　(唐)賈公彥疏
儀禮注疏十七卷附考證　(漢)鄭玄注　(唐)陸德明音義　(唐)賈公彥疏
禮記注疏六十三卷附考證　(漢)鄭玄注　(唐)陸德明音義　(唐)孔穎達疏
春秋左傳注疏六十卷附考證　(晉)杜預注　(唐)陸德明音義　(唐)孔穎達疏
春秋公羊傳注疏二十八卷附考證　(漢)何休撰　(唐)陸德明音義　(唐)徐彥疏
春秋穀梁傳注疏二十卷附考證　(晉)范甯集解　(唐)陸德明音義　(唐)楊士勛疏
論語注疏二十卷附考證　(魏)何晏集解　(唐)陸德明音義　(宋)邢昺疏
孝經注疏九卷附考證　(唐)玄宗李隆基注　(唐)陸德明音義　(宋)邢昺校
爾雅注疏十一卷附考證　(晉)郭璞注　(唐)陸德明音義　(宋)邢昺疏
孟子注疏十四卷附考證　(漢)趙岐注　(宋)孫奭音義並疏　　善 091.2/180.1

0005

通志堂經解一百三十九種一千八百四十五卷

(清)納蘭成德編

清康熙十九年(1680)納蘭成德刻乾隆五十年(1785)武英殿重修本

四百五十七册

各書版式、行數、字數不盡同,版心下鎸"通志堂"及刻工。

此書原刻凡一百四十種,重修本闕(宋)孫覺撰《龍學孫公春秋經解十五卷》,後粵東書局翻刻本亦然。

子目:
子夏易傳十一卷
易數鉤隱圖三卷遺論九事一卷　(宋)劉牧撰
横渠先生易説三卷　(宋)張載撰
易學一卷　(宋)王湜撰
紫巖居士易傳十卷　(宋)張浚撰
漢上易傳十一卷周易卦圖三卷周易叢説一卷　(宋)朱震撰
易璇璣三卷　(宋)吳沆撰
周易義海撮要十二卷　(宋)李衡撰
易小傳六卷　(宋)沈該撰
復齋易説六卷　(宋)趙彥肅撰
古周易一卷　(宋)呂祖謙等輯
童溪王先生易傳三十卷　(宋)王宗傳撰
易裨傳一卷外篇一卷　(宋)林至撰
易圖説三卷　(宋)吴仁傑撰
易學啓蒙通釋二卷圖一卷　(宋)胡方平撰
周易玩辭十六卷　(宋)項安世撰
東谷鄭先生易翼傳二卷　(宋)鄭汝諧撰
三易備遺十卷　(宋)朱元昇撰
丙子學易編一卷　(宋)李心傳撰
易學啓蒙小傳一卷古經傳一卷　(宋)稅與權撰
水村易鏡一卷　(宋)林光世撰
晦庵先生朱文公易説二十三卷　(宋)朱鑑輯
大易緝説十卷　(元)王申子撰
周易輯聞六卷易雅一卷筮宗一卷　(宋)趙汝楳撰
周易傳義附錄十四卷首一卷　(宋)董楷撰
學易記九卷首一卷　(元)李簡撰
讀易私言一卷　(元)許衡撰
俞氏易集説十三卷　(宋)俞琰撰
周易本義附錄纂注十五卷　(元)胡一桂撰
周易發明啓蒙翼傳三卷外篇一卷　(元)胡一桂撰
周易本義通釋十二卷輯錄雲峰文集易義一卷　(元)胡炳文撰
易纂言十二卷首一卷　(元)吳澄撰
周易本義集成十二卷首一卷　(元)熊良輔撰
周易經傳集程朱解附錄纂注十四卷首一卷附一卷　(元)董真卿撰
易圖通變五卷　(宋)雷思齊撰
易象圖説内篇三卷外篇三卷　(元)張理撰
大易象數鉤深圖三卷　(元)張理撰
周易參義十二卷　(元)梁寅撰
合訂删補大易集義粹言八十卷　(清)納蘭成德撰
書古文訓十六卷　(宋)薛季宣撰

三山拙齋林先生尚書全解四十卷(原缺卷三十四)　(宋)林之奇撰
程尚書禹貢論二卷後論一卷山川地理圖二卷　(宋)程大昌撰
尚書說七卷　(宋)黄度撰
增修東萊書說三十五卷首一卷　(宋)呂祖謙撰　(宋)時瀾修定
書疑九卷　(宋)王柏撰
書集傳或問二卷　(宋)陳大猷撰
杏溪傅氏禹貢集解二卷　(宋)傅寅撰
尚書詳解十三卷　(朱)胡士行撰
尚書表注二卷　(宋)金履祥撰
尚書纂傳四十六卷　(元)王天與撰
書蔡氏傳輯錄纂注六卷首一卷　(元)董鼎撰
書纂言四卷　(元)吳澄撰
書蔡氏傳旁通六卷　(元)陳師凱撰
尚書句解十三卷　(元)朱祖義撰
書集傳纂疏六卷首一卷　(元)陳櫟撰
尚書通考十卷　(元)黄鎮成撰
王耕野先生讀書管見二卷　(元)王充耘撰
定正洪範集說一卷首一卷　(元)胡一中撰
毛詩指說一卷　(唐)成伯璵撰
詩本義十五卷鄭氏詩譜補亡一卷　(宋)歐陽修撰
李迂仲黄實夫毛詩集解四十二卷首一卷　(宋)李樗、黄櫄講義　(宋)呂祖謙釋音
毛詩名物解二十卷　(宋)蔡卞撰
詩說一卷　(宋)張耒撰
詩疑二卷　(宋)王柏撰
詩傳遺說六卷　(宋)朱鑑撰
逸齋詩補傳三十卷篇目一卷　(宋)范處義撰
詩集傳名物鈔八卷　(元)許謙撰
詩經疑問七卷　(元)朱倬撰　附編一卷　(宋)趙悳撰
詩解頤四卷　(明)朱善撰
春秋尊王發微十二卷附錄一卷　(宋)孫復撰
春秋皇綱論五卷　(宋)王晳撰
春秋劉氏傳十五卷　(宋)劉敞撰
春秋權衡十七卷　(宋)劉敞撰
劉氏春秋意林二卷　(宋)劉敞撰
春秋年表一卷
春秋名號歸一圖二卷　(後蜀)馮繼光撰
春秋臣傳三十卷　(宋)王當撰
西疇居士春秋本例二十卷　(宋)崔子方撰
木訥先生春秋經筌十六卷　(宋)趙鵬飛撰
石林先生春秋傳二十卷　(宋)葉夢得撰
止齋先生春秋後傳十二卷　(宋)陳傅良撰
春秋集解三十卷　(宋)呂祖謙撰
左氏傳說二十卷　(宋)呂祖謙撰
春秋左氏傳事類始末五卷附錄一卷　(宋)章冲撰
春秋提綱十卷　(宋)陳則通撰
春秋王霸列國世紀編三卷　(宋)李琪撰
春秋通說十三卷　(宋)黄仲炎撰
春秋集註十一卷綱領一卷　(宋)張洽撰
春秋或問二十卷　(宋)呂大圭撰
春秋五論一卷　(宋)呂大圭撰
則堂先生春秋集傳詳說三十卷綱領一卷　(宋)家鉉翁撰
春秋類對賦一卷　(宋)徐晉卿撰
春秋諸國統紀六卷　(元)齊履謙撰
春秋本義三十卷首一卷　(元)程端學撰
春秋或問十卷　(元)程端學撰
春秋集傳十五卷　(元)趙汸撰　(明)倪尚誼校定
春秋屬辭十五卷　(元)趙汸撰
春秋師說三卷附錄二卷　(元)趙汸撰
春秋左氏傳補注十卷　(元)趙汸撰
春秋諸傳會通二十四卷首一卷　(元)李廉撰
春秋集傳釋義大成十二卷首一卷　(元)俞臯撰
清全齋讀春秋編十二卷　(元)陳深撰
春秋春王正月考一卷辨疑一卷　(明)張以寧撰
新定三禮圖二十卷　(宋)聶崇義集注
東巖周禮訂義八十卷首一卷　(宋)王與之撰
鬳齋考工記解二卷　(宋)林希逸撰
儀禮圖十七卷旁通圖一卷　(宋)楊復撰　附儀禮本經十七卷
禮記集說一百六十卷　(宋)衛湜撰
禮經會元四卷　(宋)葉時撰
太平經國之書十一卷首一卷　(宋)鄭伯謙撰
夏小正戴氏傳四卷　(宋)傅崧卿注
儀禮集說十七卷　(元)敖繼公撰
儀禮逸經傳一卷　(元)吳澄撰
經禮補逸九卷附錄一卷　(元)汪克寬撰

禮記陳氏集説補正三十八卷　(清)納蘭成德撰
孝經註解一卷　(唐)玄宗李隆基注　(宋)司馬光指解　(宋)范祖禹説
孝經大義一卷　(元)董鼎撰
孝經一卷　(元)吳澄校定
晦庵先生所定古文孝經句解一卷　(元)朱申撰
南軒先生論語解十卷　(宋)張栻撰
論語集説十卷　(宋)蔡節撰
南軒先生孟子説七卷　(宋)張栻撰
孟子集疏十四卷　(宋)蔡模撰
孟子音義二卷　(宋)孫奭撰
大學纂疏一卷中庸纂疏一卷論語纂疏十卷孟子纂疏十四卷　(宋)趙順孫撰
大學集編一卷中庸集編一卷論語集編十卷孟子集編十四卷　(宋)真德秀撰
大學通一卷中庸通一卷論語通十卷孟子通十四卷　(元)胡炳文撰
大學章句或問通證一卷中庸章句或問通證一卷論語集注通證二卷孟子集注通證二卷　(元)張存中撰
大學章句纂箋一卷大學或問纂箋一卷中庸章句纂箋一卷中庸或問纂箋一卷論語集注纂箋十卷孟子集注纂箋十四卷　(元)詹道傳撰
四書通旨六卷　(元)朱公遷撰
四書辨疑十五卷　(元)陳天祥撰
大學集説啓蒙一卷中庸集説啓蒙一卷　(元)景星撰
經典釋文三十卷　(唐)陸德明撰
公是先生七經小傳三卷　(宋)劉敞撰
六經奥論六卷首一卷　(宋)鄭樵撰
六經正誤六卷　(宋)毛居正撰
熊先生經説七卷　(元)熊朋來撰
十一經問對五卷　(元)何異孫撰
五經蠡測六卷　(明)蔣悌生撰　善3756

0006

五經旁訓十九卷(存四種十三卷)

(元)李恕撰

明萬曆二十四年(1596)陳大科刻本

十六册

七行二十字,白口,左右雙邊。有刻工。鈐"粹芬閣"印。

子目:

易經旁訓三卷
書經旁訓二卷
詩經旁訓四卷
春秋旁訓四卷　善091.31/160

0007

三經評注五卷

(明)閔齊伋輯

明萬曆間閔齊伋刻三色套印本

四册

八行十八字,白口,左右雙邊。鈐"張鉽鼎"等印。

子目:

考工記二卷　(明)郭正域批點
檀弓一卷　(宋)謝枋得等批點
蘇老泉批點孟子二卷　(宋)蘇洵批點

善091.31/458

易類

0008

周易兼義九卷(存卷四至五)

(唐)孔穎達撰

音義一卷

(唐)陸德明撰

略例一卷

(魏)王弼撰　(唐)邢璹注

明萬曆十四年(1586)北京國子監刻《十三經註疏》本　(清)傅山朱筆批點

二册

九行二十一字,小字雙行同,白口,左右雙邊。版心上鎸"萬曆十四年刊"。鈐"傅山之印"印。

善092.224/112-8

0009

周易九卷

(魏)王弼　(晉)韓康伯注

略例一卷

(魏)王弼撰　(唐)邢璹注

清乾隆四十八年(1783)武英殿刻《仿宋相臺五經附考證》本

三册

八行十七字,小字雙行同,白口,四周雙邊。

《考證》十行二十一字。版心上鎸"乾隆四十八年"。　善 092.224/112－06

0010

周易集解十七卷

(唐)李鼎祚撰

略例一卷

(魏)王弼撰　(唐)邢璹注

明嘉靖三十六年(1557)朱睦㮮聚樂堂刻本　佚名朱筆校

八册

八行十八字,白口,四周雙邊。版心上鎸"聚樂堂"。鈐"龔衡圃家珍藏"、"獨山莫祥芝藏書記"、"天麟所藏"等印。　善 092.241/289

0011

周易口訣義六卷

(唐)史徵撰

清抄本

四册

八行二十、二十一字不等。鈐"王氏信芳閣藏書印"、"秀水王相"等印。　善 092.241/455

0012

蘇氏易解八卷

(宋)蘇軾撰

明萬曆二十二年(1594 年)冰玉堂刻本

四册

八行十七字,白口,左右雙邊。版心下鎸"冰玉堂"。鈐"光緒初書歸黄縣王氏海西閣"、"靖廷手校"、"靖廷"諸印。

又一部　八册　鈐"陳家康藏書"印

善 092.251/554－02

0013

蘇長公易解八卷

(宋)蘇軾撰

明萬曆二十四年(1596)吳之鯨刻本

五册

九行十九字,白口,左右雙邊。

善 092.251/554

0014

周易經傳集解三十六卷

(宋)林栗撰

清四美堂抄本　王禮培跋

十册

八行二十字,黑格,黑口,四周雙邊。版框外鎸"四美堂寫定未刻本"。鈐"曾藏沈燕謀家"、"掃塵齋讀書記"、"王禮培印"、"小招隱館"諸印。

王禮培(1864－1943),字佩初,晚號潛虚老人。湖南湘鄉人。光緒十九年(1893)舉人。後留學日本。三十年代初曾任河南大學教授。家中藏書甚富,且多抄校本,爲葉德輝之後湘中著名藏書家。工詩,著有《小招隱館詩篇》等。

善 092.251/255

0015

周易本義十二卷易圖一卷五贊一卷筮儀一卷

(宋)朱熹撰

清康熙五十年(1711)曹寅刻本

四册

八行十六字,小字雙行二十字,白口,左右雙邊。有圖。　善 12317

0016

周易傳義大全二十四卷卷首一卷

(明)胡廣等輯

明永樂十三年(1415)内府刻本

十二册

十行二十二字,小字雙行同,黑口,四周雙邊。

善 092.26/220－02

0017

易經蒙引十二卷

(明)蔡清撰

明萬曆三十八年(1610)刻本

三十二册

十行二十二字,白口,左右雙邊。

善 092.26/562

0018

易學四同八卷(存卷一至六)**别錄四卷**

(明)季本撰

明嘉靖四十年(1561 年)刻本

十八册

十行二十一字,白口,四周單邊。鈐"小李山房圖籍"、"沈仲濤讀書記"、"研易樓藏書印"諸印。

沈仲濤,原籍浙江山陰,現代藏書家。平日喜研周易,因顔所居曰研易樓。1949 年去臺,1980 年將所存宋元明珍本一千多册悉贈予臺北國立故宫博物院。　善 092.26/808

0019

周易集註十六卷雜説一卷啓蒙一卷

(明)來知德撰
明萬曆三十八年(1610)張惟任刻本
十册
九行二十字,白口,四周單邊。有圖。鈐"王起隆印"、"東海之庵"印。　善 092.26/344

0020
今文周易演義十二卷卷首一卷
(明)徐師曾撰
明隆慶二年(1568)董漢策重刻本
十二册
十一行二十二字,白口,左右雙邊。
善 092.265/953

0021
易原八卷
(明)陳錫撰
明萬曆二十七年(1599)重刻本
八册。
九行二十一字,白口,四周單邊。有刻工羅仁曉、吉良、吉定、吉祥、肖同等。　善 092.26/385

0022
像象管見九卷
(明)錢一本撰
明萬曆間刻本
十册
十行二十一字,小字雙行同,白口,四周單邊。前有萬曆四十二年(1614)鄒元標序。
善 092.268/927

0023
周易宗義十二卷
(明)程汝繼撰
明萬曆三十年(1602)自刻本
十二册
十行二十二字,白口,左右雙邊。鈐"四明張氏古歡室藏書記"、"古歡堂秘荚"諸印。
善 092.26/791

0024
新鐫易經家訓六卷
(明)王納諫撰
明孫承義刻本
六册
十行二十五字,白口,四周雙邊。眉上鐫評。
善 092.26/117

0025
今易圖學心法釋義不分卷
(明)容若春撰
明萬曆三十八年(1610)刻本
三册
十行二十二字,白口,四周雙邊。有圖。
善 092.5/703

0026
周易正解十七卷讀易一卷
(明)郝敬撰
明萬曆間郝千秋郝千石刻《九部經解》本
十六册
十行二十、二十一字不等,白口,四周單邊。是書後增刻至二十卷。　善 092.26/209

0027
以易解六卷
(明)蔣庸撰
明崇禎十一年(1638)刻本
二册
九行二十字,白口,四周單邊。
善 092.268/526

0028
説易十二卷
(明)喬中和撰
明崇禎十年(1637)刻《躋新堂集》本
五册
九行二十字,白口,四周單邊。版心上鐫"躋新堂集"。　善 092.26/809

0029
讀易質疑二十卷
(清)汪璲撰
稿本
八册
九行二十一字,藍格,白口,四周雙邊。版心下鐫"儀典堂"。鈐"汪璲之印"、"文儀"、"研易樓"、"研易樓藏書印"、"沈仲濤讀書記"諸印。
是書有康熙四十二年(1703)儀典堂刻本。
善 092.7/707

0030
周易會歸不分卷
(清)鄧霽輯
清康熙五十一年(1712)龍南學署刻本
八册
八行經文大字二十六字,注文小字雙行同,白

口,四周單邊。　善 092.27/372

0031

周易函書約存十八卷約注十八卷别集十六卷

(清)胡煦撰

清乾隆間胡氏葆璞堂刻本

二十六册

十行二十四字(經文大字二十一字),白口,四周雙邊。版心鎸"葆璞堂"。　善 092.27/218

0032

易經發蒙六卷

(清)王朝珊撰

清康熙間培桂齋刻本

五册

十二行二十六字,白口,左右雙邊。版心下鎸"培桂齋"。封面鎸"培桂齋藏板"。

善 092.27/113

0033

周易觀象十二卷

(清)李光地撰

清雍正間刻本

三册

十一行二十字,白口,四周單邊。原鈐"御賜教忠堂"印。鈐"國子監"(滿漢文)等印。

書板後匯入乾隆元年(1736)印《安溪李先生全集》。　善 092.27/290-8

0034

周易通論四卷

(清)李光地撰

清雍正間刻本

二册

九行十九字,白口,左右雙邊。原鈐"御賜教忠堂"印。鈐"國子監"(滿漢文)印。

書板後匯入乾隆元年(1736)印《安溪李先生全集》。　善 092.27/290

0035

周易補註十一卷

(清)德沛撰

清乾隆六年(1741)刻本

六册

九行二十字,白口,四周雙邊。鈐"豐府藏書"、"檀益藏本"、"古澶州袁卧雪廬收藏"印。

善 6713

0036

增輯易象圖説不分卷

(明)吳脉鬯撰

清抄本

二册

九行十七字,無格。"玄"不避諱。

善 092.5/441-02

0037

易曉三卷

(清)夏葛撰

稿本

三册

前有乾隆八年(1743)陳作梅手書序。

《販書偶記》著録。　善 092.27/348

0038

易學圖説會通八卷

(清)楊方達撰

清乾隆間復初堂刻本

四册

十一行二十二字,黑口,四周單邊。前有乾隆三年(1738)楊方達自序。　善 092.27/271

0039

讀易輯要不分卷

舊抄本

二册

九行二十字,無格。鈐"對山樓藏書"印。

善 092.7/602

0040

周易象義通詮七卷卷首一卷

夏適撰

民國間稿本

六册　善 092.28/348

書類

0041

尚書十三卷附考證

題(漢)孔安國傳　(唐)陸德明音義

清乾隆四十八年(1783)武英殿刻《仿宋相臺五經附考證》本

五册

八行十七字,小字雙行同,白口,四周雙邊。《考證》十行二十一字。版心上鎸"乾隆四十八年"。開化紙印。　善 093.22/370-03

0042

尚書註疏二十卷(存卷七至十二、十五、十六、十九至二十)

題(漢)孔安國傳　(唐)孔穎達疏　(唐)陸德明釋文

明萬曆十五年(1587)北京國子監刻《十三經註疏》本　(清)傅山朱筆批點

四册

九行二十一字,白口,左右雙邊。版心上鎸"萬曆十五年刊"。鈐"傅山之印"印。

善 093.241/370-7-02

0043

東坡書傳二十卷

(宋)蘇軾撰

明萬曆間凌濛初刻朱墨套印本

八册

九行十九字,白口,四周單邊。眉上鎸評。鈐"悦書閲過"、"石生泉印"印。　善 093.251/554

0044

尚書講義二十卷

(宋)史浩撰

清顧沅藝海樓抄本

四册

八行二十一字,藍格,白口,四周雙邊。版心下鎸"藝海樓"。　善 093.2522/455

0045

書經集註十卷

(宋)蔡沈撰

明隆慶三年(1569)周文奎刻本　佚名朱筆批注

二册

九行十七字,小字雙行同,白口,左右雙邊。

善 093.252/562-08

0046

書集傳六卷圖一卷朱子説書綱領一卷

(宋)蔡沈撰　(元)鄒季友音釋

元至正十一年(1351)德星書堂刻本　黄裳題識

八册

十二行二十一字,小字雙行同,黑口,四周雙邊。鈐"周星詒"、"曹家駼"、"江都曹氏家駼秘笈"、"曹聲範印"、"曹聲濤印"、"雲自在堪"、"陳立炎"、"黄裳"、"黄裳珍藏善本"、"古書流通處"等印。　善 093.252/562-06

0047

書集傳六卷(存卷六)

(宋)蔡沈撰　(元)鄒季友音釋

元刻本

一册

十三行二十三字,小字雙行同,黑口,四周雙邊。鈐"汲古主人"、"子晉"、"許春藏經籍金石書畫"印。　093.252/562-17

0048

書集傳六卷首一卷末一卷

(宋)蔡沈撰　(元)鄒季友音釋

清同治五年(1866)吳氏望三益齋刻本　佚名朱筆批注

六册

九行十八字,小字雙行同,白口,左右雙邊。版心下鎸"望三益齋"。鈐"曾藏錢塘蔡氏"印。

善 093.252/562-07

0049

書傳大全十卷(存卷四至五)

(明)胡廣等奉敕纂

明内府抄本

一册

十行二十二字,小字雙行同,紅格,紅口,四周雙邊。　善 4879

0050

新刊書經批註分旨白文便覽十卷

(明)游有堂輯

明隆慶六年(1572)星源游震得刻本

二册

兩節版。上欄二十行十三字。下欄八行二十字,四周單邊。　善 093.26/749

0051

尚書日記十六卷

(明)王樵撰

明刻崇禎五年(1632)莊繼光重修本

六册

十行二十字,白口,四周單邊。　善 093.7/113

0052

劉季子書經講意不分卷

(明)劉爾碩撰

明萬曆二十一年(1593)刻本

十二册

十行二十字,白口,四周雙邊。有圖。有刻工王順、朱經、李文、呂中等。　善 093.26/888

0053

尚書稗疏四卷

(清)王夫之撰

清抄本

七册

八行二十一字,無格。鈐"柯逢時印"印。

善 093.27/112.1

0054

尚書解義二卷

(清)李光地撰

清雍正間刻本

一册

九行十九字,白口,左右雙邊。原鈐"御賜教忠堂"印。鈐"國子監"(滿漢文)等印。

書板後匯入乾隆元年(1736)印《安溪李先生全集》。 善 093.27/290

0055

豐川今文尚書質疑八卷通論一卷

(清)王心敬撰

清乾隆三年(1738 年)刻本

八册

十行二十一字,白口,四周雙邊。

善 093.27/117

0056

古文尚書攷二卷

(清)惠棟撰

清乾隆五十七年(1792)刻本

一册

十行二十一字,小字雙行同,白口,左右雙邊。封面鐫"乾隆五十七年刊"、"讀書樓定本"。

善 1009

0057

尚書攷辨四卷

(清)宋鑒撰

清嘉慶四年(1799)刻本

四册

十二行二十四字,小字雙行同,白口,四周單邊。 善 6811

0058

尚書亼註音疏十二卷末一卷外編一卷

(清)江聲撰

清乾隆五十八年(1793)江聲篆書寫刻本

十册

十行經文大字十四字,注文小字單行二十一字,疏文小字雙行二十一字,白口,左右雙邊。

又一部　十二册 善 093.27/719

0059

尚書後案三十卷尚書後辨一卷

(清)王鳴盛撰

清乾隆四十五年(1780)禮堂刻本

六册

十四行三十字,小字雙行四十四字,細黑口,四周單邊。封面鐫"禮堂藏板"。

又一部　八册 善 093.27/115

0060

尚書後案三十卷

(清)王鳴盛撰

清乾隆四十五年(1780)禮堂刻頤志堂印本

(清)丁晏墨筆校注

八册

十四行三十字,小字雙行四十四字,細黑口,四周單邊。封面鐫"頤志堂藏板"。

善 093.27/115-02

0061

書傳鹽梅二十卷

(清)黄文蓮撰

清乾隆五十二年(1787)刻本

八册

十行二十四字,白口,左右雙邊。

善 093.27/169

0062

古文尚書撰異三十二卷

(清)段玉裁撰

清嘉慶間七葉衍祥堂刻本

八册

十一行二十二字,小字雙行同,白口,左右雙邊。 善 093.27/879

0063

尚書古文證疑四卷

(清)孫喬年撰

清嘉慶十五年(1810 年)天心閣刻本

二册

十行十九字,小字雙行同,白口,左右雙邊。封面鐫"天心閣藏板"。 善 093.7/367

0064

尚書諸家引經異字同聲攷□卷(存卷二)

(清)丁綬撰

稿本

四册

十一行二十五字,小字雙行同,白口,四周單邊。前有同治十年(1871)自序,後有光緒十年(1884)後序。　善 093.6/158

0065

尚書古文考一卷

(日本)山井鼎撰

清乾隆間李調元校刻本

一册

十行二十字,小字雙行同,白口,四周雙邊。　善 1022

0066

禹貢古今合註五卷圖一卷

(明)夏允彝撰

明崇禎間刻本

三册

九行十九字,白口,左右雙邊。善 093.31/348

0067

禹貢錐指二十卷略例一卷禹貢圖一卷

(清)胡渭撰

清康熙四十四年(1705)胡氏漱六軒刻本

十册

十一行二十一字,白口,左右雙邊。版心鎸"漱六軒"。白棉紙初印。

又一部　八册　(與《洪範正論》五卷合函)　善 093.31/221

0068

禹貢譜二卷

(清)王澍撰

清抄本

九行二十字,黑口,四周單邊。彩圖。　善 093.31/118

0069

禹貢譜二卷

(清)王澍撰

清康熙四十六年(1707)積書巖刻本

一册

九行二十字,黑口,四周單邊。有圖。封面鎸"積書巖藏板"。　善 093.31/118-02

0070

胡氏禹貢錐指勘補十二卷

(清)姚燮撰

清馮成熏思滌軒抄本

二册

十行二十四字,綠格,白口,四周雙邊。版心下鎸"思滌軒"。　善 093.31/221-994

0071

禹貢彙覽四卷

(清)夏之芳輯

清乾隆十二年(1747)積翠軒刻本

四册

九行二十字,白口,左右雙邊。封面鎸"積翠軒藏板"。

又一部　四册　善 093.31/348.6

0072

禹貢指掌一卷

(清)鬫涵撰

清乾隆五十三年(1788)刻本

一册

九行二十三字,小字雙行同,白口,左右雙邊。　善 093.31/460

0073

禹貢九州攷二卷

舊抄本

二册

十行二十字,無格。　善 093.31/865

0074

洪範彙成二卷

(宋)蔡沈撰　(清)劉召材續補

清雍正六年(1728)信斯堂刻本

二册

九行二十四字,小字雙行同,白口,四周雙邊。版心下鎸"信斯堂"。有圖表。封面鎸"信斯堂藏板"。　善 093.32/562

0075

洪範正論五卷

(清)胡渭撰

清乾隆四年(1739)胡紹芬刻本

二册

十一行二十一字,白口,左右雙邊。有圖。(與《禹貢錐指二十卷》合函)。　善 093.31/221

0076

洪範註補五卷

(清)潘士權撰

清乾隆四年(1739)國子監刻本
四册
九行二十三字,白口,四周雙邊。封面鎸"國子監刊板"。　善093.32/754

詩類

0077
毛詩不分卷
明嘉靖間廣陽陳儒刻《五經本》　佚名朱筆批注
二册
九行十七字,白口,四周雙邊。善094.11/781

0078
詩經不分卷
舊抄本　佚名墨筆批注
一册
七行二十字,小字雙行同,無格。鈐"寶詩簃鑒藏"印。　善094.127/602

0079
詩經八卷
(宋)朱熹集傳
清掃葉山房刻本　(清)樊毓鏐墨筆批校
四册
九行十七字,小字雙行同,白口,左右雙邊。版心下鎸"掃葉山房"。　善094.1252/828-011

0080
詩集傳二十卷詩序辨説一卷詩傳綱領一卷詩圖一卷
(宋)朱熹撰
明正統十二年(1447年)司禮監刻本
六册
八行經文大字十四字,注文小字雙行十八字,黑口,四周雙邊。　善094.1252/828-08

0081
詩集傳二十卷詩序辨説一卷詩傳綱領一卷詩圖一卷
(宋)朱熹撰
明翻刻正統十二年(1447)司禮監本
十二册
八行經文大字十四字,注文小字雙行十八字,黑口,四周雙邊。　善094.1252/828-022

0082
童子問八卷首一卷末一卷
(宋)輔廣撰
明末毛氏汲古閣刻本
四册
九行十九字,小字雙行同,白口,左右雙邊。版心下鎸"汲古閣"。　善094.17/135

0083
呂氏家塾讀詩記三十二卷
(宋)呂祖謙撰
清嘉慶十六年(1811年)聽彝堂刻本　(清)顧廣譽墨筆批注並題識
十二册
十行二十字,白口,四周雙邊。鈐"顧廣譽印"印。　善094.1252/444-02

0084
詩緝三十六卷(存二十七至三十六卷)
(宋)嚴粲撰
明嘉靖間趙府味經堂刻本
三册
九行十八字,白口,四周雙邊。版心鎸"味經堂"。鈐"劉盼遂印"印。　善094.1252/428-05

0085
詩經疑問七卷
(元)朱倬撰
清吴翌鳳抄本　吴翌鳳朱筆題識
二册
十一行二十一字,無格。　善094.17/834

0086
詩經大全二十卷綱領一卷圖一卷
(明)胡廣等輯
詩序辨説一卷
(宋)朱熹撰
明刻本
七册
十一行二十一字,小字雙行同,黑口,四周雙邊。鈐"餘姚謝氏永耀樓藏書"印。
善094.126/220

0087
詩傳大全二十卷綱領一卷圖一卷
(明)胡廣等輯
詩序辨説一卷
(宋)朱熹撰
詩經考異一卷
(宋)王應麟撰
明末刻本
八册

八行二十一字,小字雙行同,白口,左右雙邊。鈐"松下藏"、"武昌柯逢時所藏圖記"、"柯逢時印"諸印。　善 094.12/602

0088
新鐫張閣老進呈經筵詩經直解四卷
(明)張居正撰
明末刻本
三册
二節版。上欄二十行十四字,下欄十行十九字,小字雙行同,白口,四周單邊。善 094.126/307

0089
孫月峰先生批評詩經四卷
(明)孫鑛評
明天益山刻本
二册
九行二十一字,白口,四周單邊。眉上鐫評。　善 094.126/368

0090
葉太史參補古今大方詩經大全十五卷綱領一卷圖一卷
(明)葉向高撰
明閩中芝城建邑書林余氏刻本
八册
十一行二十字,小字雙行同,白口,四周雙邊。有圖表。鈐"程炳奎印"、"星槎"印。　善 094.126/504

0091
毛詩正變指南圖一卷詩經金丹彙考一卷詩經難字一卷
(明)顧鄴初撰
明版築居刻朱墨套印本
一册
白口,四周單邊,有圖。封面鐫"版築居藏板"。　善 094.14/965

0092
詩經説通十三卷卷首一卷
(明)沈守正撰
明萬曆四十三年(1615)刻本
四册
十行二十字,白口,四周單邊。序後鐫"黄應中鐫"。　善 094.17/746

0093
詩經纂註八卷
(明)鍾惺撰
明刻本　佚名朱墨藍筆批注
一册
十行二十字,小字雙行同,白口,左右雙邊。　善 094.1252/828-6

0094
詩經不分卷
(明)鍾惺批點
明萬曆天啓間吳興凌杜若刻朱墨套印本
四册
八行十八字,白口,左右雙邊。眉上鐫評。鈐"黄紹齋家珍藏"、"五福堂所藏明版善本書"印。　善 094.17/937

0095
毛詩振雅六卷
(明)張元芳　魏浣初撰
明天啓四年(1624)版築居刻朱墨套印本
八册
三節版。中欄八行十四字,白口,四周單邊。封面鐫"版築居藏板"。　善 094.126/306

0096
詩經水月備攷四卷
(明)薛寀撰
明末嘗郡舒濬溪刻本
四册
九行二十四字,白口,四周單邊。版心鐫"濬溪原板"。　善 094.14/572

0097
詩所八卷
(清)李光地撰
清雍正六年(1728)李清植刻本
三册
九行二十字,白口,左右雙邊。原鈐"御賜教忠堂"印。鈐"國子監"(滿漢文)印。
書板後匯入乾隆元年(1736)印《安溪李先生全集》。
又一部　四册　善 094.127/290

0098
欽定詩經傳説彙纂二十一卷卷首二卷詩序二卷
(清)王鴻緒等撰
清雍正五年(1727)内府刻本
十六册
八行十八字、中字二十二字、小字雙行二十二

字,白口,四周雙邊。有圖。 善 094.127/118

0099

毛詩稽古編三十卷

(清)陳啓源撰

清抄本　佚名朱筆校

十六册

十一行二十二字,無格。鈐"肖室山房藏書"印。 善 094.127/385-02

0100

毛詩稽古編三十卷

(清)陳啓源撰

清嘉慶十八年(1813)龐佑清校刻本

六册

十行二十五字,白口,左右雙邊。

善 094.127/385-03

0101

讀詩質疑三十一卷卷首十五卷末一卷

(清)嚴虞惇撰

清乾隆間嚴有禧刻本

十二册

十一行二十二字,白口,左右雙邊。鈐"誃劍樓"、"多文爲富"印。前有乾隆九年(1744)黄叔琳序。 善 094.127/428

0102

詩學女為二十六卷

(清)汪梧鳳撰

清乾隆間不疎園刻本

四册

十行二十一字,白口,左右雙邊。封面鐫"不疎園藏板"。前附乾隆三十七年(1772)鄭虎文撰《明經松溪先生汪君行狀》。 善 094.127/708

0103

詩瀋二十卷

(清)范家相撰

清乾隆三十九年(1774)古趣亭刻本

三册

十行二十二字,黑口,左右雙邊。封面鐫"古趣亭藏板"。 善 1052

0104

詩疑義釋二卷

(清)胡文英撰

清乾隆四十九年(1784)留芝堂刻本

二册

九行十八字,白口,左右雙邊。有圖。封面鐫"留芝堂藏板"。 善 094.17/220

0105

毛詩注疏不分卷

(清)夏封泰撰

清乾隆間刻本　佚名朱筆圈點、墨筆過錄諸家箋注

六册

大字九行二十四字,白口,左右雙邊。前有乾隆二十四年(1759)夏封泰撰《毛詩注疏學小引》。

善 094.127/348

0106

毛詩紬義二十四卷

(清)李黼平撰

清道光十九年(1839)刻本　葉德輝跋

六册

十行二十一字,白口,左右雙邊。鈐"葉德輝焕彬甫閲藏書"、"高閬仙藏書記"印。

善 094.127/290.2

0107

讀詩攷字二卷補編一卷

(清)程大鏞撰

清道光二十五年(1845)叢桂軒刻本

二册

九行二十一字,白口,四周雙邊。封面鐫"叢桂軒藏板"。 善 094.16/787

0108

睫巢詩説一卷睫巢詠詩一卷

(清)鄭鵬程撰

清道光十一年(1831)鄭爲輯抄本

一册

八行二十五字,無格。 善 094.127/978

0109

詩學自怡錄不分卷

(清)王約撰

清抄本

二册

十行三十字,無格。前有咸豐二年(1852)黄式三叙。鈐"黄式三"、"薇香"印。 善 094.17/119

0110

師白山房詩義輯不分卷

(清)張學尹撰

清抄本　佚名朱筆校

四册

八行二十字,注文雙行同,無格。鈐"星耀書屋"印。　善 094.127/314－02

0111

詩經類考三十卷

(明)沈萬鈳輯

明萬曆間刻本

三十二册

十行二十字,白口,四周單邊。善 094.14/743

0112

六家詩名物疏五十五卷提要三卷

(明)馮復京撰

明萬曆間刻本

八册

九行十九字,白口,四周單邊。有刻工。前有萬曆三十三年(1605)申時行等序。善 094.14/774

0113

毛詩名物圖説九卷

(清)徐鼎撰

清乾隆三十六年(1771)刻本

二册

十四行二十字,白口,四周單邊。有圖。

善 12254

0114

草木疏校正二卷

(清)趙佑撰

清乾隆間刻本

二册

九行二十字,小字雙行同,白口,四周雙邊。有乾隆五十六年(1791)趙佑跋。

善 094.14/386－204

0115

毛詩庶物疏補遺一卷詩傳校異一卷

(清)吳晉禾撰

清末稿本　(清)宗源翰等題識

三册

十行二十一字,無格。　善 094.14/436

0116

毛詩品物圖考七卷

(日本)岡元鳳撰

日本天明四年(1784)四書坊刻本

三册　善 1041

0117

詩經葉音辨譌八卷卷首一卷

(清)劉維謙撰

清乾隆三年(1738)張卿雲、張景星刻本

三册

八行十九字,注文雙行同,白口,四周單邊。版心下鎸"壽峰書屋"。　善 094.16/893

0118

詩經音韻譜五卷章句觸解一卷

(清)甄士林撰

清道光五年(1825)種松書屋刻本

五册

兩節版。下欄七行十七字,白口,四周雙邊,上欄鎸注。卷五末頁鎸"種松書屋藏板"。

善 094.16/148

0119

韓詩外傳十卷

(漢)韓嬰撰　(清)趙懷玉校正

序説一卷補逸一卷校補一卷

清乾隆五十五年(1790)亦有生齋刻本

四册

十行二十一字,小字雙行同,白口,左右雙邊。版心下鎸"亦有生齋校正本"。

善 094.25/229－02

0120

韓詩外傳校注十卷拾遺一卷

(清)周廷寀撰

清乾隆五十六年(1791)營道堂刻本

二册

二十字,小字雙行同,白口,四周單邊。封面鎸"營道堂藏板"。鈐"嬰闇秦氏藏書"、"誠甬草堂鑒藏圖書記"、"秦更年印"、"秦曼青"諸印。(與《西漢儒林傳經表二卷》合函)　善 094.25/820

0121

三百篇原聲七卷

(清)夏味堂撰

清嘉慶十二年(1807)棣華書屋刻本

一册

十行二十字,白口,四周單邊。善 094.16/348

禮類

周禮

0122
周禮註疏四十二卷
(漢)鄭玄注　(唐)陸德明音義　(唐)賈公彦等疏
明嘉靖間李元陽刻《十三經注疏》本　馬叙倫跋
十六册
九行二十一字,小字雙行同,白口,四周單邊。有刻工。鈐"天馬山房藏書印"印。　善1115

0123
附釋音周禮註疏四十二卷
(漢)鄭玄注　(唐)陸德明釋文　(唐)賈公彦等疏
元刻明修本
二十四册
十行十七字,小字雙行二十三字,黑口或白口,左右雙邊或四周單邊或四周雙邊。鈐"周星詒"、"季貺"印。　善095.122/976-150

0124
宋葉文康公禮經會元四卷
(宋)葉時撰　(清)許元淮删節
清乾隆五十五年(1790)黄暹刻本
四册
九行二十字,白口,左右雙邊。鈐"李氏家藏書畫之印"印。　善095.125/504

0125
註釋古周禮五卷考工記一卷
(明)郎兆玉撰
明天啓間郎氏堂策檻刻本
六册
九行二十字,白口,四周單邊。版心鎸"堂策檻"。有明天啓六年(1626)張堯翼序。　善1119

0126
周禮註疏删翼三十卷
(明)王志長撰
明崇禎十二年(1639)葉培恕刻本
十二册
八行十九字,小字雙行同,白口,左右雙邊。　善1120

0127
周官精義十二卷
(清)連鬥山撰
清乾隆四十一年(1776)刻本
十册
九行二十三字,白口,左右雙邊。　善095.127/133

0128
周禮補註六卷
(清)吕飛鵬撰
清道光二十九年(1849)立誠軒刻本
四册
十行二十一字,白口,左右雙邊。版心下鎸"立誠軒"。封面鎸"立誠軒藏板"。　善095.127/446

0129
考工記二卷
(明)郭正域批點
明刻朱墨套印本
一册
八行十八字,小字雙行同,白口,左右雙邊。眉上鎸注。鈐"鄞林氏藜照廬藏書印"印。　善095.136/631

儀禮

0130
儀禮疏五十卷
(唐)賈公彦等撰
清道光十年(1830)汪氏藝芸書舍影宋刻本
十二册
十五行二十七字,白口,左右雙邊。有刻工。　善095.224/150

0131
讀禮通考一百二十卷
(清)徐乾學撰
清康熙三十五年(1696)刻本
三十二册
十三行二十一字,小字雙行三十一字,白口,左右雙邊。有刻工。鈐"賜硯齋藏書"、"大興牛坤之印"、"次原藏書"諸印。　善392.2/947-02
又一部　三十册(與《五禮通考》二百六十二卷合函)　善0096

0132
儀禮正義四十卷
(清)胡培翬撰
清咸豐二年(1852)木犀香館刻本　高步瀛批注
二十册
十行二十二字,小字雙行同,白口,左右雙邊。
善 095.227/216－02

禮記

0133
禮記二十卷
(漢)鄭玄注
釋文四卷
(唐)陸德明撰
考異二卷
(清)張敦仁撰
清嘉慶十一年(1806)張敦仁影刻宋淳熙四年撫州公使庫本。《考異二卷》系清嘉慶十一年(1806)張敦仁刻本。
十三册。
十行十六字,小字雙行二十四字,白口,四周雙邊。《釋文四卷》爲黑口,左右雙邊。有刻工。
善 12287

0134
禮記二十卷
(漢)鄭玄注
釋文四卷
(唐)陸德明撰
考異二卷
(清)張敦仁撰
清嘉慶十一年(1806)張敦仁刻嘉慶二十五年(1820)重修本　(清)吳熙載校點
八册
十行十六字,小字雙行二十四字,白口,四周雙邊。有刻工。鈐"吳熙載藏書印"印。
善 095.3122/976－04

0135
禮記集説十六卷
(元)陳澔撰
明初刻本
八册
十一行二十一字,小字雙行同,黑口,四周雙邊。鈐"荃孫"、"雲輪閣"、"陳立炎"、"古書流通處"諸印。
《藝風藏書記》著錄爲元刻本。
善 095.3126/383－07

0136
禮記集説十卷
(元)陳澔撰
明崇禎六年(1633)閔齊伋刻本
十册
九行十八字,小字雙行同,白口,左右雙邊。
善 095.3126/383－06

0137
新刊京本禮記纂言三十六卷
(元)吳澄撰
明崇禎二年(1629)張養刻本
六册
十三行二十五字,小字雙行同,白口,四周單邊。善 10750

0138
禮記思五卷
(明)趙僎撰
明天啓七年(1627)白門書林王荆岑等刻本
五册
九行二十三字,白口,四周單邊。
善 095.317/204

0139
重訂禮記疑問十二卷
(明)姚舜牧撰
明萬曆四十六年(1618)刻清印本
六册
十行二十字,白口,四周單邊。
善 095.3126/994

0140
禮記省度四卷
(清)彭頤撰
清乾隆元年(1736)武林文治堂刻三色套印本
四册
兩節版。下欄八行十六字,行間小字,白口,四周單邊。善 095.3/185

0141
大戴禮記十三卷
(漢)戴德撰　(北周)盧辯注　(清)朱軾句讀
清康熙五十七年(1718)自修齋刻《朱文端公藏書》本佚名墨筆批注

四册

九行二十字,白口,左右雙邊。　善 1096

0142

檀弓述註二卷

(明)林兆珂撰

明萬曆間刻本

二册

八行二十字,白口,四周單邊。眉上鐫注。有刻工王子蟾。前有萬曆三十五年(1607)郭喬泰序。　善 095.313/262

三禮總義

0143

三禮考註六十四卷序錄一卷綱領一卷

(元)吳澄撰

明成化九年(1473)長樂謝士元刻本

十六册

十一行二十四字,黑口,四周雙邊。

善 095.4/440

0144

三禮編繹二十六卷

(明)鄧元錫撰

明萬曆三十三年(1605)史繼辰等刻本

十二册。

十行二十一字,白口,四周雙邊。鈐"西泠繆沅"、"窮谷病叟"印。　善 095.4/372

0145

朱子禮纂五卷

(清)李光地撰

清雍正間刻本

三册

九行二十字,小字雙行同,白口,左右雙邊。

書板後匯入乾隆元年(1736)印《安溪李先生全集》。　善 095.4/290

0146

禮箋三卷

(清)金榜撰

清乾隆五十九年(1794)游文齋刻本

三册

十行二十一字,小字雙行同,白口,左右雙邊。封面鐫"游文齋藏板"。　善 095.4/987.2

又一部　六册　鈐"劉氏藏書"、"雪吟"諸印。

善 1123

0147

求古錄禮説十六卷

(清)金鶚撰

清道光三十年(1850)木犀香館刻本

六册

十行二十一字,細黑口,左右雙邊。

善 095.4/987－03

0148

禮器圖不分卷

清抄繪本

二册

鈐"黄氏家藏"印。　善 095.4/109

0149

天子肆獻祼饋食禮三卷

(清)任啓運撰

清乾隆三十八年(1773)清芬堂刻本

一册

九行二十二字,白口,四周雙邊。封面鐫"清芬堂藏板"。鈐"莫友芝圖書記"、"莫繩孫字仲武"印。　善 095.4/915

通禮雜禮

0150

五禮通考二百六十二卷卷首四卷目錄二卷

(清)秦蕙田撰

清乾隆十八年(1753)味經窩刻本

九十六册

十三行二十一字,小字雙行三十一字,白口,左右雙邊。有刻工。鈐"賜硯齋"、"大興牛坤之印"、"次原藏書"印。　善 095/102

又一部　九十册(與《讀禮通考》一百二十卷合函)

善 0096

0151

禮樂通考三十卷

(清)胡掄輯

清乾隆十四年(1749)藜照軒刻本

十二册

十行二十二字,小字雙行,白口,四周單邊。封面鐫"藜照軒藏板"。　善 095/216

0152

司馬氏書儀十卷

(宋)司馬光撰

清雍正二年(1724)汪亮采刻本

二册

十一行十九字,小字雙行二十四字,下細黑口,左右雙邊。鈐"湘鄉李希聖藏書之章"印。

又一部　二册　善 826/303 - 02

0153

重訂文公家禮儀節八卷

(明)丘濬撰　(明)陳仁錫重訂

明劉衙刻本　(日)東里散人識

三册

十行二十二字,白口,四周單邊。封面鐫"劉衙藏板"。鈐"室田氏藏書印"印。　善 394/828 - 6

0154

家禮辨定十卷首一卷

(清)王復禮撰

清康熙四十七年(1708)武夷山房刻本

二册

十行二十字,白口,四周雙邊。封面鐫"武夷山房藏板"。　善 394/120

樂類

0155

苑洛志樂十三卷

(明)韓邦奇撰

清康熙二十二年(1683)吳元萊刻本

八册

十行二十字,白口,四周單邊。有圖。

善 780/233

0156

律呂正論四卷律呂質疑辨惑一卷

(明)朱載堉撰

明萬曆三十三年(1610)刻本

五册

八行十六字,白口,四周單邊,有圖。鈐"李氏藏書"、"冬涵閲過"印。　善 0314

0157

御制律呂正義上編二卷下編二卷續編一卷

(清)允祉等奉敕撰

清雍正間内府刻本

五册

九行二十字,白口,四周雙邊,有圖。鈐"臣李翬漢儀氏謹藏"印。

又一部　四册　善 781/857

0158

御定詩經樂譜全書三十卷樂律正俗一卷

(清)永瑢撰

清乾隆五十三年(1788)朱墨套印《武英殿聚珍版叢書》本

二十册

九行字不等,白口,四周雙邊。　善 781/651

0159

易律神解不分卷

(清)沈光邦撰

清沈深抄本

八册

十一行二十三或二十四字,無格。善 781/744

0160

黄鍾通韻二卷琴圖補遺一卷

(清)都四德撰

清乾隆間刻本

二册

九行二十字,白口,四周雙邊。封面鐫"三餘堂藏板"。有清乾隆十八年(1753)跋。　善 781/211

春秋類

左傳

0161

春秋左氏全傳白文十二卷

明萬曆十六年(1588)雲陽賀邦泰刻本

二十四册

九行二十一字,白口,左右雙邊。

善 096.21/352

0162

春秋經傳集解三十卷

(晉)杜預撰

明天放菴刻本　佚名朱墨筆批點

八册

八行十七字,白口,左右雙邊。版心下鐫"天放菴藏板"。　善 096.2231/244 - 012

0163

春秋經傳集解三十卷

(晉)杜預撰　(唐)陸德明釋文

春秋名號歸一圖二卷

(後蜀)馮繼先撰

明仿宋淳熙三年(1176)阮仲猷種德堂刻本
三十册
十行十八字,小字雙行同,白口,左右雙邊。鈐"果親王府圖書記"印。 善 096.2231/244－011

0164
春秋經傳集解三十卷
(晉)杜預撰 (唐)陸德明釋義
明刻本
二十八册
八行十七字,小字雙行同,白口,四周雙邊。
善 096.2231/244－014

0165
春秋經傳集解三十卷
(晉)杜預撰 (明)穆文熙輯評
春秋名號歸一圖二卷
(後蜀)馮繼先撰
明萬曆十五年(1587)劉懷恕刻春秋戰國評苑本
十六册
九行二十字,白口,四周雙邊。有刻工。
善 096.2231/244－798

0166
春秋左傳注疏六十卷卷末一卷
(晉)杜預注 (唐)陸德明音義 (唐)孔穎達疏
清乾隆四年(1739)武英殿刻《十三經注疏》本
二十册
十行二十一字,中字單行同,小字雙行同,白口,左右雙邊。版心上鎸"乾隆四年校刊"。初印本。 善 096.2231/244－370－02

0167
春秋屬辭十五卷
(元)趙汸撰
元至正二十(1360)至二十四年(1364)海寧商山義塾刻明修本
八册
十三行二十七字,小字雙行同,細黑口,左右雙邊。鈐"揚州陳牟和得書留記"、"錫山浦氏珍藏"印。 善 096.5/203

0168
唐荊川先生編纂左氏始末十二卷
(明)唐順之撰
明嘉靖四十一年(1562)唐正之刻本
十册
十行二十字,白口,四周單邊。鈐"毓芝軒藏書記"、"楚侯"、"何寶善印"諸印。
善 096.2265/667

0169
春秋左傳節文十五卷
(明)汪道昆撰
明萬曆五年(1577)刻本
四册
九行十八字,白口,左右雙邊。眉上鎸評。
善 096.21/713

0170
春秋左傳註評測義七十卷
(明)凌稚隆撰
明萬曆十六年(1588)刻本
十八册
十行二十字,小字雙行同,白口,左右雙邊。有刻工。鈐"李川沈甫藏書"印。 善 096.226/765

0171
春秋左傳十五卷
(明)孫鑛批點
明萬曆四十四年(1616 年)閔齊伋刻朱墨套印本
十二册
九行十九字,白口,四周單邊。眉上鎸評。
善 096.226/458

0172
春秋左藻三卷
題(明)惺知主人撰
舊抄本
三册
九行十九字,無格,鈐"海豐吳氏"印。有明崇禎四年(1631)序。 善 096.27/683

0173
春秋左傳屬事二十卷
(明)傅遜撰
明萬曆十三年(1585)日殖齋刻本
十册
十行二十字,小字雙行同,白口,左右雙邊。版心下鎸"日殖齋梓"。鈐"傅山圖書"印。
善 096.27/905

0174
左記十二卷
(明)章大吉撰
明崇禎五年(1632)刻本
四册

十行二十字,白口,四周單邊。鈐"夢麟之印"印。　善 922.17/655

0175

文章練要左傳評十卷

(清)王源評

清康熙間居業堂刻本　佚名朱筆批注

五册

九行二十二字,小字雙行同,白口,左右雙邊。眉上鐫評。　善 096.27/120-03

0176

左傳正約十二卷

題(清)山水主人輯

清抄本

六册

九行二十五字,無格。有乾隆二十二年(1757)自序。　善 096.27/583

0177

左氏春秋兵論不分卷

(清)孫毓林撰

清光緒間稿本

一册

八行十六字,無格。

扉頁有(清)吳大澂、左宗棠、盛宣懷、文廷式、陸鼎翰、惲毓鼎等人題識。　善 096.27/367

公羊傳

0178

春秋公羊傳注疏二十八卷

(漢)何休注　(唐)陸德明音義　(唐)徐彦疏

清乾隆四年(1739)武英殿刻《十三經注疏》本

八册

十行二十一字,小字雙行同,白口,左右雙邊。版心上鐫"乾隆四年校刊"。初印本。

善 096.322/903-916

0179

春秋公羊經傳解詁十二卷

(漢)何休撰

清道光四年(1824)揚州汪氏問禮堂刻本

四册

十一行十九字,小字雙行二十七字,白口,左右雙邊。鈐"黔山李氏藏書"、"芸樓"印。

善 096.322/903-02

0180

春秋繁露八卷

(漢)董仲舒撰

明萬曆間胡維新刻《兩京遺編》本

四册

九行十七字,白口,四周雙邊。鈐"鱸讀"、"曾經東山柳蓉邨過眼印"印。(與《仲長統論》一卷合函)　善 122.1/547-02

0181

春秋繁露十七卷附録一卷

(漢)董仲舒撰　(明)孫鑛評

明天啓五年(1625)花齋刻本

六册

九行二十字,白口,四周單邊。眉上鐫評。

善 2068

0182

董子十六篇一卷

(漢)董仲舒撰

清抄本　(清)譚獻校

一册

九行二十四字,藍格,白口,四周單邊。封面有馬叙倫題"譚復堂先生校定董子十六篇"。

善 2064

穀梁傳

0183

春秋穀梁傳注疏二十卷

(晋)范甯集解　(唐)楊士勛疏　(明)陸德明音義

清乾隆四年(1739)武英殿刻《十三經注疏》本

六册

十行二十一字,小字雙行同,白口,左右雙邊。版心上鐫"乾隆四年校刊"。初印本。

善 096.423/536-267-03

0184

春秋穀梁傳十二卷

(晉)范甯集解　(明)閔齊伋裁注

攷一卷

(明)閔齊伋撰

明天啓元年(1621)自刻三色套印本

四册

九行十九字,小字雙行同,白口,四周單邊。鈐"夢選樓胡氏宗楙藏"印。　善 096.426/458

春秋總義

0185

春秋三十卷

(宋)胡安國傳

諸國興廢説一卷春秋周王世次圖一卷春秋魯國世次圖一卷春秋列國圖一卷

明内府刻本

四册

八行大字十四字,中字十八字,小字雙行同,黑口,四周雙邊。有圖表。鈐"寒香館藏書印"。

善 1146

0186

春秋三傳讞二十二卷

(宋)葉夢得撰

清抄本

六册

八行二十一字,紅格,白口,四周雙邊。鈐"古澶州袁卧雪廬收藏"印。　善 096.5/504

0187

春秋集傳二十六卷(原存卷一至十七、二十一至二十二)**綱領一卷**

(宋)張洽撰

諸君來往小札一卷

(清)嚴元照輯

清抄本

十册

九行二十二字,小字雙行同,無格。過錄乾隆五十九年(1794)嚴元照跋。　善 096.5/312

0188

春秋諸國統紀不分卷

(元)齊履謙撰

明秦氏雁里草堂抄本

一册

十一行二十七字,白口,四周單邊。版心下鎸"雁里草堂"。鈐"南通馮氏景岫樓藏書"、"馮雄印信"印。　善 096.5/661

0189

春秋四傳三十八卷綱領一卷提要一卷列國東坡圖説一卷春秋二十國年表一卷諸國興廢説一卷

明嘉靖十一年(1532)福建建寧府書坊刻本

十册

九行十七字,小字雙行同,黑口,四周雙邊。有圖表。有刻工。　善 096.5/101

0190

春秋四傳三十八卷綱領一卷提要一卷列國東坡圖説一卷春秋二十國年表一卷諸國興廢説一卷

明刻本

八册

九行十七字,小字雙行同,白口,左右雙邊。有圖表。眉欄鎸音注。有刻工唐林等。　善 12469

0191

春秋四傳三十八卷綱領一卷提要一卷列國東坡圖説一卷春秋二十國年表一卷諸國興廢説一卷

明汪應魁貽經堂刻本　佚名朱筆批校

六册

九行十八字,小字雙行同,白口,四周雙邊。

善 096.225/221

0192

春秋衡庫三十卷附録三卷

(明)馮夢龍輯

明天啓五年(1625)刻本

八册

十行二十字,小字雙行,白口,四周單邊。眉上鎸音注。　善 096.226/769

0193

新刻春秋談虎講意十二卷

(明)周希令　方尚恂撰

明天啓四年(1624)刻本

四册

九行二十二字,白口,四周單邊。眉上鎸評。

善 096.27/821

0194

春秋三書三十一卷

(明)張溥撰

明末刻本

八册

十行二十字,小字雙行同,白口,左右雙邊。

子目:

春秋列國論二十四卷

春秋四傳斷六卷

春秋書法解一卷　善 096.508/312

0195

麟旨明微十二卷

(明)吳希哲撰

明崇禎間刻本

三册

十行二十五字,小字雙行同,白口,左右雙邊。有崇禎十四年(1641)張我城序。　善 096.5/442

0196

春秋地名考略十四卷

(清)高士奇撰

清康熙二十七年(1688)高氏清吟堂刻本

八册

十行十九字,小字雙行同,白口,四周單邊。封面鎸"清吟堂藏板"。　善 096.7/641

又一部　八册　善 12294

0197

春秋事義慎考十四卷卷首一卷

(清)姜兆錫撰

清乾隆九年(1744)姜氏寅清樓刻本

二册(原訂四册)

十行二十五字,小字雙行同,白口,四周單邊。卷一首頁版心下鎸"寅清樓"。　善 096.5/759

0198

春秋經傳類求十二卷

(清)孫從添　過臨汾輯

清乾隆二十四年(1759)舊名堂刻本

十二册

十二行三十四字,中字三十四字,小字雙行同,白口,左右雙邊。封面鎸"舊名堂藏板"。

善 096.227/368

0199

春秋集義五十八卷首一卷末二卷

(清)吴鳳來撰

清乾隆五十四年(1789)小草廬刻本

二十册

十行二十一字,小字雙行同,黑口,四周單邊。封面鎸"小草廬藏板"。　善 096.5/441

0200

春秋取義測十二卷

(清)法坤宏撰

清乾隆五十九年(1794)刻本

十六册

十行十九字,小字雙行同,白口,左右雙邊(與《迂齋學古編》四卷合函)。　善 096.227/723

四書類

0201

古香齋鑒賞袖珍四書十九卷

清乾隆十三年(1748)武英殿刻本

十三册

十二行十七字,小字雙行同,白口,四周雙邊。鈐"志在青雲"印。

子目:

大學一卷

中庸一卷

論語十卷

孟子七卷

(與《古香齋鑒賞袖珍五經》八卷合函)　善 19638

0202

大學千慮一卷

(明)穆孔暉撰

明萬曆三十七年(1609)朱延禧刻本

一册

九行二十字,白口,四周單邊。卷一首頁版心下鎸"戴惟孝刻"。　善 097.47/798

0203

論語筆解二卷

(唐)韓愈　李翱撰

明嘉靖間天一閣刻范氏奇書本

一册

九行十八字,小字雙行,白口,左右雙邊。有刻工王以成。　善 097.324/234

0204

論語十卷(存卷一至五)

(宋)朱熹集注

清刻本　佚名朱藍筆批注

二册

九行十七字,小字雙行同,白口,左右雙邊。鈐"廣圻審定"印。　善 097.325/828-04

0205

陳學士先生論語貫義二卷

(明)陳懿典輯

清抄本

二册

九行十九字,無格。　善 1183

0206

論語商二卷

(明)周宗建撰　(明)卓爾康箋

明萬曆四十五年(1617)刻本

一册

九行十九字,白口,四周單邊。眉上鐫評。

善 097.37/819

0207

孟子七篇不分卷

清咸豐間唐炯抄本　(清)唐炯墨筆題跋並朱筆過録(清)吴敏樹批點及書後跋

二册

十行二十四字,黑口,四周雙邊。鈐"鄂生私記"(墨印)、"成山老人益公號復園行七"、"益公珍藏"、"興漢室"、"景蘇堂藏"等印。

善 097.61/358

0208

載詠樓重鐫硃批孟子二卷

(宋)蘇洵批

清康熙三十三年(1694)沈心友刻朱墨套印本

二册

九行二十字,小字雙行同,白口,四周單邊。鈐"封氏玉雨書堂藏書印"、"天水蕭氏墒源堂珍藏"印。　善 097.625/554-03

0209

讀孟子劄記不分卷

(清)崔紀撰

清乾隆間刻本

四册

九行二十四字,白口,四周雙邊。有乾隆五年(1740)自序。　善 097.67/592

0210

孟子四考四卷

(清)周廣業撰

清乾隆六十年(1795)周氏省吾廬刻本

四册

十行二十三字,小字雙行同,白口,左右雙邊。封面鐫"省吾廬藏板"。　善 4882

0211

四書集注二十一卷

(宋)朱熹撰

清康熙十年(1671)朱氏崇道堂刻本　(清)張崇質墨筆過録諸家批注

五册

九行十七字,小字雙行同,白口,左右雙邊。版心下鐫"崇道堂鐫"。

子目:

大學章句一卷

中庸章句一卷

論語集注十卷序説一卷

孟子集注七卷序説一卷

善 097.252/828-4-014

0212

監本四書二十三卷

(宋)朱熹集注

清嘉慶四年(1799)映雪堂刻本　佚名朱墨筆批注

六册

九行十七字,小字雙行同,白口,左右雙邊。版心下鐫"映雪堂"。

子目:

大學章句一卷

中庸章句一卷

論語集注十卷序説一卷

孟子集注七卷序説一卷

四書辨字一卷四書圖一卷

善 097.252/828-4-013

0213

四書章句集注二十六卷

(宋)朱熹撰

清嘉慶十六年(1811)璜川吳氏真意堂校刻本　佚名朱墨筆批點

六册

九行十七字,小字雙行同,白口,左右雙邊。鈐"何氏家藏"印。

子目:

大學章句一卷

中庸章句一卷

論語集注十卷

孟子集注十四卷　善 097.252/828-4-015

0214

四書章圖櫽括總要發義二卷

(元)程復心撰

明正統四年(1439)進德書堂刻本

一册

十三行二十四字,小字雙行同,黑口,四周單邊。有圖。有"大明歲次己未進德書堂新刊"牌

記。　善 097.257/793

0215

新刻七十二朝四書人物考註釋四十卷

(明)薛應旂撰　(明)焦竑　朱焯注

明萬曆三十六年(1608)書林舒承溪刻本

十册

十一行二十二字,小字雙行同,白口,四周單邊。眉上鎸注。版心下鎸"承溪重刻"。

善 982.21/571

0216

新鐫四書七十二朝人物經籍備考二十四卷圖考不分卷

(明)薛應旂輯　(明)鍾惺合訂

明末吳門王箕寫刻本

三十二册

九行二十字,白口,無直格,四周單邊。眉上鎸注。版心下鎸"濂溪原板",或鎸"王箕楷書"。卷末鎸"瑯琊維巖王箕書"。鈐"王氏信芳閣藏書印"、"粹芬閣"印。未見著録。

善 982.21/571-937

0217

問辨録十卷

(明)高拱撰

明萬曆間刻本

五册

八行十六字,白口,四周雙邊。前有萬曆三年(1575)高拱自序。鈐"汪揚芬印"印。

善 091.376/641

0218

四書直解二十六卷

(明)張居正等撰

明集古堂刻本

十册

九行二十字,白口,左右雙邊。善 097.26/306

0219

四書叩心説録七卷

(明)王逢元撰

清康熙十七年(1678)王紳刻本

十六册

九行二十字,白口,四周雙邊。善 097.26/119

0220

呂晚邨先生四書講義四十三卷

(清)呂留良撰

清康熙間天蓋樓刻本

十二册

十一行二十一字,黑口,左右雙邊。封面鎸"天蓋樓"。　善 097.27/451

0221

松陽講義十二卷

(清)陸隴其撰

清康熙二十九年(1690)刻本

六册

十一行二十字,黑口,左右雙邊。鈐"會稽魯氏貴讀樓藏書印"印。　善 1194

0222

陸稼書先生四書講義遺編六卷

(清)陸隴其撰

清康熙四十四年(1705)三魚堂刻本

六册

十二行二十二字,黑口,四周單邊。封面鎸"三魚堂藏板"。原鈐"三魚堂圖記"。鈐"會稽魯氏貴讀樓藏書印"印。　善 1193

0223

四書講義困勉録三十七卷續録六卷

(清)陸隴其撰

清康熙三十八年(1699)刻本

十六册

十二行二十二字,黑口,左右雙邊。

又一部　十六册　善 097.27/388-6

0224

四書解義七卷

(清)李光地撰

清康熙六十一年(1722)居業堂刻本

二册

十一行二十字,白口,四周單邊。封面鎸"居業堂藏板"。原鈐"御賜教忠堂"印。鈐"國子監印"印。

書板後匯入乾隆元年(1736)印《安溪李先生全集》。

子目:

大學古本説一卷

中庸章句一卷

中庸餘論一卷

讀論語劄記二卷

讀孟子劄記二卷　善 097.27/290

孝經類

0225
御制孝經衍義一百卷卷首二卷
(清)韓菼等奉敕撰
清康熙二十九年(1690)刻本
三十册
九行十八字,黑口,四周雙邊。善098.27/229

群經總義類

0226
新刊宋學士夾漈先生六經奥論六卷總論一卷
題(宋)鄭樵撰
明成化四年(1468)書林劉氏日新堂刻本　(清)潘道根校並跋
四册
十二行二十四字,黑口,四周雙邊。有圖。序後有"書林劉氏日新堂刊"牌記。鈐"李重"、"徐開任印"、"好古齋"、"孫進和印"諸印。
善091.3752/972

0227
莆陽二鄭先生六經雅言圖辯八卷
舊抄本
八册
八行十六字,無格。鈐"范氏天一閣藏書"、"東山鏐氏收藏"印。是書内容與《新刊宋學士夾漈先生六經奥論》六卷略同。　善091.355/971

0228
諸經纂註三十四卷
(明)楊聯芳撰
明萬曆四十一年(1613)刻本
十六册
七行二十字,行間小字,白口,左右雙邊。
善091.337/267

0229
研硃集五經總類二十二卷(存易經四卷)
(明)張瑄撰
明末虹化堂刻本
一册
八行二十二字,白口,四周單邊。版心下鎸"虹化堂"。有崇禎元年(1628)自序。
善092.26/306

0230
五經圖六卷
(明)章達等撰　(清)牟欽元輯
清雍正元年(1723)致用堂重刻鵝湖書院石本
六册　善091.356/160

0231
經玩二十卷
(清)沈淑撰
清雍正間孝德堂刻本
八册
九行十六字,小字雙行三十二字,白口,左右雙邊。有雍正七年(1729)自序。　善11408

0232
六經圖六卷
(清)王皓撰
清乾隆五年(1740)向山堂刻本
六册
四周單邊。　善091.357/119
又一部　六册　鈐"曾在曾仰山處"印。　善01297

0233
六經圖十二卷
(清)鄭之僑輯
清乾隆八年(1743)鄭氏述堂刻本
六册
四周雙邊。版心下鎸"述堂"。善091.357/976

0234
古經解鉤沉三十卷
(清)余蕭客撰
清乾隆間刻本
八册
十一行二十字,黑口,四周雙邊。鈐"李氏藏書"、"冬涵閲過"、"慧海樓藏書印"印。　善1233

0235
經學會貫十六卷(存卷一至八)
(清)張永祚撰
清抄本
四册
十行二十字,小字雙行同,無格。有乾隆二十年(1755)齊召南序及自序。鈐"鄞林氏藜照廬藏書"印。　善091.337/311

0236
説經二十六卷説莊三卷説騷一卷説文一卷

(清)韓泰青撰
清乾隆四十四年(1779)省能齋刻本
六册
　　十行二十字,細黑口,左右雙邊。封面鎸"省能齋藏板"。 善 091.337/226

0237
北海經學七錄八卷
(清)孔廣林輯
清乾隆五十三年(1788)古俊樓刻本
二册
　　十行二十字,黑口,左右雙邊。
善 091.37/370－4

0238
西漢儒林傳經表二卷
(清)周廷寀撰
清乾隆五十六年(1791)營道堂刻本
一册
　　白口,四周單邊(與《韓詩外傳校注》十卷合函)。 善 094.25/820

0239
十經文字通正書十四卷
(清)錢坫撰
清嘉慶二年(1797)文章大吉樓刻本
二册
　　七行十二字,小字雙行二十四字,細黑口,四周單邊。 善 12292

0240
十三經拾遺十六卷唐石經考正一卷
(清)王朝渠撰
清嘉慶五年(1800)尋孔顏樂處刻本
五册
　　八行二十字,小字雙行同,白口,四周雙邊。封面鎸"尋孔顏樂處藏板"。 善 9302

0241
經學通詁不分卷附求書簡明目一卷
葉德輝撰
民國四年(1915)湖南省街鴻華公司鉛印本　葉德輝自識並批校
一册
　　十行二十一字,白口,四周雙邊。 善 090/504

0242
三體石經古文箋二卷
馮汝玠撰
稿本
一册　善 099.97/772

小學類

叢編

0243
澤存堂五種五十卷
(清)張士俊輯
清康熙四十三年(1704)至五十三年(1714)吳郡澤存堂刻本
二十册
　　《廣韻》、《玉篇》、《音辨》十行二十字,小字雙行不等,《佩觿》、《字鑑》八行十六至十七字,小字雙行不等,白口,左右雙邊或四周單邊。
善 423.08/307－02

0244
五雅四十一卷
(清)郎奎金輯
明天啓六年(1626)郎氏堂策檻刻本　有抄配
十二册
　　九行二十字,白口,四周單邊。版心鎸"堂策檻"。鈐"路衍德印"、"韓德一字玉峰"、"陳琦之印"、"高閬仙藏書記"等印。
　　子目:
　　爾雅二卷　(晉)郭璞注
　　小爾雅一卷　(漢)孔鮒撰　(漢)宋咸注
　　逸雅八卷　(漢)劉熙撰
　　廣雅十卷　(魏)張揖撰　(隋)曹憲音釋
　　埤雅二十卷　(宋)陸佃撰
又一部(殘存三十一卷)　八册　善 422.08/651
又一部　十二册　善 5434

0245
音學五書三十八卷
(清)顧炎武撰
清康熙六年(1667)山陽張弨符山堂刻本
十册
　　八行十二字,小字雙行同,白口,左右雙邊。封面題"顧氏音學五書"。鈐"鄧尉山樵"、"韓崇"、"履卿閱過"、"渠夢翔秘笈珍藏之印"、"潘椒坡圖書印"、"崦西草堂"、"與身俱存亡"等印。

善 424.08/965－03

訓詁

0246

爾雅三卷

（晉）郭璞注

明景泰七年（1456）馬諒刻本

二册

九行二十字，小字雙行同，白口，四周單邊。鈐"獨山莫氏銅井文房之印"、"獨山莫氏銅井文房藏書印"、"莫棠字楚生印"諸印。

善 422.1/630－05

0247

爾雅三卷

（晉）郭璞注

明嘉靖十七年（1538）吳元恭刻本　有抄配

三册

八行十七字，小字雙行同，白口，四周雙邊。鈐"遂翔眼福"、"琅園秘笈"、"九峰舊廬珍藏書畫之印"、"九峰舊廬藏書印"、"杭州王氏九峰舊廬藏書之章"、"傅沅叔"、"增湘"、"藏園"、"雙鑒樓藏書記"諸印。　善 422.1/630－06

0248

爾雅三卷

（晉）郭璞注

清抄本

二册

九行十七字，小字雙行同，無格。鈐"曾國藩"、"滌生"印。　善 422.1/630－04

0249

爾雅三卷

（晉）郭璞注　（唐）陸德明音義

清乾隆二十九年（1764）孔繼汾校刻本

三册

十行二十字，小字雙行三十字，黑口，左右雙邊。　善 422.1/630－09

0250

爾雅三卷

（晉）郭璞注　（唐）陸德明音義

清嘉慶二十二年（1817）清芬閣刻本　劉師培校

三册

十二行二十五字，中字單行同，小字雙行三十六字，白口，左右雙邊。鈐"蒙鳩"等印。

善 422.1/630－010

0251

爾雅三卷

（晉）郭璞注

清嘉慶二十五年（1820）長洲程氏滂意軒依宋本重校刻本　（清）江颿校注

一册

八行十七字，小字雙行同，白口，四周雙邊。鈐"江颿手筆"、"蟫隱居課本"印。

善 422.1/630－011

0252

爾雅註疏十一卷

（晉）郭璞注　（宋）邢昺疏

明萬曆二十一年（1593）國子監刻《十三經註疏》本　（清）傅山批點

一册

九行二十一字，小字雙行同，白口，左右雙邊。版心上鎸"萬曆二十一年刊"。鈐"傅山之印"印。

善 422.12/129－03

0253

爾雅注疏拾遺十一卷

（清）阮林輯　（清）余允圻補注

稿本　清光緒十九年（1893）鐵香覆校

四册

此稿本系在清乾隆十年（1745）三樂堂刻《爾雅注疏》本上校改並加拾遺。鈐"鐵香珍藏"、"彊齋"、"廬山讀書廬州觀政"諸印。　善 422.12/988

0254

爾雅新義二十卷

（宋）陸佃撰　（清）宋大樽輯

敘錄一卷

（清）宋大樽輯

清嘉慶十三年（1808）三間草堂刻本

六册

十行二十字，小字雙行同，黑口，左右雙邊。版心鎸"三間草堂雕"。　善 422.12/393－02

0255

爾雅奇字音義二卷

（宋）王應麟撰

明抄本　佚名朱筆批點

二册

十行十八字，黑格，白口，四周單邊。

善 422.19/117

0256

輶軒使者絶代語釋別國方言十三卷

(漢)揚雄撰　(晉)郭璞注

明萬曆間新安程榮刻《漢魏叢書》本　清咸豐十一年(1861)湯裕錄(清)盧文弨校語　趙寶暘跋

一册

九行二十字,小字雙行同,白口,左右雙邊。鈐"能静居書"印。　善 425.8/299-06

0257

輶軒使者絶代語釋別國方言十三卷校正補遺一卷

(漢)揚雄撰　(晉)郭璞注　(清)盧文弨校

清乾隆四十九年(1784)刻《抱經堂叢書》本

四册

十行二十字,小字雙行同,白口,左右雙邊。版心下鎸"抱經堂校訂本"。　善 425.8/299-04

0258

釋名八卷

(漢)劉熙撰

明嘉靖三年(1524)儲良材、程鴻刻本

二册

九行二十字,白口,四周單邊。鈐"孫鼎"、"師匡秘極"、"曾在孫師匡處"諸印。

善 422.5/889-02

0259

釋名八卷

(漢)劉熙撰

明嘉靖間畢效欽刻《五雅》本

三册

九行二十四字,白口,四周單邊。有刻工。

善 422.5/889

0260

新刻釋名八卷

(漢)劉熙撰

日本明萬二年(1656)刻本

一册

九行十七字,白口,四周單邊。鈐"宫田氏藏書印"、"寒香館藏書印"印。　善 1399

0261

重刊埤雅二十卷

(宋)陸佃撰

明初刻本

六册

十行十九字,黑口,四周雙邊。

善 422.6/393-02

0262

埤雅二十卷

(宋)陸佃撰

清康熙間顧棫刻本

十册

十行二十一字,白口,四周雙邊。鈐"傳是樓印"、"雋山之章"、"抱經樓珍藏秘笈之章"、"沈德壽印"諸印。

又一部　六册　善 422.6/393

0263

增修埤雅廣要四十二卷

(明)牛衷撰

明萬曆三十八年(1610)孫弘範刻本

十二册

十行十八字,白口,四周單邊。

善 422.6/393-825

0264

爾雅翼三十二卷

(宋)羅願撰

明正德十四年(1519)羅文殊刻本

十二册

十行十九字或二十字,白口或細黑口,左右雙邊。有刻工。　善 422.19/482-02

0265

助字辨略五卷

(清)劉淇撰

清乾隆四十四年(1779)福源堂刻本

五册

十行二十字,白口,左右雙邊。　善 1414

0266

別雅五卷

(清)吳玉搢撰

清乾隆七年(1742)程氏督經堂刻本

五册

十行二十字,黑口,左右雙邊。　善 422.6/634

0267

拾雅六卷

(清)夏味堂撰

清嘉慶二十四年(1819)遂園刻本

四册

十行二十字，白口，左右雙邊。

善 422.6/348－02

0268

吳下方言考十二卷

(清)胡文英輯

清乾隆四十八年(1783)刻本　第一册系抄配

六册

九行二十字，白口，左右雙邊。鈐"鄞林氏藜照廬圖書印"。　善 425.8/220

字書

0269

說文解字三十卷

(漢)許慎撰

清初毛氏汲古閣刻本

二十六册

七行字不等，白口，左右雙邊。鈐"提督湖北學政張之洞所置書"、"提督湖北學政關防"(滿漢文)印。　善 423.11/612－03

0270

說文解字十五卷

(漢)許慎撰

清嘉慶十二年(1807)額勒布藤花榭據宋本重刻本　佚名墨筆過録(清)惠棟校語

三册

十行字不等，白口，左右雙邊。鈐"東吳范氏藏書"印。　善 423.11/612－08

0271

說文解字十五卷

(漢)許慎撰

清同治十二年(1873)粵東書局刻《古經解彙函》本　王仁俊過録(清)許克勤校並自校　王仁俊、馬叙倫跋

四册

十行大字不等，小字雙行二十二字，白口，左右雙邊。鈐"王氏籀鄦收藏書記"、"馬叙倫印"、"天馬山房藏書"印。　善 1249

0272

說文解字繫傳四十卷

(南唐)徐鍇撰

附録一卷

清乾隆四十七年(1782)新安汪啓淑刻本　佚名朱筆校注

十册

七行大字不等，小字雙行二十一字，黑口，左右雙邊。　善 1262

0273

說文解字韻譜五卷

(南唐)徐鍇撰

清乾隆四十六年(1781)李氏萬卷樓刻《函海》本　佚名朱筆校注

二册

七行五字，白口，四周單邊。

善 413.15/954－02

0274

重刊許氏說文解字五音韻譜十二卷

(宋)李燾撰

明弘治十四年(1501)車玉刻本

十二册

七行十四字，黑口，四周雙邊。善 413.15/286

0275

說文解字十二卷

(漢)許慎撰　(宋)李燾重編

明萬曆二十六年(1598)陳大科刻汲古閣印本

十二册

七行十四字，黑口，四周雙邊。封面鐫"汲古閣藏板"。

此書實爲《說文解字五音韻譜》。　善 1257

0276

重刊說文解字五音韻譜十二卷

(宋)李燾撰

明天啓七年(1627)世裕堂刻雲林五雲堂修補印本

十二册

七行十四字，白口，四周單邊。封面鐫"雲林五雲堂藏板"。　善 423.15/286－02

又一部　十二册　善 6557

0277

說文長箋一百卷卷首二卷解題一卷六書長箋七卷

(明)趙宧光撰

明崇禎四年(1631)趙均小宛堂刻本

三十二册

十行二十字，白口，左右雙邊。　善 3761

0278

說文偏旁考

(清)吳照撰

清乾隆五十一年(1786)吳照聽雨樓刻本

二册

大字不等,小字十二行二十四字,白口,左右雙邊。封面鎸"聽雨樓藏板"。　善 1333

0279

説文字原考略六卷

(清)吳照撰

清乾隆五十七年(1792)吳氏南昌寓館刻本

四册

行、字數不等,白口,四周雙邊。

又一部　二册　鈐"禮培私印"、"掃塵齋讀書記"、"賀瑗之印"、"濟滄閲過"諸印。　善 423.133/437

0280

説文字原集註十六卷表一卷表説一卷

(清)蔣和撰

清乾隆五十三年(1788)刻本

四册

六行大字不等,小字雙行十九字,細黑口,四周雙邊。　善 423.132/526

又一部　十册　善 11826

0281

説文辨疑一卷

(清)顧廣圻撰

清同治十年(1871)查燕緒抄本　張宗祥跋

一册

十行二十二字,黑格,黑口,左右雙邊。鈐"彊齋珍本"、"翰飛"、"馮雄印信"、"南通馮氏景岫樓藏書"諸印。　善 423.134/964

0282

説文拈字七卷

(清)王玉樹撰

清嘉慶八年(1803)芳椶堂刻本

四册

七行十六字,小字雙行二十字,白口,四周雙邊。封面鎸"芳椶堂藏板"。鈐"孚民曾經過眼"、"瑯琊趙氏珍藏"、"古鑒堂古鑒章"、"天馬山房藏書印"、"夷初"諸印。　善 1300

0283

説文疑疑二卷

(清)孔廣居撰

附一卷

清嘉慶七年(1802)詩禮堂刻本

四册

八行二十字,細黑口,左右雙邊。封面鎸"詩禮堂藏板"。　善 423.134/370

0284

説文檢字二卷

(清)毛謨輯

清嘉慶二十一年(1816)四川督學使者署刻本

一册

十行大小字不等,白口,四周雙邊。　善 423.18/781

0285

説文字通十四卷説文經典異字釋一卷

(清)高翔麟撰

清道光十八年(1838)查元偁刻本

八册

八行二十字,小字雙行同,白口,左右雙邊。　善 423.135/440

0286

説文引經考不分卷

(清)程琰撰

清姚氏咫進齋抄本

一册

十三行二十二字,緑格,左右雙邊。版心下鎸"咫進齋鈔本"。　善 423.161/785

0287

説文釋例八卷(存卷一、卷六至八)

(清)王筠撰

稿本

七册　善 423.134/119-02

0288

説文釋例二十卷

(清)王筠撰

清道光間刻本

十册

九行二十二字,白口,四周雙邊。前有道光十七年(1837)王筠自序。　善 423.134/119-04

0289

説文引經異文集證八卷

(清)吳种撰

清循陔書室抄本

八册

九行二十三字或二十四字,紅格,白口,四周雙邊。版心下鎸"循陔書室"。　善 423.161/441

0290

説文體例不分卷

何容心撰
民國九年(1920)石印本　李博批點
二册
十二行字不等,白口,四周單邊。
善 423.136/902

0291
大廣益會玉篇三十卷
(梁)顧野王撰　(唐)孫强增字　(宋)陳彭年等重修
玉篇廣韻指南一卷
明刻遞修本
六册
十二行,小字雙行不等,黑口,四周單邊或四周雙邊。鈐"許樂隱書"、"望亭"、"十經齋藏書"、"無相心印"諸印。　善 423.5/962-02

0292
大廣益會玉篇三十卷
(梁)顧野王撰　(唐)孫强增字　(宋)陳彭年等重修
玉篇廣韻指南一卷
明刻本
十册
九行十七字,小字雙行三十四字,黑口,四周雙邊。鈐"侯汝承收藏印"印。　善 423.5/962-03

0293
大廣益會玉篇三十卷
(梁)顧野王撰　(唐)孫强增字　(宋)陳彭年等重修
玉篇廣韻指南一卷
清康熙四十三年(1704)張士俊影宋刻《澤存堂五種》本
六册
十行二十字,小字雙行不等,白口,左右雙邊。有刻工。初印本。　善 12734

0294
汗簡七卷
(宋)郭忠恕撰
清康熙四十二年(1703)汪立名一隅草堂刻本
二册
八行大小字不等,白口,左右雙邊。版心下鐫"一隅草堂"。鈐"儀徵午峰珍藏金石書畫之印"、"儀徵阮燮堯華封私印"、"傅相文達公曾孫"諸印。　善 423.5/633-02

0295
漢隸字源五卷碑目一卷附字一卷
(宋)婁機撰
明末毛氏汲古閣仿宋刻受恒堂印本
六册
五行大字不等,小字雙行十七字,白口,左右雙邊。版心鐫"汲古閣"。封面鐫"受恒堂藏板"。
善 12238

0296
班馬字類五卷
(宋)婁機撰
清揚州馬氏小玲瓏山館仿宋刻苕溪經鋤堂印本
一册
六行字不等,小字雙行十八字,細黑口,四周單邊。鈐"會稽含經室馬氏藏書"、"乾隆御覽之寶"等印。
又一部　五册　鈐"蕉香館藏本"、"周廉溥印"、"會稽山陰人"諸印。　善 423.5/480-1-02

0297
龍龕手鑑四卷
(遼)釋行均撰
清乾隆三十一年(1766)經井齋影宋抄本　(清)沈大成跋
四册
十行大小字不等,白口,左右雙邊。鈐"德化李氏凡將閣藏"、"木齋秘笈"印。
善 423.5/942-02

0298
龍龕手鑑四卷
(遼)釋行均撰
清虛竹齋刻本　佚名朱筆批校
六册
八行大字不等,小字雙行二十一字,白口,左右雙邊。鈐"武原馬氏藏書"、"讀書精舍"、"獨山莫祥芝圖書記"、"獨山莫棠字楚生第三"、"秦更年"、"秦曼青"諸印。　善 423.5/942-03

0299
六書故三十三卷六書通釋一卷
(清)戴侗撰
清乾隆四十九年(1784)師竹齋刻本
十六册
七行十七字,小字雙行同,白口,四周單邊。封面鐫"師竹齋藏板"。　善 7414

0300

六書統二十卷

(元)楊桓撰

元至大元年(1308)江浙行省儒學刻元明遞修本有抄配

十六册

八行十四字,小字雙行約二十三字,細黑口,左右雙邊。有刻工。鈐"餘慶堂方氏珍藏"印(與《六書統溯源》十三卷合函)。　善 423.14/267-6

0301

六書統溯源十三卷

(元)楊桓撰

元至大元年(1308)江浙行省儒學刻元明遞修本

十六册

八行十字,細黑口,左右雙邊,有刻工(與《六書統》二十卷合函)。　善 423.14/267-6

0302

漢隸分韻七卷

清乾隆間九沙萬氏刻本

三册

行、字數不等,白口,左右雙邊。前有乾隆三十八年(1773)盛百二序。鈐"鐵橋李子東琪有金石之癖"、"馮仲子印"、"王守農藏書印"等印。

善 423.5/288.3

0303

六書精蘊六卷

(明)魏校撰

音釋舉要一卷

(明)徐官撰

明嘉靖十九年(1540)魏希明刻本

十二册

五行大小字不等,細黑口,左右雙邊。眉上鎸注。鈐"一内齋常氏藏"、"左念恂"、"毅孫"諸印。

善 423.14/801

0304

篇海類編二十卷

題(明)宋濂撰　(明)屠隆訂正

附錄一卷

(明)張嘉和輯

明崇禎間刻本

十二册

九行十八字,小字雙行三十字,白口,四周單邊。屠隆序後鎸"吳門厥氏章欽"。

又一部　十二册　善 423.5/696

0305

篆學測解二十九卷聲韻表一卷

(明)韓洽撰

清嘉慶二十五年(1820)韓對刻本

十二册

七行,小字雙行二十二字,白口,左右雙邊。

善 412.4/232

0306

字學大全三十二卷(存卷一至三、七至三十二)

(清)王三聘撰

明嘉靖四十三年(1564)自刻本

十一册

十行十六字,小字雙行三十二字,黑口,四周雙邊。有刻工。　善 424.7/112.1

0307

六書賦音義二十卷(存卷一至十六)

(明)張士佩撰

明萬曆三十三年(1605)刻本

六册

八行字不等,小字雙行二十四字,白口,四周雙邊。　善 424.5/307

0308

摭古遺文二卷再增摭古遺文一卷

(明)李登輯　(明)姚履旋增補

明萬曆二十二(1594)姚履旋刻本

二册

八行十字,小字雙行,白口,四周單邊。

善 423.5/288-02

0309

摭古遺文二卷再增摭古遺文一卷

(明)李登輯　(明)姚履旋增補

明萬曆三十一年(1603)李思謙重刻本

二册

八行十字,小字雙行,白口,四周單邊。封面鎸"致和堂藏板"。　善 423.5/288

0310

精鎸海若湯先生校訂音釋五侯鯖字海二十卷卷首一卷五經難字一卷

明刻本

十册

十行大小字不等,白口,四周單邊。

善 424.5/736.4

0311
翰林重攷字義韻律大板海篇心鏡二十卷
（明）劉孔當撰
明萬曆二十六年(1598)書林葉會廷刻本
四册
二節版。上下欄各十一行大小字不等，白口，間有黑口，左右雙邊或四周雙邊。有"萬曆戊戌春王正月吉葉會廷刊行"牌記。　善 424.5/888

0312
重校經史海篇直音十卷
明刻本
十册
十行，大小字不等，白口，左右雙邊。鈐"安樂堂藏書記"、"肅寧劉潤鑒藏"印。
善 424.5/861－02

0313
新校經史海篇直音五卷
明萬曆三年(1575)司禮監刻本　有抄配
十册
十一行，大小字不等，黑口，四周雙邊。
善 442.5/861

0314
古今字考六卷
（明）呂一奏撰
明崇禎元年(1628)刻本
十二册
十行二十字，白口，四周單邊。卷端頁版心鎸"金陵徐世濟梓"。　善 10283

0315
字彙十二卷末一卷韻法直圖一卷韻法横圖一卷
（明）梅膺祚撰
明萬曆間刻本
十四册
八行大小字不等，白口，左右雙邊。前有萬曆四十三年(1615)自序。　善 423.5/279

0316
字學類辨四卷
（明）徐與稐撰
明末刻本
二册
八行大小字不等，白口，四周單邊。前有明天啓元年(1621)徐應亨序。鈐"白石道人"、"韜潤"、"蔣韻之印"、"趙之玿印"、"宋王孫"諸印。
善 423.9/953.8

0317
字牖十七卷(存卷一至九、十二至十七)
（清）王鐸撰
清初刻本
九册
七行十五字，小字雙行三十字，白口，四周單邊。鈐"劉盼遂印"印。　善 423.5/119

0318
篆書正四卷
（清）戴明説輯
清順治十四年(1657)胡正言刻本
四册
八行字不等，白口，四周單邊。鈐"東山李子雨藏書之印"印。　善 423.5/213

0319
六書準不分卷
（清）馮鼎調撰
清康熙間馮昶世刻本
四册
七行九字，小字二十七字，白口，四周單邊。封面鎸"傳忠堂藏板"。
據馮昶世跋是書刊刻約在康熙十年(1671)。
善 9825

0320
六書分類十二卷卷首一卷
（清）傅世堯輯
清康熙三十八年(1699)汝南周天健羊城刻本
十二册
八行大小字不等，白口，四周單邊。版心下鎸"聽松閣"。鈐"澹崖"印。
又一部　十二册　善 423.14/905

0321
隸辨八卷
（清）顧藹吉撰
清康熙五十七年(1718)項氏玉淵堂刻本
八册
大字六行約十字，小字十二行二十字，細黑口，四周單邊。
又一部(卷二系黄襄成、吳慧之抄配)　八册　鈐"戴經堂藏書"、"沈氏藏書"、"汲門氏讀"、"五芝堂"、"襄成字君偉又曰納菴"印。

善 421.5/962－04

0322

隸辨八卷

(清)顧藹吉撰

清乾隆八年(1743)黄晟重校刻玉淵堂本

八册

大字六行約十字,小字十二行二十字,細黑口,四周單邊。　善 421.5/962－03

0323

康熙字典十二集三十六卷總目一卷檢字辨似一卷等韻一卷備考一卷補遺一卷

(清)張玉書　凌紹雯等纂修

清康熙間内府刻本

四十册

八行大字不等,小字雙行二十四字,白口,四周雙邊。開化紙印。　善 423.9/765－011

0324

六書辨通五卷補一卷續補一卷

(清)楊錫觀撰

清乾隆間嘉禾瑞石軒刻本

五册

八行十三字,小字雙行二十六字,黑口,四周單邊。前有乾隆八年(1743)黄之雋序。封面鎸"嘉禾瑞石軒藏板"。

又一部　五册　善 423.14/274

0325

六書例解一卷集説一卷八分書辨一卷

(清)楊錫觀撰

清雍正間刻乾隆五十一年(1786)馮浩修補本

一册

九行二十二字,小字雙行同,黑口,四周單邊。

善 423.14/274－6

0326

韻府古篆彙選六卷

(清)陳策輯

日本元祿十年(1697)柳枝軒刻本

五册

八行大小字不等,白口,四周雙邊。

善 424.5/384

0327

增訂金壺字考十九卷二集二十一卷補錄一卷補注一卷

(宋)釋適之原編　(清)田朝恒增訂

清乾隆間貽安堂刻本

八册

八行十六字,小字雙行三十二字,白口,左右雙邊。前有乾隆二十四年(1759)田朝恒自序。封面鎸"貽安堂藏板"。

又一部　八册　善 423.5/660

0328

識字略十卷

(清)宋宗元撰

清乾隆間網師園刻本

六册

九行十九字,白口,四周雙邊。版心下鎸"網師園"。前有乾隆三十三年(1768)宋宗元自序。鈐"彊恕齋藏書畫印"印。　善 9994

0329

隸法彙纂十卷

(清)項懷輯

清乾隆四十五年(1780)小酉山房刻本

十册

六行大小字不等,白口,四周單邊。封面鎸"小酉山房藏板"。　善 421.5/161－2

0330

字典考證十二集三十六卷

(清)王引之等撰

稿本

十二册

八行十八字,白口,紅格,四周雙邊。鈐"高郵王氏藏書印"、"樂天知命廬主人"、"渝州劉氏木齋珍藏書籍之印"、"劉明陽王静宜夫婦讀書之印"、"尚友山屋主人劉氏守貞之印"等印。

善 423.9/675－02

0331

經典文字考異一卷

(清)錢大昕撰

清抄本

二册

八行大小字不等。鈐"湘麋館藏書印"、"湘湄購書"印。　善 423.9/929

0332

六書轉注錄八卷

(清)洪亮吉撰

清抄本　卷一至二配民國抄

四册

十一或十二行,字不等,無格。鈐"曾藏荆門王氏處"、"莊氏能懼思齋藏書印"印。

善 423.14/720

0333

六書述部叙考六卷(存卷四至六)

(清)吳玉搢撰

清抄本　(清)段朝端跋

二册

十一行十九字,無格。　善 423.14/434

0334

字林便覽二卷

(清)徐慶超撰

清道光十七年(1837)楊式穀抄本

二册

六行大小字不等,無格。　善 423.5/699

0335

篆法正宗八卷

(清)阮長齡輯

清大有堂抄本

八册

六行大小字不等,無格。版心書"大有堂"。鈐"武昌徐勝字戎之號劍隱珍藏"印。

善 421.4/375

0336

集古千字文不分卷

(?)陳允升輯

清抄本

二册

十行字不等。無格。　善 993.2/379

0337

中國文字學四章三十節

容庚撰

稿本

二册

十行二十二字,綠格,綠口。版心下鎸"玩司蔽聞室"。　善 420/214

韻書

0338

廣韻五卷

(宋)陳彭年等撰

明刻本

十册

九行,黑口,四周雙邊。鈐"侯汝承收藏印"印。　善 424.3/378-08

0339

廣韻五卷

(宋)陳彭年等撰

清康熙四十三年(1704)張士俊刻《澤存堂五種》本

十册

十行二十字,小字雙行二十七字,白口,左右雙邊。　善 424.3/378-06

又一部　六册　善 12735

0340

廣韻五卷

(宋)陳彭年等撰

清同治十二年(1873)粤東書局刻《小學彙函》本　佚名朱筆批校

一册

十行二十一字,小字雙行同,白口,左右雙邊。鈐"顧一鶚字漢題號隨園又號醉樵吳人□"、"曾在吳門顧醉樵處"、"小東林"、"西江省局校書"諸印。　善 424.3/378-09

0341

重編廣韻五卷

(宋)陳彭年等撰　(明)朱佑檳重編

明嘉靖二十八年(1549)益藩刻本

二十册

九行,小字雙行三十字,黑口,四周雙邊。

善 424.3/378-07

0342

廣諧聲表不分卷

清抄本

二册

八行,小字雙行二十字,白口,四周雙邊。

善 424.5/664

0343

集韻十卷

(宋)丁度等撰

清康熙四十五年(1706)刻嘉慶十九年(1814)重修本

五册

八行十六字,小字雙行二十字,上細黑口,左右雙邊。重修頁版心下鎸"甲戌重刊"。鈐"劉銓福印長壽年宜子孫"、"子重"印。

善 424.3/158－02

0344

韻補五卷

(宋)吳棫撰

明刻本

九行十七字,小字雙行同,白口,左右雙邊。

善 424.3/435

0345

排字禮部韻略五卷新編直音禮部玉篇二卷

元明間朝鮮刻本　(清)黎庶昌題識　劉盼遂題識

一册

十二行或十三行,黑口,四周單邊。鈐"養安院藏書"、"森氏開萬册府之記"印。

善 424.3/158－1－03

0346

附釋文互註禮部韻略五卷

清康熙四十五年(1706)曹寅揚州使院刻本　(清)沈大成、韓應陛校評

五册

九行十八字,小字雙行二十四字,細黑口,左右雙邊。鈐"學子"、"大成"、"韓應陛鑒藏宋元名鈔名校各善本於讀有用書齋印記"、"松江讀有用書齋金山守山閣兩後人韓德均錢潤文夫婦之印"、"甲子丙寅韓德均錢潤文夫婦兩度携書避難記"、"韓繩大一名熙字價藩讀書印"等印。

善 424.3/158－1－02

0347

大明成化丁亥重刊改併五音類聚四聲篇十五卷大明成化庚寅重刊改併五音集韻十五卷

(金)韓道昭撰

新編篇韻貫珠集八卷

(明釋)真空撰

明刻本

十八册

十行大小字不等,黑口,四周雙邊。　善 8026

0348

大明正德乙亥重刊改併五音集韻十五卷

(金)韓道昭撰

明正德十年(1515)金臺衍華寺釋覺恒募刻本

五册

十行大小字不等,黑口,四周雙邊。鈐"李大翀印"等印。　善 424.3/232

0349

大明正德乙亥重刊改併五音類聚四聲篇十五卷

(金)韓道昭撰

新編經史正音切韻指南一卷

(元)劉鑑撰

新增篇韻拾遺並藏經字義一卷

明正德十一年(1516)金臺衍華寺釋覺恒募刻明嘉靖三十八年(1559)釋本贊重修本

十册

十行大小字不等,上黑口,四周雙邊。

善 424.3/277－232－02

0350

大明萬曆乙丑重刊改併五音類聚四聲篇十五卷萬曆乙丑重刊改併五音集韻十五卷

(金)韓道昭撰

新編篇韻貫珠集八卷

(明釋)真空編

經史正音切韻指南一卷

(元)劉鑑撰

明萬曆二十三年(1595)晉安芝山開元寺刻本

十六册

十行大小字不等,白口,四周雙邊或左右雙邊。　善 424.3/277－232

0351

古今韻會舉要三十卷

(元)熊忠撰

明嘉靖十五年(1536)秦鉞、李舜臣刻十七年(1538)劉儲秀補刻本

十册

八行字不等,小字雙行二十二、三字,白口,左右雙邊。　善 424.5/856

0352

書學正韻三十六卷(存卷一、三至三十六)

(元)楊桓撰

元刻明修本

二十五册

八行,大小字不等,白口,左右雙邊。鈐"宋氏蘭揮藏書善本"、"緜松菴"印。　善 423.14/267

0353

經史正音切韻指南一卷

(元)劉鑑撰

直指玉鑰匙門法一卷新編篇韻貫珠集八卷(存二卷)

(明釋)真空撰

切韻門法一卷

明刻本

二册

四周雙邊或四周單邊。鈐"楊孫藏書"、"卧雲堂"印。 善 424.5/894

0354

經史正音切韻指南一卷直指玉鑰匙門法一卷

(元)劉鑑撰

明萬曆二十六年(1598)衍法寺竹泉圓經重刻本 有抄配

一册

上黑口,四周雙邊。 善 8024

0355

古今韻會舉要小補三十卷

(明)方日升撰

明萬曆三十四年(1606)周士顯刻本

十五册

八行十二字,小字二十四字,白口,四周單邊。 善 424.5/626

0356

古今韻會舉要小補三十卷

(明)方日升撰

明萬曆三十四年(1606)周士顯刻重修本

二十册

八行十二字,小字二十四字,白口,四周單邊。 善 10000

0357

洪武正韻十六卷

(明)樂韶鳳　宋濂等撰

明劉以節刻本

八册

八行,小字雙行二十四字,黑口,四周雙邊。卷末鎸"巡按直隸監察御史臣劉以節謹刊"。 善 424.5/463

0358

洪武正韻十六卷

(明)樂韶鳳　宋濂等撰

明刻本

五册

八行,小字雙行二十四字,白口,四周單邊。眉上鎸注。鈐"陳小岑藏"、"大瓠居士"、"郭西草堂"、"愧西舊廬"、"慈林齋書畫章"、"觀古堂"、"葉氏德輝鑒賞"諸印。 善 424.5/463－02

0359

洪武正韻十六卷

(明)樂韶鳳　宋濂等撰

明崇禎間刻本　有抄配

十册

八行,小字雙行二十四字,白口,四周雙邊。眉上鎸注。有刻工蔡仁、高仁、李文等。 善 8309

0360

洪武正韻彙編四卷

(明)周家棟輯

明萬曆三十年(1602)刻本

四册

九行,小字雙行二十八字,白口,四周雙邊。 善 424.5/463－819

0361

重刊併音連聲韻學集成十三卷

(明)章黼撰

明萬曆六年(1578)維陽資政左室刻本

十三册

八行,小字雙行二十四字,白口,四周雙邊。版心下鎸刻工及字數。有"萬曆戊寅孟夏梓於維揚資政左室"牌記。 善 424.5/655

又一部　十六册 善 8202

0362

直音編七卷

(明)章黼撰　(明)陳世寶重訂

明萬曆六年(1578)維陽資政左室刻本

七册

八行十三字,小字雙行二十六字,白口,四周雙邊。版心下鎸刻工及字數。有"萬曆戊寅孟夏梓於維揚資政左室"牌記。 善 423.5/655

0363

詩韻輯略五卷

(明)潘恩輯

明隆慶間刻本

八册

八行,小字雙行二十四字,白口,左右雙邊。 善 424.5/602.6

0364

蘇氏韻輯四卷

(明)蘇茂相輯

明天啓二年(1622)浙江廣益堂刻本

四册

八行,小字雙行二十四字,白口,四周雙邊。
善 424.5/554

0365
三臺館仰止子考古詳訂遵韻海篇正宗二十卷
(明)余象斗撰
明萬曆二十六年(1598)書林雙峰堂余文臺刻本
八册
三節版。上下欄各九行大小字不等,中欄鎸注。下黑口,四周雙邊。 善 424.5/988

0366
韻譜本義十卷
(明)茅溱輯
明萬曆三十二年(1604)自刻本
六册
八行,小字雙行約二十六字,白口,四周單邊。
善 424.5/516
又一部　五册　善 9997

0367
讀書通二十卷
(明)郝敬撰
明崇禎間刻《山草堂集》本
十册
八行,小字雙行二十字或九行十八字,白口,四周單邊。版心上鎸"山草堂集"。 善 9356

0368
元韻譜一卷
(明)喬中和撰
明末刻本
一册
白口,左右雙邊。有萬曆三十九年(1611)序。
善 424.5/809

0369
音韻日月燈六十四卷(存卷首四卷同文鐸三十卷韻鑰二十五卷)
(明)呂維祺撰
明崇禎七年(1634)刻本
二十四册
八行十二字,小字雙行同,白口,四周單邊。鈐"徐務本印"、"念先"、"拙菴"、"舊山清玩"、"湘潭葉氏珍藏書印"、"濟滄閲讀"等印。善 8201

0370
詩韻釋略五卷
(明)梁應圻撰
清康熙十七年(1678)李希禹刻本
十册
八行,小字雙行二十四字,白口,四周單邊。封面鎸"閶門李希禹梓行"。鈐"常子山藏"印。
善 424.5/730

0371
詩韻鏡二卷
(清)徐謂弟撰
清康熙間刻本
二册
九行大字六字,小字不等,白口,四周單邊。前有康熙元年(1662)徐渭弟自序。 善 424.5/951

0372
類音八卷
(清)潘耒撰
清雍正三年(1725)遂初堂刻本
八册
十一行二十二字,白口,左右雙邊。有刻工。封面鎸"遂初堂藏板"。鈐"衡陽常氏潭印閣藏書之圖記"印。 善 424.7/754
又一部　三册　善 1431

0373
諧聲品字箋五十七卷
(清)盧德升撰
清康熙十六年(1677)陸欣、陸灝刻本
十册
八行,小字雙行二十四字,白口,四周單邊。鈐"濟滄閲過"印。 善 8200

0374
康熙甲子史館新刊古今通韻十二卷
(清)毛奇齡撰
清康熙二十四年(1685)學者堂刻本
六册
十行二十字,小字雙行同,白口,四周單邊。封面鎸"學者堂藏板"。鈐"武昌柯逢時所藏圖記"印。 善 424.5/781
又一部　四册　善 11603

0375
讀書正音四卷
(清)吳震方輯
清康熙間刻本
一册
十行大小字不等,白口,左右雙邊。前有康熙

四十四年(1705)毛奇齡序。鈐“鄞林氏藜照廬圖書”印。　善 424.7/436

0376

新依皇極經世訂正韻書不分卷

(清)張森撰

清康熙間刻本

二册

白口,四周單邊。前有康熙三十三年(1694)張森自序。　善 424.5/307.22

0377

古今韻略五卷

(清)邵長衡撰

清康熙三十五年(1696)刻本

五册

九行,小字雙行二十八字,黑口,四周單邊。

又一部　二册　鈐“王堃之印”、“金浦”印。

善 424.5/329

0378

等切元聲十卷

(清)熊士伯撰

清康熙間刻本

三册

十行二十四字,小字雙行同,白口,左右雙邊。前有康熙四十五年(1706)熊士伯序。封面鎸“尚友堂藏板”。　善 10831

0379

古今韻表新編一卷後編一卷

(清)仇廷模撰

清乾隆三年(1738)拾餘廬刻本

一册

白口,左右雙邊。封面鎸“拾餘廬藏板”。

善 424.5/918

0380

本韻一得二十卷

(清)龍爲霖撰

清乾隆十六年(1751)蔭松堂刻本

十册

行、字數不等,白口,四周雙邊。鈐“周昌澍印”、“雲祈”印。　善 424.5/658

0381

四聲切韻表三卷首一卷(存卷首一卷及卷上)

(清)江永撰　(清)汪日楨補正

清抄本　佚名朱筆校

一册

十行二十二字,黑格,黑口,四周單邊。

善 424.7/719－710

0382

新刊韻學會海十六卷

·(清)盧宏啓　徐作林撰

清乾隆十六年(1761)刻本

八册

十行,小字雙行二十八字,白口,左右雙邊。

善 424.5/496

0383

韻歧五卷

(清)江昱輯

清乾隆二十六年(1751)刻本

二册

九行,小字雙行二十字,細黑口,左右雙邊。鈐“歸安凌氏鴻術堂藏書記”、“吳興凌氏初平父所藏書”、“杭州王氏九峰舊廬藏書之章”印。

善 424.5/719－02

0384

音韻輯要二十一卷

(清)王鵕輯

清乾隆四十九年(1784)昆山載德堂刻本

四册

八行大小字不等,白口,四周雙邊。　善 1387

0385

大極韻初集二卷

(清)張成墺撰

清乾隆五十二年(1787)片玉齋刻巾箱本

二册

八行十七字,小字雙行同,白口,四周雙邊。版心下鎸“片玉齋”。　善 12475

0386

韻徵八卷

(清)安吉撰

清道光六年(1826)天全堂抄本　(清)安念祖校並跋

八册

六行,小字雙行二十字,白口,四周雙邊。版心下鎸“天全堂”。鈐“岐卿曾觀”、“積書盈房”、“問古堂”、“安念祖”、“小補”諸印。

善 424.5/704

0387

古篆韻譜五卷

(清)邵耀撰

稿本

五册

八行大字、小字各六字,無格。前有清乾隆五十二年(1787)序。鈐"邵耀之印"、"東陽一字石畦"印。　善423.5/329

0388

翻切入門簡可篇不分卷

(清)張燮承撰

清抄本

一册

十行二十一字,小字雙行同,無格。　善1426

0389

詩聲類十二卷詩聲分例一卷

(清)孔廣森撰

清𩊠均居抄本　羅振玉跋

二册

九行二十字,小字雙行同,白口,四周雙邊。版心下鎸"𩊠均居"。鈐"紫珊所得善本"、"謂仁"、"羅振玉印"、"唐風樓"印。

善424.1/370-02

0390

音韻纂組不分卷

(清)□慧書輯

清抄本

十册

八行大小字不等,無格。前有嘉慶八年(1803)□同書序。　善424.5/126

0391

歌麻古韻考四卷

(清)吳樹聲撰　(清)苗夔補注

清抄本　(清)諸可寶校　(清)黄彭年跋

四册

十二行約二十二字,無格。鈐"文焯校讀"印。

善424.1/435-523

0392

音韻字辨十二卷

(清)瞿邦燦輯

謄清本

四册

三節板。七行,中欄大字不等,小字雙行十六字,上欄小字雙行八字。下欄鎸注。前有道光二年(1822)甥易希曾手書序及自序。　善424.5/476

0393

韻書正宗不分卷

清抄本　佚名墨筆批校

十三册

六行,小字雙行二十四字,無格。

善424.7/654.2

0394

御定奎章全韻二卷

(朝鮮)奎章閣撰

清光緒間朝鮮刻本

一册

十行十八字,小字雙行同,白口,四周雙邊。

善424.5/354

史　部

紀傳類

通代

0395

史記不分卷

(漢)司馬遷撰

明抄本　佚名朱筆批

八册

十行二十四字,白口,無格。鈐"查昇之印""肅親王"、"成哲親王曾孫"、"載鏗小印"、"天柱堂"、"爽庵"、"吳汝綸印"、"金匱廉泉桐城吳芝瑛夫婦共欣賞之印"、"岫雲山人"、"紫英"、"鞠翁之女"、"小萬柳堂"諸印。

封面題"香光選錄史記真蹟"。抄本字體清秀飄逸。扉頁有查昇題跋,謂是董其昌平日習古文時所抄。待證。　善921.13/303-030

0396

史記一百三十卷

(漢)司馬遷撰　(劉宋)裴駰集解

明崇禎間毛氏汲古閣刻本

二十册

十二行二十五字,小字雙行三十七字,白口,左右雙邊。版心鎸"汲古閣毛氏",卷端有"琴川毛鳳苞氏審定宋本"木記。鈐"竹邨"印。　善1495

0397

史記索隱三十卷

(唐)司馬貞撰

明末毛氏汲古閣刻本

二册

十四行二十七字,小字雙行四十字,白口,左右雙邊。封面鎸"汲古閣藏版"。卷端或卷末有"琴川毛鳳苞氏審定宋本"木記。

又一部　四册　鈐"益津高氏"印。

善921.13/303-303

又一部　二册　善1491

0398

史記一百三十卷

(漢)司馬遷撰　(劉宋)裴駰集解　(唐)司馬貞索隱　(唐)張守節正義

明嘉靖間震澤王延喆刻本　有批點

三十册

十行十八字,小字雙行二十三字,白口,左右雙邊。有刻工。目錄後有"震澤王氏刻梓"牌記。序後有"震澤王氏刻於恩褒四世之堂"牌記。

善921.13/303-024

0399

史記一百三十卷

(漢)司馬遷撰　(劉宋)裴駰集解　(唐)司馬貞索隱　(唐)張守節正義

明嘉靖間震澤王延喆刻本　(清)鄒道沂批校

七十二册

十行十八字,小字雙行二十三字,白口,左右雙邊。鈐"鄒鍾和印"印。　善921.13/303-025

0400

史記一百三十卷

(漢)司馬遷撰　(劉宋)裴駰集解　(唐)司馬貞索隱　(唐)張守節正義

明嘉靖八年(1529)至九年(1530)南京國子監刻本

三十册

十行二十一字,小字雙行同,細黑口,四周雙邊。版心上鎸"嘉靖九年刊"。有刻工李潮、袁電、何珠等。鈐"東吳毛氏圖書"、"毛氏子晉"、"汲古主人"等印。　善921.13/303-016

0401

史記一百三十卷

(漢)司馬遷撰　(劉宋)裴駰集解　(唐)司馬貞索隱　(唐)張守節正義

明嘉靖十三年(1534)秦藩刻本

八十册

十行十八字,小字雙行二十三字,白口,左右雙邊。鈐"吟芬館珍藏"、"盱江曾氏珍藏"印。

善921.13/303-022

0402

史記一百三十卷

(漢)司馬遷撰　(劉宋)裴駰集解　(唐)司馬貞索隱　(唐)張守節正義

明萬曆二十四年(1596)南京國子監刻本

四十册

十行二十一字,小字雙行二十七字,細黑口,左右雙邊。版心鎸"萬曆二十四年刊"及刻工姓名。鈐"合肥李氏集虚草堂藏書印"印。

善921.13/303-021

0403

史記一百三十卷

(漢)司馬遷撰　(劉宋)裴駰集解　(唐)司馬貞索隱　(唐)張守節正義

清乾隆四年(1739)武英殿刻本　景劍泉過錄諸家批點

二十六册

十行二十一字,小字雙行同,白口,左右雙邊。版心上鎸"乾隆四年校刊"。鈐"張氏家藏"、"廷遴之印"、"辟承嗣守"、"景氏劍泉藏圖記"、"李葆恂印"、"李大翀讀書記"、"義州李大翀石孫嗣藏"等印。　善921.13/303-028

0404

史記一百三十卷

(漢)司馬遷撰　(劉宋)裴駰集解　(唐)司馬貞索隱　(唐)張守節正義

清同治五年(1866)至九年(1870)金陵書局刻本　羅振亨過錄諸家評點

二十册

十一行二十二字,小字雙行同,黑口,四周雙邊。鈐"上元羅氏藏書"印。

善921.13/303-0310402

0405

史記一百三十卷

(漢)司馬遷撰　(劉宋)裴駰集解　(唐)司馬貞索隱　(唐)張守節正義　(明)陳仁錫評

明崇禎間程正揆刻本　(清)吳翌鳳過錄諸家批語

七册

十行二十字,小字雙行同,白口,左右雙邊。

善921.13/303-029

0406

史記評林一百三十卷

(明)凌稚隆輯

明萬曆二年(1574)至四年(1576)自刻本　十五松山房批并過錄(明)歸有光等諸家批校

三十二册

十行十九字,小字雙行同,白口,左右雙邊。卷一首頁版心下鎸"長洲顧檈寫同邑沈玄易刊"。眉欄鎸評。卷端題"吳興凌稚隆輯校"。鈐"孫漣"等印。　善921.13/765-2

0407

史記半解不分卷

(清)湯諧評注

清康熙五十四年(1715)慎餘堂刻本　佚名朱墨筆批注

四册

十二行三十字,行間小字,白口,左右雙邊。封面鎸"慎餘堂藏板"。鈐"秋水共長天印"、"少平氏"印。　善921.13/303-736

0408

史記志疑三十六卷

(清)梁玉繩撰

清乾隆五十二年(1787)刻本

二十四册

十二行二十四字,白口,左右雙邊。鈐"研石齋主人丁氏道周砥齋鑒藏書畫之印"等印。

善921.13/303-725-02

0409

南史八十卷

(唐)李延壽撰

元大德十年(1306)刻明嘉靖間遞修本

三十六册

十行二十二字,白口,四周雙邊。鈐"晚菘堂"、"許玠之印"、"君耆"諸印。　善922.3501/293-05

0410

重訂古史全本六十卷

(宋)蘇轍撰　(明)吳弘基重訂

明刻本

十二册

八行二十字,白口,左右雙邊。眉上鎸評。鈐"自修齋藏書"、"集虚林印"、"鄞林氏藜照廬藏書印"。　善922.101/554

0411

通志二百卷

(宋)鄭樵撰

元大德間三山郡庠刻元明遞修本　有抄配
一百二十册
九行二十一字,白口,左右雙邊。有刻工,漢紀卷五版心下鎸"至大二年士安"。鈐"法城水口白氏家傳"、"覲堂藏子孫保世"、"子孫永保"、"吳氏珍藏"、"新樂王書"、"吳興劉氏嘉業堂藏"、"吳興劉氏嘉業堂藏書印"、"劉承幹字貞一號翰怡"諸印。　善 921.14/972-06

0412
通志略五十二卷
(宋)鄭樵撰
明嘉靖二十九年(1550)陳宗夔等刻本
二十册
十行二十字,白口,四周單邊。鈐"鋤經樓藏書印"印。
又一部(存七略十七卷)　十六册
善 921.14/972-03

0413
通志略五十二卷
(宋)鄭樵撰
清乾隆十四年(1749)汪啓淑飛鴻堂刻本
二十四册
十行二十字,小字雙行同,白口,四周單邊。封面鎸"新安汪啓淑校刊"、"飛鴻堂藏板"。
善 921.14/972-07

0414
通志四略十四卷
(宋)鄭樵撰
清乾隆十四年(1749)沈大成抄本
六册
六行二十字或二十一字,小字雙行同,無格。鈐"大成"、"學子"、"華田酒田之農"、"蘭圃"、"維惠"諸印。
子目:
氏族略六卷
六書略五卷
七音略二卷
金石略一卷　善 921.14/972-1-742

0415
五代史記七十四卷
(宋)歐陽修撰　(宋)徐無黨注
明嘉靖間刻本
二十册
十二行二十二字,小字雙行約二十七字,白口,四周單邊。鈐"飽看芙蓉六六峰"、"臣本布衣"、"龍眠畫里住三年"等印。
善 922.4201/423-953-07

0416
五代史記七十四卷
(宋)歐陽修撰　(宋)徐無黨注
明萬曆四年(1576)至五年(1577)南京國子監刻清遞修本
八册
十行二十一字,小字雙行同,白口,四周雙邊。版心上鎸"萬曆四年刊"。重修頁有"順治十五年刊"、"康熙三十九年刊"、"乾隆五十五年刊"等。
善 1553

0417
五代史七十四卷
(宋)歐陽修撰　(宋)徐無黨注
明萬曆二十八年(1600)北京國子監刻清康熙二十五年(1686)重修本
十册
十行二十一字,小字雙行同,白口,左右雙邊。每卷首頁版心上鎸"康熙二十五年重修"。鈐"愛新覺羅兼彝"、"呂紹簡閲"印。
善 922.4201/423-02

0418
五代史記七十四卷
(宋)歐陽修撰　(宋)徐無黨注
清乾隆十一年(1746)歐陽徽柔刻本　(清)郁松年校
八册
十行二十一字,小字雙行同,白口,左右雙邊。鈐"曾藏沈燕謀家"、"沈燕謀藏書記"等印。
善 922.4201/423-953-08

0419
弘簡錄二百五十四卷
(明)邵經邦撰
清康熙二十七年(1688)邵遠平刻本
四十八册
十二行二十四字,白口,四周單邊。　善 1617

0420
函史上編八十二卷下編二十一卷
(明)鄧元錫撰
明萬曆間刻本

六十册

十行二十一字,小字雙行同,白口,左右雙邊。鈐"湘鄉蔣氏"、"德鈞圖書"、"求實齋藏"、"戒廬"、"少穆"諸印。　善921.5/372

0421

荒史六卷

(明)陳士元輯

明萬曆間刻《歸雲别集》本

二册

九行二十字,小字雙行同,白口,四周雙邊。　善922.105/378

0422

藏書六十八卷

(明)李贄撰

明萬曆二十七年(1599)焦竑刻本

六十册

九行二十字,白口,四周單邊(與《續藏書》二十七卷合函)。

又一部(存六十卷)　三十六册　鈐"滌盦藏書之印"印。　善982.31/287

0423

續藏書二十七卷

(明)李贄撰

明萬曆三十九年(1611)王若屏刻本

十二册

九行二十字,白口,四周單邊(與《藏書》六十八卷合函)。

又一部　二十四册(與《藏書》六十八卷合函)

又一部　二十册　鈐"胡少峰記"印。

善982.31/287

0424

續藏書二十七卷

(明)李贄撰　(明)陳仁錫評

明天啓三年(1623)刻本

六册

十行二十二字,白口,四周單邊。眉上鎸評。鈐"葉鼎和印"等印。　善982.316/287-02

0425

尚史七十卷

(清)李鍇撰

清乾隆三十八年(1773)悦道樓刻本

二十八册

十行二十四字,小字雙行同,白口,左右雙邊。封面鎸"悦道樓藏板"。　善922.101

又一部　二十二册　善4869

斷代

0426

前漢書一百卷

(漢)班固撰　(唐)顔師古注

明正統八年(1443)至十年(1445)刻本

六十四册

十行十九字,小字雙行二十五至二十八字,黑口間有白口,四周雙邊。有刻工。鈐"果親王府圖籍"、"竹邨珍賞"、"恩福堂藏書印"、"自得居士"、"蔣藥巖鑒定"、"蔣懋德印"、"山樓"、"山樓珍藏"、"長洲竹邨蔣懋德珍藏"、"薌碉秘玩之章"、"净因菴主"、"竹邨子外史"、"懋德之章"、"古潭洲袁卧雪廬收藏"等印。

此書版心原鎸有"正統八年刊",被全部剜去,并補上黑釘白文"乾道三年刊"。文中凡有日月處皆署"乾道"。天頭地脚全部截去,配紙接補,欄綫重描。是書賈爲牟利而做之僞本。考訂詳見魏隱儒等編著《古籍版本鑒定叢談》。

善922.2101/123-010

0427

前漢書一百卷

(漢)班固撰　(唐)顔師古注

明萬曆二十五年(1597)北京國子監刻本　佚名墨筆過録何焯批校

二十六册

十行二十一字,小字雙行同,白口,左右雙邊。版心上鎸"萬曆二十五年刊"。鈐"劉林□印"、"訥廬實此過於明珠駿馬"印。

善922.2101/123-011

0428

漢書評林一百卷

(明)凌稚隆輯

明萬曆九年(1581)自刻本　(清)汪琬批點　(清)惠周惕跋

五十册

十行二十字,小字雙行同,白口,左右雙邊。眉欄鎸評。有刻工。鈐"沈衍薌印"、"研溪"、"粹之"、"粤人吴榮光印"、"曾在吴石雲處"、"吴氏筠清館所藏書畫"諸印。

善922.2101/123-765-02

0429
漢書評林一百卷
(明)凌稚隆輯
明萬曆九年(1581)自刻本
二十五册
十行二十字,小字雙行同,白口,左右雙邊。眉欄鎸評。有刻工。鈐"集均軒藏書記"印。
善 922.2101/123-765-03

0430
漢書地理志稽疑六卷
(清)全祖望撰
清嘉慶九年(1804)朱文翰得諼草堂刻本
四册
十行二十字,小字雙行同,白口,四周雙邊。鈐"包子莊秘笈印"、"包虎臣藏"印。　善 1499

0431
班馬異同三十五卷
(宋)倪思撰　(宋)劉辰翁評
明刻本
十册
九行二十字,白口,四周單邊。眉上鎸評。鈐"硯翁戊午之後所得"印。　善 6089

0432
史漢方駕三十五卷
(明)許相卿撰
明刻本
十册
九行二十字,小字雙行同,白口,左右雙邊。眉欄鎸評。鈐"君韶"、"沈世美印"印。　善 9834

0433
史漢方駕三十五卷
(明)許相卿撰
明萬曆十三年(1585)徐禾刻本
十四册
九行二十字,小字雙行同,白口,左右雙邊。眉欄鎸評。有刻工英仕等。　善 922.1305/608

0434
後漢書九十卷
(劉宋)范曄撰　(唐)李賢注
志三十卷
(晉)司馬彪撰　(梁)劉昭注
明萬曆二十四年(1596)北京國子監刻本
三十册
十行二十一字,小字雙行同,白口,左右雙邊。版心上鎸"萬曆二十四年刊"。鈐"劉林□印"、"訥廬寶此過於明珠駿馬"印。
善 922.2201/533-011

0435
後漢書九十卷
(劉宋)范曄撰　(唐)李賢注　(明)陳仁錫評
志三十卷
(晉)司馬彪撰　(梁)劉昭注　(明)陳仁錫評
明天啓七年(1627)雲林積秀堂刻本
二十册
九行二十字,小字雙行同,白口,四周單邊。眉欄鎸評。封面鎸"雲林積秀堂梓行"。　善 1508

0436
三國志六十五卷(存七至六十五卷)
(晉)陳壽撰　(劉宋)裴松之注
元刻明嘉靖十年(1531)萬曆五年(1577)南京國子監遞修本　佚名朱墨筆批校
七册
十行十九字,小字雙行二十一、二十三字不等,白口,四周雙邊或四周單邊或左右雙邊。版心上偶見"嘉靖年"、"嘉靖己未年"、"萬曆五年刊"。版心下有"監生李雲芳刊"、"監生陳伯鏞刊"等。有刻工。鈐"畫酣"印。　善 922.2301/378-017

0437
三國志六十五卷
(晉)陳壽撰　(劉宋)裴松之注
明萬曆二十四年(1596)南京國子監刻本
三十二册
十二行二十三字,細黑口,左右雙邊。版心上鎸"萬曆十四年刊",有刻工。鈐"陳哲倫印"、"夔珍"、"陳元鏞印"、"滄泊明志"、"陸隴其印"、"稼書"等印。　善 922.2301/378-011

0438
三國志六十五卷
(晉)陳壽撰　(劉宋)裴松之注
明萬曆二十四年(1596)南京國子監刻清順治十六年(1659)重修本　張繼題識
十二册
十二行二十三字,白口,左右雙邊。版心上鎸"萬曆二十四年刊"、"順治十六年刊"。鈐"徐氏通介堂藏書印"、"番禺徐九所讀書"、"張繼"諸印。　善 922.2301/378-011

0439

三國志六十五卷

(晉)陳壽撰　(劉宋)裴松之注

明崇禎十七年(1644)琴川毛氏汲古閣刻《十七史》本　佚名朱、藍筆批注

十册

十二行二十五字,小字雙行三十七字,白口,左右雙邊。版心鎸"汲古閣毛氏正本"。鈐"紅藥山房主人"、"讀易樓"、"筠圃"、"玉棟私印"、"讀易樓藏書記"諸印。　善 922.2301/378－015

0440

三國志六十五卷

(晉)陳壽撰　(劉宋)裴松之注　(明)陳仁錫評

明天啓間雲林積秀堂刻本

二十四册

十行二十字,白口,四周單邊。封面鎸"雲林積秀堂梓"。鈐"陶氏逸園藏書記"印。

善 922.2301/378

0441

前秦書□□卷(存卷一至五、十至二十二)

(清)惲毓鼎撰

稿本

二册

九行二十五字,緑格,白口,四周雙邊。版心下鎸"曇雲山人監製"。　善 1533

0442

南齊書五十九卷

(梁)蕭子顯撰

明萬曆十六年(1588)至十七年(1589)南京國子監刻清順治十六年(1659)遞修本

十二册

九行十八字,白口,四周雙邊。版心上鎸有"萬曆十六年刊"、重修頁鎸"順治十六年刊"。

善 922.35201/508－03

0443

南齊書五十九卷

(梁)蕭子顯撰

明崇禎十年(1637)毛氏汲古閣刻本

八册

十二行二十五字,白口,左右雙邊。版心鎸"汲古閣毛氏定本"。　善 1537

0444

梁書五十六卷

(唐)姚思廉撰

明萬曆三年(1575)南京國子監刻本　朱希祖題識

六册

十行二十一字,下細黑口,四周雙邊。版心上鎸"萬曆三年刊"。鈐"朱希祖"印。　善 1536

0445

周書五十卷

(唐)令狐德棻等撰

明萬曆十六年(1588)南京國子監刻明清遞修本

十册

九行十八字,白口,四周雙邊。封面鈐"書業堂圖書"印。版心上鎸"萬曆十六年刊",補修頁鎸"順治十六年刊"、"康熙三十九年刊"、"康熙二十年補刊"。　善 922.36501/989

0446

周書五十卷

(唐)令狐德棻等撰

明崇禎五年(1632)毛氏汲古閣刻本

六册

十二行二十五字,白口,左右雙邊。卷端有"琴川毛鳳苞氏審定宋本"。版心鎸有"汲古閣毛氏定本"。　善 1538

0447

隋書八十五卷

(唐)魏徵等撰

元大德間饒州路儒學刻明正德嘉靖間遞修本

四十册

十行二十二字,細黑口或白口,左右雙邊或四周雙邊。鈐"劉承幹字貞一號翰怡"、"吳興劉氏嘉業堂藏書印"、"吳興劉氏嘉業堂藏"、"曾經東山柳蓉邨過眼印"諸印。　善 922.3701/807－04

0448

唐書釋音二十五卷

(宋)董冲撰

元大德九年(1305)建康路儒學刻明成化弘治嘉靖間遞修本

四册

十行二十二字,白口,左右雙邊。

此書爲《唐書》二百二十五卷之附刻。

善 922.4101/423－548

0449

南唐書三十卷

(宋)馬令撰

明嘉靖二十九年(1550)顧汝達刻本
四册
十行二十字,小字雙行同,白口,左右雙邊。鈐"君山遺品"、"稻葉巖吉"、"君山脩史在韓"、"萬玉樓"、"君山精玩"、"馬毅"諸印。
善 922.48/419

又一部　六册　鈐"劉盼遂印"、"康生之章"等印

0450

南唐書三十卷
(宋)馬令撰　(明)陳繼儒訂
明末刻本
六册
九行二十字,白口,四周單邊。鈐"結我善緣館藏書畫章"、"信義書店"印。
善 922.48/419-02

0451

南唐書十八卷
(宋)陸游撰
音釋一卷
(元)戚光撰
明萬曆間沈士龍、胡震亨刻《祕册彙函》本
二册
九行十八字,小字雙行同,白口,左右雙邊。
善 922.48/392-02

0452

宋史四百九十六卷
(元)脱脱等撰
明成化七年(1471)至十六年(1480)朱英刻本
一百二十册
十行二十字,黑口,四周雙邊。有刻工。鈐"虞山汲古閣毛子晉圖書"印。
善 922.5101/301-04

0453

宋史四百九十六卷(存卷四至四百八十九)
(元)脱脱等撰
明成化七年(1471)至十六年(1480)朱英刻嘉靖三十五年(1556)萬曆六年(1578)南京國子監遞修本
六十一册
十行二十字,黑口,四周雙邊。修補頁版心上鎸"嘉靖丙辰年"、"萬曆六年刊"等。　善 3677

0454

遼史一百十六卷
(元)脱脱撰
明嘉靖八年(1529)南京國子監刻本
十册
十行二十二字,細黑口,左右雙邊。版心上鎸"嘉靖八年刊"。鈐"琅琊王伯子藏書印"、"敬山毛枝之書"、"復盦"、"子孫保之"等印。

又一部　八册　鈐"文清家世"、"不知天地間何者美好"、"蘇州常熟象山精舍至樂主人河南行御史陳察原習之印"等印。

又一部　十二册　善 922.5501/301-09

0455

東都事略一百三十卷
(宋)王偁撰
清影宋眉山程舍人刻本
十二册
十二行二十四字,細黑口,左右雙邊。鈐"葉德輝焕彬甫藏閱書"印。　善 4971

0456

金史一百三十五卷目録二卷
(元)脱脱等撰
明嘉靖八年(1529)南京國子監刻清順治十五年(1658)遞修本
二十册
十行二十二字,白口,左右雙邊。版心上鎸"嘉靖八年刊"。補修頁鎸"順治十五年刊"。鈐"愛日堂"印。　善 922.5601/301-05

0457

元史二百十卷
(明)宋濂等撰
明洪武三年(1370)内府刻嘉靖九年(1530)、十年(1531)南京國子監遞修本
五十册
十行二十字,黑口,四周雙邊。有刻工。版心上存有"嘉靖九年刊"、"嘉靖九年補刊"、"嘉靖十年補刊"等。鈐"蟄庵"、"周元美印"印。
善 922.5701/696-07

又一部(存表卷一至六,列傳卷一至四十九)　十册
善 3678

0458

元史二百十卷目録二卷
(明)宋濂等撰
明洪武三年(1370)内府刻明清遞修本
六十册

十行二十字,白口,四周雙邊。補修頁版心上有"嘉靖九年補刊"、"嘉靖十年刊"、"萬曆二十六年刊"、"萬曆三十七年"、"萬曆三十七年刊"、"萬曆四十四年刊"、"天啓二年刊"、"天啓三年刊"、"天啓三年刻"、"崇禎二年刊"、"崇禎三年刊"、"崇禎七年刊"、"崇禎十年南厢刊"、"東厢王南厢周同補"、"順治十五年刊"、"順治十六年刊"、"康熙二十年補刊"、"康熙二十五年"。有刻工。鈐"愛日堂"印。　善922.5701/696-06

0459

名山藏一百九卷

(明)何喬遠輯

明崇禎間刻本

四十八册

十行二十字,小字雙行同,白口,四周單邊。

善0180

0460

明史槀三百十卷目錄三卷

(清)王鴻緒奉敕編撰

清康熙間敬慎堂刻本

八十册

十一行二十三字,白口,左右雙邊。版心下鎸"敬慎堂"。鈐"岑振祖印"、"端書"、"岑氏圖書"等印。　善3754

0461

南疆繹史勘本三十卷

(清)温睿臨撰　(清)李瑶勘定

卷首二卷摭遺十八卷

(清)李瑶撰

清道光十年(1830)蕭山蔡氏城南草堂膠泥活字印本　(日本)島田翰識

二十四册

九行二十字,黑口,左右雙邊。鈐"七啓盒"、"島田翰讀書記"、"荆州田氏藏書之印"等印。

善922.605/738-02

0462

明史綱目二十四卷

([illegible])李玄錫撰

清康熙四十二年(1703)朝鮮活字印本

二十册

十行十九字,白口,四周雙邊。鈐"賜號善寶齋"、"閔丙成印"、"藕齋"等印。善922.6026/291

0463

國史列傳不分卷

清抄本

六册

七行十七字,紅格,紅口,四周雙邊。

善982.27/425

0464

欽定續纂外藩蒙古回部王公表十二卷

清道光二十九年(1849)武英殿刻本

十二册

白口,四周雙邊。　善323.49/938

編年類

通代

0465

資治通鑑二百九十四卷(存卷九十一至九十七)

(宋)司馬光撰　(元)胡三省音注

元至元間刻本　有抄配

六册

十行二十字,小字雙行同,黑口,四周雙邊。有刻工張明甫、胡時中等。　善921.23/303-020

0466

資治通鑑二百九十四卷

(宋)司馬光撰

明嘉靖二十三年(1544)至二十四年(1545)孔天胤刻本　有抄配

八十册

十行二十字,白口,左右雙邊。有刻工。鈐"賀黄公藏書印"、"俞森之印"、"黄紹齋家珍藏"、"五福堂收藏明版善本書"印。

善921.23/303-015

0467

資治通鑑二百九十四卷

(宋)司馬光撰

明嘉靖二十三年(1544)至二十四年(1545)孔天胤刻本　佚名朱、墨筆批注

八十四册

十行二十字,白口,左右雙邊。有刻工。鈐"趙氏元方"、"曾在趙元方家"印。

善921.23/303-021

0468

資治通鑑二百九十四卷

(宋)司馬光撰　(元)胡三省音注

通鑑前編十八卷舉要二卷

(宋)金履祥撰　(明)路進輯

首一卷

(明)陳桱撰

歷代帝王歷數圖一卷歷代輿地圖一卷古今官制沿革圖一卷

(明)鍾惺撰

明崇禎間刻匯印本

八十八册

十行二十字,小字雙行同,白口,左右雙邊(與《宋元資治通鑑》六十四卷合函)。

善 921.23/303－017

0469

資治通鑑二百九十四卷

(宋)司馬光撰　(元)胡三省音注　(明)陳仁錫評

通鑑釋文辯誤十二卷

(元)胡三省撰

明天啓間陳仁錫刻本

七十五册

十行二十字,小字雙行同,白口,四周單邊。眉上鎸評。陳仁錫序首頁版心下鎸"吳門金麟書陳天禎刊"。 善 18585

又一部　資治通鑑二百九十四卷　六十册　鈐"吳興姚氏邃雅堂鑒藏書畫圖籍之印"印。

善 921.23/303－024

資治通鑑辯識十二卷　四册　鈐"吳興姚氏邃雅堂鑒藏書畫圖籍之印"、"姚氏藏書"印。

善 921.23/303－455－1

0470

資治通鑑外紀十卷目録五卷

(宋)劉恕撰

明末刻本

五册

十行二十字,白口,四周單邊。眉上鎸評。(與《資治通鑑》二百九十四卷等合函)。善 18585

0471

資治通鑑目録三十卷

(宋)司馬光撰

明崇禎二年(1629)陳仁錫刻本

二十册

白口,四周單邊。眉上鎸評。序首頁版心下鎸"吳門金麟書陳天禎刊"。鈐"雙芝軒"、"宛羽齋伯庵藏"、"宛羽齋"諸印。

又一部　十二册　鈐"天一生藏書"印。

善 921.26/303

0472

少微通鑑節要五十卷

(宋)江贄撰

明正德九年(1514)司禮監刻本

二十册

九行十五字,小字雙行同,黑口,四周雙邊。眉欄鎸注。原鈐"廣運之寶"印。

善 921.29/719－5

0473

新刊憲臺攷正少微通鑑全編二十卷外紀二卷總論一卷

(宋)江贄輯

新刊憲臺攷正宋元通鑑全編二十一卷

明萬曆間徐元太等刻本

十二册

十行二十二字,白口,四周雙邊。有刻工。鈐"江陰繆荃孫字炎之印"、"藝風堂藏書"、"清白吏子孫"印。 善 921.29/719

0474

陸狀元增節音註精議資治通鑑一百二十卷目録三卷首一卷

(宋)陸唐老集注　(明)毛晉訂正

明末毛氏汲古閣刻本

一百册

八行十七字,小字雙行同,白口,左右雙邊。版心下鎸"汲古閣"。鈐"茂記圖書"印。

善 921.23/303－016

0475

資治通鑑綱目五十九卷

(宋)朱熹撰

明成化九年(1473)内府刻本

三十册

八行十八字,小字雙行二十一字,大黑口,四周雙邊。 善 921.26/828－03

0476

資治通鑑綱目書法五十九卷(存卷十二)

(宋)劉友益撰

元刻本

一册

十三行二十四字,白口,左右雙邊。

善 921.26/888

0477

文公先生資治通鑑綱目五十九卷(存卷二十八至三十五)

(宋)朱熹撰　(宋)尹起莘發明　(元)汪克寬考異　(元)王幼學集覽　(明)陳濟正誤

明建安劉寬裕刻本

八册

十二行十八字,小字雙行二十二字,細黑口,四周雙邊。鈐"海曲鄭氏珍藏"、"讀古人書"、"高陽香辰氏藏書"、"古芬樓藏書"、"香辰"諸印。

善 921.26/828-04

0478

續資治通鑑綱目二十七卷

(明)商輅等撰　(明)周禮發明　(明)張時泰廣義

明弘治十七年(1504)慎獨齋刻本

十六册

十行二十二字,小字雙行同,黑口,四周雙邊。總目後有"弘治甲子慎獨齋刊"牌記。

善 921.26/660-821

0479

朱子通鑑綱目註義五十九卷

(清)王應鯨集注

清乾隆四十一年(1776)金陵勝玉堂刻本

六十四册

十行二十字,小字雙行同,白口,四周單邊。封面鎸"金陵勝玉堂梓行"　善 921.26/828-117

0480

御批資治通鑑綱目全書一百九卷

清康熙四十六年(1707)至四十九年(1710)揚州詩局刻本

八十册

十一行二十二字,小字雙行同,下黑口,四周雙邊。鈐"古睤擲百城樓主人珍藏書畫印記"、"谷士"、"周中鏞印"、"周行潜印"、"廖世蔭印"諸印。

子目:

資治通鑑綱目五十九卷首一卷　(宋)朱熹撰

資治通鑑綱目前編十八卷舉要三卷　(元)金履祥撰

資治通鑑前編外紀一卷　(元)陳桱撰

續資治通鑑綱目二十七卷　(明)商輅等撰

善 921.26/828-6-02

0481

資治通鑑節要續編三十卷

(明)張光啓撰

明正德九年(1514)司禮監刻本

四十册

九行十五字,黑口,四周雙邊。眉欄鎸注。

善 921.29/719-5-310

0482

宋元資治通鑑六十四卷

(明)王宗沐撰

明末刻本

十二册

九行二十字,白口,左右雙邊(與《資治通鑑》二百九十四卷等書合函)。　善 921.23/303-017

0483

宋元通鑑一百五十七卷

(明)薛應旂撰　(明)陳仁錫評

明天啓六年(1626)陳仁錫刻本

十八册

十行二十字,白口,四周單邊。眉上鎸評。序首頁版心下鎸"古吳金麟書陳天禎刊"。鈐"吳興姚氏邃雅堂鑒藏書畫圖籍之印"印。

善 921.29/571

又一部　三十二册　鈐"露軒"、"叔雅氏曾讀書"、"字曰叔雅"、"志和之印"諸印。　善 0277

0484

新編通鑑集要二十八卷通鑑總論一卷

(明)諸燮輯

明嘉靖二十八年(1549)黄卷刻本　佚名朱墨筆批校

十二册

十二行二十六字,白口,四周單邊。眉欄小字雙行四字。鈐"吳如剛印"、"别字以巽"印。

善 921.23/603

0485

新鎸通鑑集要十卷潘氏總論一卷

(明)諸燮輯　(明)董其昌重校

明書林何敬塘刻本

八册

十一行二十二字,小字雙行同,白口,四周單邊。眉欄小字雙行六字。卷端署"常郡書林何敬

塘梓行”。　善 921.23/603 - 02

0486

通鑑直解二十八卷

(明)張居正撰　(明)鍾惺訂

明末刻本

十二册

八行十八字,小字雙行同,白口,四周單邊。眉上鎸評。　善 921.23/303 - 307

0487

新鐫增訂評註批點便蒙通鑑八卷

(宋)南宮靖一撰　(明)孫鑛批閱　(明)錢允治評注

明萬曆四十七年(1619)刻本

一册

九行十八字,小字雙行同,白口,四周單邊。眉欄小字雙行四字。　善 921.26/236

0488

通紀纂十卷

(明)鍾惺撰

明末西陵還讀齋刻本

四册

九行二十六字,小字雙行同,無直格,白口,四周單邊。眉上鎸評。封面鎸“西陵還讀齋梓行”。原鈐“還讀齋藏書記”印。鈐“但燾”印。

善 922.602/937

0489

鐫王鳳洲先生會纂綱鑒歷朝正史全編二十三卷

(明)王世貞撰

明萬曆十八年(1590)余泗泉萃慶堂刻本

六册

十二行二十五字,小字雙行同,白口,四周雙邊。眉欄小字雙行五字。卷端署“建陽萃慶堂余彰德梓”。　善 921.29/113 - 8

0490

新刻校正古本歷史大方通鑑四十一卷首一卷

(明)李廷機　葉向高輯

明周時泰刻本

十册

十一行二十四字,小字雙行同,白口,四周單邊。眉欄小字雙行三字。

又一部(存卷首及卷一至二十)　八册　鈐“方維之印”、“仍喆”印。　善 921.29/719 - 02

0491

鼎鍥葉太史彙纂玉堂鑑綱七十二卷

(明)葉向高撰

明萬曆三十年(1602)書林熊體忠刻本

二十册

十二行二十五字,小字雙行同,白口,四周單邊。眉欄小字雙行五字。鈐“松陵曹氏珍藏”、“紉蘭仙”印。　善 921.26/504

0492

綱鑑正史約三十六卷

(明)顧錫疇撰

明崇禎間刻本　佚名朱筆批校

十二册

十二行二十字,小字雙行同,白口,左右雙邊。眉上鎸評。　善 921.29/967 - 02

0493

新刊翰林攷正綱目通鑑玉臺青史十七卷

(明)汪旦輯

明萬曆間瀛洲館刻本

八册

十二行二十五字,小字雙行同,白口,四周單邊。眉欄小字雙行五字。版心下鎸“瀛洲館”。有刻工夏尚官。　善 921.26/710

0494

甲子會紀五卷

(明)薛應旂撰　(明)陳仁錫評

明末陳仁錫刻本

一册

八行十八字,小字雙行同,白口,四周單邊。眉欄鎸注。(與《通鑑釋文辯誤》十二卷合刻)

善 921.23/303 - 455 - 1

0495

歷代帝王曆祚考八卷音釋一卷歷代紹運國系之圖一卷歷代年號考同一卷歷代紹統年表一卷

(明)吳繼安輯

明萬曆二十九年(1601)商山季園刻本

八册

九行十八字,小字雙行同,白口,四周單邊。鈐“武威張氏珍藏”印。　善 921.3/441

0496

删訂通鑑感應錄二卷

(清)秦鏡非撰

清康熙五十四年(1715)刻本

二册

九行二十字,黑口,左右雙邊。鈐"懷河營都司專管上北陽封祥河務關防"印。　善 921.8/102

0497

歷代帝系年號考二十卷

(清)劉宗巍撰

清乾隆二十八年(1763)刻本

六册

十行二十四字,小字雙行同,白口,左右雙邊。

善 921.3/892

0498

歷代帝王紀實不分卷

清抄本

二十册

十行二十字,紅格,白口,四周單邊。鈐"納哈塔氏"、"孤鴻和尚"、"鰥夫裕爵"等印。

善 921.7/337

斷代

0499

兩漢紀六十一卷

(清)蔣國祚校訂

清康熙三十五年(1696)刻康熙五十年(1711)振鷺堂印本

六册

十一行二十一字,黑口,左右雙邊。有刻工。封面鎸"振鷺堂藏板"。鈐"嬰闇秦氏藏書"印。

子目:

前漢紀三十卷　(漢)荀悦撰

後漢紀三十卷　(晉)袁宏撰

兩漢紀字句異同考一卷　(清)蔣國祚撰

善 922.2102/552-03

0500

建隆編一卷

(宋)陳傅良撰

抄本

二册

八行十六字,白口,無格。

又名《開基事要》。　善 10510

0501

續資治通鑑十五卷

(宋)劉時舉撰

清抄本

三册

十五行二十四字,白口,無格。鈐"曾在三百堂陳氏處"、"曾在秦嬰闇處"、"曼青"、"秦庚年"諸印。　善 922.5202/889

0502

憲章錄四十六卷

(明)薛應旂撰

明萬曆二年(1574)陸光宅刻本

十册

十行二十字,白口,四周單邊。有刻工何貞、陳宣等。鈐"吳氏景星"印。

又一部　十册　鈐"許氏家藏"印。　善 925.16/571

0503

皇明永陵編年信史四卷

(明)支大綸撰

清抄本

四册

九行十八字,白口,無格。鈐"李宗侗藏書"印。　善 922.602/212

0504

國史紀聞十二卷

(明)張銓撰

明抄本

二十四册

九行十八字,藍格,白口,四周單邊。鈐"看雲憶弟居珍藏善本書籍印"、"百四老人舊館"印。

善 922.602/314

0505

皇明資治通紀三十卷

(明)陳建撰　(明)岳元聲訂

明刻本

十三册

十行二十二字,白口,四周單邊。有刻工。鈐"孱守齋所藏書"印。　善 18455

0506

新鍥李卓吾先生增補批點皇明正續合併通紀統宗十二卷附錄一卷

(明)陳建撰　(明)袁黄　卜大有補輯　(明)李贄批點

明末刻本

四册

十二行二十八字,小字雙行二十七字,白口,四周單邊。眉欄小字雙行五字。

善 922.602/378-1

0507

皇明通紀前編二十七卷續編十八卷

(明)陳建撰　(明)董其昌補訂

明崇禎十一年(1638)刻本

四十册

十行二十二字,小字雙行二十一字,白口,四周單邊。眉上鎸評。　善922.602/378

0508

新鍥皇明紀政錄十二卷

(明)陳建撰

明刻本　佚名朱、墨筆批點

六册

十二行二十八字,白口,四周單邊。眉欄小字雙行五字。鈐"高凌霨畬澤甫所藏"、"宜秋館藏書"印。　善922.602/378-8

0509

皇明從信錄四十卷

(明)陳建撰　(明)沈國元訂補

明末刻本

十四册

十行二十二字,小字雙行同,白口,四周單邊。眉上鎸評。鈐"弢齋藏書記"印。

善922.602/378-4

0510

皇明十六朝廣彙紀二十八卷

(明)陳建撰　(明)陳龍可補訂

明崇禎五年(1632)友石居刻本

四十二册

十行二十四字,白口,無直格,四周單邊。版心下鎸"友石居藏板"。鈐"得耕堂藏書記"印。

善922.602/378-84

0511

明臣言行備考十八卷通鑑紀事溯原□卷(存二卷)明紀紀事溯原不分卷

稿本

六册

十六行約三十一字,無格。　善982.26/463.2

0512

通紀直解十四卷續二卷

(明)張嘉和撰

明崇禎間刻清初續刻本

十册

八行十八字,小字雙行同,白口,四周單邊。眉上鎸評。鈐"皮氏子漁珍藏書畫帖印記"、"子漁珍藏"印。

又一部　十六册　善982.316/307

0513

文廟聖政記□卷(存卷一、三)

明抄本

一册

十行二十字,黑格,白口,四周雙邊。善12227

0514

文廟靖難記二卷(存卷一)

明抄本

一册

十行二十字,黑格,白口,四周雙邊。鈐"初園讀書圖章"印。　善12228

0515

重鐫朱青巖先生擬編明紀輯略十六卷

(清)朱璘撰

清康熙三十五年(1696)聚錦堂刻本

八册

十行二十字,小字雙行同,白口,四周單邊。眉欄雙行小字三字。封面鎸"聚錦堂藏板"。

封面題名:明紀全編。　善922.602/827

0516

兩朝從信錄三十五卷

(明)沈國元撰

明崇禎間刻本

十四册

十行二十二字,小字雙行同,白口,四周單邊。眉上鎸評。鈐"黄又字燕思"、"最愛看書過亦忘"、"聆善餐□之廬珍藏"、"私立東北中正大學圖書館藏書之章"等印。　善922.602/743

0517

明實錄邃事彙鈔不分卷

勵耘書屋抄本

十六册

十行二十二字,黑格,細黑口,四周雙邊。版心下鎸"勵耘書屋"。　善11411

0518

大明穆宗莊皇帝實錄不分卷

(明)張居正等纂修

明抄本

四册

十行二十字,藍格,白口,四周雙邊。善4997

0519
皇清開國方略三十二卷首一卷
(清)阿桂撰
清乾隆五十一年(1786)武英殿刻本
十六册
八行二十一字,白口,四周雙邊。
善 323.197/716

0520
乾隆起居注不分卷
清抄本
六册
十二行二十三字,紅格,紅口,左右雙邊。
善 982.87/716

0521
東華錄十六卷
(清)蔣良騏撰
清抄本
十六册
八行二十字,白口,無格。鈐"筱薌主人藏書印"印。 善 922.702/526-02

0522
道光咸豐繫年要錄稿
清抄本
六册
十行字不等,紅格,白口,四周單邊。
善 922.7507/762

0523
大清三朝事略二卷
(日)村山緯撰
日本寬政十一年(1799)江户書肆千鐘房刻本
一册
九行二十二字,小字雙行同,白口,左右雙邊。鈐"君山"、"君山遺品"印。 善 925.171/865-3

0524
清三朝實錄採要八卷
(日)村山緯撰 (日)永根鉉撰
日本文化四年(1807)伍石軒刻本
八册
十行二十二字,小字雙行同,白口,四周單邊。版心下鎸"伍石軒"。鈐"周南栖野難波家藏"印。
善 925.171/865

紀事本末類

0525
繹史一百六十卷
(清)馬驌撰
清康熙間刻本
四十册
十一行二十四字,小字雙行三十六字,白口,左右雙邊。鈐"國子監"(滿漢文)印。
善 921.7/414

0526
通鑑本末紀要八十一卷首三卷
(清)蔡毓榮輯 (清)林子卿注
清康熙間刻本
八十册
十行二十二字,小字雙行同,白口,左右雙邊。
善 921.4/563

0527
宋史紀事本末十卷
(明)馮琦撰 (明)陳邦瞻補
明萬曆三十三年(1605)劉日梧、徐申刻本
十册
十一行二十二字,白口,四周單邊。
善 922.5104/766-06

0528
明史紀事本末論箋注不分卷
稿本 有諸家校改
四册
十行二十五字,小字雙行同,無格。
善 922.604/924-1

0529
孫志伊摘抄明史紀事本末節本不分卷
(清)孫志伊輯
清抄本 清宣統三年(1911)孫毓修跋
三册
鈐"小綠天藏書"印。 善 922.604/924-361

0530
親征平定朔漠方略四十八卷
(清)温達等撰
親征朔漠紀略一卷
(清)聖祖玄燁撰
清康熙四十七年(1708)内府刻本

五十册

七行二十字,黑口,四周雙邊。開化紙印。

善 922.7204/738

0531

三藩紀事本末四卷

(清)楊陸榮撰

清康熙五十六年(1717)刻本

四册

九行二十字,白口,左右雙邊。開化紙印。

善 922.7204/268

0532

平定金川方略二十六卷首一卷

(清)來保等奉敕撰

清抄本

二十四册

七行二十字,黑格,黑口,四周雙邊。開化紙抄。　善 922.7404/344

雜史類

0533

路史四十七卷

(宋)羅泌撰

清乾隆元年(1736)刻本　佚名朱、墨筆批注

十六册

九行二十字,小字雙行同,白口,左右雙邊。封面鎸"進修書院藏板"。鈐"雁門馮氏翠滴樓藏書"印。　善 921.5/482

0534

楚紀六十卷(存卷一至十)

(明)廖道南撰

明嘉靖間刻本

八册

十行二十字,白口,左右雙邊。

善 922.925/670

0535

國語二十一卷

(吳)韋昭注

明嘉靖七年(1528)吳郡金氏澤遠堂刻本　有抄配

二册

十行二十字,小字雙行同,白口,左右雙邊。鈐"春草堂"、"江籬氏"、"沈修能印"、"白衣入魯"、"秦川百二"、"沈氏純祉"、"一字受公"諸印。

善 922.177/579 - 011

0536

國語二十一卷

(吳)韋昭注

明天啓六年(1626)鍾人傑刻本

八册

九行二十字,小字雙行同,白口,四周單邊。眉上鎸評。　善 1487

0537

重刊韋氏國語二十一卷

(吳)韋昭注

明刻本

二册

十行二十二字,小字雙行同,白口,四周單邊。鈐"忠錫"印。　善 922.177/579 - 07

0538

國語二十一卷

(吳)韋昭注　(宋)宋庠補音　(明)穆文熙輯評

明萬曆間劉懷恕刻《春秋戰國評苑》本

九册

九行二十字,小字雙行同,白口,四周雙邊。眉欄雙行小字六字。有刻工。鈐"蔭柘之印"、"琴夫父"、"三餘軒藏"印。　善 922.177/579 - 08

0539

國語九卷

(明)盧之頤訂正

明末刻本

十册

九行二十字,小字雙行同,白口,四周單邊。眉上鎸評。(與《戰國策》十卷合函)。

善 922.177/579 - 495

0540

鮑氏國策十卷

(宋)鮑彪校注

明嘉靖三十一年(1552)杜詩刻本　(清)黎庶昌跋

十二册

十一行二十字,小字雙行同,白口,左右雙邊。鈐"小嫏嬛室"、"吳氏家藏書籍"、"激面軒"、"蒓翁"諸印。　善 922.181/850 - 02

0541

戰國策十卷

(宋)鮑彪校注　(元)吳師道補正　(明)穆文熙輯評

明萬曆間劉懷恕刻《春秋戰國評苑》本

四册

九行二十字,小字雙行同,白口,四周雙邊。眉欄小字雙行六字。有刻工。鈐"鳴皋"、"李鶴年印"、"項履忠印"、"安樂"諸印。

善 922.181/850-441-04

0542

戰國策評苑十卷

(宋)鮑彪校注　(元)吳師道補正　(明)穆文熙輯評

明萬曆二十年(1592)書林鄭以厚刻本

十二册

十一行二十四字,小字雙行同,白口,左右雙邊。眉欄小字雙行六字。版心下鎸"光裕堂梓"。卷末有鄭以厚跋。鈐"莊鳴昌珍藏"、"何義門藏書記"印。　善 922.181/850-441-03

0543

戰國策譚棷十卷

(宋)鮑彪校注　(元)吳師道補正　(明)張文爟集評

附錄一卷

(明)張文爟輯

明萬曆間刻本

十二册

九行十八字,小字雙行同,白口,左右雙邊。眉上鎸評。有刻工陶英、陶信。

善 922.181/850-441-02

0544

戰國策十二卷

(明)閔齊伋裁注

元本目錄一卷

明萬曆四十八年(1620)閔齊伋刻三色套印本

十六册

九行十九字,小字雙行同,白口,四周單邊。

善 922.181/458

0545

戰國策四卷

(明)張居正評訂　(明)陸樹聲評注　(明)盧之頤校正

明末刻本

十册

九行二十字,小字雙行同,白口,四周單邊。眉上鎸評。(與《國語》九卷合函)

善 922.177/579-495

0546

戰國策四卷

(明)張居正評訂　(明)陸樹聲評注

明末刻本　(清)王屋山人跋

二册

九行二十字,白口,四周單邊。眉上鎸評。鈐"千巖萬壑中人"印。　善 922.181/388.2

0547

戰國策釋地不分卷

(清)張琦撰

稿本

六册

八行字不等,藍格,白口,四周雙邊。鈐"張耀孫讀書記"印。　善 922.181/645-306-02

0548

增訂吳越備史六卷卷首一卷

(宋)范坰　(宋)林禹撰　(清)錢時鈺增訂

雜考一卷

(清)錢柱峰輯

五代史吳越世家疑辯

(明)馬藎臣撰

清乾隆六十年(1795)錢敬業刻本

二册

九行二十字,小字雙行同,白口,四周雙邊。鈐"真州吳氏有福讀書堂藏書"印。　善 12333

0549

吳越春秋六卷

(後漢)趙曄撰　(元)徐天祜音注

明萬曆二十年(1592)刻《廣漢魏叢書》本

二册

十行二十字,小字雙行同,白口,左右雙邊。鈐"梁九元印"印。　善 922.17/200-02

0550

五代史補五卷

(宋)陶岳撰

五代史闕文一卷

(宋)王禹偁撰

明末毛氏汲古閣刻本

二册

十二行二十五字,白口,左右雙邊。版心鎸

"汲古閣"、"毛氏正本"。　善 7392

0551

五代史補五卷

(宋)陶岳撰

五代史闕文一卷

(宋)王禹偁撰

清述德堂抄本　(清)陳彭壽校　(清)陳念謾跋

一册

十行二十五字,黑格,黑口,左右雙邊。版心下鎸"述德堂鈔本"。鈐"念謾"、"陳彭壽印"、"勃海陳氏家藏"諸印。　善 922.4201/423－119

0552

九國志十二卷

(宋)路振撰

清抄本　佚名朱筆校　(清)周夢棠跋

四册

十行二十一字,白口,無格。鈐"寶應劉氏岳雲字佛卿"、"食舊德齋藏書"、"寶應劉氏食舊德齋藏書之記"、"謝興堯藏"諸印。　善 922.9/443

0553

錦里耆舊傳八卷(存卷五至八)

(唐)句延慶撰

清抄本

一册

九行二十字,白口,無格。鈐"長壽谷"、"吳兔牀書籍印"、"三歸亭"諸印。　善 922.927/841

0554

江南野史十卷

(宋)龍袞撰

清抄本　佚名朱筆校

一册

十行二十字,白口,無格。鈐"櫚庭"、"周氏蓉泉珍藏"、"書癖"諸印。　善 922.4805/658

0555

古事語小錄不分卷

舊抄本

一册

九行約二十二字,小字雙行同,白口,無格。鈐"諸葛廉印"、"叔芸"、"臨池涂墨"諸印。

善 922.5105/214

0556

靖康紀聞一卷

題(宋)丁特起撰

拾遺一卷

清抄本

一册

九行二十一字,白口,無格。鈐"劍士"印。

善 922.5105/158

0557

僞齊錄二卷

(宋)楊堯弼撰

清抄本

二册

八行二十一字,白口,無格。

善 922.52105/267

0558

南燼紀聞一卷

題(宋)辛棄疾撰

南渡錄大略一卷竊憤錄一卷續錄一卷阿計替傳一卷

清抄本

四册

十二行二十五字,白口,無格。鈐"但覺無顔對俗人"、"長松瘦石"、"静宜女史"、"迥然吾士見真吾"、"羅氏彦羊藏書"、"烏鎮丁翰亭墨林甫藏"諸印。　善 922.516/652－03

0559

宋雜史四種

清抄本　(清)盧文弨校

一册

十行二十一字或二十二字,無格。鈐"石蓮校勘"印。

子目:

北狩見聞錄一卷　(宋)曹勛撰

北狩行錄一卷　題(宋)蔡鞗撰

建炎復辟記一卷

采石瓜洲斃亮記一卷　(宋)蹇駒撰　善 7804

0560

裔夷謀夏錄二卷

(宋)劉忠恕撰

清光緒十五年(1889)孔昭熙抄本

一册

九行二十字,白口,無格。　善 922.5505/889

0561

元朝祕史十五卷

清抄本

六册

十行三十字,無直格,白口,左右雙邊。鈐"笏壘"、"馬玉堂"印。 善 922.5704/128－02

0562

吾學編六十九卷(存卷十二至十三、二十至二十一)

(明)鄭曉撰

明隆慶元年(1567)鄭履淳刻本

二册

十行十九字,白口,左右雙邊。

善 922.601/974－02

0563

吾學編六十九卷

(明)鄭曉撰

明萬曆二十七年(1599)金陵鄭心材刻本

二十六册

十行十九字,白口,左右雙邊。有刻工。

善 922.601/974

0564

今言四卷(存卷一至三)

(明)鄭曉撰

明嘉靖四十五年(1566)項篤壽刻本

三册

八行十六字,白口,左右雙邊。 善 1862

0565

弇州史料前集三十卷後集七十卷(存四卷)

(明)王世貞撰 (明)董復表輯

明萬曆間刻本

二十四册

九行十八字,白口,四周單邊。善 982.26/113

0566

明紀編遺六卷

(清)葉鈔輯

清康熙二十九年(1690)事天閣刻本

三册

十行二十字,白口,四周雙邊。封面鎸"事天閣藏板"。 善 10442

0567

明季權奸罪案錄一卷

題(清)昆田居士輯

清抄本

一册

八行二十字,小字雙行同,無格。鈐"一字二如"、"玉金"印。 善 982.26/466

0568

皇明史概一百二十一卷(存一百九卷)

(明)朱國禎輯

明崇禎間刻本

四十二册

十行二十一字,小字雙行同,白口,左右雙邊。鈐"弢齋藏書記"。

子目:

皇明大政記三十六卷(存二十四卷) 善 18251

皇明大訓記十六卷 善 18252

皇明大事記五十卷 善 922.602/830－8

皇明開國臣傳十三卷 善 1597

皇明遜國臣傳五卷首一卷 善 982.26/830

0569

皇祖四大法十二卷

(明)何棟如輯

明萬曆四十三年(1615)刻本

六册

十行二十二字,白口,左右雙邊。鈐"龍山蟄廬藏書之章"、"古莘陳氏子子孫孫永寶用"印。

又一部 十二册 鈐"何煜私印"、"南孫"印。

善 922.605/897

0570

建文朝野彙編二十卷

(明)屠叔方撰

明刻本

十二册

九行十八字,白口,四周單邊。

善 922.6105/319

0571

建文書法儗前編一卷正編二卷附編二卷

(明)朱鷺撰

明萬曆間刻本

二册

七行十七字,小字雙行同,白口,四周單邊。鈐"周謙之印"、"周樹"印。 善 922.605/830.4

0572

仁廟聖政記二卷

明抄本

一册

十行二十字,黑格,白口,四周雙邊。善 12229

0573

視草餘錄二卷

(明)楊廷和撰

明萬曆間趙可懷刻《楊文忠公三錄》本
四册
八行十六字,白口,四周雙邊。鈐"蒼巖山人書屋記"印。 善 925.365/273

0574
庚申紀事一卷
(明)張瀠撰
清抄本 (清)逸民老人題識
一册
八行二十字,無格。 善 922.6805/312

0575
復社紀略三卷
(明)陸世儀撰
抄本
一册
十三行二十六字,無格。 善 10653

0576
平叛記二卷
(清)毛霦輯
清康熙間刻本
二册
九行二十字,小字雙行同,白口,左右雙邊。 善 922.6804/781-02

0577
虞山妖亂志二卷
(清)馮舒撰
清康熙二十二年(1683)陸燦抄本 (清)蟄存子朱筆校
一册
九行十七字,藍格,白口,四周雙邊。 善 922.7105/774

0578
幸存錄一卷
(明)夏允彝撰
清初抄本 戢園題識
一册
八行二十一字,無格。鈐"明善堂珍藏書畫印記"、"南昌彭氏"、"黄氏家藏"、"觀略堂書畫記"、"緗安長物"諸印。 善 922.6805/348

0579
蜀碧四卷
(清)彭遵泗撰
清乾隆二十八年(1763)刻本
四册
八行十九字,白口,四周雙邊。封面鐫"石室藏板"。 善 1594

0580
江陰城守紀二卷
(清)韓菼撰
清抄本
一册
八行二十四字,無格。鈐"戢菴"、"伯文手校"、"灤溪侯氏戢菴珍藏"、"曾藏侯伯文家"、"國珍"、"錫璋"、"學庠"諸印。 善 922.6905/229

0581
所知錄二卷
(清)錢澄之撰
清抄本
三册
九行三十字,小字雙行同,無格。鈐"春圃"印。 善 922.6905/934

0582
閩海紀要二卷
(清)夏琳撰
清抄本
二册
八行二十字,無格。 善 12387

0583
明季遺聞四卷
(清)鄒漪撰
清初刻本 有抄配
四册
九行二十字,白口,四周單邊。眉上鐫評。 善 922.6805/842

0584
明末五小史不分卷
題(清)三餘氏輯
清抄本
七册
九行二十字,無格。鈐"師古"、"子華"印。 善 922.6905/100

0585
爝火錄三十二卷附記一卷
(清)李天根撰
抄本
二十四册

十行二十三字,無格。鈐"劉承幹字貞一號翰怡"、"吳興劉氏嘉業堂藏書印"印。

善 922.6905/286

0586

南詔野史二卷(存卷上)

(明)倪輅撰　(明)楊慎校

清抄本

二册

七行十七字,無格。　善 922.935/271-02

0587

清初史料不分卷

(清)坤元齋抄本

一册

十行字不等,紅格,四周雙邊。版心下鎸"坤元齋"。　善 922.7105/716.1

0588

靖海紀事二卷(存卷下)

(清)施琅撰

清抄本

一册

八行二十二字,紅格,白口,四周雙邊。

善 922.7205/627-02

0589

江城記事不分卷

清抄本

一册

八行字不等,無格。

記道光二十二年浙江一帶夷情。

善 922.7505/719

0590

皖碧吟粤西軍務紀略不分卷

題(清)耕石老農撰

稿本

一册

七行字不等,無格。前有清咸豐三年(1853)序。

記太平軍與清軍交戰事。　善 922.77/344

0591

復生錄不分卷

(清)陳□撰

稿本

一册

十行二十三字,無格。

叙作者被太平軍所獲及逃脱經過。

善 922.7705/945

0592

春波公筆記不分卷(存八葉)

(清)劉淮拙撰

清同治二年(1863)稿本

一册

八行二十字,無格。鈐"啓後亭長"、"耀東"、"劉"等印。

記瑞安平陽金錢會起義事。　善 922.923/892

0593

彝軍紀略二卷

(清)彭詢輯

清抄本

二册

七行字不等,無格。

記駱秉章所募彝軍鎮壓農民起義事。

善 922.7604/185

0594

隨意齋見聞紀略五卷

清光緒間稿本

二册

八行字不等,無格。　善 857.3/395

0595

庚子傳信錄不分卷

(清)李超瓊撰

稿本

一册　善 922.7805/287

0596

朝野見聞記不分卷

清抄本

二册

八行字不等,無格。

記光緒二十六年(1900)五月義和團事。

善 922.7805/235

史抄類

0597

滸東山房批校廬陵曾氏十八史略八卷

(元)曾先之撰　(明)張鹵批校

明萬曆八年(1580)張鹵刻本

八册

九行十八字,小字雙行同,白口,左右雙邊。眉欄小字雙行二字。鈐"象崖"印。 善 921.7/981

0598

諸史品節四十卷

(明)陳深輯

明萬曆間刻本

二十四册

九行二十字,小字雙行同,白口,四周單邊。眉欄小字雙行四字。有刻工。 善 922.107/383

0599

歷代史纂左編一百四十二卷

(明)唐順之輯

明嘉靖四十年(1561)胡宗憲刻本

七十三册

十行二十字,白口,四周單邊。有刻工。

又一部　一百二十册 善 982.04/667

0600

全史論贊八十一卷

(明)項篤壽輯

明嘉靖四十五年(1566)項氏萬卷堂刻本

三十二册

十行十九字,白口,左右雙邊。目録後鎸"嘉禾項氏刻於萬卷堂"。鈐"蒲邨氏珍藏書籍之印"印。 善 921.7/161

0601

史書纂略二百二十卷目録二卷

(明)馬維銘輯

明萬曆四十三年(1615)刻本

六十册

九行二十字,白口,四周單邊。鈐"俞紹丞印"、"書倉"、"俞氏竹侯"、"起宗"、"淶鹿俞氏□百齋藏書"等印。 善 921.7/418

0602

史裁二十六卷

(明)吴士奇撰

明萬曆三十年(1602)吴勉學刻本

十册

十行二十字,白口,四周雙邊。鈐"葵崖"、"徐□德堂藏書畫章"、"良球"、"亦客"、"文章凡古史"等印。 善 921.8/435

0603

雪廬讀史快編六十卷

(明)趙維寰撰

明天啓四年(1624)趙氏刻本

二十册

十行二十字,白口,左右雙邊。

又一部　二十四册　鈐"馮氏辨齋藏書"、"自娱居士"、"君虞"、"慈谿畊餘樓"、"藏書自娱"、"徐成皋印"、"自娱齋"等印。 善 921.7/204

0604

史欉二十五卷

(明)余文龍輯

明萬曆四十六年(1618)余兆胤刻本

十二册

九行二十字,白口,四周單邊。有刻工。

善 921.7/988

0605

二十一史論贊輯要三十六卷

(明)彭以明輯

明萬曆間吴洵美刻本

六册

十行二十字,白口,四周單邊。有刻工。

善 921.8/185.5

0606

讀史集四卷

(明)楊以任輯

明崇禎間書坊蔡益所刻本

四册

八行十八字,白口,四周單邊。眉上鎸評。封面鎸"書坊蔡益所梓"。鈐"用儀盥讀"、"湘蟾珍藏"、"書田無稅子孫耕"、"陳氏書籍子孫是教鬻及借人斯爲不孝"、"歙吴東三藏書"等印。

善 921.8/270-02

0607

二十一史論贊三十六卷

(明)沈國元輯

明崇禎十二年(1639)大來堂刻本

十八册

九行二十五字,白口,四周單邊。版心下鎸"大來堂"。鈐"陶氏逸園藏書記"印。

善 921.8/743

0608

廿一史識餘三十七卷

(明)張墉撰

明崇禎十七年(1644)刻本

二十册

九行二十字,白口,四周單邊。眉上鎸評。

善 921.72/307

0609

正史新奇二十六卷

(清)李清輯

清抄本

二册

十六行四十字,無格。鈐"汲古閣"印。

善 921.7/292

0610

通鑑總類二十卷

(宋)沈樞輯

明萬曆二十三年(1595)孫隆刻本

十册

十一行二十三字,白口,左右雙邊。

善 921.26/741

0611

史略韻語五卷

(清)胡亮撰

清康熙五年(1666)刻本

五册

八行十八字,小字雙行同,白口,四周單邊。

善 921.7/220

0612

自後漢末及三國至晋定域撮要不分卷

清抄本

八册

十行二十三字,小字雙行同,無格。

善 921.5/689

0613

周史八卷

(清)朱寧龍輯

稿本

八册

行、字數不等,無格。有圖。　善 922.15/833

0614

左國腴詞八卷

(明)凌迪知輯

明萬曆四年(1576)凌迪知刻《文林綺繡》本

四册

八行十七字,小字雙行同,白口,左右雙邊。有刻工。鈐"高樟"、"竹屋"、"公壽"等印。

又一部　四册　鈐"慮得傳家"印。　善 921.7/765

0615

四史鴻裁四十卷

(明)穆文熙輯

明萬曆十八年(1590)朱朝聘刻本

二十册

十行二十字,小字雙行同,白口,四周雙邊。眉欄小字雙行五字。

子目:

左傳十二卷

國語八卷

戰國策八卷

史記十二卷　善 921.7/798

0616

史漢合編題評八十八卷附錄四卷

(明)茅一桂輯

明萬曆十四年(1586)金陵唐氏、周氏刻本

五十册

十行二十一字,小字雙行同,白口,左右雙邊。眉欄小字雙行五字。有刻工。　善 921.11/516

0617

史漢一統十六卷

高麗刻本　有抄配

十六册

十行十七字,小字雙行同,白口,四周單邊。鈐"滄葦"、"季振宜印"、"□墟吳氏韻清藏書"等印。

善 921.7/455

0618

荆川先生精選批點史記十二卷

(明)唐順之輯

明萬曆五年(1577)浙人雙泉童子山刻本　佚名朱墨批注

十册

十行二十二字,白口,四周單邊。卷末有"萬曆丁丑仲冬刊行浙人雙泉童子山梓"牌記。鈐"辟彊"、"巢民冒襄印"、"泰和蕭敷政蒲邨氏珍藏書"、"粹芬閣"諸印。　善 921.13/303-667

0619

史記鈔九十一卷

(明)茅坤輯

明泰昌元年(1620)閔振業刻朱墨套印本

二十四册

九行十九字,白口,左右雙邊。鈐"蔡氏莆甜

賞鑑書畫印"、"溥氏圖書"、"鹿門中人"諸印。
善 921.13/303－516

0620
增訂史記纂不分卷
(明)凌稚隆輯
明萬曆間刻本
六册
九行二十字,白口,左右雙邊。眉欄鎸評。有刻工。鈐"陳氏珍藏"、"陳氏家藏"、"金川"、"孰興漢隸"諸印。　善 921.13/303－765－02

0621
史記纂二十四卷
(明)凌稚隆輯
明萬曆間刻朱墨套印本
十二册
九行十九字,白口,四周單邊。
善 921.13/303－765

0622
史記奇鈔十四卷
(明)陳仁錫輯
明末刻本
八册
九行二十字,小字雙行同,白口,四周單邊。眉上鎸評。鈐"荷屋"印。　善 921.13/384

0623
漢雋十卷
(宋)林鉞輯
明嘉靖十一年(1532)郟鼎刻本
八册
十行大小字不等,白口,四周單邊。鈐"鄞林氏藜照廬圖書"、"甬上林集虚記"、"張緄之印"印。　善 922.2107/255

0624
漢雋十卷
(宋)林鉞輯
明萬曆十二年(1584)呂元刻本
四册
八行大小字不等,白口,左右雙邊。有刻工。鈐"高凌霨澤畬甫收藏印"、"甘泉山人"、"識往齋藏書印"、"甘泉山人藏書"、"天人樓"、"漪文藏"諸印。　善 922.2107/255－02

0625
兩漢雋言十六卷
(宋)林鉞輯　(明)凌迪知增輯
明萬曆四年(1576)凌迪知刻《文林綺繡》本
八册
八行十七字,小字雙行同,白口,左右雙邊。有寫工、刻工。　善 922.2107/255－765

0626
兩漢雋言十六卷
(宋)林鉞輯　(明)凌迪知增輯
明萬曆三十六年(1608)萃慶堂刻本
八册
八行十七字,小字雙行同,白口,四周單邊或左右雙邊。卷末有"萬曆戊申孟夏穀旦萃慶堂梓"木記。鈐"華陽鄭氏百瞻樓珍藏圖籍"印。
善 922.2107/255－765－02

0627
漢書鈔九十三卷
(明)茅坤輯
明萬曆十七年(1589)茅氏自刻本　佚名朱墨筆批注
三十册
十行二十一字,小字雙行同,白口,左右雙邊。有刻工。　善 922.2107/516

0628
新刊批點西漢咀華十六卷
(明)傅順孫輯
明萬曆間刻本
八册
八行十八字,白口,四周雙邊。有刻工。卷末後鎸"普定衛掌印指揮黄世美、儒學訓導陳淑督刊"。鈐"時習齋"印。　善 922.2107/905

0629
漢書雋不分卷
(明)陳許廷輯並評
明崇禎間刻本
六册
九行二十字,白口,四周單邊。眉上鎸評。鈐"真州吳氏有福讀書堂藏書"印。　善 922.2107/382

0630
漢書節讀十二卷
(清)韓昭松輯
清光復堂鈔本
六册
九行二十一字,無直格,白口,四周單邊。版

心下書"光復堂"。　善 922.2107/229

0631

兩漢書選三卷

(明)趙南星輯

明天啓間正心會刻本

五册

十行二十一字,小字單行同,白口,四周單邊。眉上鎸評。有刻工。

子目:

正心會前漢書抄二卷

正心會後漢書抄一卷　善 922.2107/198

0632

兩漢萃寶評林三卷

(明)焦竑輯　(明)李廷機注　(明)李光縉彙評

明萬曆二十年(1592)萬卷樓周對峰刻本

六册

十一行二十字,白口,四周單邊。眉欄小字雙行六字。　善 834.2/917

0633

兩漢奇鈔十卷

(明)陳仁錫　鍾惺輯

明末刻本

八册

九行二十字,小字雙行同,白口,四周單邊。眉上鎸評。　善 922.207/384

0634

後漢書纂十二卷

(明)凌濛初輯

明萬曆三十四年(1606)金陵周氏刻本

十六册

八行二十字,白口,四周單邊。鈐"桃蹊"、"鋤經"印。　善 922.2207/765

0635

兩漢纂略四十八卷

(明)馬維銘輯

明萬曆間馬氏刻《史書纂略》本

十二册

九行二十字,白口,四周單邊。

子目:

西漢書纂略二十三卷

東漢書纂略二十五卷　善 982.22/418

0636

諸儒先生標註三國志詳節二十卷

(宋)呂祖謙輯

元刻《十七史詳節》本

八册

十四行二十四字,小字雙行同,細黑口,左右雙邊。眉上鎸評。鈐"伯器之章"、"黄岡劉氏梫書堂藏書記"、"黄岡劉氏紹炎過眼"等印。

善 922.2301/378－1

0637

三國志註抄八卷

(明)鍾惺輯並評

明萬曆四十五年(1617)刻本

八册

九行十九字,白口,四周單邊。眉上鎸評。鈐"堂名拱璧惟書是寶無意先必隨得隨校惟蔣氏子孫永以爲好"、"大丈夫擁書萬卷何暇南面百城"、"越東蔣國祥校書於忠雅堂"諸印。

善 922.2301/378－937

0638

晉書鉤玄二卷

(明)錢普撰

明萬曆六年(1578)刻本　佚名朱筆批點

四册

九行二十一字,白口,左右雙邊。有刻工。

善 922.3107/929

0639

晉史删四十卷

(明)茅國縉輯

明刻本

二十四册

十行二十字,白口,左右雙邊。鈐"成都李氏收藏故籍"、"無是樓藏書"印。　善 922.3107/516

0640

晉書纂七卷

(明)華玄禔輯

明刻本

六册

九行二十字,小字雙行同,白口,四周雙邊。眉上鎸評。　善 922.3107/502

0641

南史摘略二卷

(清)梁玉繩輯

清清吟閣抄本　佚名朱筆校

一册

十行二十字,黑格,黑口,左右雙邊。版框外鎸"清吟閣寫本"。 善 922.3507/725

0642

宋書論贊三卷

(明)項篤壽輯

明嘉靖四十五年(1566)項氏萬卷堂刻《全史論贊》本

一册

十行十九字,白口,左右雙邊。鈐"陽湖陶氏葵園所有書籍記"印。 善 922.35108/161

0643

唐書文鈔三十六卷

(明)戴羲輯

明末刻《史鈔》本

十册

九行十九字,白口,四周單邊。 善 12699

0644

東萊先生五代史詳節十卷

(宋)吕祖謙撰

明正德十一年(1516)劉弘毅慎獨齋刻《十七史詳節》本

四册

十三行二十六字,下細黑口,四周雙邊。卷末鎸"皇明正德丙子慎獨齋新刊行"牌記。

善 922.4201/423－444

史評類

0645

兩漢筆記十二卷(存七卷)

(宋)錢時撰

清抄本　佚名朱、藍筆校點

六册

八行二十一字,白口,無格。鈐"曾藏沈燕謀家"印。 善 922.2107/930

0646

通鑑答問五卷(存卷一至二)

(宋)王應麟撰

元刻明嘉靖三十四年(1555)萬曆十五年(1587)十六年(1588)遞修本

一册

十行二十字,白口,四周雙邊。有刻工。補版頁版心鎸補版時間及補修者。鈐"天馬山房藏書"印。 善 1932

0647

讀史管見三十卷目錄二卷

(宋)胡寅撰

明崇禎八年(1635)張溥刻清康熙三十五年(1714)古並居印本

十六册

九行二十字,白口,左右雙邊。眉上鎸評。封面鎸"古并居藏板"。鈐"臣海寰印"、"鏡宇"印。

善 12697

0648

史通註二十卷

(明)陳繼儒撰

明末刻本　(清)王孝詠校並跋

六册

九行二十字,小字雙行同,白口,四周單邊。眉上鎸評。鈐"西溪"、"後海"、"劉汲"、"際可"、"慧音"等印。 善 901/893－384

0649

史通訓故補二十卷

(清)黄叔琳撰

清乾隆十二年(1747)養素堂刻本

六册

九行十九字,小字雙行同,白口,左右雙邊。眉上鎸評。封面鎸"養素堂藏板"。

善 901/893－384

0650

史義拾遺二卷

(元)楊維楨撰

左逸一卷短長一卷

(明)蔣譔輯

明崇禎五年(1632)刻本

二册

八行二十字,小字雙行同,白口,四周單邊。封面鎸"可竹居藏板"。鈐"餘姚謝氏永耀樓藏書"、"程士棫"、"自在行人"等印。 善 921.8/273

0651

史通削繁不分卷

(清)紀昀撰

清抄本　佚名朱墨批點　傅增湘題識

一册

九行二十一字,黑格,白口,左右雙邊。

善 901/893－859－07

0652
通鑑博論三卷(存卷上)
(明)朱權撰
清抄本
二册
十行二十八字,無格。　善921.8/828

0653
學史十三卷
(明)邵寶撰
明嘉靖二十三年(1544)秦汶刻本
四册
十行二十字,白口,左右雙邊。　善921.8/329

0654
刻王弇州文部讀史論辨不分卷
(明)王世貞撰
明刻本
二册
八行十九字,白口,四周單邊。有刻工。鈐"楊元長氏"、"商王孫章"、"石蘭館印"諸印。
善921.81/113

0655
新鐫歷朝捷錄增定全編原本四卷
題(明)顧充撰　(明)鍾惺等補　(明)屠隆增定
明末刻本
四册
八行十八字,小字雙行同,白口,四周單邊。眉上鐫評。　善921.8/964-937

0656
新鐫屠儀部編纂元朝捷錄四卷
(明)屠隆輯
明萬曆三十七年(1609)金陵書林刻本
一册
九行二十一字,小字雙行同,白口,四周雙邊。眉欄小字雙行六字。　善922.5705/319

0657
讀史漫錄十四卷
(明)于慎行撰
明萬曆間李時馥刻本
十册
九行十八字,白口,四周單邊。有刻工。卷端署"年家後學李時馥校梓"。　善6555

0658
史概十卷
(明)俞思學輯
明萬曆十五年(1587)自刻本
六册
九行二十字,白口,四周單邊。眉欄小字雙行六字。　善921.8/990

0659
評史心見十二卷
(明)郭大有撰　(明)殷鍪批點
明萬曆十五年(1587)張誠刻本
四册
八行二十字,黑口,四周雙邊。　善921.8/632

0660
顧氏詩史十五卷
(明)顧正誼撰
明萬曆二十八年(1600)顧正誼刻本
八册
九行十八字,小字雙行同,白口,四周單邊。有刻工。鈐"合肥李氏藏書"、"愛閤珍藏"、"沈氏研易樓所得善本書"諸印。　善921.85/960

0661
斯羽堂評點謝在杭先生史測二卷
(明)謝肇淛撰
明天啓間斯羽堂刻本
一册
八行十八字,四周單邊。封面鐫"斯羽堂藏板"。鈐"千臣"印。　善921.8/621

0662
史懷十七卷
(明)鍾惺撰　(明)蔣勵志　蔣勵修輯
明刻本
四册
九行十九字,白口,四周單邊。封面鐫"廣陵畏人菴藏板"。　善921.8/937

0663
史懷十七卷
(明)鍾惺撰　(明)陶珽評
明崇禎間刻本
四册
九行二十字,白口,四周單邊。眉欄鐫評。
善13366

0664
古今治統二十卷
(明)徐奮鵬撰

清雍正元年(1723)槐柳齋刻本
十四册
十行二十字,小字雙行同,白口,四周單邊。眉欄小字雙行四字。封面鎸"槐柳齋梓行"。鈐"錦榮圖章"、"叔雲梁氏"印。　善921.8/948

0665
青萊續史十八卷
(清)朱里撰　(清)吳若谷等評
清順治間魯人龍刻後印本
十六册
九行二十字,白口,四周單邊。　善982.1/830

0666
四史剿説十六卷
(清)史珥撰
清乾隆二十九年(1764)清風堂刻本
八册
十行二十二字,白口,左右雙邊。封面鎸"清風堂藏板"。鈐"吕海寰印"、"鏡宇"、"自怡齋珍藏"、"是尚友也"、"寧氏藏書"諸印。
善921.8/455

0667
史記論文一百三十卷
(清)吳見思評點　(清)吳興祚參訂
清康熙二十六年(1687)刻本
十六册
九行二十一字,白口,左右雙邊。封面鎸"尺木堂藏板"。鈐"素可草堂"、"錫九"、"惜陰書屋主人藏書"、"精勤受學"諸印。
善921.13/303-437-03

0668
史學提要箋釋五卷
(清)楊錫祜撰
清抄本
五册
十一行三十字,小字雙行同,無格。鈐"胡天庵印"、"英士"諸印。　善921.8/171

0669
史學一簣四卷
(清)童栻撰
清抄本
四册
十行十九字,無格。鈐"桂山氏"印。
是書爲寫定待刻本　善921.8/657

0670
可閑主人讀史管窺四卷
(清)章驥撰
清抄本
二册
十二行字不等,無格。　善921.8/655.4

0671
欽定古今儲貳金鑑六卷
(清)高宗弘曆敕撰
清乾隆間内府抄本
三册
九行二十字,紅格,白口,四周雙邊。書口題"欽定四庫全書"。　善921.811/716

傳記類

總傳

0672
孔門傳道錄十六卷
(明)張朝瑞撰
明萬曆二十六年(1598)姚履旋、顧端祥刻本
十册
十行二十字,小字雙行同,白口,左右雙邊。有刻工。張朝瑞序後鎸"應天府儒學生員姚履旋顧端祥校刊"。　善982.1/307

0673
聖門人物志十二卷
(明)郭子章撰
明萬曆間葉天民刻本
六册
十行二十三字,白口,四周單邊。有圖。鈐"潮州城南謝氏小草堂藏"、"蓮公"、"鬻及借人爲不孝"等印。　善982.1/632

0674
孔門弟子傳略二卷
(明)夏洪基撰
明崇禎間刻本
一册
九行二十一字,小字雙行同,白口,四周單邊。
善982.217/348

0675

孔孟弟子考不分卷

清抄本

五册

九行二十五字，無格。　善 982.217/370

0676

雪浪堂書畫諱集不分卷

(清)黄士俊輯　(清)友蓮居士增删

謄清本

二册

十行字不等，無格。鈐“隴西”、“李士珍秘”、“黄士俊印”、“一片冰心在玉壺”、“雪浪堂”、“優鉢羅室”、“畫癖”等印。

此書一名《書畫人姓名録》。　善 18663

0677

列女傳十六卷

(漢)劉向撰　(明)汪道昆輯　(明)仇英繪圖

明萬曆間刻清乾隆四十四年(1779)鮑氏知不足齋印本

十六册

十行二十一字，白口，四周單邊。有圖。每卷首頁版心下鐫“仇英實甫繪圖”。封面鐫“知不足齋藏板”。

又一部　十六册

又一部　二十册　善 982.32/707－1

0678

歷代臣鑒三十七卷

(明)宣宗朱瞻基撰

明宣德元年(1426)内府刻本

十二册

十行二十字，黑口，左右雙邊。原鈐“廣運之寶”印。　善 196.3/463

0679

歷代君鑒五十卷

(明)景帝朱祁鈺撰

明景泰四年(1453)内府刻本

十册

十行二十字，黑口，左右雙邊。原鈐“廣運之寶”印。　善 196.2/463

0680

經世要略二十卷

(明)萬廷言輯

明萬曆三十八年(1610)萬廷謙刻本

二十册

十行二十字，白口，左右雙邊。每卷首頁版心下鐫刻工。鈐“杭州九峰舊廬藏書之印”印。

善 196.2/463

0681

宰相守令合宙二十四卷(存卷一至十三)

(明)吳伯與輯

明末刻本

十二册

九行十九字，白口，四周單邊。善 982.31/441

0682

古今廉鑑八卷

(明)喬懋敬撰

明萬曆九年(1581)兩淮都轉運監使司刻本

六册

九行十八字，白口，左右雙邊。版心下鐫刻工。鈐“燕庭藏書”、“劉”、“鮑氏覺園”等印。

善 982.1/809

0683

壺天玉露四卷又一卷

(明)錢陞撰

明天啓五年(1625)刻本

二册

九行十九字，白口，左右雙邊。鈐“壽椿堂王氏家藏”、“留春之室”、“筱泉過目”、“巖孟氏珍藏圖書”、“更庵審定”、“馬首孟氏筱泉珍藏”、“靈石王臣恭觀”等印。　善 982.1/929

0684

刻漢唐宋名臣錄五卷

(明)李廷機輯

明萬曆三十四年(1606)李存信刻本

十二册

九行十八字，白口，左右雙邊。鈐“算學博士”、“欒城張世堯印”印。　善 982.1/293

0685

鏡古錄八卷

(明)毛調元撰

明萬曆四十四年(1616)紫陽書院刻本

十二册

九行二十字，白口，四周單邊。鮑序後鐫“萬曆丙辰歲冬月紫陽書院刊行”及“歙黄應魁刻”。鈐“王養冲字文休家藏”、“欽訓堂書畫記”、“煦堂藏書章"、"珊瑚閣珍藏印"、"愛日山房"諸印。
善 982.1/781

0686
經略問奇四卷
(明)趙時用輯
明崇禎間刻本
四册
九行十九字,白口,四周單邊。 善 982.1/200

0687
康濟譜二十五卷
(明)潘游龍輯
明崇禎十四年(1641)刻本
十二册
九行二十字,白口,左右雙邊。
善 982.1/754.7

0688
聖學宗傳十八卷宗傳詠古一卷
(明)周汝登撰
明萬曆三十三年(1605)王世韶等刻本
八册
九行十八字,白口,四周單邊。有刻工。
善 982.1/819

0689
關學編四卷首一卷
(明)馮從吾撰
清初趙蒲刻本
二册
九行十八字,白口,左右雙邊。封面鎸"朝邑世德堂藏板"。 善 982.615/774

0690
學統五卷
(清)熊賜履輯
清康熙二十四年(1685)下學堂刻本
十册
九行二十字,白口,左右雙邊。封面鎸"下學堂藏板"。鈐"天馬山房藏書印"印。 善 1721

0691
漢名臣言行錄十二卷
(清)夏之芳輯
清乾隆十七年(1752)積翠軒刻本
六册
十行二十一字,白口,左右雙邊。封面鎸"積翠軒藏板"。 善 10697

0692
季漢五志十二卷
(清)王復禮撰
清康熙四十一年(1702)杭城尊行齋刻本
九册
十行二十字,白口,左右雙邊。封面鎸"杭城尊行齋藏板"。 善 922.23/120.8

0693
五朝宋名臣言行錄後集十四卷
(宋)朱熹輯
續集八卷别集十三卷外集十七卷
(宋)李幼武輯
明張鰲山刻本
十册
十二行二十三字,白口,四周單邊。有圖。總目後鎸"後學安福張鰲山校正重刊"。
善 982.251/828-02

0694
五朝宋名臣言行錄前集十卷後集十四卷
(宋)朱熹輯
續集八卷别集十三卷外集十七卷
(宋)李幼武輯
明刻鄭汝璧修補本
十六册
十一行二十二字,白口,四周單邊。有圖。總目後鎸"明后學安福張鰲山校梓,縉雲鄭汝璧校修"。 善 982.251/828-03

0695
伊洛淵源錄十四卷
(宋)朱熹撰
續錄六卷
(明)謝鐸撰
清抄本　吳華圃校
六册
十行二十字,無格。鈐"順德黎氏據梧尋夢室所藏"、"順德黎騷暘九據尋夢室所藏經籍書畫之印"。 善 982.1/828.22

0696
考亭淵源錄二十四卷
(明)宋端儀撰　(明)薛應旂重輯
明隆慶三年(1569)刻本
十二册

十行二十字,白口,四周單邊。有刻工。

善 982.1/695

0697

蘇米志林三卷

(明)毛晉輯

明天啓五年(1625)毛氏綠君亭刻本

三册

八行十八字,白口,無直格,四周單邊。版心下鎸"綠君亭"。封面鎸"文粹堂藏板"。鈐"蓉卿"、"綠天逸史志誠種"等印。

子目:

蘇子瞻二卷

米元章一卷　　善 982.251/781

0698

國朝名臣事略十五卷

(元)蘇天爵撰

清影元抄本　(清)沈炳垣校並跋　(清)李兆洛跋　繆荃孫跋

六册

十三行二十三字,無格。鈐"雙清"、"滄葦"、"張蓉鏡"、"佛桑仙館"、"泰峰所藏善本"、"荃孫"、"雲輪閣"、"南通沈燕謀印"、"行素堂藏書記"等印。　　善 982.3157/554-02

0699

新鍥評林旁訓薛鄭二先生家藏我朝人物捗古奇編七卷

(明)薛應旂輯　(明)鄭以偉注

明萬曆間詹聖澤等刻本

六册

九行二十二字,小字雙行同,白口,四周單邊。眉欄雙行小字四字。版心下鎸"南京板"。卷二始題名"我朝人物捗古奇編"。鈐"磊落男子"、"擘劍讀書"、"香林書屋藏書"等印。　善 982.26/571

0700

殿閣詞林記二十二卷

(明)廖道南撰

明嘉靖間刻本

十二册

十行二十字,白口,左右雙邊。善 982.26/670

0701

皇明異姓諸侯傳二卷表一卷

(明)鄭曉撰

明嘉靖間刻《吾學編》本

二册

十行十九字,白口,左右雙邊。

善 982.26/974-8

0702

建文遜國臣記八卷

(明)鄭曉撰

明萬曆二十七年(1599)鄭心材刻《吾學編》本

二册

十行十九字,白口,左右雙邊。有刻工。鈐"遲夷衡門朝夕講習"印　　善 982.26/974

0703

錢牧齋先生列朝詩集小傳十卷

(清)錢謙益撰　(清)錢陸燦輯

清康熙三十七年(1698)誦芬堂刻本

八册

十一行二十一字,白口,左右雙邊。版心下鎸"誦芬堂"。封面鎸"誦芬堂藏板"。原鈐"敦古堂藏書"印。鈐"宛陵李之郇藏書印"、"酒眈"、"宣城李氏瞿硎石室圖書印記"、"朱檉之印"諸印。

善 6708

0704

明儒學案六十二卷師説一卷

(清)黄宗羲撰

清康熙三十二年(1693)賈樸刻本

二十四册

十二行二十四字,黑口,左右雙邊。鈐"馬叙倫印"、"夷初"、"天馬山房藏書印"諸印。善 1723

0705

東林明儒列傳不分卷

清抄本

八册

八行二十字,無格。鈐"退思堂"印。

善 982.268/137

0706

東林列傳二十四卷末二卷

(清)陳鼎輯

清康熙五十年(1711)鐵肩書屋刻本

十六册

九行二十字,白口,左右雙邊。封面鎸"鐵肩書屋藏板"。

又一部　八册　　善 982.26/380

0707

碧血不分卷

(明)黄煜輯
清抄本
二册
九行二十五字,無格。　善 982.268/170.7

0708
忠烈考二卷
(清)王業隆撰
清抄本
一册
八行十八字,紅格,白口,左右雙邊。鈐"雷鳴夏"印。　善 982.268/116

0709
續表忠記八卷
(清)趙吉士　盧宜撰
清康熙三十七年(1698)寄園刻本
八册
九行二十字,小字雙行同,白口,四周單邊。封面鎸"寄園藏板"。　善 18690

0710
雪交亭集十二卷(存十一卷)
(明)高宇泰撰
清光緒間六一山房抄本　(清)芾廬校並跋
四册
十行二十一字,紫格,白口,左右雙邊。版心下鎸"六一山房鈔"。　善 982.26/646

0711
明末忠烈紀實五卷
(清)徐秉義撰
清抄本
四册
七行十五字,黑格,下黑口,左右雙邊。
善 8323

0712
勝國遺民録不分卷
清抄本
四册
十一行字不等,藍格,白口,四周單邊。鈐"紗灣山人"、"王定祥"印。　善 982.268/812

0713
梅花草堂集十一卷
(明)張大復撰　(清)汪中鵬補訂
明刻清雍正二年(1724)汪中鵬重修本
六册
九行二十字,白口,左右雙邊。封面題"梅花草堂人物傳"。鈐"發潜德之幽光"、"孝子之門"印。　善 18116

0714
淮郡文獻志二十六卷補遺一卷
(明)潘埙輯
明嘉靖三十四年(1555)刻本
十六册
十行十八字,白口,左右雙邊。
善 982.621/754

0715
海岱人物志三十六卷
(清)侯登岸撰
清抄本
十册
十行二十字,無格。　善 982.612/908

0716
寶婺獻編不分卷
(清)王同龐撰
清抄本
一册
十行二十八字,白口,無格。鈐"王耀宗印"、"敬夫"印。書衣題"同治十年澹庵手抄"。
善 982.623/115

0717
歷代輯論不分卷
高麗抄本
三册
十二行二十四字,無格。　善 983.211/337

别傳

0718
晏子春秋六卷
明凌澄初刻朱墨套印本
四册
八行十八字,白口,四周單邊。
又一部　四册　鈐"許石光章"印。
善 121.81/467－03

0719
晏子删評二卷
(明)馬權奇撰
明天啓間刻本
一册

九行二十字,白口,四周單邊。

善 121.81/467－412

0720

聖蹟圖一卷

明萬曆間刻本

二册

四周雙邊。鈐"鮑家善印"。善 121.21/307

0721

漢壽亭侯誌五卷

(元)胡琦撰

明萬曆間刻本

三册

九行二十字,白口,左右雙邊。

善 982.823/460－215

0722

忠武志八卷

(清)張鵬翮輯

清康熙間刻本

八册

九行十九字,黑口,左右雙邊。(與《卧龍崗志》二卷合函)　善 982.31/313

0723

賀監紀略四卷

(清)閩性善　閩性道輯

清抄本

二册

八行二十一字,無格。有像。

善 982.8413/331－456

0724

宋忠獻韓魏王君臣相遇傳十卷别録三卷

(宋)王巖叟撰

遺事一卷

(宋)强至撰

明崇禎元年(1628)刻本

六册

九行十八字,白口,四周單邊。鄭序首頁版心下有刻工名。有像。　善 982.8514/226－974

0725

蘇長公外紀十二卷

(明)王世貞輯

明萬曆二十二年(1594)璩氏燕古齋刻本

八册

十行十八字,白口,左右雙邊。版心下鎸"燕石齋"及刻工。鈐"沈長藏書之印"、"孝誠書屋"印。　善 982.851/554－113

0726

黄豫章外紀十二卷

(明)陳之伸輯

明崇禎間刻本

一册

十行二十字,白口,左右雙邊。

善 982.8514/169－382

0727

忠勤録四卷

(明)王象乾　王象蒙輯

明萬曆間刻本

三册

九行十六字,白口,左右雙邊。

善 982.865/119－119

0728

明郝太僕褒忠録六卷首一卷末一卷

(清)姜念熊輯

清乾隆五十三年(1788)如臯姜氏刻本

三册

十行二十一字,白口,左右雙邊。鈐"鐵如意館"、"畿南文獻之家"、"錫生"等印。

傳主:郝景春,明末人。善 982.868/209－759

0729

明誥封中憲大夫大名兵備道副使贈都察院右都御史忠烈朱公盡節録二卷

(清)朱纁輯

清康熙間忠孝堂刻本　有抄配

四册

八行二十一字,白口,左右雙邊。版框外鎸"忠孝堂"。

傳主:朱廷焕(1601－1644)　善 982.868/834

0730

錢忠介公傳記集一卷

稿本

二册

十行二十六字,無格。鈐"横經閣"等印。

傳主:錢肅樂,謚忠介(1606－1648)

善 982.868/928

0731

先府君行略不分卷

(清)黄彭年撰

稿本

一册

八行二十二字,紅格,左右雙邊。鈐"黄氏家藏"印。

傳主:黄輔辰(1798－1866)

善982.876/165－165

0732

秦聚奎行述不分卷

(清)秦福和撰

手抄粘貼本

一册

卷後鈐"春生之印"、"子霖學□"印。

傳主:秦聚奎(1811－1853)

附有抄件石達開、李秀成等人信札數通。

善982.875/102

0733

李忠武勇毅兩公家傳不分卷

(清)黄彭年撰

稿本

一册

八行字不等,緑格,左右雙邊。版心下印"雲秀齋住横街頭"。

傳主:

李續賓,謚忠武(1818－1858)

李續宜,謚勇毅(1823－1863)

善982.317/289

年譜

0734

至聖編年世紀二十四卷

(清)李灼　黄晟輯

清乾隆十六年(1751)亦政堂刻本

十四册

九行二十字,白口,左右雙邊。

善121.21/292.7

0735

孟子時事考徵四卷

(清)陳寶泉撰

清嘉慶五年(1800)稡經堂刻本

四册

九行二十五字,小字雙行同,白口,四周單邊。版心下鎸"稡經堂"。卷末鎸"涇城東門内雙桂齋鎸"。　善8186

0736

韓柳年譜二種八卷

(清)馬曰琯編

清雍正七年(1729)馬氏小玲瓏山房刻本

六册

十行十八字,白口,左右雙邊。韓文類譜卷末及柳先生年譜卷末皆有牌記"雍正己酉八月小玲瓏山館依宋本校刊"。柳先生年譜後鎸有"吳郡李士芳鎸"。

子目:

韓文類譜七卷　(宋)吕大防等撰

柳先生年譜一卷　(宋)文安禮撰

善982.99/446

0737

范文正公年譜一卷

(宋)樓鑰撰

年譜補遺一卷言行拾遺事録一卷祭文一卷

元天曆元統間褒賢世家塾歲寒堂刻本

四册

十二行二十字,細黑口,左右雙邊。有刻工。鈐"高陽博明氏珍藏圖書"、"博明"、"曹家駿印"、"江都曹氏家駿秘笈"、"懷辛齋"、"懷辛主人"、"曹聲簕印"、"曹聲濤印"。

此書爲《范文正公集》之附刻。

善982.9513/537－276

0738

東坡先生年譜一卷

(宋)王宗稷撰

明天啓間文盛堂刻本

一册

八行十七字,白口,四周單邊。鈐"能不依依"印。

此書爲譚元春輯《東坡詩選十二卷》之附刻。

善982.9514/554－118

0739

建文年譜二卷

(明)趙士喆撰

清抄本　(清)王邕跋

四册

八行十九字,無格。鈐"壽椿堂王氏家藏"、"靖廷"印。　善8005

0740

皇明三元太傅商文毅公年譜四卷

(明)商振倫撰
清保傅堂活字印本
一册
十行二十字,白口,四周單邊。版心鎸"保傅堂"。有像。
傳主:商輅,字宏載,號素庵(1414-1486)
善 982.964/660

0741
高陽太傅孫文正公年譜五卷
(明)孫銓輯
明崇禎間孫之藻刻清孫爾然補修本
四册
八行十八字,白口,左右雙邊。封面鎸"師儉堂藏板"。鈐"伏氏藏書"印。
譜主:孫承宗,字稚繩(1563-1638)
善 982.968/362-368

0742
關中三李年譜八卷
吳懷清撰
稿本
八册
十行二十三字,小字雙行同,白口,無格。
子目:
二曲先生年譜二卷附錄二卷
雪木先生年譜一卷
天生先生年譜二卷附一卷
善 982.99/440.7-02

0743
陸稼書先生年譜不分卷
(清)吳光酉輯
清康熙五十七年(1718)刻本　序文有抄配　佚名朱墨筆批點
一册
九行二十字,白口,左右雙邊。
善 982.971/387-438

0744
陸稼書先生年譜定本二卷附錄一卷
(清)吳光酉輯
清乾隆五十九年(1794)敬義齋抄本　(清)莪野勞先生批注
二册
十九行字不等,無格。卷末署"莪野勞先生評點乾隆甲寅年敬義齋手抄"字。善 9330

0745
閻潛丘先生年譜一卷
(清)張穆撰
清道光二十七年(1847)祁氏䙺䜴亭刻本
一册
十一行二十三字,小字雙行同,白口,左右雙邊。有牌記"道光廿七年壽陽祁氏刊何紹基署檢"。版心下鎸"䙺䜴亭"。
善 982.972/459-313-02

又一部　一册　善 1664

0746
長文襄公自訂年譜四卷
(清)長齡撰
清道光二十一年(1841)桂叢堂刻本
四册
九行二十一字,白口,左右雙邊。封面鎸"桂叢堂藏板"。
譜主:長齡(1758-1838)。　善 12345

0747
陳錫麒年譜不分卷
(清)陳鴻保等撰
清末抄本　佚名墨筆校
二册
六行十九字,小字雙行同,無格。
譜主:陳錫麒(1814-1878)　善 7799

日記

0748
三魚堂日記不分卷
(清)陸隴其撰
清抄本
四册
十行二十七字,無格。鈐"湘鄉王氏秘籍孤本"、"掃塵齋積書記"、"禮培私印"諸印。
清康熙十九年(1680)正月廿五日至三十一年(1692)十二月初四。　善 982.872/388-02

0749
于役盛京日記一卷
(清)王藹甫撰
稿本
一册
九行二十五字,藍格,藍口,四周雙邊。
清道光二十年(1840)八月十三日至十月初七

日并附詩十數首。

與所抄《秦折公牘》四册同函。

善 982.875/115

0750

秋燈課詩之屋日記不分卷

(清)王彦威撰

稿本

二十一册

原鈐"王彦威"印。

光緒二年(1876)至光緒三十年(1904)。

附商部札子及雜抄三册。　善 982.878/117

0751

傅先生日記十四卷

(清)傅監印撰

稿本

十四册

八行,四周雙邊。版心下鎸"石竹齋"。

光緒十八年(1892)至二十八年(1902)。

善 9480

0752

于滇日記不分卷旋粤日記一卷

(清)譚宗浚撰

清抄本　佚名墨筆箋條校

三册

五行十八字,無格。

清光緒十一年(1885)五月初六日至十二月初一日;光緒十四年(1888)二月初五日至三月十六日。　善 982.878/601.7

0753

江叔海日記不分卷

(清)江瀚撰

稿本

原四册(缺第一册)

藍格或紅格。藍格十行,四周雙邊,版心上鎸"宰相必用讀書人"。紅格九行,四周雙邊,版心下鎸"榮寶齋"。

光緒二十三年(1897)、光緒三十四年(1908)、宣統元年(1909)。　善 9305

宗譜

0754

新安名族志二卷

(明)汪孟泚　戴廷明等撰

明嘉靖間刻本

二册

九行二十字,白口,四周單邊。善 982.04/378

0755

孔氏祖庭廣記十二卷

(金)孔元措撰

清影蒙古抄本

四册

十一行二十字,無直格,白口,四周單邊。有像。《引》後有"嘉慶九年五月十一日無錫王保訓寧化伊秉綬觀"。鈐"獨山莫氏銅井文房藏書印"、"莫棠"、"銅井文房藏書"、"秦更年印"、"秦曼青"印。　善 982.817/370 - 370

0756

汪氏統宗譜五卷

(明)汪湘纂修

明隆慶三年(1569)刻本

一册

十六行四十字,細黑口,四周雙邊。

善 989.2/713

0757

汪氏統宗譜□卷(存卷首一卷卷一至四)

(清)汪元秋等纂修

清康熙二十八年(1689)刻本

一册

十六行四十字,白口,四周雙邊。有像。

善 989.2/707

0758

潛川汪氏本支世系譜一卷

清康熙二十年(1681)西麓堂抄本

一册

行、字數不等,藍格,左右雙邊。版心下鎸"西麓堂"。鈐"半庵一字襄言"、"禮常"、"襄言"諸印。　善 989.2/714

0759

潛川惇本祠溯源家譜八卷

(清)汪士鋐纂修

清康熙間刻本

二册

九行二十四字,白口,左右雙邊。

善 989.2/708

0760

休寧縣率口何氏族譜十二卷(存卷一至十一)

(清)何于岷纂修

清康熙九年(1670)抄本

一册

行、字數不等,白口,四周單邊。原鈐"何詢之印"印。　善989.2/896

0761

歙西金山宋村宋氏族譜十二卷

(清)宋德澤纂修

清康熙五十九年(1720)秉德堂刻本

四册

九行二十五字,白口,左右雙邊。有像。版心下鐫"秉德堂"。　善989.2/698

0762

左臺吳氏譜圖續編□卷(存卷一、四、七)

(明)吳斗南等纂修

明萬曆間刻本

一册

二十四行四十字,白口,四周雙邊。鈐"許仲父"、"吳宮華印"、"子簪"、"養默"等印。

善989.2/442

0763

歙南吳氏族譜六卷

(明)吳尚德纂修

明崇禎元年(1628)吳氏家刻本

一册

十五行二十四字,白口,四周單邊。吳尚德《小引》後有刻工。　善989.2/438

0764

吳氏忠孝城南支譜不分卷

(清)吳兆元纂修　(清)吳肯堂增補

清乾隆二十四年(1759)抄本

二册

九行字不等,白口,四周雙邊。鈐"忠孝城南"等印。吳肯堂序後原鈐"吳肯堂印"、"翼廷"印。

善989.2/442.8

0765

新安徐氏宗譜□卷(存卷首之一至十八)

(清)徐景京等纂修

清乾隆二年(1737)淳安劍溪徐亦陵刻本

一册

十行二十五字,白口,左右雙邊。

善989.2/949

0766

新安黄氏統宗世譜不分卷

(明)洪垣纂修

明刻本

一册

十二行,黑口,左右雙邊。有像。

善989.2/164.6

0767

續修黄氏宗譜六卷

(清)黄徽纂修

清乾隆六年(1741)黄永爔刻本

六册

十一行二十五字,白口,四周單邊。有刻工。

善989.2/164.6-1

0768

新安休寧古城程氏宗譜十一卷(存卷一至三)

(明)程尚芳　程維時纂修

明隆慶二年(1568)刻本

一册

十二行三十字,白口,四周雙邊。

善989.2/789

0769

程氏慶源家乘十九卷卷首一卷

(明)程有亮等纂修　(明)程鵬先補修

明萬曆三十六年(1608)程鵬先抄本

二册

十四行四十字,白口,四周雙邊。卷一《重錄家乘説》後原鈐撰者"程鵬先印"、"翼冥"、"劍士"印。卷末鈐"京機"、"鵬先"、"翼溟"等印。

善989.2/787

0770

程氏慶源家乘十三卷(存卷一至十)

(明)程有亮等纂修　(明)程夢稷增修

明抄本

三册

八行,小字雙行,白口,四周雙邊。

善989.2/787

0771

休寧邑前劉氏族譜六卷(存卷一至三)

(明)劉堯錫纂修

明嘉靖三十六年(1557)劉氏刻本

一册

十三行二十九字,黑口,四周雙邊。

善989.2/887

0772
許氏族譜不分卷
清抄本
一册　善 989.2/614

0773
陳氏宗譜七卷
(清)陳豐纂修
清康熙十年(1671)陳氏刻本
二册
十二行二十五字,白口,四周單邊。
善 989.2/380

0774
高氏家譜不分卷
(清)高世泰纂修
清康熙八年(1669)刻本
四册
八行二十字,白口,四周單邊。鈐"汪震字長公"印。　善 982.2/641

0775
重梓遂邑純峰張氏宗譜一卷
(明)張邦聘纂修
明萬曆三十九年(1611)木活字印本
一册
十行二十八字,黑口,四周單邊。
善 989.2/306

0776
雲山洪氏家乘不分卷
清乾隆間雲山洪氏刻本
一册
十二行二十六字,白口,左右雙邊。有像。
善 989.2/720

0777
倪氏世系不分卷
(清)倪天保纂修
清乾隆十六年(1751)倪氏承德堂刻本
一册
白口,四周單邊。有像。版心下鎸"承德堂"。卷末原鈐"倪承德堂"印。引後原鈐"倪天保印"等印。　善 989.2/919

0778
新安休寧甌山金氏族譜四卷
(清)金汝麟等纂修
清康熙四十四年(1705)刻本
二册
十行二十五字,白口,四周雙邊。
善 989.2/987

0779
新豐王氏支譜不分卷附芸臺瑣言一卷時言撮要一卷
(清)王立勛纂修
清光緒間抄本
二册
行、字數不等。經折裝。鈐"河北王氏子駿收藏金石圖畫書籍之印"。　善 989.2/117

雜錄

0780
鬮書不分卷
明正德十二年(1517)寫本
一册　善 334.54/421

0781
新安林塘范氏宗規四卷
明刻本
一册
十行二十字,白口,四周單邊。　善 394/537

0782
竇山公家議七卷附錄一卷
(明)程昌撰　(明)程鈁增補
明萬曆三年(1575)程氏刻本
一册
十行二十一字,白口,四周雙邊或四周單邊。鈐"程康化記"印。　善 364.2/788

0783
茗洲吳氏家典八卷
(清)吳翟撰
清雍正十三年(1735)紫陽書院刻本
五册
八行二十二字,下黑口,左右雙邊。封面鎸"紫陽書院藏板"。　善 394/435

貢舉

0784
明狀元圖考三卷
(明)顧祖訓輯　(明)吳承恩　程一楨補輯　(明)黃應澄繪圖　(明)黃應纘書考
清漢陽葉氏平安館刻本
四册

九行二十字,白口,四周單邊。鈐"渝水劉氏木齋珍藏書籍之印"、"木齋珍藏"、"尚友山房"、"浩劫餘生"、"從吾所好"諸印。　善 323.35/962

0785

萬曆甲午科山東鄉試同年齒錄一卷

清抄本

一册　善 1977

0786

國朝專閫錄三卷乾隆朝鴻博錄一卷

清抄本

八册

九行字不等,無格。鈐"江都焦循"、"里堂老人"印。　善 982.77425.2

0787

國朝歷科題名碑錄不分卷

(清)李周望輯　(清)德沛補

清乾隆間刻本

二十四册

十行,黑口,左右雙邊。鈐"松雪山房"印。

清順治三年至乾隆四十五年。

附:明洪武至崇禎各科題名碑錄。

善 323.35/355

0788

嘉慶七年壬戌齒錄二卷

(清)洪耀輯

清抄本

二册

十四行,細黑口,四周雙邊。　善 8322

0789

山東學使題名一卷安徽學使題名一卷浙江學使題名一卷

稿本

五册

附湖南鄉試錄、雜考、錢幣各一卷等。

善 323.35/583

詔令奏議類

詔令

0790

漢代詔書不分卷

清抄本

一册

十行二十二字,紅格,白口,四周單邊。鈐"定宇"、"惠棟之印"、"亮直"、"徐葆光印"、"陸"、"東野"、"養拙堂"、"性喜常見古人書"、"頤真草堂"、"姚公燮印"、"濱仙"諸印。　善 925.22/721

0791

大明武宗毅皇帝寶訓二卷

(明)吕本等輯

明萬曆三十年(1602)秣陵周氏大有堂刻《皇明寶訓》本

一册

十一行二十二字,白口,四周單邊。

善 925.26/445

0792

三朝聖諭錄二卷

(明)楊士奇輯

清抄本

二册

十行二十四字,藍格,白口,四周單邊。

善 6901

0793

皇明詔令二十一卷(存卷二至二十一)

高麗刻本

九册

十行二十字,白口,四周單邊。善 925.26/463

0794

朱批諭旨不分卷

(清)世宗胤禛撰

清雍正十年(1732)至乾隆三年(1738)内府刻朱墨套印本

一百十册

十行二十一字,白口,四周雙邊。

善 925.273/716

0795

硃批諭旨不分卷

(清)世宗胤禛撰

清雍正十年(1732)至乾隆三年(1738)内府刻朱墨套印本(配有木活字套印本)

一百十二册

十行二十一字,白口,四周雙邊。鈐"陳家康藏書"印。　善 925.273/716-03

0796

硃批諭旨不分卷

(清)世宗胤禛撰

清木活字套印本

一百十二册

十行二十一字,白口,四周雙邊。　善 11988

0797

雍正上諭不分卷

(清)世宗胤禛撰

清雍正間内府刻本

二十三册

十一行二十一字,白口,四周雙邊。鈐"國子監印"(滿漢文)印。　善 925.273/716 -3

0798

上諭八旗十三卷上諭旗務議覆十二卷諭行旗務奏議十三卷

(清)允祿等輯

清雍正九年(1731)内府刻乾隆六年(1741)武英殿續刻本

二十册

十一行二十一字,白口,四周雙邊。　善 3508

0799

大義覺迷錄四卷

(清)世宗胤禛撰

清雍正八年(1730)内府刻本

四册

八行十七字,小字雙行同,白口,四周雙邊。

善 925.273/716 -37 -02

奏議

0800

歷代名臣奏議三百五十卷(存卷一至九十、九十三至三百五十)

(明)黄淮　楊士奇等輯

明永樂内府刻本　有抄配

一百五十一册

十二行二十六字,黑口,四周雙邊。原鈐"廣運之寶"。鈐"萬卷藏書宜子弟"印。

善 925.3/267

0801

歷代名臣奏議三百五十卷

(明)黄淮　楊士奇等輯　(明)張溥删正

明崇禎間東觀閣刻本

一百二十册

九行十八字,白口,左右雙邊。眉欄小字雙行五字。版心下鎸"東觀閣"。封面鎸"金閶東觀閣藏板"。　善 18259

0802

荆川先生右編四十卷

(明)唐順之輯　(明)劉曰寧補

明萬曆三十三年(1605)南京國子監刻本

四十二册

十行二十字,白口,左右雙邊。眉上鎸評。有刻工。鈐"沈陽東山寶珣平生珍藏"、"東山平生珍賞"、"東閭珍藏"、"研齋"諸印。　善 041/667 -4

0803

古奏議不分卷

(明)黄汝亨輯

明萬曆二十九年(1601)吳德聚刻本

十六册

十行二十字,白口,左右雙邊。眉上鎸評。鈐"曰莆印信"、"子穆題識之章"、"查子穆甫秘笈之印"、"古歙州查子穆藏書印"、"查氏松森家藏"、"爲圃閲過"、"經訓堂"、"涇川查氏紫藤華館藏書之印"、"東里歐陽子彬珍藏書籍"諸印。

善 925.3/170

0804

秦漢書疏十八卷

明嘉靖三十七年(1558)吳國倫刻本

十六册

十行二十字,白口,四周單邊。

子目:

秦書疏三卷

西漢書疏六卷

東漢書疏九卷

又一部(存兩漢書疏六卷東漢書疏九卷)　八册　鈐"棘津三忍堂劉氏家藏"印。　善 925.32/437 -1

0805

皇明名臣經濟錄十八卷(存卷一至十)

(明)陳九德輯

明嘉靖二十八年(1549)羅鴻刻本

十册

十行二十字,白口,左右雙邊。有刻工。

善 925.36/384

0806

皇清奏議不分卷

清抄本

十册

八行二十一字,無格。

輯錄乾隆三十七(1772)至六十年(1795)奏議五十六篇。　善 925.37/869

0807

乾隆朝黄運兩河奏議不分卷

清抄本

四册

十一行二十二字,無格。　善 925.374/169

0808

國朝奏折不分卷

清抄本

八册

九行二十三字,藍格,白口,左右雙邊。

輯錄乾隆至道光間奏折。　善 925.37/101

0809

奏疏賀表一卷

清抄本

一册

七行二十字,綠格或紫格,白口,四周雙邊。鈐"翼珍"印。

輯錄清代平定金川、收復臺灣、鎮壓農民起義等事後王公大臣賀表十篇。　善 925.374/101

0810

奏稿類編不分卷

清抄本

十三册

行、字數不等,無格。鈐"瞿氏補書堂所藏"印。

分類輯錄嘉慶、道光、咸豐三朝奏稿。

善 925.378/101.8

0811

奏定章程簿不分卷

清抄本

一册

九行二十字,小字雙行同,黑格,白口,四周雙邊。

輯錄道光十九年(1839)至二十九年(1849)吏部議奏十九篇。　善 925.375/101

0812

督粵奏議不分卷

清抄本

一册

九行二十五字至二十九字不等,無格。

善 922.7507/154

0813

工部承修陵寢等奏折不分卷

清咸豐光緒間稿本

八十摺

書名系本館自擬。　善 925.378/160

0814

户部山東司奏稿不分卷

清光緒間稿本

八册

八行約十九字,紅格,白口,四周雙邊。版心上鎸"户部公牘"。

輯錄光緒二十一年(1895)至二十六年(1900)議奏。　善 925.378/956 – 6

0815

少保于公奏議十卷(存卷四至十)

(明)于謙撰

明刻本

四册

十一行二十二字,黑口,四周雙邊。鈐"洪氏仁孝堂印"印。　善 925.364/111

0816

李卓吾先生批選張文忠公奏對稿二卷

(明)張居正撰　(明)李贄輯並評

明刻本

四册

九行十八字,白口,左右雙邊。無直格。眉欄鎸評。　善 925.368/307

0817

欲焚草四卷

(明)胡忻撰

清康熙四十二年(1703)胡恒升刻本　卷四系抄配

四册

九行二十字,白口,四周雙邊。

善 925.368/220

0818

餉撫疏草七卷(存卷三至七)

(明)畢自嚴撰

明天啓間刻本

五册

九行十九字,白口,四周單邊。

善 925.368/471

0819

虔南奏議六卷

(清)劉武元撰

清順治間刻本

六册

九行二十字,白口,四周雙邊。

善 925.371/886

0820

李文湘公奏議二卷奏疏十卷首一卷别録六卷

(清)李之芳撰

李文襄公年譜一卷

(清)程光禋撰

清康熙間刻本

十册

十行二十二字,白口,四周雙邊。鈐"臣錫璋印"、"子元一字滋園"、"周氏珍藏"諸印。

善 13347

0821

疏稿五卷

(清)郭琇撰

清雍正十年(1732)間郭廷翼刻本

三册

九行二十字,白口,左右雙邊。　善 18607

0822

畢秋帆奏稿不分卷

(清)畢沅撰

清抄本

一册

九行二十字,無格。

輯録清嘉慶元年(1796)八月至十二月畢氏奏稿。　善 925.375/471

0823

王光祿公奏稿不分卷

(清)王茂蔭撰

清抄本

二册

九行二十四字,藍格,下藍口,四周雙邊。

輯録清咸豐四年(1854)至六年(1856)王氏奏稿。　善 925.376/115－1

0824

國瑞奏折不分卷

(清)國瑞撰

稿本

十箋。

附所收咨文、信件等。　善 925.376/425

0825

青海奏疏不分卷

(清)豫師撰

清末抄本

十二册

七行十五字,紅格,白口,四周雙邊。版心上鎸"青海奏疏"。

輯録撰者於咸豐至光緒朝任職青海時奏疏。

善 925.376/371

0826

吳文節公奏稿不分卷

(清)吳文瑢撰

清望三益齋抄本

二册

六行二十字,紅格,白口,四周雙邊。版心下鎸"望三益齋"。　善 925.376/439

0827

鄧承修奏稿不分卷附電稿并各處來電

(清)鄧承修撰

抄本　佚名墨筆校

十一册

行、字數不等。　善 925.378/372－3

0828

矩齋尚書手寫奏稿一卷

(清)勞乃宣撰

清光緒間稿本

一册

十行字不等,紅格,版心下印"矩齋所學"。鈐"觀略堂書畫記"印。　善 925.378/763

0829

吉林將軍銘安奏折不分卷

(清)銘安撰

謄清本

二十八册

六行二十字,紅格,白口,四周雙邊。

書名系本館自擬。　善 925.378/939

0830

周馥奏稿不分卷

(清)周馥撰

謄清本

三册

六行二十字，紅格，白口，四周雙邊。

存光緒三十年(1964)七、八、月周氏奏稿。

善 925.378/820

職官類

0831

治譜十卷續集一卷

(明)佘自强撰

明崇禎十二年(1639)刻本

六册

九行二十字，白口，四周單邊，無直格。鈐"朱頤年所藏法律舊籍"印。　善 323.42/985

0832

兩理略四卷

(明)王徵撰

明崇禎十年(1637)孟道弘刻本

四册

九行二十字，白口，四周單邊。鈐"栖芬室圖書"、"范氏栖芬室所用圖書"印。善 925.568/120

0833

居官寡過錄四卷

(清)胡衍虞撰

清乾隆四十年(1775)朝邑刻本

四册

九行二十二字，白口，左雙邊或右雙邊。鈐"慎德堂藏"印。　善 323.42/223

0834

守禾日記六卷

(清)盧崇興撰

清乾隆五年(1740)兩浙撫署誠本堂刻本

四册

九行二十字，白口，左右雙邊。

善 925.572/494

0835

明况太守龍岡公治蘇政績全集十六卷首一卷續集十二卷末一卷

(明)况鐘撰　(清)况廷秀輯

清乾隆二十九年(1764)承恩坊刻本

六册

九行二十二字，白口，左右雙邊。封面鐫"本家承恩坊藏板"。

又一部　六册　善 982.864/735

0836

耐邨政略二卷

(清)李松撰

清乾隆十七年(1752)刻本　(清)董馭臣朱筆批注

二册

八行二十字，白口，左右雙邊。　善 857.1/287

政書類

通制

0837

文獻通考三百四十八卷卷首一卷

(元)馬端臨撰

明嘉靖間馮天馭刻本

一百册

十三行二十四字，白口，左右雙邊。有寫工及刻工。鈐"瑩如"、"妾池王"、"董康秘笈之印"、"課華庵"諸印。　善 323.1/416-07

0838

文獻通考補增三卷參補二十六卷(存卷一至十七、十九、二十上、二十一、二十二上、二十四、二十六)

(清)葉澮發撰

清抄本

二十册

十二行二十四字，紅格，白口，四周雙邊。

善 323.1/416-504

0839

續文獻通考二百五十四卷

(明)王圻撰

明萬曆三十一年(1603)松江府曹時聘許維新刻本

一百册

十一行二十二字，白口，左右雙邊。有刻工。

善 323.1/113

又一部　六十册　善 12932

0840

大明會典一百八十卷

(明)徐溥等纂修

明正德六年(1511)司禮監刻本

九十六册

十行二十字,黑口,四周雙邊。原鈐"廣運之寶"。鈐"程步雲寶藏"、"彊誃所得善本"、"曾歸徐氏彊誃"、"九峰舊廬藏書記"、"綬珊六十以后所得書畫"、"杭州王氏九峰舊廬藏書之章"、"劉盼遂"、"康生"、"歸公"諸印。　善 323.16/952

0841

大明會典二百二十八卷

(明)申時行　趙用賢等纂修

明萬曆十五年(1587)内府刻本

一百零八册

十行二十字,黑口,四周雙邊。

又一部　一百册　善 323.16/463

0842

大明會典二百二十八卷

(明)申時行　趙用賢等纂修

明天啓元年(1621)張京元等刻本

三十六册

十一行二十六字,小字雙行同,白口,四周單邊。有刻工。鈐"寧武南氏珍藏"、"復盦南氏"印。　善 323.16/463

0843

皇明經世實用編二十八卷首一卷

(明)馮應京輯

明萬曆三十一年(1603)刻本

二十四册

十二行二十二字,白口,四周雙邊。

又一部　十二册　善 323.16/771

0844

皇明世法錄九十二卷

(明)陳仁錫撰

明崇禎間刻本

四十八册

十行二十字,白口,四周單邊。善 323.16/384

0845

古今治平略三十三卷

(明)朱健撰

明崇禎十一年(1638)鍾鉉刻本

二十四册

九行二十字,白口,四周單邊。

善 323.1/835-2

0846

欽定大清會典則例一百八十卷

(清)高宗敕修　(清)張廷玉等纂修

清乾隆間内府刻本

一百八册

十行二十字,白口,四周雙邊。

善 323.17/716.6-3

0847

吏部處分則例四十七卷

清抄本

十八册

九行二十字,紅格,白口,四周雙邊。

善 323.4/133-1-02

0848

欽定宮中現行則例四卷

清光緒六年(1880)武英殿刻本

四册

八行二十字,白口,四周雙邊。鈐"鮑氏家藏"印。　善 323.52/700

0849

閩藩政要六卷

(清)姚桂撰

清抄本

七册

九行二十字,藍格,上藍口,四周雙邊。

善 325.231/994

典禮

0850

政和五禮新儀二百二十卷(存卷一至七十四、七十六至八十七、九十一至一百零七、一百一十至一百一十六、一百二十一至一百二十七、一百三十八至一百七十九)**目錄六卷**

(宋)鄭居中等撰

政和御制冠禮十卷(存卷一)

清抄本

十四册

十行二十四字,小字雙行同,紅格,白口,四周單邊。　善 392/972

0851

大明集禮五十三卷首一卷

(明)徐一夔　梁寅等撰

明嘉靖間刻本

三十六册

九行十八字,白口,四周雙邊。鈐"士禎私印"、"池北書庫"、"黄裳藏本"、"來燕榭珍藏記"、

"黄裳百嘉"、"容家書庫"諸印。

又一部　十五册　善 392/947

0852

皇明典要八卷

(明)陳建輯

明末書林王渭刻本

八册

八行十八字,小字雙行同,白口,四周單邊,無格。眉上鐫評。卷端署"書林王謂督梓"。版心上從卷三始題"皇明紀要"。　善 922.602/378-2

0853

頖宫禮樂疏十卷

(明)李之藻撰

明萬曆四十六年(1618)馮時來刻本

十册

十行二十二字,小字雙行同,白口,四周雙邊。鈐"許惇所藏"印。　善 12736

0854

明謚考三十八卷(存卷十三至三十八)

(明)葉秉敬撰

清抄本

二册

九行二十五字,紅格,白口,四周單邊。鈐"面城樓藏書印"印。　善 323.49/504

0855

祀事孔明一卷

(明)袁應兆撰

明崇禎五年(1632)刻本

一册

九行二十字,白口,左右雙邊。善 121.21/192

0856

皇明大内規制記四卷

清抄本

四册

八行二十四字,無格。　善 10673

0857

太學典祀彙考十四卷

(清)張瑨撰

清康熙二十五年(1686)刻本

六册

十行二十字,小字雙行同,白口,左右雙邊。　善 393.2/306

0858

幸魯盛典四十卷

(清)孔毓圻等纂修

清康熙二十八年(1689)紅蕚軒刻本

十二册

十行二十一字,白口,四周雙邊。封面鐫"紅蕚軒藏板"。鈐"青蓮金舫"、"蓼麟"、"李德墉印"、"渠陽李氏珍藏"諸印。

又一部　八册　鈐"葉德輝"、"郋園"、"石林後裔"、"葉啓發藏"、"東明所藏"、"鞠霜樓許氏懋齋所藏經籍記"、"許藝霜樓所藏"諸印。

善 928.812/370

0859

皇朝禮器圖式十八卷

(清)允禄等奉敕纂修

清乾隆三十一年(1766)武英殿刻本

四十册

十一行二十字,白口,四周雙邊,無直格。

善 0297

軍政

0860

普洱鎮營制輿圖不分卷

清彩繪本

一帙。　善 381/760

0861

前赴日本會閲該國合操行程日記及所閲情形不分卷

清光緒間抄本

一册

十行二十五字,紅格,四周雙邊。

善 380.931/762

0862

欽定陸軍第一中學堂暫行規則一卷

清抄本

一册

九行二十二字,藍格,白口,四周單邊。

善 383.5/938

0863

威勝京營陸軍章程稿一卷

謄清本

一册

九行字不等,紅格,白口,四周單邊。

善 386.1/341

邦計

0864
中都儲志十卷
(明)張良知撰
清抄本
四册
九行十八字,無格。　善 324.41/311

0865
安徽賦役全書十卷
清抄本
十册
八行字不等,紅格,白口,四周雙邊。
善 348.2/704

0866
蘇松財賦考圖説一卷
(清)周夢顔輯
清道光九年(1829)程丕纘刻本
一册
八行十二字,四周單邊。有圖。善 348.2/816

0867
新修長蘆鹽法志十六卷
(清)莽鵠立　魯之裕等纂修
清雍正五年(1727)刻本
十二册
九行二十字,白口,四周單邊。　善 348.3/851

0868
河東鹽法備覽十二卷
(清)蔣兆奎輯
清乾隆五十五年(1790)刻本
八册
九行二十二字,白口,四周單邊。有圖。
善 348.3/526

0869
山東鹽法續增備考六卷
清抄本
六册
九行字不等,無格。　善 348.3/583.2

0870
鹽務議略不分卷
(清)王守基撰
謄清本
四册
十二行二十五字,四周雙邊。　善 348.3/118

0871
造鹽工圖不分卷
清彩繪抄本
一册
書名系館内自擬。　善 664.6/838

0872
咸豐鐵錢志不分卷
(清)黄輔辰撰
稿本
一册
六行二十五字,紅格,四周雙邊。
善 341.1/165.2

0873
畿輔義倉圖不分卷
(清)方觀承撰
清乾隆十八年(1753)刻本
六册
十行二十二字,白口,四周單邊。鈐"彤軒"、"求放心齋所藏"印。　善 368.2/626

0874
賑紀八卷
(清)方觀承撰
清乾隆間刻本
八册
九行二十字,白口,四周雙邊。鈐"蕭山汪氏環碧山房珍藏"印。　善 368.2/626-4

0875
皋蘭義倉彙編輯要一卷
清抄本
一册
十行字不等,無格。　善 368.2/872

0876
租覈一卷
(清)陶煦撰
清抄本　(清)黄國瑾校　黄襄成題識
一册
九行二十字,紅格,白口,四周雙邊。版心下鎸"五芝堂"。鈐"觀略堂圖書記"、"黄氏家藏"、"湘丞所守先世手澤"諸印。
序目爲黄國瑾手澤。　善 348.1/401

0877
淮關統志十四卷

（清）伊齡阿撰
清乾隆四十三年（1778）淮關刻本
六册
十行二十字，白口，左右雙邊。有圖。
善 348.7/910

0878
九江關徵收船税則例不分卷
（清）謝旻撰
清乾隆三十七年（1772）伊齡阿刻本
二册
十行二十三字，白口，左右雙邊。
善 348.7/619

公牘

0879
大順廣三府防捻牘稿不分卷
（清）吳汝舟撰
清抄本
一册
十行字不等，藍格，四周雙邊。善 925.5/440

0880
雲南礦務案牘類編十六卷首一卷
（清）唐炯輯
清抄本
十六册
十三行二十二字，藍格，白口，左右雙邊。
善 332.235/667

0881
欽命總理各國事務衙門清檔不分卷
清抄本
十六册
九行字不等，紅格，白口，四周雙邊。
輯錄光緒十一年（1885）至三十年（1904）奏摺、公牘、説帖等。善 925.578/862

0882
五城檔案彙鈔不分卷
清末民政部參議廳抄本
二册
十二行約二十四字，黑格，白口，四周單邊。
輯錄光緒二十七年（1901）正月至十二月公牘。鈐"民政部參議廳之印"（滿漢文）印。
善 925.578/160.3

0883
德國太子訪華檔案不分卷
清宣統二年（1910）稿本
二册
書名系本館自擬。善 925.579/942

0884
撫東往來電稿彙存不分卷
（清）孫寶琦輯
稿本
十二册
九行十四字，紅格，白口，四周雙邊。
輯錄宣統三年（1911）八月至十月電稿。
善 925.579/366

法令

0885
大清律集解附例三十卷圖一卷服制一卷律例總類六卷
（清）朱軾　常鼐等纂修
清雍正三年（1725）刻本
二十册
九行二十字，白口，四周雙邊。善 352/880

0886
調查山東司法行政沿習利弊報告清册不分卷
高裕瑞輯
抄本
二册
十二行二十四字，無格。善 358.91/645

0887
説帖不分卷
清末抄本
十六册
十行字不等，無格。善 355.8/625

時令類

0888
寶顏堂訂正荆楚歲時記一卷
（梁）宗懔撰
明萬曆間刻《寶顏堂祕笈》本
一册
八行十八字，白口，四周單邊。鈐"半窗烟雨"印。善 396.225/684

0889

月令廣義二十四卷首一卷附錄一卷

(明)馮應京輯　(明)戴任增釋

明萬曆間陳邦泰刻本

二十四册

九行二十字,小字雙行同,白口,四周單邊。

善 095.313/771

又一部　六册　善 10656

0890

日涉編十二卷

(明)陳堦輯

明萬曆三十九年(1611)徐養量刻本

十二册

七行十九字,小字雙行同,白口,四周單邊。

善 13362

0891

月令輯要二十四卷圖説一卷

(清)李光地等輯

清康熙五十四年(1715)内府刻本

三十册

七行二十字,小字雙行同,白口,四周雙邊。開化紙印。　善 095.313/436

0892

月日紀古十二卷

(清)蕭智漢輯

清乾隆五十九年(1794)聽濤山房刻本

十二册

九行二十字,白口,四周雙邊。封面鐫"聽濤山房藏板"。鈐"趙脩竹印"、"趙青森印"印。

善 528.1/513

地理類

總志

0893

大明一統志九十卷

(明)李賢　萬安等纂修

明嘉靖三十八年(1559)書林楊氏歸仁齋刻萬曆十六年(1588)歸仁齋補修譚水劉志千印本

二十八册

十行二十二字,小字雙行同,黑口,四周單邊。封面鐫"譚水劉志千梓"。　善 926.6/522

0894

大明一統志九十卷

(明)李賢　萬安等纂修

明萬壽堂刻清印本

四十册

十行二十二字,小字雙行同,白口,四周單邊。有圖。版心下鐫"萬壽堂刊"。鈐"大定張氏珍藏"印。

又一部　三十六册

又一部　三十二册　善 926.6/522－03

又一部　四十八册　善 10822

0895

廣皇輿考二十卷

(明)張天復撰　(明)張元忭增補

明萬曆二十九年(1601)張汝霖刻天啓六年(1626)張汝懋重修本

二十四册

六行十七字,小字雙行同,白口,四周單邊。有圖。序首頁版心下鐫"南昌萬象寫"。二頁版心下鐫"鄒邦畿刻"。　善 926.6/306

0896

脩攘通考六卷

(明)何鏜編

明萬曆六年(1578)自刻本

十二册

十行二十二字,小字雙行同,白口,四周單邊。有圖。有刻工。有"清白吏子孫"、"臣參"、"潤州唐氏珍藏"印。　善 926/904

0897

輿圖摘要十五卷官制備考二卷

(明)李日華輯　(明)魯重民補訂

明崇禎元年(1628)武林魯氏刻《四六全書》本

八册

九行二十字,白口,四周單邊。　善 6878

0898

廣輿記二十四卷

(明)陸應陽撰

明萬曆間刻本

六册

十行十九字,小字雙行同,白口,左右雙邊。封面鐫"版築居藏板"。　善 926.6/391

0899

廣輿記二十四卷圖一卷

(明)陸應陽撰　(清)蔡方炳增輯

清康熙二十五年(1686)吳郡寶翰樓刻本　佚名批校。

十二册

十行十九字,小字雙行同,白口,四周單邊。有圖。　善 1776

0900

一統志案説十六卷

(清)顧炎武撰　(清)徐乾學輯

清道光七年(1827)張青選清芬閣活字印本

六册

八行二十字,白口,左右雙邊。版心下鎸"清芬閣"。　善 6833

0901

皇輿表十六卷

(清)喇沙里等纂修　(清)揆叙等增修

清康熙間内府刻本

二十四册

白口,四周單邊。　善 926/427

0902

大清一統志表不分卷

(清)萬廷蘭編　(清)徐午訂正

清乾隆五十九年(1794)刻本

六册

下黑口,四周單邊。　善 6913

0903

讀史方輿紀要一百三十卷(存各直省總論一卷)

(清)顧祖禹撰

清乾隆五十九年(1794)且月香士抄本

一册

十二行二十四字,無格。有圖。卷前題"乾隆五十九年且月香士手抄"。鈐"光賢葛稚州所得書"印。　善 926/959－6

0904

廣輿古今鈔二卷

(清)程晴川輯

清乾隆三十二年(1767)程氏有誠堂刻本

二册

八行十八字,小字雙行同,白口,左右雙邊。封面鎸"有誠堂藏板"。鈐"清遠草堂"印。　善 926/788.4

0905

大清州縣名急就章不分卷

(清)彭翔履撰

抄本

一册

十行字不等,小字雙行二十一字,無格。　善 11887

0906

志例瑣談不分卷

(清)黄彭年撰

稿本　黄襄成題識

一册

十一行字不等,藍格,白口。鈐"緗丞所守先世手澤"、"五芝堂"、"黄氏家藏"印。　善 927/165

0907

彙輯輿圖備考全書十八卷

(明)潘光祖　李雲翔輯

清初大紫堂刻本

二十四册

十行二十字,白口,四周單邊。有圖。版心題:輿圖備考。　善 926/754

0908

今古輿地圖三卷

(明)吳國輔　沈定之撰

明崇禎十六年(1643)刻朱墨套印本

一册

十行二十四字,小字雙行同,白口,四周單邊。　善 926/437.42

0909

地圖綜要三卷

(明)吳學儼等撰

清順治二年(1645)朗潤堂刻本

四册

白口,四周單邊。封面鎸"朗潤堂藏板"。　善 926/830

0910

輿地總圖一卷

清抄本

一册

紅格,白口,四周單邊。　善 926/135

0911

中國分省圖不分卷

(清)佟學濤繪

清乾隆十六年(1751)彩繪本
一册
書名系本館自擬。　善926.7/916

方志—北京

0912
[康熙]宛平縣志六卷
(清)王養濂　李開泰等纂修
清康熙二十四年(1685)刻本
六册
九行二十字,白口,四周雙邊。
善927.11/105-118

0913
[康熙]懷柔縣新志八卷
(清)吳景果纂修
清康熙六十年(1721)刻本
四册
九行二十字,白口,左右雙邊。有圖。
善927.11/137-437

0914
[乾隆]平谷縣志三卷
(清)任在陛原修　(清)李柱明原纂　(清)項景倩續修　(清)朱克閎再續修
萃古堂李氏抄本
三册
九行二十一字,藍格,藍口,左右雙邊。有圖。版框外鎸"萃古堂李氏傳抄"。
善927.11/141-828

0915
[康熙]大興縣志六卷
(清)張茂節修　(清)李開泰等纂
清抄本
四册
九行二十字,白口,四周雙邊。卷末附《清乾隆三年重修順天府學記》。善927.11/103-309

方志—上海

0916
[康熙]松江府志五十四卷圖經一卷
(清)郭廷弼修　(清)周建鼎等纂
清康熙二年(1663)刻本
二十二册
十行二十二字,小字雙行同,白口,四周單邊。鈐"倩溪教忠堂蔚氏珍藏書籍印"、"襄平"、"濟陽教忠堂家藏書籍"印。
又一部　十九册　鈐"松陵張氏家藏"、"玉燕宗風"、"連雲"、"潘掄之印"諸印。
善927.21/205-637

0917
[乾隆]南匯縣新志十五卷首一卷
(清)胡志熊修　(清)吳省欽等纂
清乾隆五十八年(1793)刻本
六册
十一行二十三字,小字雙行同,白口,左右雙邊。有圖。　善927.21/207-216

0918
[乾隆]金山縣志二十卷首一卷
(清)常琬修　(清)焦以敬等纂
清乾隆十七年(1752)刻本
八册
十一行二十一字,小字雙行同,白口,左右雙邊。有圖。　善927.21/213-596

0919
[乾隆]寶山縣志十卷首一卷
(清)趙酉修　(清)章鑰纂
清乾隆十一年(1746)刻本
五册
十一行二十一字,小字雙行同,白口,四周雙邊。有圖。　善927.21/221-198

0920
[雍正]崇明縣志二十卷首一卷
(清)張文英修　(清)沈龍翔纂
清雍正五年(1727)刻本
十册
十行二十一字,小字雙行同,白口,四周單邊。　善927.21/223-311

0921
[光緒]崇明縣志二十二卷(存卷一至三,卷六至二十二卷首一卷)
(清)林達泉修　(清)李聯琇等纂
抄本
十六册
九行二十四字,小字雙行同,白口,藍格,四周雙邊。鈐"吳興劉氏嘉業堂藏書印"、"劉承幹字貞一號翰怡"印。善927.21/223-225-02

方志—天津

0922

[康熙]薊州志八卷

(清)張朝琮修　(清)鄔棠等纂

清康熙四十三年(1704)刻本

八册

九行二十四字,白口,四周雙邊。有圖。

善 927.11/125－307

0923

[光緒]武清縣志十卷首一卷末一卷

(清)蔡壽臻　錢錫寀纂修

稿本

四册

九行字不等,白口,無格。鈐"虛受齋珍藏書畫金石文字印"印。　善 927.11/129－556

0924

[乾隆]寧河縣志十六卷

(清)關廷牧修　(清)徐以觀纂

清乾隆四十四年(1779)刻本

六册

九行二十二字,白口,四周雙邊。有圖。

又一部　四册　善 927.11/271－460

方志—河北

0925

[雍正]畿輔通志一百二十卷

(清)唐執玉　李衛修　(清)陳儀等纂

清雍正十三年(1735)刻本

四十八册

十行二十字,白口,四周雙邊。鈐"隴西仲子"、"合肥李蔭軒家珍藏"印。 善 927.11/－667

0926

[順治]真定縣志十四卷

(清)陳謙纂修

清順治三年(1646)刻本

四册

九行十九字,白口,左右雙邊。

善 927.11/333－382

0927

[雍正]深澤縣志十二卷首一卷

(清)趙憲修　(清)王植纂

清雍正十三年(1735)刻本

四册

九行二十字,白口,左右雙邊。有圖。

善 927.11/371－203

0928

[順治]蔚州志二卷

(清)李英纂修

清順治十六年(1659)刻本

二册

十行二十二字,白口,四周雙邊。

善 927.55/213－289

0929

[乾隆]蔚州志補十二卷首一卷

(清)楊世昌修　(清)吳廷華等纂

清乾隆十年(1745)刻本

四册

十行二十二字,小字雙行同,白口,四周雙邊。　善 925.55/213－267

0930

[嘉慶]熱河志略不分卷

(清)和英纂

清抄本

二册

八行二十一字,白口,無格。

善 927.54/－784.1

0931

[民國]熱河地方志一卷

王文江　宣本榮纂

稿本

一册

九行二十六字,白口,無格。

善 927.54/－117

0932

[乾隆]永平府志二十四卷首一卷末一卷

(清)李奉翰　顧學潮修　(清)王金英纂

清乾隆三十九年(1774)刻本

十二册

十行二十二字,小字雙行同,白口,四周雙邊。　善 927.11/239－286

0933

[康熙]昌黎縣志八卷

(清)王曰翼修　(清)高培纂

清康熙十四年(1675)刻本

八册

十一行十九字,小字雙行同,白口,四周單邊。　善 927.11/249－641

0934

[順治]盧龍縣志六卷首一卷

(清)李士模修　(清)馬備纂

清順治十七年(1660)刻後印本

四册

九行二十二字,白口,四周單邊。

善 927.11/239－287

0935

[光緒]盧龍縣志採訪稿一卷

清光緒二年(1876)稿本

一册　善 927.11/239－495

0936

[康熙]文安縣志八卷

(清)楊朝麟修　(清)胡三芳纂

清康熙四十二年(1703)刻本

八册

九行二十字,白口,四周雙邊。有圖。

善 927.11/265－267

0937

[康熙]保定府志二十九卷

(清)紀弘謨等修　(清)郭棻纂

清康熙十九年(1680)刻本

十二册

十行二十字,白口,四周雙邊。

善 927.11/301－859

0938

[康熙]清苑縣志十二卷首一卷

(清)時來敏修　(清)郭棻等纂

清康熙十六年(1677)刻後印本

四册

九行二十二字,白口,四周雙邊。

善 927.11/301－462

0939

[乾隆]新安縣志八卷

(清)高景原本　(清)孫孝芬增修　(清)張鱗甲增纂

清乾隆八年(1743)增刻本

六册

九行二十字,白口,四周單邊。

善 927.11/327－643

0940

[康熙]新城縣志八卷首一卷

(清)高基重修　(清)馬之驦纂

清康熙十四年(1675)刻本

四册

十行二十字,白口,左右雙邊。

善 927.11/309－641

0941

[康熙]曲陽縣新志十一卷

(清)劉師峻纂修

清康熙十一年(1672)刻本

四册

八行二十一字,白口,四周雙邊。有圖。

善 927.11/369－893

0942

[雍正]完縣志十卷

(清)朱懋德修　(清)王瑗纂

清雍正十年(1732)刻本

六册

九行二十字,小字雙行同,白口,四周雙邊。有圖。　善 927.11/319－828

0943

[乾隆]滿城縣志十二卷

(清)張焕纂修　(清)賈永宗增修

清康熙五十二年(1713)刻乾隆十六年(1751)增刻本

十二册

九行十九字,小字雙行同,白口,四周單邊。有圖。版心下鎸刻工。鈐"周燈有味書屋"印。

善 927.11/303－150

0944

[康熙]河間縣志十三卷

(清)袁元修　(清)楊九有纂

清康熙十三年(1674)刻本

八册

十行二十字,小字雙行同,白口,四周雙邊。

善 927.11/217－187

0945

[乾隆]冀州志二十卷附續編一卷

(清)范清曠纂修

清乾隆十二年(1747)刻本

十册

十行二十二字,小字雙行同,白口,左右雙邊。有圖。　善 927.11/451－536

0946
[光緒]邯鄲縣志八卷首一卷
(清)英棨　周錫璋纂修
清光緒元年(1875)稿本　貼有簽條批注
六册
十行二十二字,白口,無格。
善927.11/441-517

0947
[乾隆]鷄澤縣志二十卷
(清)王光燮纂修　(清)王錦林增訂
清抄本
十册
九行二十二字,小字雙行同,白口,四周雙邊。有圖。　善927.11/437-120

0948
[雍正]臨漳縣志六卷首一卷
(清)陶穎發纂修　(清)陳大玠增修
清康熙三十年(1691)刻雍正九年(1731)增刻本
六册
九行二十一字,白口,左右雙邊。
善927.13/209-379

0949
[乾隆]順德府志十六卷
(清)徐景曾纂修
清乾隆十五年(1750)刻本
七册
十行二十三字,小字雙行同,白口,左右雙邊。　善927.11/413-949

0950
[康熙]寧晉縣志十卷
(清)萬任修　(清)張坦纂
清康熙十八年(1679)刻本
六册
十行二十二字,白口,四周雙邊。
善927.11/473-522

0951
[乾隆]隆平縣志十卷首一卷
(清)袁文煥纂修
抄本
四册
九行二十一字,小字雙行同,白口,四周雙邊。　善927.11/467-192

0952
[康熙]内丘縣志四卷(存卷一)
(清)汪匡鼎修　(清)和羹纂
清康熙七年(1668)刻本
一册
九行二十字,小字雙行同,白口,四周雙邊。
善927.11/427-708

0953
[乾隆]南和縣志十二卷首一卷
(清)周章焕纂修
清抄本
四册
九行二十一字,白口,無格。鈐"退耕堂藏書記"印。　善927.11/417-818

方志—山西

0954
[嘉靖]山西通志三十二卷(存卷十六、十八至二十、三十至三十二)
(明)楊宗氣修　(清)周斯盛纂
明嘉靖四十三年(1564)刻本
五册
十行二十字,小字雙行同,白口,四周雙邊。版心下鎸刻工。　善927.14/-272

0955
[乾隆]太原府志六十卷
(清)費淳　沈樹聲纂修
清乾隆四十八年(1783)刻本
二十四册
十二行二十二字,白口,四周雙邊。
善927.14/101-741

0956
[雍正]重修太原縣志十六卷
(清)龔新　沈繼賢修　(清)高若岐纂
清雍正九年(1731)刻本
四册
九行二十字,小字雙行同,白口,四周雙邊。
善927.14/103-747

0957
[順治]雲中郡志十四卷
(清)胡文華等纂修
清順治九年(1652)刻本
八册
十行二十一字,白口,左右雙邊。鈐"閒田張

氏聞三藏書"印。　善 927.14/201－220

0958

[乾隆]應州續志十卷首一卷

(清)吳炳纂修

清乾隆三十四年(1769)刻本

六册

九行二十一字,白口,四周雙邊。

善 927.14/219－440

0959

[乾隆]寧武府志十二卷首一卷

(清)魏元樞　周景柱纂修

清乾隆十五年(1750)刻本

六册

九行二十字,白口,左右雙邊。

善 927.14/229－799

0960

[雍正]定襄縣志八卷

(清)王時炯原本　(清)王會隆續纂

清雍正五年(1727)增補康熙本

八册

八行二十字或二十一字,小字雙行同,白口,四周雙邊。有圖。　善 927.14/239－120

0961

[光緒]神池縣志十卷首一卷

(清)崔長清等修　(清)谷如墉纂

民國間抄本

四册

九行二十一字,無格。有圖。

善 927.14/233－587

0962

[乾隆]直隸代州志六卷

(清)吳重光纂修

清乾隆四十九年(1784)刻本

八册

九行二十字,白口,四周雙邊。有圖。

善 927.14/203－441

0963

[道光]河曲縣志採遺四卷

(清)黄宅中纂

清道光二十三年(1843)刻本

二册

十行二十四字,白口,四周雙邊。

善 927.14/250－170

0964

[雍正]遼州志八卷

(清)徐三俊修　(清)劉湲纂

清雍正十一年(1733)刻本

四册

九行二十二字,小字雙行同,白口,四周雙邊。　善 927.14/169－946

0965

[乾隆]太谷縣志八卷

(清)郭晉修　(清)管粵秀纂

清乾隆六十年(1795)刻本

八册

九行二十字,白口,四周雙邊。有圖。

善 927.14/107－632

0966

[康熙]重修平遥縣志八卷

(清)王綬修　(清)康乃心纂

清康熙四十五年(1706)刻本

六册

九行二十字,白口,四周雙邊。

善 927.14/129－119

0967

[康熙]文水縣志十卷

(清)傅星修　(清)鄭立功纂

清康熙十二年(1673)刻本

八册

九行二十字,白口,四周雙邊。

善 927.14/113－905

0968

[康熙]汾陽縣志八卷(存卷二至八)首一卷

(清)周超修　(清)邢秉誠纂

清康熙六十年(1721)刻本

八册

九行二十二字,白口,四周單邊。

善 927.14/125－814

0969

[乾隆]汾陽縣志十四卷首一卷

(清)李文起修　(清)戴震纂

清乾隆三十七年(1772)刻本

六册

十行二十一字,白口,左右雙邊。

善 927.14/125－291

又一部　十四册　善 4856

0970

[天啓]潞城縣志八卷(存卷三至八)

(明)馮維賢修　(清)王溥增修

清抄本

三册

八行二十字,白口,四周單邊。

善 927.14/151-771

0971

[乾隆]翼城縣志二十八卷

(清)許崇楷纂修

清乾隆三十六年(1771)刻本

八册

九行二十二字,小字雙行同,白口,四周雙邊。有圖。　善 927.14/315-611

0972

[乾隆]新修曲沃縣志四十卷

(清)張坊修　(清)胡元琢　徐儲纂

清乾隆二十三年(1758)刻《敦好堂全書》本

八册

行數不等,行二十五字,白口,四周單邊。鈐"光裕郭記"印。　善 927.14/313-307

0973

[乾隆]直隸絳州志二十卷圖考一卷

(清)張成德修　(清)李友洙　張我觀纂

清乾隆三十年(1765)刻本

八册

十行二十一字,白口,左右雙邊。　善 10019

0974

[順治]聞喜縣志七卷(存卷五至七)

(清)蘇本眉修　(清)王體言纂

清順治十年(1653)刻本

一册

九行二十二字,小字雙行同,白口,四周單邊。稀見。　善 927.14/347-554

0975

[乾隆]聞喜縣志十二卷首一卷

(清)李遵唐纂修

清乾隆三十一年(1766)刻本

六册

十行二十二字,白口,左右雙邊。有圖。鈐"馮攀桂印"、"翠巖"印。　善 927.14/347-292

0976

[乾隆]解州夏縣志十六卷首一卷

(清)言如泗修　(清)李遵唐纂

清乾隆二十九年(1764)刻《解州全志》本

四册

十行二十一字,白口,左右雙邊。有圖。鈐"舊燕堂"印。　善 927.14/337-600

0977

[乾隆]解州平陸縣志十六卷首一卷

(清)言如泗　韓夔典修　(清)杜若拙　荆如棠纂

清乾隆二十九年(1764)刻《解州全志》本

四册

十行二十一字,白口,左右雙邊。有圖。

善 927.14/339-600

0978

[乾隆]蒲州府志二十四卷圖一卷

(清)周景桂等纂修

清乾隆十九年(1754)刻本

十册

九行二十字,白口,左右雙邊。有圖。

善 927.14/323-816

0979

猗氏縣鄉土志一卷

抄本

一册

行、字不等,無格。　善 927.14/333-995

方志—内蒙古

0980

[民國]集寧縣志四卷

楊葆初纂修

抄本

四册

七行十七字,無格。

民國十三年(1924)修。

善 927.56/205-269

方志—遼寧

0981

[康熙]錦州府志十卷

(清)劉源溥修　(清)范勳纂

民國二十三年(1934)鉛印《遼海叢書》底稿本

四册

十三行二十六字,綠格,綠口,四周單邊。

善 927.41/127 - 892

0982

義州鄉土志不分卷

(清)陶應潤　温廣泰編

抄本

一册

八行,字不等。　善 927.41/139 - 758

方志—陝西

0983

[雍正]陝西通志一百卷首一卷

(清)劉于義修　(清)沈青崖纂

清雍正十三年(1735)刻本

一百册

十二行二十六字,小字雙行同,白口,四周雙邊。初印本。　善 927.15/ - 740

0984

[嘉靖]高陵縣志七卷

(明)吕柟纂修

明嘉靖二十年(1541)刻本

四册

九行二十二字,白口,左右雙邊。

善 927.15/111 - 445

0985

[乾隆]三原縣志十八卷首一卷

(清)劉紹攽纂

清乾隆四十八年(1783)刻本

六册

十行二十二字,黑口,左右雙邊。鈐"有容堂"印。　善 927.15/119 - 893

0986

[正德]朝邑縣志一卷

(明)王道修　(明)韓邦靖纂

清道光九年(1829)定安莫瑞堂刻本

一册

九行十八字,白口,四周雙邊。卷端署"定安莫瑞堂校刊"。卷末有"道光九年四月廿二日定安莫瑞堂書農跋"。稀見。　善 927.15/135 - 118

0987

[正德]朝邑縣志一卷

(明)王道修　(明)韓邦靖纂

靈壽縣志節本三卷

(清)陸隴其輯

清寶元室抄本

二册

九行二十一字,無格。鈐"寶元室"、"張氏集菴珍藏書畫印"印。　善 927.15/135 - 118 - 03

0988

[萬曆]續朝邑縣志八卷

(明)郭實修　(明)王學謨纂

清康熙五十一年(1712)王兆鰲刻本

二册

九行二十二字,白口,左右雙邊。

善 927.15/135 - 636

0989

[康熙]朝邑縣後志八卷

(清)王兆鰲修　(清)王鵬翼纂

清康熙五十一年(1712)刻本

三册

九行二十二字,小字雙行同,白口,左右雙邊。　善 927.15/135 - 118.9

0990

[萬曆]華陰縣志九卷

(明)王九疇修　(明)張毓翰纂

明萬曆間刻清康熙間增補本

二册

九行二十字,白口,四周單邊。

善 927.15/147 - 119

0991

[乾隆]鎮安縣志十卷首一卷末一卷

(清)聶燾纂修

即學齋抄本

四册

十行二十二字,黑口,左右雙邊。版心下鎸"即學齋"。　善 927.15/245 - 157

0992

商南鄉土志一卷

清光緒間抄本

一册

八行十九字,無格。鈐"頻陽將軍是同鄉"、"蓮□督印"印。　善 927.15/247 - 660

0993

[康熙]麟游縣志五卷

(清)吴汝爲原本　(清)范光曦續修　(清)羅魁續纂

清順治十四年(1657)刻康熙四十七年(1708)增刻本
二册
九行二十二字,小字雙行同,白口,四周雙邊。原鈐"麟游縣印"印。　善927.15/171-534

0994
[康熙]隴州志八卷首一卷
(清)羅彰彝纂修
清康熙五十二年(1713)刻本
四册
九行二十一字,白口,四周單邊。
善927.15/175-482

0995
[康熙]延綏鎮志六卷
(清)譚吉聰纂修
清康熙十二年(1673)刻本
六册
十一行二十字,細黑口,四周雙邊。
善927.15/301-601

0996
[光緒]洵陽縣志十四卷
(清)劉德全修　(清)郭焱昌　姜善繼纂
抄本
四册
九行二十二字,無格。　善927.15/233-894

方志—甘肅

0997
[乾隆]甘肅通志五十卷首一卷
(清)許容修　(清)李迪等纂
清乾隆元年(1736)刻本
三十六册
九行二十一字,白口,四周雙邊。有圖。鈐"王氏藏書同光間修鄞慈兩志曾經借出"、"萬綠軒王藏書"、"瑀庵"、"臣泰亯印"諸印。
善927.16/-295

0998
[康熙]鞏昌府志二十八卷(存卷一至二十五、二十八)
(明)楊恩原本　(清)紀元續修
清康熙二十七年(1688)刻本
十一册
九行二十字,白口,四周雙邊。
善927.16/131-269

0999
[康熙]渭源縣志不分卷
(清)張宏斌　(清)張淑孔纂修
清康熙二十七年(1688)刻本
二册
九行十八字,白口,左右雙邊。
善927.16/113-307

1000
[民國]靜寧縣新志(殘存卷首、卷一)
周廷元纂修
民國六年(1917)稿本
十二册
行、字數不等,無格。　善927.16/305-820

1001
[乾隆]直隸秦州新志十二卷首一卷末一卷
(清)費廷珍修　(清)胡釴等纂
清乾隆二十九年(1764)刻本
十六册
九行二十字,小字雙行同,白口,四周雙邊。
善927.16/201-316

1002
[嘉靖]秦安志九卷(殘存卷一至三、七)
(明)胡纘宗纂
明嘉靖十四年(1535)亢世英刻本　有抄配
二册
九行十八字,白口,四周單邊。
善927.16/203-663

1003
[道光]秦安縣志不分卷
(清)嚴長宦修　(清)劉德熙纂
抄本
十六册
行格不一,無格。
敘事截至同治十年。　善927.16/203-102

1004
[乾隆]清水縣志十六卷
(清)朱超纂修
抄本
八册
九行二十字,白口,左右雙邊。
善927.16/205-828

1005
[乾隆]兩當縣志四卷補一卷
(清)秦武域纂修
清乾隆三十二年(1767)刻本
一册
十行二十二字,白口,四周單邊。鈐"紫峰"印。　善 927.16/209－102

1006
[嘉靖]河州志四卷
(明)吳禎纂修　(明)劉卓增訂
明嘉靖二十五年(1546)修嘉靖四十二年(1563)金臺劉卓仕優堂校刻本
八册
九行二十二字,白口,四周單邊。有圖。版心下鎸"仕優堂刊"。鈐"景新氏"印。
善 927.16/123－915

1007
[乾隆]玉門縣志一卷
清道光六年(1826)趙麟趾抄本
一册
六行十五字,無格。　善 927.16/513－121

方志—寧夏

1008
[萬曆]朔方新志五卷
(清)楊應聘　楊壽纂修
抄本
十册
九行二十一字,小字雙行同,無格。
善 927.57/101－266

方志—青海

1009
[乾隆]西寧府新志四十卷
(清)楊應琚纂修
清乾隆十二年(1747)刻本
十二册
九行二十一字,小字雙行同,白口,四周雙邊。封面鈐"青海省政府贈"印。　善 11257

1010
[康熙]碾伯所志一卷
(清)李天祥纂
抄本
一册
行款不一,無格。　善 927.65/109－286

方志—新疆

1011
綏定縣鄉土志二卷
(清)蕭然奎纂
清光緒三十四年(1908)抄本
一册
九行二十字,無格。　善 927.61/205－513

1012
新疆皮山縣鄉土志一卷
清光緒三十四年(1908)抄本
一册
十行字不等,無格。　善 927.61/423－373

方志—山東

1013
[至元]齊乘六卷附釋音一卷
(元)于欽纂　(元)于潛釋音
清乾隆四十六年(1781)刻本
六册
十一行二十一字,白口,左右雙邊。
又一部　六册　善 927.12/－111

1014
[嘉靖]山東通志四十卷(存四至十五、十九至二十二卷)
(明)陸釴等纂修
明嘉靖十二年(1533)刻本
四册
十行二十字,小字雙行同,白口,左右雙邊。
善 9242

1015
[雍正]山東通志三十六卷首一卷
(清)岳濬等修　(清)杜詔等纂
清乾隆元年(1736)刻本
四十二册
十行二十四字,白口,四周雙邊。鈐"李氏藏書"、"冬涵閱過"印。　善 927.12/－884

1016
[康熙]濟南府志五十四卷首一卷
(清)蔣焜修　(清)唐夢賚等纂
清康熙三十一年(1692)刻本

二十册

十行二十二字,白口,左右雙邊。有圖。

善 927.12/101-526

1017

[乾隆]淄川縣志八卷首一卷

(清)王康修　(清)臧岳纂

清乾隆八年(1743)刻本

八册

十行二十字,白口,四周單邊。

又一部　八册　善 927.12/109-117

1018

[雍正]恩縣續志五卷

(清)陳學海修　(清)韓天篤纂

清雍正元年(1723)刻本

一册

十行二十二字,白口,四周雙邊。有圖。

善 927.12/319-384

1019

[康熙]新城縣志十四卷首一卷

(清)崔懋修　(清)嚴濂曾纂

清康熙三十二年(1693)刻本

五册

十行二十一字,小字雙行同,白口,四周雙邊。有圖。　善 927.12/113-585

1020

[康熙]新城縣續志二卷

(清)孫元衡修　(清)王啓涑纂

清康熙刻本

一册

十行二十一字,白口,四周雙邊。未見著録。鈐"新城縣印"印。

又一部　二册　善 927.12/113-585-1

1021

[康熙]青州府志二十二卷

(清)陶錦修　(清)王昌學　王櫆纂

清康熙六十年(1721)刻本

八册

十行二十二字,小字雙行同,白口,四周雙邊。有圖。　善 927.12/439-406

1022

[康熙]益都縣志十四卷首一卷

(清)陳食花修　(清)鍾諤等纂

清康熙十一年(1672)刻本

六册

九行二十一字,小字雙行同,白口,四周單邊。有圖。　善 927.12/439-385

1023

[乾隆]高密縣志十卷首一卷

(清)張乃史修　(清)錢廷熊纂

清乾隆十九年(1754)刻本

二册

九行二十一字,白口,左右雙邊。鈐"半硯冷雲吟未成"印。　善 927.12/435-934

1024

[康熙]平度州志十二卷

(清)李世昌纂修

清康熙五年(1666)刻本

四册

九行二十字,白口,四周單邊。有圖。

善 927.12/425-287

1025

[康熙]滕縣志十卷

(清)黄浚修　(清)王特選纂

清康熙五十六年(1717)刻本

六册

十行二十一字,白口,四周雙邊。有圖。

善 927.12/211-170

1026

[乾隆]魚臺縣志十三卷首一卷末一卷

(清)馮振鴻纂修

清乾隆二十九年(1764)刻本

四册

十行二十一字,白口,四周雙邊。　善 10844

1027

[康熙]續修汶上縣志六卷

(清)聞元靈纂修

清康熙五十六年(1717)刻本

二册

十行二十字,白口,四周單邊。

善 927.12/215-456

1028

[乾隆]定陶縣志十卷首一卷

(清)雷宏宇修　(清)劉珠等纂

清乾隆十八年(1753)刻本

四册

九行二十二字,白口,左右雙邊。

善 927.12/247 - 334

1029

[萬曆]東昌府志二十二卷

(明)王命爵等修　(清)王汝訓等纂

明萬曆二十八年(1600)刻本

十二册

十行二十字,小字雙行同,白口,四周單邊。

善 927.12/301 - 120

1030

[康熙]朝城縣志十卷

(清)祖植桐修　(清)趙昶纂

清康熙十二年(1673)刻本　有抄配

六册

九行十字,白口,四周雙邊。

善 927.12/355 - 108

1031

[道光]冠縣志十卷

(清)梁永康修　(清)趙錫書纂

抄本

四册

九行二十字,白口,無格。封面鈐"冠縣之印"印。　善 927.12/313 - 730

1032

[康熙]高唐州志十二卷首一卷

(清)龍圖躍修　(清)李霖臣纂

清康熙五十一年(1712)刻本

六册

九行二十字,白口,四周單邊。有圖。

善 927.12/317 - 658

方志—江蘇

1033

無錫志四卷

抄本

四册

八行二十一字,白口,無格。鈐"吴興劉氏嘉業堂藏書記"印。　善 927.21/311 - 824 - 02

1034

[康熙]無錫縣志四十二卷

(清)徐永言修　(清)嚴繩孫　秦松齡纂

清康熙二十九年(1690)刻本

十二册

九行二十字,小字雙行同,細黑口,左右雙邊。有圖。　善 927.21/311 - 951

1035

無錫斗門小志一卷

清末抄本

一册

九行字不等,白口,藍格,四周雙邊。

善 927.21/311 - 824.8

1036

丹徒縣徵訪册附續徵册四卷

李丙榮纂

民國間稿本

十四册

十行二十四字,紅口,紅格,四周單邊。

善 927.21/117 - 287

1037

[雍正]揚州府志四十卷

(清)尹會一修　(清)程夢星等纂

清雍正十一年(1733)刻本

四十册

十行二十一字,白口,左右雙邊。鈐"方氏壽泉珍藏"、"方氏壽泉珍藏書畫之印"、"方氏壽泉珍藏書籍"諸印。　善 927.21/413 - 324

1038

[民國]興化縣小通志一卷

阮性傳纂

民國間抄本

一册

九行二十一字,白口,無格。原鈐"阮性傳"印。版心下書"阮性傳稿"。

善 927.21/419 - 375

1039

[民國]重修興化縣志口卷(殘存河渠志一卷)

民國間稿本

二册

行款不等,無格。　善 927.21/419 - 880

1040

[康熙]寶應縣志二十四卷

(清)徐翢修　(清)喬萊纂

清康熙二十九年(1690)刻本

八册

九行十九字,白口,四周雙邊。有圖。鈐"食舊德齋藏書"、"寶應劉氏岳雲字佛卿"、"寶應劉氏食舊德齋藏書記"諸印。　善 927.21/425 - 947

1041
[雍正]泰州志十卷首一卷
(清)褚世暄修　(清)陳九昌等纂
清雍正六年(1728)刻本有抄配
二十四册
十行二十字,白口,左右雙邊。有圖。鈐"許汝弼印"印。　善 927.21/421－680

1042
[嘉靖]海門縣志六卷
(明)吳宗元修　(清)崔桐纂
清抄本
四册
九行十八字,無格。　善 927.21/319－440

1043
[乾隆]如皋縣志三十二卷
(清)鄭見龍修　(清)周植纂
清乾隆十五年(1750)刻本
八册
十一行二十二字,細黑口,左右雙邊。
善 927.21/321－814

1044
[道光]白蒲鎮志十卷
(清)姚鵬春纂
民國二十九年(1940)抄本
四册
十二行三十二字,無格。鈐"蟄廬金石書畫珍藏之印"、"百悔齋"、"苟全室"、"蟄廬"、"紹穆"、"沈詒印"印。
清道光二十一年纂修。善 927.21/321－994

1045
[乾隆]山陽縣志二十二卷首一卷
(清)金秉祚修　(清)丁一燾等纂
清乾隆十四年(1749)刻本　有抄配
十册
十行二十二字,白口,左右雙邊。
善 927.21/403－987

1046
山陽志遺四卷
(清)吳玉搢纂
清抄本　(清)丁壽徵　李錫恩等批校
四册
十行二十一字,無格。卷端朱筆題"道光戊申里人丁壽徵二次借校改定僞字十餘處"。鈐"吳静過眼"、"雪琴集古之章"印。
善 927.21/403－434－02

1047
[康熙]江南通志七十六卷
(清)于成龍等修　(清)張九徵等纂
清康熙二十三年(1684)江南通志局刻本　有抄配
四十册
十行二十字,小字雙行同,白口,四周雙邊。有圖。　善 927.21/－117

1048
[乾隆]江南通志二百卷卷首四卷
(清)尹繼善　趙國麟修　(清)黄之隽　章士鳳纂
清乾隆元年(1736)刻本
八十册
十一行二十三字,白口,左右雙邊。善 4896

1049
[康熙]江寧府志三十四卷
(清)陳開虞纂修
清康熙七年(1668)刻本
四十册
十行二十一字,小字雙行同,白口,左右雙邊。有圖。　善 927.21/101－380

1050
[正德]姑蘇志六十卷
(明)王鏊等纂
明正德元年(1506)刻本
二十册
十行二十字,小字雙行同,白口,左右雙邊。鈐"念豐"、"鐵夫"、"王芑孫印"、"蘇州淵雅堂王氏圖書"、"淵雅堂藏書記"印。
善 927.21/301－112

1051
[乾隆]蘇州府志八十卷首一卷
(清)雅爾哈善　傅椿修　(清)習寯　王峻纂
清乾隆十三年(1748)刻本
三十二册
十行二十四字,小字雙行同,白口,左右雙邊。有圖。　善 927.21/301－154

1052
光福志十二卷首一卷
(清)徐傅纂

抄本
六册
十一行二十字,綠格,綠口,四周雙邊。版心上鎸"弢園雜録"。　善 927.21/301 -953 -5

1053
[萬曆]崑山縣志八卷(存卷三至八)
(明)周世昌纂修
明萬曆四年(1576)申恩科刻本
三册
九行二十二字,白口,左右雙邊。
善 927.21/305 -814

1054
皇明常熟文獻志十八卷首一卷
(明)管一德撰
明萬曆三十三年(1605)刻本
八册
九行二十字,白口,四周單邊。善 839.21/845

1055
[乾隆]鎮洋縣志十四卷首一卷末一卷
(清)金鴻修　(清)李鏻纂
清乾隆十年(1745)刻本
八册
十一行二十四字,小字雙行同,白口,左右雙邊。鈐"朱振聲印"、"理齋"印。
善 927.21/217 -987

1056
[雍正]昭文縣志十卷首一卷
(清)勞必達修　(清)陳祖范等纂
清雍正九年(1731)刻本
四册
十行二十三字,小字雙行同,白口,左右雙邊。　善 927.21/303 -763

1057
[乾隆]吴江縣志五十八卷首一卷
(清)陳𦳝纕　丁元正修　(清)倪師孟　沈彤纂
清乾隆十二年(1747)刻本
十六册
十一行二十一字,小字雙行同,白口,左右雙邊。有圖。版心下鎸刻工。
善 927.21/307 -380 -02

方志—河南

1058
[康熙]開封府志四十卷
(清)管竭忠修　(清)張沐纂
清康熙三十四年(1695)刻本
十二册
十行二十字,白口,四周單邊。
又一部　十二册　善 927.13/101 -845 -02

1059
[順治]汜志八卷(存卷一至六)
(清)吳興儔修　(清)賈攀鱗纂
清順治十五年(1658)刻本
三册
十行二十字,白口,四周單邊。有圖。
善 927.13/175 -441

1060
[乾隆]汜水縣志二十二卷圖一卷
(清)許勉燉修　(清)禹殿鰲纂
清乾隆九年(1744)刻本
八册
九行二十字,白口,四周雙邊。有圖。
善 927.13/175 -614

1061
[康熙]洧川縣志八卷(存卷三至八)
(清)張世綬修　(清)楊篤生纂
清康熙三十一年(1692)刻本
三册
九行二十一字,白口,四周雙邊。
善 927.13/111 -307

1062
[乾隆]蘭陽縣續志八卷
(清)涂光範修　(清)王壬纂
清乾隆九年(1744)刻本
四册
九行二十字,白口,四周雙邊。有圖。
善 927.13/117 -756

1063
[康熙]懷慶府志十八卷
(清)劉維世修　(清)蕭瑞苞　喬騰鳳纂
清康熙三十四年(1695)刻本
十册
十行二十四字,白口,左右雙邊。有圖。
善 927.13/235 -893

1064
[康熙]河内縣志五卷

(清)李榗修　(清)蕭家惠纂
清康熙三十二年(1693)刻本
五册
九行二十字,白口,左右雙邊。有圖。
善 927.13/235－287

1065
[萬曆]彰德府續志三卷(存卷中、下)
(明)常存仁修　(清)郭樸纂
明萬曆九年(1581)刻清初增補本
二册
八行十九字,白口,左右雙邊。版心下鎸刻工。官師選舉記載至順治十七年
善 927.13/205－596

1066
[乾隆]彰德府志三十二卷首一卷
(清)盧崧修　(清)江大鍵　程煥纂
清乾隆五十二年(1787)刻本
二十册
十一行二十二字,小字雙行同,白口,左右雙邊。有圖。
又一部　二十四册　善 927.13/205－719

1067
[乾隆]滑縣志十四卷首一卷
(清)吳喬齡纂修　(清)呂文光增修
清乾隆二十五年(1760)刻本
八册
十行二十二字,黑口,左右雙邊。
927.13/231－441

1068
[康熙]長垣縣志八卷
(明)張文炫原本　(清)宗琮增修　(清)王元烜增纂
清康熙三十九年(1700)增補萬曆三十一年(1603)本
八册
九行二十字,小字雙行同,白口,四周雙邊。
善 927.11/411－684

1069
[順治]湯陰縣志九卷(存卷八至九)
(清)晉淑召纂修
清順治十三年(1656)刻本
一册
八行十九字,白口,四周單邊。
善 927.13/207－342

1070
[順治]淇縣志十卷圖説一卷
(清)王謙吉　王南國修　(清)白龍躍等纂
清順治十七年(1660)刻本
二册
八行二十字,白口,左右雙邊。
善 927.13/223－117

1071
[乾隆]虞城縣志十卷
(清)張元鑑　蔣光祖修　(清)沈儼纂
清乾隆八年(1743)刻本
四册
九行二十字,白口,四周雙邊。
善 927.13/135－306

1072
[康熙]商丘縣志二十卷首一卷
(清)劉德昌修　(清)葉澐纂
清康熙四十四年(1705)刻本
六册
九行二十字,白口,四周單邊。
善 927.13/125－894

1073
[康熙]睢州志七卷(存卷一至二)首一卷
(清)程正性修　(清)湯斌纂
清康熙十六年(1677)刻本
一册
十行二十二字,白口,四周雙邊。
善 927.13/137－786

1074
[乾隆]沈邱縣志十二卷
(清)何源洙修　(清)魯之璠纂
清乾隆十一年(1746)刻本
四册
十行二十一字,白口,左右雙邊。
善 927.13/153－902

1075
[康熙]鄢署雜抄十二卷首一卷末一卷
(清)汪爲熹纂
清康熙五十八年(1719)綸椵堂刻本
二册
十一行二十一字,黑口,左右雙邊。

善 928.913/713

1076

[康熙]襄城文獻錄十二卷

(清)劉宗泗纂

清乾隆四年(1739)刻本

四册

十一行二十一字,黑口,左右雙邊。

善 927.13/163－892

1077

[乾隆]郏縣續志一卷

(清)張楣修　(清)聶憲纂

清乾隆七年(1742)刻本

二册

九行二十字,白口,四周雙邊。版心鎸"卷之五"。　善 927.13/333－307

1078

[康熙]長葛縣志八卷

(清)何鼎纂修

清康熙三十年(1691)刻本

六册

九行二十一字,白口,四周雙邊。封面鎸"思補堂藏板"。鈐"桂芬士印"印。

善 927.13/167－899

1079

[康熙]西平縣志十卷

(清)沈棻纂修　(清)李植續修

清康熙九年(1670)刻康熙三十一年(1692)續刻本

四册

九行二十二字,白口,四周單邊。有圖。

善 927.13/435－743

1080

[康熙]汝寧府志十六卷首一卷

(清)何顯祖修　(清)董正纂

清康熙三十四年(1695)刻本

二十册

九行二十字,白口,四周單邊。有圖。

善 927.13/427－899

1081

[康熙]上蔡縣志十五卷

(清)楊廷望修　(清)張沐纂

清康熙二十九年(1690)刻本

八册

九行二十字,小字雙行同,白口,四周雙邊。有圖。　善 927.13/431－273

1082

[乾隆]羅山縣志八卷

(清)葛荃修　(清)李之杜　謝寶樹纂

清乾隆十一年(1746)刻本　有簽條校

六册

八行二十字,白口,四周單邊。有圖。

善 927.13/441－521

1083

[康熙]南陽府志六卷

(清)朱璘纂修

清康熙三十三年(1694)刻本

十册

九行二十一字,小字雙行同,白口,左右雙邊。　善 927.13/403－827

1084

[康熙]南陽縣志六卷首一卷

(清)張光祖修　(清)宋景愈　徐永芝纂

清康熙三十二年(1693)刻本

六册

九行二十字,白口,左右雙邊。有圖。

善 927.13/403－310

1085

[康熙]新野縣志八卷首一卷

(清)武國樞纂修

清康熙五十一年(1712)刻本

四册

九行二十一字,白口,左右雙邊。

善 927.13/419－103

1086

[順治]閿鄉縣志六卷

(清)張三省　楊遵修　(清)杜允中纂

清順治十一年(1654)刻順治十六年(1659)增刻本

二册

九行二十字,小字雙行同,白口,四周雙邊。有圖。　善 927.13/325－306

1087

[康熙]嵩縣志四卷(存卷一至二)

(清)楊厥美修　(清)屈翔纂

清康熙二年(1663)刻本

一册

九行二十一字，白口，四周雙邊。
善 927.13/321－268

方志—浙江

1088
［嘉靖］浙江通志七十二卷
(明)胡宗憲修　(清)薛應旂等纂
明嘉靖四十年(1561)刻本
十二册
十行二十字，小字雙行同，白口，四周單邊。有圖。版心下鐫刻工。　善 927.23/－221

1089
［康熙］浙江通志五十卷首一卷
(明)王國安等修　(清)黄宗羲等纂
清康熙二十三年(1683)刻本　有抄配
三十六册
九行二十字，小字雙行同，白口，四周雙邊。有圖。　善 927.23/－627

1090
［雍正］浙江通志二百八十卷首三卷
(清)李衛嵇　曾筠等修　(清)沈翼機等纂
清乾隆元年(1736)刻本
一百二十册
十行二十二字，白口，四周雙邊。有圖。
雍正十三年(1735)修
又一部　一百册　善 927.23/－095－02

1091
兩浙輿圖一卷
(清)伊靖阿撰
清乾隆二十年(1755)刻本
一册
白口，四周單邊。
又名《浙江郡邑道里圖》。　善 927.23/－910

1092
［萬曆］遂安縣志十卷(存卷十)
(明)吴撝謙修　(清)余乾亨　余乾貞纂
明萬曆四年(1576)刻本
一册
九行二十三字，白口，四周雙邊。
善 927.23/333－435

1093
［康熙］嘉興府志十六卷
(清)吴永芳修　(清)錢以塏纂
清康熙六十年(1721)刻本
二十册
十行二十二字，小字雙行同，白口，左右雙邊。有圖。　善 927.23/119－439

1094
漁閒小志不分卷
稿本
一册
八行字不等。無格。　善 927.23/119－753

1095
［正德］嘉善縣志六卷
(明)倪璣纂修
清光緒二十年(1894)顧思義抄本
二册
八行二十五字，無格。鈐"顧慎餘堂"、"家住猞塘文水西"、"居仁堂主人珍藏印"、"隱翠居士"印。　善 927.23/121－919

1096
［乾隆］乍浦志六卷首一卷乍川題詠一卷乍浦志續纂一卷乍川題詠續纂一卷
(清)宋景關纂修
清乾隆五十七年(1792)增刻本
二册
九行二十字，細黑口，左右雙邊。有圖。
善 927.23/127－693

1097
甯志餘聞八卷
(清)周廣業纂
抄本
二册
十一行二十二字，小字雙行同。無格。
善 927.23/818

1098
［嘉泰］吳興志二十卷
(宋)談鑰纂
清姚覲元抄校本　配補紅印本　有簽條校改
七册
行格不一。　善 927.23/131－606

1099
［同治］菱湖志三卷
(清)姚彦渠纂
稿本
三册

十行二十字,小字雙行同,無格。鈐"泰興縣印"印。　善 927.23/131－994

1100

[嘉靖]寧波府志四十二卷

(明)周希哲等修　(清)張時徹等纂

明嘉靖三十九(1560)年刻本

三十册

九行十八字,小字雙行同,白口,左右雙邊。鈐"六一山房藏書"、"四明林氏和隺堂藏書印"印。　善 927.23/201－821

1101

[雍正]寧波府志三十六卷首一卷

(清)曹秉仁等修　(清)萬經等纂

清乾隆六年(1741)刻本

十六册

九行二十二字,小字雙行同,白口,四周雙邊。有圖。

又一部　十六册　善 927.23/201－522

1102

[康熙]鄞縣志二十四卷首一卷

(清)汪源澤修　(清)聞性道纂

清康熙二十五年(1686)刻本　有抄配

二十二册

九行十八字,小字雙行同,白口,四周雙邊。鈐"范錦之印"印。　善 927.23/201－713

1103

[乾隆]鄞縣志三十卷首一卷

(清)錢維喬　錢大昕纂修

清乾隆五十三年(1788)刻本

二十册

十一行二十二字,小字雙行同,白口,左右雙邊。鈐"慈谿沈德壽隺先氏甲申己未所尋書畫藏於雙泉草堂及延祿軒中"、"酉楅庵珍藏金石書畫經籍之印"等印。　善 3767

1104

[康熙]象山縣志十六卷

(清)胡祚遠修　(清)姚廷傑纂

清康熙三十七年(1698)刻本

四册

八行十八字,白口,四周單邊。

善 927.23/209－220

1105

[雍正]慈谿縣志十六卷

(清)楊正荀修　(清)馮鴻模等纂

清雍正八年(1730)刻本

八册

十行二十二字,小字雙行同,白口,左右雙邊。　善 927.23/203－267

1106

[光緒]新修慈谿縣志五十六卷(存選舉志四卷)

(清)楊泰亨　馮可鏞纂

稿本

一册

十二行二十五字,紫格,白口,左右雙邊。

光緒十四年修。　善 927.23/203－767－02

1107

[乾隆]餘姚志四十卷

(清)唐若瀛　施毓暉纂修

清乾隆四十六年(1781)刻本

二十册

十行二十一字,小字雙行同,白口,左右雙邊。鈐"積學齋徐乃昌藏書"、"南陵徐乃昌校勘經籍記"印。　善 927.23/221－667

1108

[康熙]定海縣志八卷

(清)繆燧修　陳瑄等纂

清康熙五十四年(1715)刻本　有抄配

八册

九行二十字,白口,左右雙邊。

善 927.23/213－860

1109

[萬曆]紹興府志五十卷

(明)蕭良幹修　(清)張元忭等纂

明萬曆十五年(1587)刻本

三十二册

十行二十字,小字雙行同,白口,左右雙邊。有圖。版心下鎸刻工。鈐"姜氏家藏"、"希徹"、"定菴"、"田易之印"、"易堂"、"郭鉦之印"、"陳瘯佐印"諸印。　善 927.23/215－511

1110

紹興府志錄要二卷

(清)周曰年輯

抄本

二册

九行二十字,無格。封面鈐"華庭朱印"印。

又一部　一册。鈐"星郎氏"等印。

善 927.23/215－816

1111

[乾隆]諸暨縣志四十四卷首一卷末一卷

(清)沈椿齡修　(清)樓卜瀍纂

清乾隆三十八年(1773)刻本　有抄配

二十册

九行二十一字,小字雙行同,細黑口,四周雙邊。　善 927.23/219－741

1112

[康熙]新昌縣志十八卷

(清)劉作樑修　(清)呂曾枏纂

舊抄本

四册

九行二十字,小字雙行同,無格。

善 927.23/227－893

1113

[康熙]臨海縣志十五卷首一卷

(清)洪若臯纂

清康熙二十二年(1683)刻本

八册

九行二十字,白口,四周雙邊。

善 927.23/229－720

1114

[康熙]僊居縣志三十卷

(清)鄭錄勛修　(清)張徽謨等纂

清康熙十九年(1680)刻本

五册

十行二十字,白口,四周雙邊。

善 927.23/235－979

方志—安徽

1115

[道光]安徽通志二百六十卷首六卷

(清)陶澍等修 (清)李振庸等纂

清道光十年(1830)刻本

一百册

十行二十一字,白口,左右雙邊。　善 3684

1116

[乾隆]廬州衛志六卷首一卷

(清)尹焕纂

清乾隆十二年(1747)刻本

四册

九行二十一字,小字雙行同,白口,左右雙邊。　善 927.22/113－324

1117

[雍正]懷遠縣志八卷

(清)唐暄纂修

清雍正二年(1724)刻本

四册

十行二十一字,白口,左右雙邊。鈐"抱經樓"印。　善 927.22/307－667

1118

[雍正]南陵縣志十六卷(存卷一至二、四至九、十一至十六)

(清)宋廷佐修　(清)汪越纂

清雍正四年(1726)刻本

六册

九行二十字,小字雙行同,白口,四周雙邊。

善 927.22/225－697

1119

[乾隆]歙縣志二十卷首一卷

(清)張佩芳修　(清)劉大櫆等纂

抄本

六册

九行三十一字,小字雙行同,無格。

善 927.22/211－313

1120

[康熙]休寧縣志八卷首一卷

(清)廖騰煃修　(清)汪晉徵纂

清康熙三十二年(1693)刻本

五册

十行二十一字,小字雙行同,白口,四周單邊。　善 927.22/215－670

1121

[民國]休寧縣志撮要不分卷

稿本

一册

十二行,字不等,無格。善 927.22/215－907

1122

[民國]杏花村續志三卷首一卷

胡子正纂

民國四年(1915)稿本

三册

行格不一,無格。　善 927.22/235－217

1123

江南池州府石埭縣儒學造送奉飭採訪纂輯安徽省志

款册清稿一卷

(清)董汝成輯

清道光四年(1824)稿本

一册

十三行,字不等,無格。原鈐"石埭縣"印。

又名《石埭縣志採訪錄》。

善 927.22/239 -546

方志—江西

1124

[康熙]西江志二百六卷圖一卷

(清)白潢修　(清)查慎行等纂

清康熙五十九年(1720)刻本

八十册

十二行二十三字,白口,左右雙邊。有圖。

善 927.24/ -869

1125

[雍正]江西通志一百六十二卷首三卷

(清)謝旻等修　(清)陶成等纂

清雍正十年(1732)刻本

八十册

十二行二十三字,白口,左右雙邊。

善 927.24/ -641

1126

[乾隆]南昌府志七十六卷首一卷末一卷

(清)陳蘭森等修　(清)謝啓昆纂

清乾隆五十四年(1789)刻本

四十册

十行二十四字,小字雙行同,白口,左右雙邊。有圖。　善 927.24/101 -624

1127

[乾隆]湖口縣志十八卷首一卷

(清)郭承縉修　(清)曹河昆等纂

清乾隆二十一年(1756)刻本

八册

十一行二十二字,白口,左右雙邊。有圖。

善 927.24/407 -632

1128

[康熙]彭澤縣志十四卷首一卷

(清)王廷藩修　(清)潘瀚纂

清康熙二十二年(1683)刻本

十册

十行二十一字,白口,四周單邊。有圖。

善 927.24/409 -119

1129

[嘉慶]東鄉縣志二十一卷首一卷末一卷

(清)周鍾泰等修　(清)吳嵩梁等纂

清嘉慶十年(1805)刻本　有抄配

十二册

九行二十三字,白口,左右雙邊。有圖。

善 927.24/129 -814

1130

[乾隆]寧州志十卷

(清)張耀曾修　(清)陳昌言纂

清乾隆二年(1737)百尺樓刻本

十册

八行二十二字,白口,四周雙邊。有圖。版心下鎸"百尺樓板"。鈐"大冶王春元捐"、"京師廣東學堂書藏"印。　善 927.24/437 -310

1131

[乾隆]貴溪縣志二十四卷圖一卷

(清)華西植修　(清)黄炎等纂

清乾隆十六年(1751)刻本

十二册

十行二十二字,小字雙行同,白口,左右雙邊。　善 927.24/139 -502

1132

[康熙]南豐縣志十六卷

(清)鄭釴修　(清)劉凝等纂

清康熙二十四年(1685)刻本

十六册

十行二十四字,白口,四周單邊。

善 927.24/113 -979

1133

[道光]吉水縣志三十二卷首一卷

(清)周樹槐纂修

清道光五年(1825)刻本

十九册

九行二十一字,小字雙行同,白口,左右雙邊。　善 927.24/207 -814

1134

[康熙]潋水志林二十六卷

(清)張尚瑗纂修

清康熙五十年(1711)刻本

七册

十行二十二字,白口,四周單邊。

善 927.24/307－310

1135

［康熙］弋陽縣志八卷

（清）譚瑄纂修

民國七年（1918）譚新嘉抄本

五册

十一行二十字，小字雙行同，黑口，四周單邊。　善 927.24/137－601

1136

［咸豐］崇義縣續志二卷

（清）汪報閏修　（清）陳世璋纂

清咸豐六年（1856）刻本

二册

十行二十二字，白口，左右雙邊。

善 927.24/327－708

方志—福建

1137

［康熙］甌寧縣志十三卷

（清）鄧其文纂修

清康熙三十二年（1693）刻本

六册

九行二十字，小字雙行同，白口，四周雙邊。

善 927.31/413－372

1138

［乾隆］古田縣志八卷

（清）辛竟可修　（清）林咸吉等纂

清乾隆十六年（1751）刻本

十六册

九行二十字，小字雙行同，白口，四周雙邊。鈐“古萬川温氏藏”印。　善 927.31/107－652

1139

［乾隆］僊游縣志五十三卷首一卷

（清）胡啓植等修　（清）葉和侃等纂

清乾隆三十五年（1770）刻本

二十册

九行二十字，白口，四周雙邊。有圖。

善 927.31/209－222

1140

［乾隆］安溪縣志十二卷首一卷

（清）莊成修　（清）沈鍾　李疇纂

清乾隆二十二年（1757）刻本

十二册

九行二十一字，白口，四周雙邊。有圖。

善 927.31/217－525

1141

［康熙］南安縣志二十卷

（清）劉佑修　葉獻論等纂

清康熙十一年（1672）刻本　有抄配

十二册

九行二十字，小字雙行同，白口，四周雙邊。有圖。鈐“南安陳壽臣藏書”、“南安天□閣陳璧堂藏”印。　善 927.31/213－893

1142

［乾隆］海澄縣志二十四卷首一卷

（清）陳鍈等修　（清）葉廷推等纂

清乾隆二十七年（1762）刻本

十二册

十行二十字，白口，四周雙邊。

善 927.31/337－377

1143

［乾隆］上杭縣志十二卷首一卷末一卷

（清）顧人驥等修　（清）沈成國纂

清乾隆二十五年（1760）刻本

七册

十行二十二字，白口，四周雙邊。有圖。

善 927.31/307－967

1144

［康熙］寧化縣志七卷

（清）祝文郁修　（清）李世熊纂

清康熙二十三年（1684）刻本

八册

九行二十二字，小字雙行同，白口，四周雙邊。有圖。封面鎸“板藏檀河精舍”。

善 927.31/305－287

1145

［康熙］建寧縣志十四卷

（清）周熼修　（清）陳恂纂

清康熙十一年（1672）刻本

八册

九行二十字，小字雙行同，白口，四周單邊。

善 927.31/431－819

方志—臺灣

1146

［乾隆］續修臺灣府志二十六卷首一卷

(清)余文儀修　(清)黄佾纂
清乾隆三十九年(1774)刻本
十四册
十一行二十二字,小字雙行同,白口,四周雙邊。有圖。　善 927.32/ -988

1147
[康熙]諸羅縣志十二卷首一卷
(清)周鍾瑄修　(清)陳夢林等纂
清康熙五十六年(1717)刻本
十四册
八行二十字,小字雙行同,白口,四周雙邊。有圖。鈐"光伯"印。　善 927.32/ -821

1148
[光緒]澎湖廳志十五卷首一卷
(清)蔡麟祥修　(清)林豪纂
抄本
十六册
九行字不等,白口,無格。　善 927.32/561

1149
[嘉慶]蛤仔難紀略一卷
(清)謝金鑾纂
清道光十四年(1834)刻本
一册
十行二十一字,黑口,四周雙邊。稀見。
善 927.32/ -624

方志—湖北

1150
[乾隆]鍾祥縣志二十卷
(清)張琴修　(清)杜光德纂
清乾隆六十年(1795)刻本
十册
九行二十二字,白口,四周雙邊。
善 927.25/203 -306

1151
公安縣鄉土志十卷附卷一卷
清光緒間抄本
一册
六行字不等,無格。　善 927.25/305 -982

方志—湖南

1152
[乾隆]長沙府志五十卷首一卷
(清)呂肅高修　(清)張雄圖　王文清纂
清乾隆十二年(1747)刻本
三十册
十行二十字,白口,四周雙邊。鈐"湘陰李祥霖捐"印。　善 927.26/103 -445

1153
[乾隆]華容縣志十二卷首一卷
(清)狄蘭標修　(清)羅時暄纂
清乾隆二十五年(1760)刻本
六册
十行二十二字,小字雙行同,白口,四周雙邊。　善 927.26/309 -997

1154
[乾隆]湘潭縣志二十六卷卷首一卷
(清)白璟修　(清)狄如焕纂
清乾隆四十六年(1781)刻本
九册
十行二十二字,白口,四周雙邊。
善 927.26/111 -869

1155
[康熙]沅陵縣志十卷首一卷末一卷
(清)郎廷槤修　(清)張佳晟纂
清康熙四十四年(1705)刻本
五册
九行二十字,白口,左右雙邊。鈐"巖窠藏書"、"若臯一字香石"、"泮香"印。
善 927.26/405 -651

1156
湖南古丈坪廳志校勘記二卷
(清)董鴻勳纂
清光緒間抄本
二册
九行字不等,無格。　善 927.26/425 -546 -1

方志—廣東

1157
[乾隆]新修廣州府志六十卷首一卷
(清)金烈修　(清)張嗣衍　沈廷芳等纂
清乾隆二十四年(1759)刻本
三十一册
十行二十一字,小字雙行同,白口,四周雙邊。有圖。　善 927.33/103 -309

1158
[乾隆]揭陽縣志八卷首一卷
(清)劉業勤修　(清)凌魚纂
清乾隆四十四年(1779)刻本
八册
十行二十一字,白口,四周雙邊。有圖。
善927.33/337-890

1159
[康熙]樂會縣志四卷
(清)程秉慥纂修
崇文齋抄本
二册
九行二十字,白口,四周單邊。版心下題"崇文齋傳抄本"。　善927.33/511-792

方志—廣西

1160
[道光]白山司志十八卷首一卷
(清)王言紀修　(清)朱錦纂
抄本
四册
九行十八字,小字雙行同,無格。有圖。
善927.34/119-835

1161
[道光]天河縣志二卷
(清)林光棣纂修
抄本
二册
九行十九字,白口,四周雙邊。有圖。
善927.34/419-258

1162
[道光]義寧縣志六卷
(清)謝澐　(清)朱象珽纂修
抄本
六册
九行字數不等,白口,四周雙邊。有圖。
善927.34/315-622

方志—四川

1163
[雍正]四川通志四十七卷首一卷
(清)黄廷桂修　(清)張晉生等纂
清雍正間刻乾隆元年(1736)補刻本
四十八册
九行二十一字,小字雙行同,白口,四周雙邊。有圖。　善927.27/-171

1164
[乾隆]灌縣志十二卷首一卷
(清)孫天寧纂修
清乾隆五十一年(1786)刻本
六册
九行二十一字,下黑口,四周雙邊。卷首有彩繪圖。　善927.27/127-360

1165
[乾隆]潼川府志十二卷首一卷
(清)張松孫等纂
清乾隆五十一年(1786)刻本
十二册
九行二十二字,小字雙行同,白口,四周雙邊。　善927.27/535-307

1166
[民國]重修南川縣志十四卷首一卷
柳琅聲等修　韋麟書等纂
十五册
抄本
十行三十字,無格。　善927.27/213-282

方志—貴州

1167
[乾隆]南籠府志八卷首一卷末一卷
(清)李其昌纂修
抄本
二册
八行十八字,無格。　善927.36/317-287

1168
[康熙]清浪衛志略不分卷
(清)朱黼纂修
清抄本
一册
九行二十字,白口,四周雙邊。
康熙二十三年修。　善927.36/233-831

1169
[咸豐]柴翁草創荔波縣志稿不分卷
(清)鄭珍纂修
抄本
一册

十行字不等,紅格,白口,四周單邊。

咸豐五年修。　　善 927.36/153 - 971

方志—雲南

1170

[康熙]雲南通志三十卷首一卷

(清)范承勳等修　(清)吳自肅等纂

清康熙三十年(1691)刻本

二十八册

九行十九字,白口,四周雙邊。有圖。

善 927.35/ - 532

1171

[康熙]雲南府志二十六卷(存卷一至二十五)

(清)張毓碧修　(清)謝儼等纂

清康熙三十五年(1696)刻本

二十册

九行十九字,小字雙行同,白口,四周雙邊。有圖。　　善 927.35/101 - 313

1172

[康熙]富民縣志不分卷

(清)彭兆逵修　(清)楊撝秀纂

抄本

二册

九行十九字,白口,左右雙邊。有圖。

善 927.35/103 - 185

1173

[乾隆]東川府志二十卷首一卷

(清)方桂修　(清)胡蔚纂

清乾隆二十六年(1761)刻本

十二册

九行二十二字,白口,四周雙邊。有圖。

善 927.35/147 - 626

1174

[乾隆]蒙自縣志六卷圖一卷

(清)李焜纂修

抄本

八册

八行二十一字,無格。書衣題"挹州樓藏本"。　　善 927.35/201 - 292

1175

[雍正]建水縣志十六卷

(清)祝宏修　(清)趙節纂

清雍正九年(1731)刻本

十二册

九行十九字,白口,四周雙邊。有圖。

善 927.35/203 - 106

方志—西藏

1176

衛藏圖識一卷

舊抄本

一册

八行二十字,無格。　　善 927.66/ - 943

1177

[道光]拉薩廳志二卷

(清)李夢皋纂

抄本

二册

七行或八行字不等,無格。

善 927.66/100 - 289

山水志

1178

名山勝槩記四十六卷圖一卷

(明)何鏜　慎蒙輯　(明)張縉彦補輯

明崇禎間刻本

三十二册

九行二十字,白口,左右雙邊。有圖。

又一部　三十六册　　善 928.3/904

1179

新鐫海内奇觀十卷

(明)楊爾曾撰

明萬曆三十七年(1609)夷白堂刻本

三册

十行二十四字,白口,四周單邊。版心下鎸"夷白堂"。《凡例》後鎸"錢塘陳一貫繪,新安汪忠信鎸"。　　善 928.3/268

1180

名山記選二十卷

(明)王微輯

明末刻本

十册

九行二十字,白口,左右雙邊。鈐"少泉氏珍藏"、"求善價而沽諸"印。　　善 928.3/852

1181

天下名山記鈔十六卷名山圖一卷

(清)吳秋士輯
清康熙三十四年(1695)汪立名刻本
八册
十行二十二字,下黑口,左右雙邊。
善 928.3/441

1182
名山諸勝一覽記十六卷
(明)慎蒙輯
明萬曆四年(1576)自刻本　有抄配
二十册
十行二十字,白口,左右雙邊。有刻工。
善 928.3/683

1183
華嶽全集十三卷
(明)張維新撰
明萬曆二十五年(1597)刻本
十册
九行二十字,小字雙行同,白口,四周單邊。有圖。鈐“屈孝芳印”、“中芝”、“沈氏粹芬閣所得善本”、“研易樓藏書印”諸印。　善 928.315/412

1184
盤山志十卷補遺四卷
(清釋)智樸輯
清康熙間刻本
四册
十行二十字,黑口,四周單邊。
善 928.311/836

1185
岱史十八卷
(明)查志隆撰　(清)張縉彥删補
清順治十一年(1654)傅應星刻本
八册
九行二十字,白口,四周單邊。
善 928.312/295

1186
攝山志八卷首一卷
(清)陳毅輯
清乾隆五十五年(1790)蘇州府署刻本
四册
十行二十二字,白口,左右雙邊。有圖。封面鎸“蘇州府署雕板”。　928.321/382.6

1187
寶華山志十五卷首一卷
(清)劉名芳纂修
清乾隆間聖性宗刻本
四册
九行二十字,小字雙行同,白口,左右雙邊。有圖。　善 928.321/893－7

1188
金山志十卷
(清)盧見曾修
清乾隆二十七年(1762)盧氏雅雨堂刻本
四册
十行二十一字,小字雙行同,白口,左右雙邊。有圖。版心下鎸“雅雨堂”。　善 928.321/493

1189
南通州五山全志二十卷
(清)劉名芳撰
清乾隆十四年(1749)徐嶺校刻本
五册
九行十九字,白口,四周單邊。有圖。周序後鎸“江寧顧晴崖鎸字”。　善 928.321/893

1190
雲臺山志八卷首一卷末一卷
(清)崔應階輯
清乾隆三十七年(1772)吳恒宣刻本
四册
十行二十一字,白口,左右雙邊。封面鎸“研露樓藏板”。　善 928.321/589

1191
九華山志十二卷
(清)喻成龍　李燦輯
清康熙間刻乾隆十四年(1749)李暲補刻本
四册
九行二十字,小字雙行同,白口,四周雙邊。
善 928.322/432

1192
黄山志二卷
(清)張佩芳撰
清乾隆三十五年(1770)刻本
一册
九行二十四字,白口,左右雙邊。卷末鎸“虬村黄雲景、楷如同鎸”。　善 928.322/313

1193
齊雲山志五卷
(明)魯點撰

明萬曆間刻本
五册
十行十八字或十九字,白口,四周單邊。
善 928.322/851

1194
明州阿育王山志十卷續志六卷
(明)郭子章纂　(清釋)畹荃續纂
明萬曆間刻清乾隆間增修補刻本
六册
十行十九字,白口,四周單邊。有圖。
善 928.323/632

1195
天臺山全志十八卷
(清)張聯元輯
清康熙五十六年(1717)刻本
六册
十行二十一字,白口,左右雙邊。有圖。
善 928.323/307

1196
武夷志略四卷
(明)徐表然撰
明萬曆四十七年(1619)孫世昌刻本
四册
九行二十字,白口,四周單邊。有圖。封面鐫"載德堂藏板"。卷末有"萬曆己未仲冬崇安孫世昌梓行,晉江孫衙發刻"牌記。　善 928.331/946

1197
武夷九曲志十六卷首一卷
(清)王復禮撰
清康熙五十七年(1718)刻本
四册
十行二十一字,白口,左右雙邊。有圖。
善 928.331/120

1198
鼓山志十四卷
(清)黄任輯
清乾隆三十七年(1772)刻本
六册
九行二十字,白口,四周雙邊。有圖。
善 928.331/171

1199
玉華洞志六卷
(清)廖鵠齡撰
清康熙六十一年(1722)刻本
四册
八行二十一字,黑口,四周雙邊。
善 928.331/670

1200
風穴志略二卷
(清)任楓輯
清康熙十三年(1674)刻本
一册
十行二十字,白口,四周單邊。有圖。
善 928.313/915

1201
湘山志五卷
(清)徐泌修　(清)謝允復撰
清康熙二十一年(1682)刻本
五册
十行二十字,白口,四周雙邊。有圖。
善 928.326/623

1202
青原志略十三卷
(清釋)大然撰　(清)施閏章補輯
清康熙八年(1669)于藻刻增修本
四册
十行二十一字,白口,左右雙邊。
又一部　四册　善 928.324/354

1203
龍虎山志十六卷
(清)婁近垣輯
清乾隆五年(1740)太上清宫樓碧堂刻本
八册
十行二十一字,白口,左右雙邊。
善 928.324/480

1204
匡山志五卷
(明)黄淳撰
明萬曆三十九年(1611)刻清修本
五册
九行十八字,白口,四周單邊。有圖。
善 928.333/170

1205
鼎湖山志八卷首一卷
(清釋)成鷲等纂修
清康熙間丁易刻本

四册

九行十九字,小字雙行同,白口,左右雙邊。有圖。鈐"滋泉軒藏書印"印。

又一部　四册　善 928.333/158

1206

羅浮山志會編二十二卷首一卷

(清)宋廣業輯

清康熙五十六年(1717)宋志益刻本

十册

九行二十字,白口,左右雙邊。有圖。鈐"吳騫長壽"、"拜經樓珍藏印"、"壽閑堂"等印。

善 928.333/695

1207

鷄足山志十卷首一卷

(清)范承勳撰

清康熙三十一年(1692)刻本

六册

九行十九字,白口,四周雙邊。

善 928.335/532

1208

黔靈山志十二卷

(清釋)道領撰

清康熙間刻本

一册

九行二十字,白口,四周雙邊。有圖。

善 928.336/896

1209

水經注四十卷

(北魏)酈道元撰

明萬曆十三年(1585)吳琯刻本　佚名朱、墨筆批注

八册

十行二十字,白口,左右雙邊。鈐"醴陵文濬珍藏"、"葉氏德輝鑒藏"、"覩古堂"諸印。

善 928.28/151-013

1210

水經注四十卷

(北魏)酈道元撰

明崇禎二年(1629)刻本

十八册

九行二十字,白口,四周單邊。封面鎸"小築藏板"。　善 928.28/151-012

1211

水經注四十卷

(北魏)酈道元撰

清康熙五十三(1714)至五十四年(1715)項氏群玉書堂刻本

二十四册

十一行二十一字,細黑口,四周單邊。封面鎸"項氏群玉堂"。每卷末鎸"歙縣項絪校刊"。鈐"南齊秘笈"印。　善 928.28/151-04

1212

水經注四十卷

(北魏)酈道元撰

清康熙五十三年(1714)至五十四年(1715)項氏群玉書堂刻本　(清)小隱批點　(清)金鳳清過録(清)趙一清　戴震校並題識

十册

十一行二十一字,細黑口,四周單邊。封面鎸"項氏群玉書堂"。每卷末鎸"歙縣項絪校刊"。鈐"香山小隱"、"香山草堂"、"徐恕讀過"諸印。

善 928.28/151-015

1213

水經注箋四十卷

(明)朱謀㙔撰

明萬曆四十三年(1615)李長庚刻本

十二册

十行二十字,白口,左右雙邊。有刻工。

又一部　六册　鈐"貝枚"、"五硯主人"、"觀堂"、"顧澗蘋藏書"等印。　善 928.28/151-832

1214

水經注釋四十卷附録二卷水經注箋刊誤十二卷

(清)趙一清撰

清乾隆五十一年(1786)趙氏小山堂刻乾隆五十九年(1794)重修本

二十册

十行二十二字,白口,左右雙邊。版心鎸"東潜趙氏定本"。封面鎸"小山堂雕"。

善 928.28/155-199-03

1215

行水金鑑一百七十五卷首一卷

(清)傅澤洪撰

清雍正三年(1725)淮揚官舍刻本

三十六册

十一行二十一字,小字雙行三十二字,黑口,左右雙邊。封面鎸"淮揚官舍繡梓"。鈐"津門沈

氏珍藏”、“友竹”印。　善 928.28/905-02

1216

河防一覽十四卷

(明)潘季馴撰

明萬曆十八年(1590)自刻清順治間遞修本

十册

九行二十字,白口,四周單邊。有圖。

善 928.28/754

1217

山東運河備覽十二卷

(清)陸燿輯

清乾隆四十一年(1776)劉萬傳刻本

六册

十一行二十五字,白口,左右雙邊。姓氏後鎸“吳門劉萬傳鎸”。鈐“張氏鈐圖書秘笈之印”、“曲江後人”等印。

又一部　六册　善 928.285/392

1218

永定河全圖不分卷永定河歷次遷移圖州縣分界圖不分卷

清抄彩繪本

二摺　善 928.28/651

1219

水利營田不分卷北河治略不分卷

清抄本

二册

十行十九字,無格。　善 928.21/52

1220

敕修兩浙海塘通志二十卷首一卷

(清)方觀承等修

清乾隆間刻本

六册

九行二十字,白口,四周雙邊。鈐“東洞庭思原堂敬藏”印。　善 12327

1221

大定協管轄汛塘輿圖總説不分卷

清抄彩繪本

一摺　善 928.236/335-354

1222

子貝淵疏河建閘議不分卷

(清)黄彭年輯　(清)黄襄成題識

清光緒間抄本

二册

八行二十字,紫格,白口,四周雙邊。版心下鎸“鳳樓修記”。　善 644.43/287

1223

上虞縣五鄉水利本末二卷

(元)陳恬撰

清康熙間刻本

一册

十行二十字,黑口,四周單邊。

善 928.223/310

1224

太湖備考十六卷首一卷

(清)金友理撰

清乾隆十五年(1750)藝蘭圃刻本

八册

十行二十一字,白口,左右雙邊。有圖。封面鎸“藝蘭圃藏板”。鈐“許氏鞠霜廬藏書”、“鞠霜樓許氏藏書”、“愸齋所藏經籍記”、“愸齋戊午以後藏書”等印。　善 4970

1225

西湖游覽志二十四卷志餘二十六卷

(明)田汝成撰

明嘉靖二十六年(1547)嚴寬刻本

十册

十行二十字,細黑口,四周雙邊。鈐“漢唐齋”、“馬氏古鑒”、“芴齋珍藏之印”等印。

善 928.223/478-02

1226

西湖志四十八卷

(清)李衛修　(清)傅王露等纂

清雍正十二年(1734)傅王露等刻本

二十四册

九行二十一字,小字雙行同,下細黑口,四周雙邊。有圖。　善 928.223/905-02

1227

西湖志纂十二卷首一卷

(清)梁詩正等輯

清乾隆間刻本

六册

九行二十一字,小字雙行同,白口,四周雙邊。有圖。鈐“莫繩孫字仲武”印。　善 928.223/730

1228

西湖志纂十五卷

(清)梁詩正等輯

清乾隆間刻增補重定本
六册
九行二十一字,小字雙行同,白口,四周雙邊。有圖。　善 928.223/730-02

專志

1229
闕里志十二卷
(明)孔貞叢纂修
明萬曆三十七年(1609)刻藍印本
六册
九行二十一字,小字雙行同,白口,四周單邊。有圖。　善 121.21/385-370

1230
闕里志二十四卷
(明)陳鎬纂修
明刻本
十册
十行十九字,小字雙行同,白口,四周單邊。　善 121.21/385-02

1231
陋巷志八卷
(明)顏胤祚撰
明萬曆二十九年(1601)刻清初增修本
四册
九行二十字,白口,四周單邊。有圖。有刻工。　善 121.29/452

1232
卧龍崗志二卷
(清)羅景輯
清康熙五十一年(1712)襄平羅氏刻本
二册
八行二十字,白口,左右雙邊。(與《忠武志》八卷合函)　善 982.31/313

1233
關聖陵廟紀略四卷後續一卷
(清)魏勷　王禹書撰
清康熙三十九年(1700)章鄉刻本
四册
九行二十一字,白口,四周雙邊。封面鎸"章鄉藏板"。　善 928.4125/804

1234
敕建弘慈廣濟寺新志三卷
(清釋)湛祐撰　(清釋)然叢輯
清康熙間大悲壇刻本
三册
八行十八字,白口,四周雙邊。有圖。　善 928.4111/722

1235
超化志三卷
(清)錢九同撰
清南渟書屋抄本
二册
九行二十字,白口,四周雙邊。版心下鎸"南渟書屋"。鈐"道甫借覽"、"九同"、"太和"、"天曉林開"、"名山藏之"諸印。　善 928.4113/934

1236
杭州上天竺講寺志十五卷首一卷
(明釋)廣賓撰
清初刻本
四册
九行十九字,小字雙行同,白口,四周雙邊。有圖。　善 928.4123/664

1237
玉泉山寺志三卷
(清)栗引之撰
清康熙間刻本
三册
九行二十一字,白口,四周雙邊。　善 928.4125/289

1238
天童寺志十卷
(清)德介等撰
清康熙間刻嘉慶間衲易悟補修本
四册
九行二十字,小字雙行同,白口,四周雙邊。有圖。
又一部　二册　善 928.4123/456

1239
金山龍游禪寺志略四卷
(清釋)行海輯
清康熙二十年(1681)刻本
四册
十行二十字,白口,左右雙邊。　善 928.321/942

1240

逍遥山萬壽宫志二十卷

(清)丁步上　郭懋隆等輯

清乾隆五年(1740)逍遥山刻本

八册

九行二十一字,白口,左右雙邊。

善 28.41024/158

1241

錫山錢武肅王祠志一卷

清嘉慶二十五年(1820)錢泳抄本

一册

十行二十至二十二字,白口,左右雙邊。鈐"許氏漢卿珍藏"印。　善 928.429/934

1242

平山堂圖志十卷首一卷

(清)趙之壁纂

清乾隆間刻本

六册

十行二十一字,白口,左右雙邊。鈐"膽大心細"、"爲春室收藏圖書"、"□圓行方"印。善 4849

1243

金陵勝蹟志十卷

胡祥翰輯

民國間稿本

三册

十一行字不等,藍格,四周單邊。

善 927.21/103-215-02

1244

江城名蹟記二卷

(清)陳弘緒撰

末一卷

(清)陳新德輯

清乾隆二十三年(1758)西山濆源三益堂刻本

六册

十行二十一字,白口,四周單邊。　善 7322

1245

圓明園圖

清彩繪本

一軸　善 928.43/481

1246

燕京壇廟沿革考不分卷

稿本

一册

十行二十五字,紅格,四周雙邊。版心上鎸"行政委員會印刷局"。　善 928.4111/173

1247

甘肅全省教堂圖

抄本

二册　善 928.4116/177

1248

昌瑞山萬年統志上函八卷下函八卷首一卷

(清)布蘭泰等撰

清光緒間抄本

十七册

九行字數不等,無格。有圖。

善 928.4711/353

1249

長沙府嶽麓志八卷

(清)趙寧輯

清康熙間鏡水堂刻後印本

七册

九行二十字,白口,四周單邊。版心下鎸"鏡水堂"。

又一部　四册　善 376.99/203

1250

白鹿書院志十九卷

(清)毛德琦撰

清康熙間刻乾隆六十年(1795)周兆蘭修補本

八册

九行二十一字,小字雙行同,白口,左右雙邊。

善 928.4024/781

1251

白鹿書院志十六卷

(清)廖文英撰

清康熙間刻增修本

四册

九行二十二字,白口,四周雙邊。

善 928.4024/670

1252

重脩南溪書院志四卷首一卷

(清)楊毓健等纂修

清康熙五十六年(1717)刻本

四册

九行二十字,白口,四周單邊。有圖。

善 376.99/273

雜志

1253

帝京景物略八卷

(明)劉侗　于奕正等撰

明崇禎間刻本

八册

八行十九字,白口,四周單邊。版心鎸篇名,下方鎸卷數。鈐"大雷經鋤堂藏書"印。善 11867

1254

帝京景物略八卷

(明)劉侗　于奕正等撰

清刻本　英斂之題識

八册

十一行二十一字,白口,左右雙邊。鈐"安蹇齋"、"萬松野人"、"斂之"、"英華印信"印。

善 927.11/101-893

1255

天府廣紀四十四卷(存卷一至四十三)

(清)孫承澤輯

清初抄本

二十二册

九行十九字,無格。鈐"宛平王氏家藏"、"慕齋鑒定"印。　善 927.11/101-362-02

1256

日下舊聞四十二卷

(清)朱彝尊輯　(清)朱昆田補遺

清康熙二十年(1681)朱氏六峰閣刻本

二十册

十二行二十一字,白口,四周單邊。封面鎸"六峰閣藏板"。　善 928.911/835

又一部　十六册　鈐"樂天居士趙安浩字恩館收藏書畫記"、"四明趙氏樂天樓鑒藏書畫"等印。

善 5361

1257

欽定日下舊聞考一百六十卷

(清)于敏中等纂修

清乾隆間武英殿刻本

四十八册

九行二十一字,白口,四周雙邊。版心下鎸校刻者。　善 927.11/101-517

1258

宸垣識略十六卷

(清)吳長元輯

清乾隆五十三年(1788)池北草堂刻本

八册

九行二十一字,白口,左右雙邊。封面鎸"池北草堂開雕"。原鈐"池北草堂"印。鈐"顧廬學人"印。　善 5363

1259

六朝事蹟編類十四卷

(宋)張敦頤撰

清道光間朱士端抄本　(清)朱萇生題記

二册

十行二十一字,無格。鈐"老萇"、"尉翁"印。

善 922.921/311-02

1260

金陵古今圖考一卷

(明)陳沂撰

明天啓三年(1623)刻本

一册

九行二十一字,白口,四周單邊。有圖。鈐"積學齋徐乃昌藏書"印。

善 927.21/103-383-02

1261

二續金陵瑣事二卷

(明)周暉撰

明萬曆間刻本

二册

八行十六字,白口,四周單邊。

善 857.1/819-2

1262

宋東京考二十卷

(明)周城輯

清乾隆間刻本

六册

十行二十一字,小字雙行同,黑口,四周雙邊。封面鎸"六有堂藏板"。鈐"大雷經鋤堂藏書"、"倪模"、"誦清閣藏書印"、"預掄"等印。善 12319

1263

紅蘭逸乘四卷

(清)張霞房輯

清抄本

四册

八行二十字,無格。　善 927.21/301-309

1264

增補武林舊事八卷

(宋)周密撰 (明)朱廷焕增補

清康熙四十二年(1703)澹寧堂刻本

四册

九行二十字,小字雙行同,白口,四周單邊。版心下鎸“澹寧堂重梓”。封面鎸“古單父澹寧堂藏板”。 善 928.923/819-834

1265

甬上雜著:明州街巷古蹟考

題壽菴居士撰

民國間稿本

三册

十行二十字,無格。 善 928.923/182

1266

顔山雜記四卷

(清)孫廷銓撰

清康熙間刻本

四册

八行十八字,白口,四周單邊。

善 927.12/439-367

1267

粵中見聞三十五卷

(清)范端昂輯

清乾隆四十三年(1778)一泓軒刻本

八册

九行二十二字,白口,四周雙邊。封面鎸“一泓軒藏板”。鈐“楊典誥章”、“百廿漢碑齋”、“萬川樂樂山人”、“大埔楊氏學古有獲齋珍藏章”等印。 善 8717

1268

滇考二卷(存卷上)

(清)馮甦撰

清抄本 (清)黄彭年校注並跋 黄襄成題識

一册

十行二十二字,無格。鈐“緗盦圖書”、“黄氏家藏”印。 善 928.935/767

1269

顧雲臣先生繪夷苗圖真蹟册

(清)顧見龍彩繪本

一册

十二幅。鈐“顧見龍印”印。 善 928.5/962

1270

清代貴州少數民族風俗圖説不分卷

(清)陳浩編

清彩繪本

五十六幅。 善 928.5036/383

1271

黔省各種苗圖不分卷

清抄彩繪本

一册

四十二幅。 善 928.5036/484

1272

西陲事略三卷

(清)李雲麟撰

抄本 佚名朱筆校 黄襄成題識

一册

八行字不等,紅格。鈐“觀略堂書畫記”、“緗盦圖書”印。 善 928.156/288

1273

異域瑣談四卷

(清)七十一(椿園)撰

清抄本

四册

八行十八字,黑格,白口,四周雙邊。 善 1803

1274

藏紀槩三卷

(清)李彩撰

稿本

三册

九行二十一字,無格。 善 927.66/-294-02

1275

開原圖説二卷

(明)馮瑗輯

清抄本

二册

十行二十一字,藍格,白口,四周單邊。有圖。鈐“華卿經眼”、“清儀閣”、“孫華卿章”、“空山堂圖書”、“嘉興張廷濟字叔未行三居履仁鄉張邨里藏經籍金石書畫印”諸印。 善 928.15/766

1276

臯蘭小補略記十一卷

守拙子輯

民國間稿本

十册

七行字數不等,無格。 善 928.916/689

1277
籌海圖編十三卷
(明)胡宗憲撰
明天啓四年(1624)胡維極刻本
八册
十二行二十二字,白口,四周單邊。有圖。鈐"廖見亭讀一過"等印。　善389.7/221

1278
大清沿海地輿全圖
清彩繪本
一幅。　善928.157/354

游記

1279
卧游清福編八卷
明末刻本　目録系抄配
八册
九行二十字,白口,左右雙邊。
書名據陳繼儒序。　善0197

1280
據鞍録一卷
(清)楊應琚撰
清乾隆間刻本
一册
九行二十字,白口,無格。
又一部　一册　善929.1/271

1281
雲棧紀程八卷
(清)張邦伸撰
清乾隆五十九年(1794)敦彝堂刻本
四册
九行二十字,白口,左右雙邊。封面鎸"敦彝堂藏板"。鈐"蕅氏蔭堂藏書"等印。　善9082

外紀

1282
東西洋考十二卷
(明)張燮撰
明萬曆四十六年(1618)王起宗刻本
四册
九行十八字,小字雙行同,白口,四周雙邊。版心下鎸刻工。有圖。　善930.6/311

1283
五大洲各國度考一卷
清抄本
一册
二十行字不等,無格。鈐"甲子丙寅韓德均錢潤文夫婦兩度携書避難記"、"韓繩大一名熙字價藩讀書印"、"百耐眼福"諸印。　善916/160

1284
皇清職貢圖九卷首一卷
(清)傅恒等奉敕纂
清乾隆間刻本
六册
八行二十字,白口,四周雙邊。有圖。
善918/905.6

1285
職方外紀六卷(存卷一至五)首一卷
(意大利)艾儒略撰
明天啓間刻本
三册
九行十九字,白口,左右雙邊。有圖。鈐"岳生之印"、"西洲"、"杉園"、"紉蘭佩"等印。
善6926

1286
坤輿圖説二卷
(西洋)南懷仁撰
清康熙間刻本
二册
九行二十字,白口,左右雙邊。鈐"大學藏書樓之章"印。　善8328

1287
高麗史撮要二卷
清抄本
二册
十行二十字,白口,四周單邊。
善932.11/641－1

1288
懲毖録四卷
(朝鮮)柳成龍撰
日本元禄八年(1695)京二條通大和屋伊兵衛刻本
二册
十行二十字,白口,四周雙邊。鈐"常熟翁同龢藏本"印。　善932.12/282

1289
華陽志二卷

（朝鮮）宋周相輯
高麗刻本
二册
十行二十二字，小字雙行同，白口，四周雙邊。
善 932.16/502.4

1290
東輿記略不分卷
高麗抄本
一册
十行二十字，白口，四周單邊。善 932.16/137

1291
日本三代實録五十卷
（日）時平撰
日本寬文十三年（1673）野田莊右衛門刻本
二十册
九行十九字，黑口，四周單邊。鈐"寸心日月樓所藏"、"朱華之印"印。　善 931.23/462

1292
烈祖成蹟十五卷
（日）安積寬輯
日本抄本
十五册
十行二十三字，白口，無格。鈐"中野文庫"印。　善 983.126/734－704

1293
日本樂府不分卷
（日）賴襄撰　（日）美濃牧輗注
日本文正十三年（1830）日本刻本
一册
九行二十字，小字雙行同，白口，左右雙邊。鈐"鹿氏藏書"、"柳外圖書"印。　善 931.1/132－4

1294
中山傳信録六卷附富建道中詩一卷舶中集一卷遊泰山詩一卷
（清）徐葆光撰
清康熙六十年（1721）二友齋刻本
六册
九行二十一字，黑口，左右雙邊。有圖。封面鎸"康熙六十年辛丑刊二友齋藏板"。
善 932.56/949

1295
小琉球漫志十卷
（清）朱仕玠撰
清乾隆三十年（1765）徐家泰刻本
六册
十行十九字，小字雙行同，黑口，左右雙邊。
善 932.56/834

1296
大越史略三卷
清抄本
二册
十二行二十二字，白口，無格。鈐"棟亭曹氏藏書"、"長白敷槎氏堇齋昌齡圖書印"、"茂雪堂珍藏"、"家沫水邊"、"聽雨樓查氏貮圻珍賞圖書"、"横水南院喬記"、"伯庸珍藏書畫之印"等印。　善 938.31/354

1297
緬略一卷
清抄本
一册
九行二十四字，白口，無格。
善 328.29381/861

1298
一八七七年俄土戰史筆記十二卷
清末譯稿
二册
八行二十字，綠格。　善 382.0948/916

目録類

1299
欽定天禄琳琅書目十卷
（清）于敏中等撰
清乾隆間内府抄本
十册
十行二十字，紅格，白口，四周雙邊。
善 014.1/111－03

1300
欽定天禄琳琅書目十卷
（清）于敏中等撰
後編二十卷
（清）彭元瑞等撰
清玉雨堂抄本
十册
十行二十四字，無格。　善 9176

1301

欽定天禄琳琅書目十卷

(清)于敏中等撰

後編二十卷

(清)彭元瑞等撰

清抄本

十册

九行二十一字,無格。鈐"昭餘渠夢翔藏書之印"、"曾經滄海"、"懋元一字醒夫"、"傅雲龍印"、"德清傅雲龍圖籍訪古印"、"懋元父"、"雲龍印信長壽"、"傅氏印子子孫孫永寶用"等印。

善 014.1/111－02

1302

浙江進呈書目不分卷

(清)三寶輯

清抄本

一册

十行十九字,黑格,黑口,四周雙邊。

善 015.2723/724

1303

直齋書錄解題二十卷

(宋)陳振孫撰

日本抄本

七册

十三行字不等,無格。鈐"激素飛清閣藏書記"、"星吾海外訪得秘笈"、"宜都楊氏藏書記"、"楊守敬"、"黄氏藏書"、"小野氏圖書印"、"細盦圖書"等印。

善 015.852/378－03

1304

菉竹堂書目不分卷

題(明)葉盛藏並撰

清康熙五十六年(1717)江都程式莊抄本

一册

十行,灰格,白口,左右雙邊。鈐"程蒿序"印。

善 015.86/504

1305

百川書志二十卷

(明)高儒藏並撰

清抄本

四册

十一行二十四字,小字雙行同,白口,藍格,四周單邊。

善 015.86/647－3

1306

紅雨樓題跋不分卷

(明)徐𤊹撰

清抄本

一册

十行二十四字,綠格,白口,四周單邊。鈐"順德黎騷暘九據梧尋夢室所藏經籍書畫之印記"印。

善 011.6/953－02

1307

絳雲樓書目不分卷

(清)錢謙益藏

清抄本

二册

九行字不等,無格。

善 015.87/932

1308

傳是樓書目不分卷

(清)徐乾學藏

抄本

一册

十二行字不等,無格。鈐"天馬山房藏書印"印。

善 1895

1309

大清三藏聖教目錄五卷

(清)允祿等撰

清抄本

五册

五行字不等,無格。經折裝。

善 016.22/857

1310

楝亭書目不分卷

(清)曹寅藏

巽盦抄本

二册

九行字不等,紅格,白口,四周雙邊。書衣題簽書"巽盦手錄汪柯亭舊本,此目世無刻本足稱珍秘"。

善 015.87/145

1311

孝慈堂書目不分卷

(清)王聞遠藏並撰

清抄本

一册

行、字不等,無格。

善 015.87/115

1312

恬裕齋藏書記四卷(存卷一、三至四)

(清)瞿鏞撰　(清)瞿紹基藏

清抄本　佚名朱墨筆校注
四册
十行十九字,無格。鈐“半巢書屋”印。
善 015.87/476－6

1313
違礙書籍目錄一卷
清乾隆間刻本
一册
八行字不等,白口,四周單邊。 善 014.2/579

1314
歷代經籍考三十四卷
(明)王璉撰
明正德十三年(1518)慎獨齋刻本
十二册
十二行二十五字,黑口,四周雙邊。卷末有“皇明正德歲在戊寅慎獨齋刊”牌記。鈐“少仲”、“勒方錡印”、“琴書自娛”、“天官大夫”、“松菊主人”、“松下清齋收藏”、“古吳謝氏契蘭堂珍藏”、“子湘”印。 善 011.7/112

1315
國史經籍志六卷
(明)焦竑撰
清初抄本
五册
十一行字不等,無格。卷末署“順治二十九年十月朔日錄完”。鈐“錢唐嚴傑借閱”印。
善 013.26/917－02

1316
經籍考不分卷
(清)陸元輔撰
清抄本
二册
十行二十七字,白口,無格。 善 011.7/861

1317
經籍訪古志八卷
(日)澀江全善　森立之撰
清光緒間皇華使館選抄本
一册
十行二十五字,紅格,白口,四周單邊。版心鎸“皇華使館”。鈐“寸心日月樓所藏”、“莫友芝圖書印”、“莫經農印”、“獨山莫繩孫字仲武號省能影山草堂收藏金石圖書印”諸印。
善 014.1/724－02

1318
經籍志鈔不分卷
清抄本
四册
十一行二十二字,黑格,黑口,左右雙邊。
善 015.2/861

1319
萊郡經籍考四卷附編一卷
(清)侯登岸撰
清抄本
一册
九行二十字,白口,無格。鈐“東萊金氏珍藏”印。 善 013.2912/908

1320
廿四史校勘記不分卷(存漢書、後漢書、三國志、晉書、宋書、齊書、梁書、陳書、魏書、北齊書、周書、隋書、南史、北史)
張森楷撰
稿本
四十九册
十二行字不等,藍格,白口,四周雙邊。鈐“心源印”印。 善 921.11/307

金石類

1321
金石古文十四卷
(明)楊慎輯
明嘉靖三十三年(1554)孫昭、李懿刻本
四册
九行十六字,白口,四周單邊。鈐“藏之名山傳之其人”、“郃陽康乃心”、“乃心”、“圖書”、“家在黃河飛浮□畔”、“研易樓藏書印”、“沈氏粹芬閣所得善本書”等印。 善 991.2/272.7

1322
觀妙齋藏金石文考略十六卷
(清)李光暎撰
清雍正間刻本
四册
大字九行,小字雙行,字數不等,四周單邊。卷末鎸“嘉禾鍾仁山刻”。 善 991.4/290

1323
金石契不分卷

(清)張燕昌撰
清乾隆三十六年(1771)刻四十三年(1778)重定本
四册
十行十七字,白口,四周單邊。有圖。鈐"曾在虞山蔣伯生處"印。　善 991.3/307

1324
金石圖不分卷
(清)褚峻摹　(清)牛運震説
清乾隆十年(1745)精刻拓印本　圖爲拓片粘貼
四册
十行二十字,白口,四周單邊或左右雙邊。鈐"存真閣"、"雋僧長壽"、"崔氏冶古樓珍藏書畫"等印。
又一部　四册
又一部　四册　善 991.3/680

1325
金石存十五卷
(清)吴玉搢撰
清嘉慶二十四年(1819)聞妙香室刻本
四册
十一行二十一字,小字雙行同,黑口,左右雙邊。封面鎸"山陽李氏聞妙香室藏板"。鈐"滂喜齋"印。　善 991.2/434

1326
金石苑不分卷
(清)劉喜海輯
稿本
八册
八行二十字,紅格,紅口,四周單邊。
善 991.2/887

1327
隸釋二十七卷
(宋)洪適撰
清乾隆四十二年(1777)汪日秀樓松書屋刻本
十八册
九行二十字,白口,四周單邊。善 994.2/720

1328
金石三例十五卷
(清)盧見曾輯
清乾隆二十年(1755)刻本
五册
十行二十二字,小字雙行同,三十一字,白口,左右雙邊。鈐"龍巖草堂金石圖書"、"龍巖草堂之印"、"陳韜圖書"、"益津高氏"、"簣樓"、"高閬仙藏書記"諸印。
子目:
金石例十卷　(元)潘昂霄撰
墓銘舉例四卷　(明)王行撰
金石要例一卷　(清)黄宗羲撰
善 991.08/493－02

1329
亦政堂重修三古圖四十二卷
(清)黄晟輯
明萬曆三十一年(1603)寶古堂刻清乾隆十五年(1750)十七年(1752)亦政堂修補本
四十四册
八行十七字,白口,四周單邊。
子目:
亦政堂重修宣和博古圖録三十卷　(宋)王黼等撰
亦政堂重修考古圖　(宋)吕大臨撰
亦政堂重修古玉圖二卷　(元)朱德潤撰
又一部　三十六册　善 991.3/688
又一部　博古圖録　十九册　善 6960
考古圖　四册　善 8155
古玉圖　一册　善 10279

1330
泊如齋重修宣和博古圖録三十卷
(宋)王黼等撰
明萬曆十六年(1588)泊如齋刻本
三十六册
八行十七字,白口,四周單邊。封面鎸"本立堂藏板"。鈐"陳家康贈書"印。　善 991.3/116

1331
殷周禮樂器考略一卷
容庚撰
民國間稿本
一册
十二行二十五字,綠格。素紙。善 993.52/703

1332
扶桑鐘銘集四卷
(日)岡琦信好輯
日本安永七年(1778)京都茨城多左衛門刻本
三册
十行二十六字,白口,四周單邊。
善 993.2/483

1333
名蹟錄七卷
(明)朱珪撰
清抄本　佚名朱筆校
四册
九行二十字,無格。卷末鈐有"曾在沈芳圃家"印。　善 994.2/827

1334
金薤琳琅二十卷
(明)都穆撰
補遺一卷
(清)宋振譽撰
清乾隆四十三年(1778)汪荻洲刻本
四册
九行十八字,白口,四周單邊。　善 11925

1335
石墨鐫華八卷
(明)趙崡撰
明萬曆四十六年(1618)刻本　(清)鄒存淦題識
四册
八行十八字,白口,四周單邊。鈐"鄒氏家藏"、"儷笙"、"鄒存淦印"、"鄒儷笙讀書印"、"儷笙復閲"印。　善 994.51/201-02

1336
東巡金石錄八卷
(清)崔應階輯
清刻本
二册
九行十七字,白口,四周雙邊。善 997.12/589

1337
天下碑刻目錄攷不分卷
清抄本
二册
九行字不等,無格。鈐"詩酒陶情"、"池塘生春草"、"留與子孫耕"印。　善 6922

1338
唐碑六十種不分卷
清抄本　(清)臧庸校
四册
十行字不等,用紙款式不一。卷末版心下鐫有"袁氏貞節堂鈔本"。鈐"臧孫氏校閲"、"在東"印。是書爲寫定待刻本。　善 994.2/667

1339
唐昭陵古蹟考略五卷
(清)林侗撰
清道光四年(1824)葉夢龍刻本
一册
十行十八字,白口,左右雙邊。鈐"歗天廬藏書"印。　善 1746

1340
山左碑目四卷
(清)段松苓輯
清抄本
四册
十行二十四字,小字雙行同,白口,無格。鈐"韓氏藏書"、"王雨堂印"印。　善 997.12/879

1341
濰縣金石志八卷遺文錄一卷
(清)郭麐撰
稿本
八册
十行十九字,藍格,四周雙邊。
善 997.12/427-635-02

1342
濰縣金石志八卷(存卷一至七)
(清)郭麐撰
稿本
十一册
十行十九字,藍格,四周雙邊。
善 997.12/427-635

1343
中州金石目錄八卷補遺一卷
(清)楊鐸輯
稿本
四册
九行字不等,無格。
附:中州金石目錄六卷(系楊鐸據《寰宇訪碑錄》擇抄)。　善 997.13/274

1344
漢石圖考校補不分卷
稿本
二册
八行字不等,白口,紅格,四周雙邊。
善 994.51/721

1345
宋淳熙敕編古玉圖譜一百卷

(宋)龍大淵等奉敕纂

清乾隆四十四年(1779)康山草堂刻本

三十六册

八行十七字,白口,四周單邊。封面鎸"康山草堂藏板"。鈐"古鑒齋鑒古印"、"古鑒齋主人"印。　善994.6/658-02

1346

秦漢瓦當文字二卷續一卷

(清)程敦撰

清乾隆五十二年(1787)横渠書院刻五十九年(1794)續刻本

三册

十一行二十五字,黑口,四周單邊。鈐"蘭笙珍藏"印。　善996.2/790-02

1347

五鳳二年磚銘考不分卷

(清)高鳳翰摹并撰

清乾隆四十七年(1782)姚江張氏寶墨齋刻本

一册

八行十七字,細黑口,四周單邊。鈐"毓芝軒藏書印"、"何寶善印"印。　善994.2/647

1348

古金待問錄五卷餘錄一卷補遺一卷續錄二卷

(清)朱楓輯

清乾隆間刻本

二册

八行十六字,白口,左右雙邊。鈐"澹園"印。　善993.65/828

1349

郢爰考一卷

(清)黄國瑾撰

稿本

一册

九行字不等,無格。鈐"黄國瑾"、"五芝堂"、"黄氏家藏"、"緗丞所守先世手澤"等印。　善993.7/167

子　部

總類

1350
六子全書六十卷
(明)顧春編
明嘉靖十二年(1533)吴郡顧春世德堂刻本
三十六册
八行十七字,小字雙行同,白口,四周雙邊。版心上鎸"世德堂刊"。鈐"鮑氏藏書"、"牧園書籍子孫是教鬻及借人兹爲不孝"、"譙安校勘秘籍"等印。
子目:
老子道德經二卷　題(周)李耳撰　(漢)河上公注
南華真經十卷　題(周)莊周撰　(晉)郭象注　(唐)陸德明音義
冲虚至德真經八卷　題(周)列御寇撰　(晉)張湛注
荀子二十卷　題(周)荀況撰　(唐)楊倞注
新纂門目五臣音註揚子法言十卷　(漢)揚雄撰　(晉)李軌　(唐)柳宗元　(宋)宋咸　吴秘　司馬光注
中説十卷　(隋)王通撰　(宋)阮逸注
又一部　二十八册　善120.8/959

1351
二十子全書一百六十九卷(存三子九卷)
(明)吴勉學編
明吴勉學刻本
二册
九行十八字,白口,左右雙邊。版心上鎸"萬曆五年刊"。有刻工。
子目:
老子道德經二卷　題(周)李耳撰
關尹子文始真經一卷　題(周)尹喜撰
譚子化書六卷　(五代)譚峭撰
善121.31/441

1352
子彙二十四種三十四卷(存二十三種三十三卷)
(明)周子義編
明萬曆四至五年(1576—1577)南京國子監刻本
十一册
十行二十一字,小字雙行同,白口,四周雙邊。
子目:
鬻子一卷　題(周)鬻熊撰　(唐)逄行珪注
晏子春秋内篇二卷　題(周)晏嬰撰
孔叢子三卷　題(漢)孔鮒撰
陸子一卷　(漢)陸賈撰
賈子新書二卷　(漢)賈誼撰
小荀子一卷　(漢)荀悦撰
鹿門子一卷　(唐)皮日休撰
文子二卷　題(周)辛鈃撰
關尹子一卷　題(周)尹喜撰
亢倉子一卷　題(周)庚桑楚撰
鶡冠子一卷　(宋)陸佃解
黄石公素書一卷　題(漢)黄石公撰
天隱子一卷　(唐)司馬承禎撰
玄真子外篇一卷　(唐)張志和撰
无能子三卷
齊丘子一卷　(五代)譚峭撰
鄧析子一卷　題(周)鄧析撰
尹文子一卷　題(周)尹文撰
公孫龍子一卷　題(周)公孫龍撰　(宋)謝希深注
慎子一卷　題(周)慎到撰
鬼谷子一卷外篇一卷
子華子二卷　題(周)程本撰
劉子二卷　(北齊)劉晝撰　(唐)袁孝政注
善2972

1353
諸子彙函二十六卷附談藪一卷諸子評林姓氏一卷
(明)歸有光輯
明末刻本
十四册
九行十八字,小字雙行同,無直格,白口,四周單邊。

又一部　十六册　善 120.8/868

儒家類

1354

孔氏家語十卷

(魏)王肅注

明崇禎間毛氏汲古閣刻本

六册

九行十七字,白口,左右雙邊。有圖。每卷首頁版心鎸"汲古閣毛氏定本"。

善 121.21/112－09

1355

孔子家語十卷

(魏)王肅注　(日)太宰純增注

日寬保二年(1742)日本江都書肆嵩山房刻本

四册

九行十八字,小字雙行同,下黑口,四周雙邊。卷末有"寬保二年壬戌春正月吉江都書肆崇山房藏板"牌記。鈐"逢阪田中家藏"、"豐華堂書庫寶藏印"、"王筱霞收藏圖書記"等印。

善 121.21/112－010

1356

孔子家語八卷

(明)何孟春注

明聖府永明書院校刻本

四册

九行二十字,小字雙行同,白口,四周雙邊兼有單邊。卷端署有"聖府永明書院校刊"。鈐"豐華堂書庫藏印"、"豐華書庫"等印。

善 121.21/112－898

1357

孔聖家語圖十一卷

(明)吳嘉謨輯

明萬曆十七年(1589)自刻本　有抄配

六册

十行二十字,白口,四周單邊。有刻工。有圖。鈐"余百魯印"、"蔬食吾猶飽曲肱哦古今"、"看雲樓"等印。　善 121.21/112－435

1358

荀子二十卷

(唐)楊倞注　(清)謝墉輯補

校勘補遺一卷

(清)謝墉撰

清乾隆五十一年(1786)謝墉安雅堂刻本

四册

十行二十字,小字雙行同,白口,左右雙邊。版心下鎸"嘉善謝氏藏版"。封面鎸"安雅堂雕"。

又一部　四册　鈐"公弼"、"拙存道人"、"篆香樓藏書印"等印。　善 121.27/552－273－09

1359

荀子二十卷

(唐)楊倞注　(清)謝墉輯補

校勘補遺一卷

(清)謝墉撰

清乾隆五十一年(1786)謝墉安雅堂刻本　(清)王闓運批點

四册

十行二十字,小字雙行同,白口,左右雙邊。鈐"忠州李芋仙隨身書卷"印。

善 121.27/552－273－02

1360

荀子二十卷

(唐)楊倞注　(清)謝墉輯補

校勘補遺一卷

(清)謝墉等撰

清光緒二年(1876)浙江書局重刻嘉善謝墉本　(清)陸懋宗墨筆批點

六册

九行二十一字,小字雙行同,白口,左右雙邊。

善 121.27/552－273－04

1361

荀子二十卷

(唐)楊倞注

日本延亨二年(1745)平安書林翻刻《世德堂六子書》本

十册

八行十七字,小字雙行同,四周雙邊。鈐"葵亭家藏"、"葵亭"等印。　善 121.27/552－273－08

1362

讀荀子四卷

(日)物茂卿撰

日本寶曆十四年(1764)京師書肆水玉堂刻本

四册

十行二十字,白口,左右雙邊。鈐"栗原氏秘珍記"、"餘姚謝氏永耀樓藏書"印。

善 121.27/552－578

1363

荀子正名篇詁釋一卷

劉念親撰

民國間謄清本　佚名朱筆校點

一册

十行二十字,藍格,白口,四周雙邊。

善 121.27/894

1364

新書十卷

(漢)賈誼撰

附錄一卷

明萬曆間程榮刻《漢魏叢書》本

四册

九行二十字,白口,左右雙邊。鈐"瑞熙讀過"、"李氏藏書畫印"印。　善 122.1/150－02

1365

新書十卷

(漢)賈誼撰　(明)黄甫龍　唐琳訂

附錄一卷

明刻遞修本

二册

九行十八字,白口,四周單邊。鈐"馬氏稚遥"、"兆霖之印"、"郁思錫"等印。

又一部　二册　鈐"金陵温氏路經堂藏"印。

善 122.1/150－03

1366

漢兩大儒書十八卷

(清)盧文弨編校

清乾隆間抱經堂刻本

四册

十行二十字,白口,左右雙邊。白棉紙初印。鈐"華陽高氏鑒藏"、"高世異圖書印"、"蒼茫齋藏善本"諸印。

子目:

新書十卷　(漢)賈誼撰

春秋繁露十七卷　(漢)董仲舒撰　附錄一卷

又一部(存新書十卷)　二册　鈐"群玉山房藏書記"、"相成九霞野逸龔文照紫筠堂藏書"、"野夫所藏"、"龔文照印"、"陳家康藏書"諸印。

善 122.08/495

1367

鹽鐵論十卷

(漢)桓寬撰

明刻本

六册

九行十八字,白口,四周單邊。鈐"無悔齋藏"、"趙元方印"印。　善 330.9221/240－04

1368

劉向説苑二十卷(殘存卷十一至二十)

(漢)劉向撰

明刻本　(清)傅山批點

三册

十一行十八字,白口,四周雙邊。鈐"傅山之印"、"貴陽李氏削凡書畫印"、"居仁存信"等印。

善 122.1/893－04

1369

劉向説苑二十卷新序十卷

(漢)劉向撰

明吳勉學刻本

六册

九行十八字,白口,左右雙邊。

又一部(存説苑二十卷)　十册　鈐"宜爾子孫"、"喬周胤印"、"玉錫"等印。　善 122.1/893－03

1370

劉向説苑二十卷新序十卷

(漢)劉向撰　(明)何良俊輯

清刻本　高步瀛批注並過錄(清)盧文弨、孫詒讓、吳汝綸等批注

六册

九行二十字,白口,左右雙邊。鈐"簹樓"、"高閬仙藏書記"印。　善 122.1/893－901

1371

仲長統論一卷

(漢)仲長統撰

明萬曆間刻《兩京遺編》本

一册

九行十七字,白口,四周雙邊。(與《春秋繁露八卷》同函)　善 122.1/547－02

1372

中説十卷

(隋)王通撰　(宋)阮逸注

明嘉靖間敬忍居刻本

四册

八行十七字,小字雙行同,白口,四周雙邊。

版心下鐫“敬忍居”。　善 123.9/114－375

1373

文中子十卷

(隋)王通撰

明刻本

一册

十行二十字,白口,左右雙邊。鈐“方春氏”、“吳守愚印”、“景鄭藏書”等印。白棉紙印。

善 123.9/114

1374

家範十卷

(宋)司馬光撰

明天啓六年(1626)司馬露等刻本

四册

九行二十字,白口,四周雙邊。鈐“寶滔氏周潔又字少衡”、“周氏白巖草庭珍藏”等印。

善 192/303－02

1375

張子全書十五卷

(宋)張載撰　(宋)朱熹注

明萬曆間陝西鳳翔府刻清順治十年(1653)喻三畏補修康熙間印本

六册

十行二十字,白口,四周雙邊。　善 125.3/307

1376

二程全書六十八卷

(宋)程頤　程顥撰

明萬曆三十四年(1606)徐必達刻本

十六册

十行二十字,小字雙行同,白口,四周雙邊。版心下鐫刻工及字數。

子目:

遺書二十八卷附錄一卷　(宋)朱熹輯

外書十卷　(宋)朱熹輯

粹言二卷　(宋)楊時輯

易傳四卷　(宋)程頤撰

經説八卷　(宋)程頤撰

明道文集五卷　(宋)程顥撰

伊川文集八卷　(宋)程頤撰

遺文一卷　(宋)程頤　程顥撰

續附錄一卷　善 125.2/788－05

1377

二程全書五十一卷附文集拾遺一卷

(宋)程頤　程顥撰

清康熙二十五年(1686)程湛、程福亮刻本

十二册

十行二十一字,小字雙行同,白口,四周雙邊。鈐“倚沱迭石齋”、“廷霖之印”印。

又一部　十二册　鈐“長白輝發那拉氏文彬號質先字君山珍藏書畫圖書”印。　善 125.2/788

1378

二程子抄釋十卷

(明)呂柟撰

明嘉靖十五年(1536)鄧詰刻本

二册

十行二十二字,小字雙行同,白口,四周單邊。鈐“無是樓藏書”、“成都李氏收藏故籍”、“陳家康藏書”印。　善 125.2/445

1379

童蒙訓三卷

(宋)呂本中撰

明刻本　有抄配

二册

十行二十字,白口,左右雙邊。鈐“劉盼遂印”、“康生存書”印。　善 428.1/445.2

1380

張子韶先生心傳錄四卷

(宋)張九成撰

明萬曆三十八年(1610)孫穀刻本

三册

十行二十字,白口,四周單邊。　善 072/313

1381

近思錄集解十四卷

(宋)葉采撰

清康熙間吳郡邵仁泓刻本

六册

九行十九字,小字雙行同,白口,四周單邊。鈐“天馬山房藏書印”印。　善 2094

1382

文公小學六卷

(宋)朱熹撰

明萬曆三十七年(1609)趙良相刻本

二册

七行十五字,小字雙行同,白口,左右雙邊。眉欄鐫音注。鈐“胡宗泰印”、“琦記”、“夢雨齋圖書記”、“竹亭藏”、“淇園居士”、“鳳林嚴氏家藏”、

"黄裳青囊文苑"、"黄裳百家"、"黄裳容氏珍藏圖籍"、"容家書庫"等印。　善 125.5/828－02

1383
文公小學集註大全六卷
(明)陳選撰
明刻本
六册
九行十九字,小字雙行同,黑口,四周雙邊。
善 125.5/378－02

1384
小學集註六卷
(明)陳選撰
明崇禎八年(1635)内府刻本
二册
十行二十字,小字雙行同,白口,四周雙邊。鈐"朱彝尊印"、"曝書亭珍藏"印。　善 125.5/378

1385
小學發明六卷
(清)施璜撰
清康熙三十七年(1698)紫陽書院刻本
四册
八行二十字,小字雙行,下黑口,左右雙邊。有刻工。卷一首頁版心下鎸"黄廷玉寫并刻"。
又一部　四册　善 125.5/828－627

1386
先聖大訓六卷
(宋)楊簡撰
明萬曆四十三年(1615)張翼軫等刻本
六册
八行十六字,白口,四周單邊。　善 125.7/273

1387
西山先生真文忠公讀書記甲集三十七卷丁集二卷乙集二十二卷
(宋)真德秀撰
宋福州學官刻元明遞修本　有抄配
八十册
九行十六字,白口,左右雙邊。鈐"汪士鐘藏""滎陵譚氏賜書堂珍藏"印。　善 845.22/998

1388
大學衍義四十三卷(殘存一至二十二卷)
(宋)真德秀撰
元刻明修本
八册
十一行二十一字,小字雙行同,黑口,四周雙邊。鈐"乾隆御覽之寶"、"天祿琳琅"印。
善 097.4252/998－05

1389
大學衍義補一百六十卷首一卷
(明)丘濬撰　(明)陳仁錫評
清初刻本
三十二册
十行二十字,白口,四周雙邊。　善 2097

1390
大學衍義補纂要六卷
(明)徐栻輯
明萬曆元年(1573)九江府刻本
六册
十行二十字,白口,四周單邊。有刻工。鈐"嘉興太守善化許公雪門藏書"、"嘉興圖書館藏"印。　善 097.4252/998－946

1391
聖學心法四卷
(明)成祖朱棣撰
明永樂七年(1409)經廠刻本
八册
十行二十二字,小字雙行同,黑口,四周雙邊。鈐"鮑氏覺園珍藏"、"永清朱檉之字淹頌號玖聃滂喜堂藏經籍金石書畫記"印。　善 192/463

1392
性理大全書七十卷
(明)胡廣等撰
明萬曆二十五年(1597)吳勉學師古齋刻本
四十八册
十行二十字,小字雙行同,白口,左右雙邊。
善 091.31/220

1393
薛文清公讀書全錄類編二十卷
(明)薛瑄撰
明萬曆二十七年(1599)薛應麟等刻本
六册
十行二十字,白口,四周雙邊。鈐"國子監印"印。　善 2085

1394
讀書錄二十四卷
(明)薛瑄撰
明刻本

十册

十一行二十四字，黑口，左右雙邊。鈐"楝亭曹氏藏書"、"長白敷槎氏堇齋昌齡圖書印"、"欽訓堂書畫記"、"高人龍"、"粹芬閣"、"種石居"印。　善126.1/566－02

1395

讀書録十一卷續録十二卷

(明)薛瑄撰

清康熙間呂氏天蓋樓刻本

六册

十二行二十二字，黑口，左右雙邊。封面鎸"天蓋樓"印。　善126.1/566－04

1396

五倫書六十二卷

(明)宣宗朱瞻基撰

明正統十二年(1447)内府刻本

二十册

九行十八字，黑口，四周雙邊。原鈐"廣運之寶"印。鈐"燕蓑亭珍藏"、"劉瑞琛"、"佩珩"印。　善041/463

1397

王陽明先生傳習録不分卷

(明)王守仁講

清抄本　馬叙倫題識

四册

八行二十一字，無格。鈐"心存水精域"、"三知齋珍藏"、"寒香館藏書印"印。　善2088

1398

傳習録三卷附録一卷

(明)王守仁撰　(日)三輪希輯注

日正德二年(1712)京都三輪氏刻本

四册

八行十七字，下黑口，四周雙邊。　善2089

1399

閑闢録十卷

(明)程曈撰

明嘉靖四十三年(1564)程纘洛刻本

四册

九行十八字，白口，左右雙邊。鈐"周翰庭印"印。　善125.5/788

1400

大儒學粹九卷

(明)魏時亮輯

明萬曆十六年(1588)刻本

十册

九行十八字，白口，四周雙邊。　善125/802

1401

三先生類要五卷

(明)徐用檢輯

明萬曆七年(1579)李充實刻本

四册

十行二十字，白口，左右雙邊。鈐"朱彝尊印"、"曝書亭珍藏"、"長白廷杰鑒賞"、"涇川洪氏師竹齋藏書印"、"魯軒珍藏"、"東園遺澤"等印。　善126.1/953

1402

呻吟語六卷

(明)呂坤撰

明萬曆二十一年(1593)刻本

十册

九行十九字，左右雙邊。鈐"馬叙倫印"、"天馬山房藏書"印。　善2100

1403

呂子節録四卷補遺二卷

(明)呂坤撰　(清)陳宏謀輯評

清乾隆五十九年(1794)遼海朱氏刻本

四册

十行二十一字，白口，左右雙邊。　善192/445

1404

論語逸編三十一卷

(明)鍾韶輯

明萬曆間刻本

一册

八行十六字，白口，左右雙邊。有刻工陳元。　善097.37/937

1405

皇明性理翼六卷

(明)過庭訓輯　(明)游士任訂

明萬曆四十一年(1613)過庭訓刻本

二册

九行十八字，白口，四周雙邊。　善126.1/426

1406

蕺山先生人譜一卷人譜類記二卷

(明)劉宗周撰　(清)洪正治校輯

清雍正四年(1726)教忠堂刻本

二册

十一行二十一字，細黑口，四周單邊。版心下鎸"教忠堂"。封面鎸"教忠堂刊"。

又一部　二册　鈐"海棠書屋藏書之印"印。

善 192/892－720

1407

舊本廿四孝圖一卷

明刻本

一册

七行十六字，白口，四周雙邊。鈐"半農劉復"、"江陰劉氏"印。　善 193/100

1408

御制資政要覽三卷

（清）世祖福臨敕撰

資政要覽後序一卷

清順治十二年（1655）内府刻本

四册

六行十二字，小字雙行同，大黑口，四周雙邊。

善 192/716－7

1409

時習錄十六卷

（清）朱懷衮輯

清順治十八年（1661）刻本

十册

九行二十字，白口，四周單邊。　善 127.1/832

1410

四本堂座右編二十四卷二集二十四卷

（清）朱潮遠輯

清康熙三年（1664）繡鶴堂刻本（《四本堂座右編二集》爲清康熙間刻本）

八册

八行十八字，白口，四周雙邊。卷二十四末鎸"繡鶴堂藏板"。　善 192/833

1411

理學宗傳二十六卷

（清）孫奇逢撰

清康熙五年（1666）張沐等刻本

十二册

九行二十字，小字雙行同，白口，四周單邊。眉上鎸評。封面鎸"夏峰藏板"。鈐"安昌毛氏藏書"印。　善 125/362－03

1412

御纂性理精義十二卷

（清）李光地等纂修

清康熙五十四年（1715）刻本

六册

八行十八字，小字雙行二十二字，白口，四周雙邊。　善 125/290－7

1413

正蒙注二卷

（清）李光地撰

清康熙雍正間刻本

一册

八行二十二字，白口，四周雙邊。原鈐"御賜教忠堂"印。鈐"國子監印"（滿漢文）印。

書板後匯入乾隆元年（1736）李清植印《安溪李先生全集》。　善 125.7/307－290

1414

榕村講授三卷

（清）李光地撰

清雍正間刻本

三册

十一行二十字，白口，左右雙邊。原鈐"御賜教忠堂"印。鈐"國子監印"（滿漢文）印。

書板後匯入乾隆元年（1736）李清植印《安溪李先生全集》。　善 125/290

1415

黄氏家訓四卷首一卷

（清）孫國材撰

清康熙五十五年（1716）繩武堂刻本

一册

九行二十一字，白口，左右雙邊。版心下鎸"繩武堂"。　善 193/171

1416

信陽子卓錄八卷

（清）張鵬翮撰

清康熙五十五年（1716）刻本

四册

十行二十字，細黑口，左右雙邊。鈐"景龕藏書記"印。　善 127.1/313

1417

孟子私淑錄三卷

（清）戴震撰

清張氏照曠閣抄本

一册

九行二十一字，細黑口，左右雙邊。版心下鎸"照曠閣"。　善 097.67/213－3

1418

困學錄集粹八卷

(清)張伯行撰

清雍正間張氏正誼堂刻乾隆間印本

八册

九行二十字,白口,四周單邊。封面鎸"正誼堂藏板"。　善127.2/313

1419

畜德錄二十卷

(清)席啓圖輯

清康熙雍正間嚴氏繩武堂刻本

十册

八行十八字,白口,左右雙邊。版心鎸"繩武堂"。前有康熙二十二年(1683)序、後序等。

善192/665

1420

程功錄五卷

(清)楊名時撰

清抄本

二册

十行二十四字,白口,四周雙邊。鈐"竹垞"、"尚書之章"、"吕海寰"諸印。　善127.4/273

1421

日知薈説四卷

(清)高宗弘曆撰

清抄本

二册

八行十八字,白口,四周雙邊。鈐"紫陽門徒苗裔"、"石山樵印"、"欽訓堂書畫記"諸印。

善127.4/716-02

1422

日知薈説四卷

(清)高宗弘曆撰

清乾隆元年(1736)内府刻本

四册

七行十八字,白口,四周雙邊。鈐"乾隆宸翰"、"國子監印"等印。　善127.4/716

1423

日知薈説四卷

(清)高宗弘曆撰

清乾隆間蘇州府翻刻内府本

四册

七行十八字,白口,四周雙邊。鈐"烏鎮丁翰高墨林甫藏"印。　善127.4/716-03

1424

五種遺規十六卷

(清)陳宏謀編

清乾隆間陳氏培遠堂刻本

十册

十一行二十字,四周雙邊。版心下鎸"培遠堂"。

子目:

訓俗遺規四卷

從政遺規二卷

教女遺規三卷

養正遺規二卷附編一卷

在官法戒錄四卷　善192.08/383-03

1425

柴氏家誡二卷

(清)柴紹炳撰

抄本　佚名朱筆校

一册

十一行二十字,無格。鈐"方氏柏堂季子"印。

善193/501

1426

家塾授蒙淺語一卷習字訣一卷

(清)陳介祺(題海濱病史)撰

清同治十年(1871)抄本　卷末有陳介祺手澤

一册

八行或九行二十三字或二十四字,無格。鈐"樂嘉藻印"、"嘉藻珍藏印"、"彩澄"、"虚齋"等印。　善428.1/385

法家類

1427

管子二十四卷

(唐)房玄齡注

明萬曆十年(1582)趙用賢刻《管韓合刻》本

八册

九行十九字,小字雙行同,白口,四周單邊。眉欄鎸評。有刻工。鈐"平湖屈氏三益草廬所藏"印。　善121.61/845-958-07

1428

管子二十四卷

(明)朱長春　趙用賢等評

明凌汝亨刻朱墨套印本

十册

九行十九字,小字雙行同,白口,四周單邊。鈐"檇李沈氏珍藏書畫印"、"浙西沈子振麟"、"振南趾南一號柳坪環碧園主人"、"夢選樓胡氏宗楙藏"諸印。 善 121.61/845－830－9

1429

管子二十四卷

明刻補配本

八册

卷一至四、十九至二十四系吴勉學校刻本,卷五至八配凌汝亨刻朱墨套印本。

善 121.61/845－02

1430

管子二十四卷

(唐)房玄齡注 (明)劉績 朱長春補注 (明)張榜 沈鼎新等評

明天啓五年(1625)朱養純花齋刻本

四册

九行二十字,小字雙行同,白口,四周單邊。版心下鎸"花齋藏板"。鈐"倩園"等印。

善 121.61/845－743

1431

管子榷二十四卷

(明)朱長春撰

明萬曆四十年(1612)張維樞刻本

八册

九行十九字,小字雙行同,白口,左右雙邊。眉欄鎸評。有刻工。 善 121.61/845－830

1432

管子删評六卷

(明)梅士享撰

明萬曆四十三年(1615)梅氏天一館刻本

六册

九行二十字,白口,四周單邊。眉欄鎸評。鈐"臣忠子孝傳家"印。 善 121.61/279

1433

詮叙管子成書十五卷

(明)梅士享撰

卷首一卷

(明)梅士享輯

明天啓五年(1625)賈毓祥刻本

八册

九行十九字,小字雙行同,白口,四周單邊。鈐"萊陽張氏桐生藏書之印"印。

善 121.61/279－8

1434

管子校正二十四卷

(清)戴望撰

清同治十一年(1872)刻本

四册

十二行二十四字,小字雙行同,黑口,左右雙邊。鈐"海雲藏書之章"、"勞謙謹敕"、"家住江南第二泉"、"芝清所藏"、"新城"、"陳氏鵬運"等印。

善 6118

1435

韓非子二十卷

明萬曆十年(1582)趙用賢刻《管韓合刻》本

四册

九行十九字,小字雙行同,白口,四周單邊。

善 121.64/233－08

又一部 四册 鈐"星佑"、"曹氏宗柱之章"印。

善 2058

1436

韓非子二十卷附總評一卷

日本延享三年(1746)平安書林丸屋市兵衛唐本屋吉左衛門刻本

四册

九行十九字,白口,四周單邊。

善 121.64/233－010

1437

韓非子二十卷識誤三卷

清嘉慶二十三年(1818)吴鼒影宋刻本(《識誤》爲顧廣圻撰,清嘉慶二十三年(1818)刻本)

四册

十三行二十四字或二十五字,小字雙行,細黑口,四周單邊(識誤十行二十字,小字雙行同,白口,左右雙邊)。鈐"光鷺"、"王伯子"等印。

善 10393

1438

韓子迂評二十卷

題(明)門無子撰

明刻朱墨套印本

七册

九行二十字,白口,四周單邊。

又一部 六册 鈐"敬業"、"樂群"、"敬事堂"、"錢

僊業印”諸印。　善 121.64/233－456

兵家類

1439

趙註孫子五卷

(明)趙本學撰

日本文久三年(1863)窪田清音訂刻本

四册

十行二十字,白口,左右雙邊。鈐“毘陵楊氏萬頃樓珍藏”印。　善 382/360－198

又一部　四册　善 2063

1440

素書一卷

題(漢)黄石公撰　(宋)張商英注

清康熙間影宋抄本

一册

八行十五字,無格。　善 382/166

1441

唐荆川先生纂輯武編十二卷

(明)唐順之撰

明萬曆四十六年(1618)徐象橒曼山館刻本

十二册

十行二十字,白口,左右雙邊。版心下鎸“曼山館”。鈐“惕齋藏書之印”等印。　善 382/667

1442

武德全書十五卷

(明)李槃輯　(明)李名世集注

明萬曆十八年(1590)汪一鸞刻本

四册

九行十九字,白口,四周單邊。鈐“劉盼遂印”、“康生之章”印。　善 383/294－1

1443

登壇必究四十卷

(明)王鳴鶴輯

清道光間木活字印本

六十册

九行二十字,小字雙行同,白口,四周單邊。　善 382/115

1444

新鐫繡像旁批詳註總斷廣百將傳二十卷

(明)黄道周注斷　(明)周亮輔增補

明崇禎間刻怡怡堂印本

八册

九行二十字,白口,四周單邊。有圖。封面鎸“怡怡堂藏板”。　善 982.3/377

1445

武備志二百四十卷

(明)茅元儀撰

日本寬文四年(1664)刻寬政間重修本

一百六十册

九行十九字,小字雙行同,白口,四周單邊。鈐“雲波過眼”印。　善 380/516

1446

心略不分卷

(明)施永圖輯

清抄本

一册

九行二十一字,黑格,白口,四周雙邊。　善 382/627

1447

演陣圖不分卷

清彩繪本

八册

書名系本館自擬。　善 382.9/751

1448

梅隱亭戰陣譜一卷

看雲山房繪本

一册　善 382.6/279

1449

武毅先鋒馬隊操練課程一卷

(清)邢長春撰

清光緒二十四年(1898)刻本(有寫、繪)

一册　善 382.92/129

1450

論射一卷

清抄繪本

一册　善 796.31/625

1451

治平勝算全書二十八卷

(清)年羹堯輯

清抄本

十六册

八行二十字,白口,四周雙邊。鈐“樂天知命之齋藏書”印。　善 382/824

1452

兵法不分卷

(清)黄建岡輯

清咸豐間稿本

八册

卷前光緒二十二年(1896)黄輿勳序爲後補。

善 380/165

農家類

1453

齊民要術十卷附雜説一卷

(北魏)賈思勰撰

明萬曆間胡震亨、沈士龍刻《祕册彙函》本

六册

九行十八字,小字雙行同,白口,左右雙邊。

善 630/150 - 06

1454

豳風廣義三卷

(清)楊屾輯

清乾隆六年(1741)刻本

二册

九行二十字,白口,四周單邊。有圖。

善 638/270 - 02

醫家類

1455

醫統正脉全書□種□□□卷(存二種三十六卷)

(明)王肯堂輯

明萬曆間新安吳勉學刻本

八册

十行二十字,小字雙行三十字,白口,四周單邊或左右雙邊。鈐"箴言書院藏書"、"青宫泰保"印。

子目:

重廣補注黄帝内經素問二十四卷　(唐)王冰注　(宋)林億等校正

黄帝素問靈樞經十二卷　善 613.08/115

1456

儒門事親十五卷

(金)張從正撰

明步月樓刻本

八册

十行二十字,白口,四周雙邊。封面鎸"映旭齋藏板"、"步月樓梓行"。　善 613.6/314.9

1457

景岳全書六十四卷

(明)張介賓撰

清康熙五十年(1711)聚錦堂刻本

二十四册

十行二十六字,白口,左右雙邊。封面鎸"聚錦堂藏板"。鈐"五雲樓珍藏"印。 善 613/314 - 4

1458

食物本草會纂十二卷圖一卷

(清)沈李龍撰

清乾隆四十八年(1783)金閶書業堂刻本

十六册

九行二十二字,小字雙行同,白口,四周單邊。

善 614.1/741

1459

人身圖説不分卷

(瑞士)鄧玉函等譯述

清抄本

四册

八行二十一字,無格。　善 597/482

1460

仰山堂論醫絶句一卷

題樹千撰

民國四年(1915)稿本

一册

八行二十字,綠格,四周雙邊。　善 613/252

天文算法類

天文

1461

新製靈臺儀象志十六卷(存卷一至十四)

(比利時)南懷仁撰

清康熙十三年(1674)刻本

十四册

九行十八字,白口,左右雙邊。　善 12935

1462

靈臺儀器圖不分卷

清康熙間刻本

四册　善 6858

1463

恒星圖一卷月令中星圖一卷

清抄繪本

二册　善 523.025/682

1464

欽定天文正義八十卷

清抄本

三十四册

九行二十字,白口,四周雙邊。　善 291/130

1465

斗建彙攷一卷先聖卒年月日攷一卷服鳥賦年月日攷一卷

(清)談泰撰

清抄本

一册

九行十六字,無格。鈐“徐聖秋讀書記”、“徐氏傳是樓印”、“揚州阮氏琅嬛僊館藏書印”等印。

善 520.1/606

1466

天文不分卷

清道光十七年(1837)潘秋明抄本

一册

十二行二十五或二十六字,無格。善 520/130

1467

儀象考成續編一卷星圖步天歌一卷

清宣宗旻寧敕撰

清咸豐五年(1855)音德納抄繪本

一册

九行二十四字,白口,四周雙邊。有圖。

善 523.025/716

曆法

1468

推行皇極經世先天曆數綱要三卷

(明)冷逢震撰

明萬曆十五年(1587)刻本

一册

九行二十字,白口,四周雙邊。鈐“黄裳青囊文苑”、“黄裳藏本”印。　善 290/756

1469

御製曆象考成上編十六卷下編十卷表十六卷

(清)允祉　允祿等纂

御製曆象考成後編十卷

(清)允祿　弘晝等纂

清雍正二年(1724)内府刻本(《後編》十卷爲清乾隆七年(1742)武英殿刻本)

三十七册

九行二十字,白口,四周雙邊。有圖。

又一部　三十六册　善 528/857

1470

大明崇禎三年歲次庚午大統曆一卷

明崇禎間刻本

一册

黑口,左右雙邊。　善 3410

1471

大清乾隆二十九年歲次甲申時憲書一卷

清乾隆間刻套印本

一册

黑口,四周雙邊。　善 528.392/354(1764)

1472

大清乾隆三十七年歲次壬辰時憲書一卷

清乾隆間欽天監刻套印本

一册

黑口,四周雙邊。　善 528.392/354(1772)

1473

大清乾隆四十四年歲次己亥時憲書一卷

清乾隆間刻本

一册

黑口,四周單邊。　善 528.392/354(1779)

1474

大清乾隆四十五年歲次庚子時憲書一卷

清乾隆間刻本

一册

黑口,四周單邊。　善 528.392/354(1780)

1475

大清乾隆五十四年歲次己酉時憲書一卷

清乾隆間欽天監刻套印本

一册

黑口,四周雙邊。　善 528.392/354(1789)

1476

大清乾隆五十五年歲次庚戌時憲書一卷

清乾隆間欽天監刻套印本

一册

黑口,四周雙邊。　善 528.392/354(1790)

1477
大清嘉慶六年歲次辛酉時憲書一卷
清嘉慶間刻本
一册
黑口,四周雙邊。　善 528.392/354(1801)

1478
大清咸豐三年歲次癸丑時憲書一卷
清咸豐間欽天監刻套印本
一册
黑口,四周雙邊。　善 528.392/354(1853)

1479
大清同治三年七政經緯躔度時憲書一卷
清同治間欽天監刻本
一册
黑口,四周雙邊。　善 528.392/354－1(1864)

1480
大清同治十一年七政經緯躔度時憲書一卷
清同治間欽天監刻本
一册
黑口,四周雙邊。　善 528.392/354.1(1872)

1481
日躔表二卷
(意大利)羅雅谷撰　(德國)湯若望訂
明崇禎間刻《西洋新法曆書》本
二册
九行二十二字,白口,左右雙邊。　善 10579

算書

1482
嘉量算經三卷圓問答一卷方句股圖解一卷
(明)朱載堉撰
明萬曆三十八年(1610)刻本
五册
八行十七字,白口,四周單邊。　善 0313

1483
同文算指前編二卷
(意大利)利瑪竇授　(明)李之藻演
明崇禎間王嗣虞等刻本
二册
十行二十二字,白口,四周雙邊。　善 12336

1484
御製數理精蘊五十三卷
(清)聖祖玄燁撰
清雍正間内府刻本
三十六册
九行十五字,白口,四周雙邊。　善 510.8/716

1485
句股引蒙五卷
(清)陳訏撰
清康熙六十一年(1722)自刻本
四册
十行二十字,黑口,左右雙邊。鈐"海寧陳氏珍藏書畫金石之印"、"煒一名叔度"等印。
善 517/382

1486
梅氏叢書輯要六十二卷
(清)梅文鼎撰
清乾隆二十六年(1761)梅瑴成刻本
十六册
十一行二十四字,白口,四周雙邊。
善 510.8/279

1487
數學精詳十一卷首一卷末一卷
(清)屈曾發撰
清乾隆三十七年(1772)豫簪堂刻本
四册
二行二十四字,白口,左右雙邊。封面鎸"豫簪堂藏板"。　善 511/321－03

1488
度量衡考不分卷
(日)物茂卿撰
日本享保十九年(1735)東都書林刻本
二册
九行二十字,白口,四周雙邊。鈐"五教館"、"崇明李氏井崖鑒藏"印。　善 11922

術數類

1489
唐開元占經一百二十卷目錄二卷
(唐)瞿曇悉達撰
清抄本　佚名朱、墨筆批校
十六册
九行十九字,白口,四周雙邊。鈐"葆采"、"孫星衍印"、"張敦仁讀過"、"陽城張氏省訓堂經籍記"、"廣圻審訂"、"莫氏秘籍"、"獨山莫祥芝圖書

記”、“銅井寄廬”、“莫棠字楚生印”、“莫棠之印”、“吳興劉氏嘉業堂藏書印”等印。　善 291/476

1490
觀象玩占十五卷
題(唐)李淳風撰
明抄本
十二册
九行二十字,白口,紅格,四周雙邊。鈐“知困齋收藏書畫金石”印。　善 291/292

1491
天原發微五卷(存卷二至四)
(宋)鮑雲龍撰
明天順五年(1461)歙西鮑氏耕讀堂刻本
十册
十一行二十二字,黑口,四周雙邊。有圖。
善 290/850

1492
天元玉曆祥異賦不分卷
(明)仁宗朱高熾御定
舊彩繪抄本
十册
上下欄。上欄彩圖,下欄十行十一字,紅格,白口,四周雙邊。鈐“耆福”等印。
善 297.11/130-02

1493
史異編十七卷(存卷一至四)
(明)余文龍撰
明萬曆四十七年(1619)自刻本
二册
九行二十字,白口,四周單邊。
善 921.7/988-4

1494
象緯占候三卷
明抄本
六册
十行字不等,白口,四周單邊。
是書一名《接補象緯集》。　善 291/313

1495
管窺輯要八十卷
(清)黄鼎輯
清順治十二年(1655)六安黄氏刻本
二十四册
九行十九字,白口,四周單邊。　善 291/167

1496
選擇天星秘竅一卷
(明)甘霖撰
明刻本
一册
九行十九字,白口,四周單邊。卷端題“鄭圃居士梁廷棟大朐父較梓”。封面題“天星秘竅圖書”、“古吳唐錦池梓行”。　善 293.1/177

1497
重刊人子須知資孝地理心學統宗三十九卷
(明)徐善繼　徐善述撰
明萬曆十一年(1583)郢中曾璠刻本
八册
十行二十一字,白口,四周雙邊。封面鎸“古吳文盛堂梓”。　善 294.2/952

1498
地理真傳一卷
(?)張漁撰
舊抄本
一册
十行二十字,無格。　善 294/312

1499
靈棋經一卷
題(晉)顔幼明　(宋)何承天　(元)陳師凱　(明)劉基注
清抄本
二册
八行二十字,白口,四周單邊。　善 292/157

1500
數理大全二十卷
題(元)曉山老人輯
舊抄本
十四册
行、字數不等。　善 291/462

1501
銀河棹八卷
(明)張松源撰
清抄本
二册
六行十三字,無格。　善 293.1/926

1502
秘藏大六壬大全善本十三卷
(清)郭載騋較訂

清康熙四十三年(1704)懷慶楊衙刻本
十二册
十行二十四字,小字雙行同,白口,四周雙邊。封面鎸"楊衙藏板"。 善 293.1/631

1503
新刊發微曆正通書大全(存卷二十六至三十四)
元刻湊配本
二册
各卷卷端題名不一。書衣有照巖氏題識:"此册八種,當爲内閣庫存。經此次發售書肆。湊集之物,版紙是宋元時者。刊及重刊各種非一時代者也。留備考證,不以殘缺棄之。" 善 293.1/372

1504
推背圖不分卷
明彩繪抄本
二册
十行十三字,藍格,白口,四周雙邊。
善 291/301

1505
欽定選擇曆書十卷
(清)安泰等纂修
清康熙二十四年(1685)内府刻本
十册
十二行三十字,白口,四周雙邊。 善 291/704

1506
一中四卷圖解一卷
(明)李玄育撰
明萬曆九年(1581)刻本
四册
十行二十字,白口,四周雙邊。鈐"山西介休王鼎印"、"清虚"印。 善 092.5/291

1507
卜法詳考四卷
(清)胡煦撰
清乾隆間胡氏葆璞堂刻本
四册
十行二十四字,白口,四周雙邊。版心下鎸"葆璞堂"。(與《周易函書約存》等合函)
善 092.27/218

1508
新編評註通玄先生張果星宗大全十卷
(明)陸位撰
清乾隆五十二年(1787)金閶書業堂刻本
六册
十二行字不等,白口,左右雙邊。有圖。版心下鎸"書業堂"。 善 293.1/393

1509
夢占類考十二卷
(明)張鳳翼撰
明萬曆十三年(1585)王祖嫡刻本　劉盼遂題識
六册
十行二十二字,細黑口,左右雙邊。有"萬曆乙酉孟夏信陽王氏梓行"牌記。卷一版心下鎸"吳曜寫沈玄易等刻"。鈐"苦雨齋藏書印"印。
善 292.92/313

1510
夢林玄解三十四卷首一卷
題(晉)葛洪撰　(宋)邵雍輯　(明)陳士元增删
明崇禎間刻本
十二册
十行二十二字,小字雙行同,白口,四周單邊。
善 292/521

藝術類

書畫

1511
珊瑚木難八卷
(明)朱存理輯
清抄本　佚名朱、墨筆校補
四册
十一行二十一字,無格。鈐"荃孫"、"曾經藝風勘讀"印。 善 743.1/829

1512
鐵綱珊瑚二十卷
(明)都穆撰
清乾隆二十三年(1758)都肇斌刻本
四册
十行二十二字,白口,左右雙邊。
善 743.2/211

1513
畫禪室隨筆四卷
(明)董其昌撰
清初刻本

四册

八行十八字,白口,左右雙邊。封面鎸"大魁堂藏板"。前有康熙五十九年(1720)序。

善 740.7/541-02

又一部　六册　善 2198

1514

畫禪室隨筆四卷

(明)董其昌撰

清乾隆三十三年(1768)刻本

三册

八行十八字,白口,左右雙邊。序後鎸"雲間金文達刻"。鈐"恩保"、"定之"印。

又一部　六册　善 740.7/541

1515

書畫跋跋三卷續三卷

(明)孫鑛撰

清乾隆五年(1740)孫溥居業堂刻本

六册

十一行二十一字,小字雙行同,白口,左右雙邊。鈐"濠堂藏本之一"、"盧氏薹翹藏書之印"等印。　善 743.2/368

1516

墨池編二十卷

(宋)朱長文輯

印典八卷

(清)朱象賢輯

清康熙雍正間刻本

十册

十一行十一字,細黑口,左右雙邊。封面鎸"就閑堂藏板"。鈐"寧武南氏珍藏"、"退龕南氏"印。

又一部　十二册

又一部　十六册　鈐"有緑齋藏書"印。

又一部　十六册　善 745/830

1517

歷代帝王法帖釋文考異十卷

(明)顧從義撰

清抄本　(清)蔣湘南批校並錄(清)何焯題識

二册

十行十八字,白口,無格。鈐"優鉢羅菴"、"竹銘藏書之印"、"蔣湘南印"印。　善 4866

1518

草韻辨體五卷附草訣百韻歌一卷後韻草訣歌一卷草訣續韻歌一卷

(明)郭諶輯

明萬曆十二年(1584)刻本

六册

七行十字或十二字,白口,四周雙邊。鈐"康生"印。　善 746.44/519-02

1519

書畫同珍五卷

(清)鄒聖脉輯

清乾隆七年(1742)樓外樓刻本

五册

白口,上下曲綫欄。有圖。封面鎸"樓外樓藏板"。　善 742/842

1520

庚子銷夏記八卷

(清)孫承澤撰

清乾隆二十六年(1761)鮑廷博等刻本

四册

十行二十字,黑口,左右雙邊。

又一部　四册　鈐"惕齋鑒藏書畫碑帖文章"印。

又一部　四册　善 743.2/362

1521

江邨銷夏錄三卷

(清)高士奇輯

清抄本

三册

行、字數不等,無格。鈐"沈樹德"、"爲善讀書"、"石壺"等印。　善 9190

1522

王篛林先生題跋十七卷

(清)王澍撰

清乾隆三十二年(1767)至三十九年(1774)刻本

五册

八行十八字,白口,左右雙邊。封面鎸"冰壺閣藏板"。

子目:

竹雲題跋四卷

虛舟題跋十卷又三卷　善 743.2/118

1523

字學津梁不分卷

(清)傅起儒輯

清康熙二十六年(1687)自刻本

六册

白口,四周單邊或四周雙邊。　善 744/905

1524
草聖彙辯不分卷
(清)白芬彙輯　(清)張能鱗選考　(清)朱宗文摹辯
清順治間刻本
四册
白口,四周單邊。"玄"字不避諱。鈐"鍾和所藏"、"合肥李愛棠章"、"李鍾和珍藏金石文字印記"等印。　善 746.7/869－02

1525
草韻彙編二十六卷
(清)陶南望輯
清乾隆二十年(1755)南邨草堂刻本
十册
白口,四周單邊。鈐"九峰舊廬珍藏書畫之記"、"杭州王氏九峰舊廬藏書之章"、"真州吳氏有福讀書堂藏書"諸印。　善 746.7/399

1526
草字彙不分卷
(清)石梁輯
清乾隆五十二年(1787)武林大成齋刻本
六册
白口,四周單邊。封面鎸"武林大成齋藏板"。原鈐"武林施氏大成齋藏書"印。鈐"齊東王宋子子孫孫其永寶"、"徐鄉王戊曼生氏珍藏"、"陳家康藏書"諸印。　善 746.7/350－06

1527
圖繪寶鑑七卷
(元)夏文彦撰　(清)馮仙湜續增
清康熙間借緑草堂刻本
五册
九行二十字,白口,左右雙邊。版心下鎸"借緑草堂"。封面鎸"借緑草堂藏板"。鈐"考古風今"、"風采傳統今尚存"印。　善 18469

1528
繪事備考八卷
(清)王毓賢撰
清乾隆四十七年(1782)北平翁氏抄本
八册
八行二十一字,無格。鈐"小梅築"、"尺五樓呂氏聚書印"、"沈燕謀以字行"等印。　善 747/119

1529
天下有山堂畫藝一卷
(清)汪之元繪
清雍正二年(1724)四明樵石山房刻本
一册
十二行十二字,四周雙邊。　善 749.9/712

1530
國朝畫徵錄三卷
(清)張庚撰
清乾隆四年(1739)蔣泰刻本　汪炤錄諸家評語
一册
十行二十一字,黑口,四周單邊。鈐"徐郙藏本"、"臣有書畫癖"、"湘秋"、"三十六峰草堂印記"、"汪景龍印"等印。　善 18357

1531
費氏山水畫式三卷
(清)費漢源繪　(日)木雍文熙摹繪
日本天明間江户書肆千鍾房刻本
三册
白口,四周單邊。　善 749.47/238

1532
悟瓣亭畫稿二卷六法管見一卷
(清)劉愔繪
清道光間梅鍾澍刻本
二册
白口,四周單邊。　善 18342

1533
畫史通攷六卷
(清)蔡裔周輯
清抄本
二册
八行二十字,白口,無格。　善 18097

1534
紅樓夢圖詠不分卷
(清)改琦繪
清光緒五年(1879)刻本
二册
白口,四周單邊。鈐"孫溪世家"、"孫溪逸士過眼"、"優游經史"、"孫槐廬溪主人"、"陶寫性情"諸印。　善 857.4/141－322

1535
賞奇軒四種合編四卷
清刻本
四册

白口,四周單邊。

子目:

南陵無雙譜一卷　(清)金古良撰

竹譜一卷

東坡遺意一卷

官子譜一卷

又一部　四册　善 082/596

篆刻

1536

學古編二卷

(元)吾丘衍撰　(明)何震續

正韻篆二卷

(明)沈延銓撰

明天啓二年(1622)沈延銓刻本

三册

十行十八字,白口,四周單邊。有刻工夏文明。　善 423.5/159

1537

秦漢印統八卷

(明)羅王常編

明萬曆三十六年(1608)新安吳氏樹滋堂刻本

八册

紅格,白口,四周單邊。版心下鐫"吳氏樹滋堂"。鈐"孫繼涵印"、"小蓬萊金石文字"等印。

善 993.69/482.1

1538

皇明印史四卷

(明)邵潜篆刻並輯

明天啓元年(1621)刻鈐印本

一册

白口,四周單邊。鈐"負笈硯齋藏書"印。

善 993.69/329

1539

印史五卷

(明)何通撰

抄繪本

六册

白口,四周單邊。　善 731/898

1540

宣和集古印史八卷

(明)來行學校摹

明萬曆二十四年(1596)來氏寶印齋刻鈐印本

八册

白口,四周單邊。鈐"浩延"、"冰玉山房"印。

善 731.3/344

1541

存古齋印譜一卷

(清)衛承芳篆刻

清康熙五十年(1711)存古齋刻鈐印本

一册

四周單邊。鈐"來覺之印"印。　善 731.3/943

1542

醉愛居印賞二卷

(清)王睿章篆刻　(清)徐逵照考訂

清乾隆五年(1740)王祖昚鈐印本

二册

白口,四周雙邊。　善 731.3/115

1543

飛鴻堂印譜初集八卷二集八卷三集八卷四集八卷五集八卷

(清)汪啓淑輯

清乾隆間刻鈐印本

二十册

白口,四周雙邊。鈐"千劫經眼"等印。

善 993.69/712

1544

坤皋鐵筆二卷餘集一卷

(清)鞠履厚篆刻

研山印草一卷

(清)王玉如篆

印文考略一卷

(清)鞠履厚撰

清乾隆間刻鈐印本

五册

細黑口,四周雙邊。《印文考略》一卷十行二十四字。有刻工劉文蓮。鈐"秦漢規模"、"賴以不墜"印。　善 731.3/175

1545

松園印譜不分卷

(清)賈永篆刻

清乾隆四十八年(1783)福壽堂刻鈐印本

二册

四周雙邊。版框外鐫"福壽堂"。

善 731.3/150

1546

松雪堂印萃四卷

(清)郭啓翼篆刻

清乾隆五十年(1785)鈐印本

四册

四周雙邊。　善 731.3/635

1547

印郵不分卷

(清)趙執齋輯

清光緒十七年(1891)文古齋鈐印本

八册

四周單邊。版框外鎸"文古齋"。鈐"徐世襄印"、"警菴"等印。　善 731.3/198

樂譜

1548

五知齋琴譜八卷

(清)周魯封輯

清雍正間刻乾隆間印本

十六册

八行十八字,白口,左右雙邊。鈐"讀未見書"印。　善 786/820

1549

五知齋琴譜八卷

(清)周魯封輯

清乾隆十一年(1746)懷德堂刻本

四册

八行十八字,白口,左右雙邊。封面鎸"懷德堂藏板"。　善 786/820－03

棋譜

1550

弈學會海不分卷

(清)呂戈訂　(清)董要輯

清康熙三十七年(1698)京都文錦堂刻本

一册

上下欄。白口,四周單邊。封面鎸"京都文錦堂主人藏板"。　善 793.11/544

譜錄類

1551

石譜一卷

(宋)杜綰撰

清抄本

一册

七行字不等,無格。鈐"耆圃校勘金石文字記"印。　善 558/249

1552

香乘二十八卷

(明)周嘉胄輯

明崇禎十四年(1641)自刻本

六册

九行十七字,白口,四周單邊。　善 668.1/814

1553

遠西奇器圖説錄最三卷

(瑞士)鄧玉函口授　(明)王徵譯繪

新製諸器圖説一卷

(明)王徵撰

明崇禎元年(1628)武位中刻本

四册

九行二十字,白口,四周雙邊。　善 12374

1554

磁器譜大全一卷

民國間瑞芝閣抄本

一册

六行二十字,紅格,四周雙邊。版心下鎸"瑞芝閣"。　善 738/350

1555

酒經三卷

(宋)朱翼中撰

清仿宋抄本

一册

十行十八字,白口,四周單邊。鈐"汲古閣"、"子晉汲古"、"絳雲樓藏書印"(疑僞)等印。

善 627.4/828

1556

茶史二卷

(清)劉源長撰

茶史補一卷

(清)余懷撰

清雍正六年(1728)劉謙吉重校刻本

二册

十一行二十字,小字雙行同,黑口,四周雙邊。

善 634.81/891

1557
灌園史四卷(存卷一至二)補遺一卷
(明)陳詩教撰　(明)陳繼儒删定
明萬曆間刻本
一册
七行十六字,白口,四周單邊。鈐"錄堂徐氏收藏印記"印。　善 570/382

1558
二如亭群芳譜二十八卷首一卷
(明)王象晉撰
明末刻本
二十四册
八行十八字,小字雙行,白口,左右雙邊。封面鎸"沙村草堂藏板"。　善 635.4/119-02

1559
藝菊志八卷
(清)陸廷燦輯
清康熙五十七年(1718)棣華書屋刻本
四册
十行二十字,黑口,左右雙邊。鈐"賞心惟筆硯知己有琴書"、"賞花逸史"印。　善 635.4/393

1560
百花錄註二卷百花詩二卷
(清)潘鍾峼撰
清乾隆二年(1727)吳門實翰樓刻本
三册
八行二十字,白口,左右雙邊。封面鎸"吳門實翰樓梓"。鈐"韓彭年"印。　善 635.4/754

1561
秘傳花鏡四卷
(清)陳淏子輯
清抄本
四册
九行二十字,無格。　善 635.4/383-02

1562
昆蟲草木略二卷
(宋)鄭樵撰
日本天明五年(1785)皇都書肆林喜兵衛等刻本
二册
十行二十字,白口,四周單邊。封面鎸"衆芳軒藏板"。　善 635.4/972

1563
蟲天志十卷(殘存卷一至五)
(明)沈弘正撰
明萬曆間沈氏暢閣刻本
一册
八行十六字,細黑口,左右雙邊。版心鎸"暢閣"。鈐"衡三"印。　善 587.89/741

1564
鳥獸蟲魚編略一百八十卷(存蟲部卷一至八)
清抄本
六册
九行二十一字,紅格,左右雙邊。　善 580/866

1565
晴川蟹錄四卷
(清)孫之騄輯
清雍正間刻本
四册
十行二十字,黑口,左右雙邊。鈐"雲間第八峰周氏藏書"印。　善 637.843/365

雜家類

雜學雜説

1566
鶡冠子三卷
(宋)陸佃解
清乾隆間活字印《武英殿聚珍版書》本
三册
九行二十一字,白口,四周雙邊。
善 121.89/393

1567
鬼谷子一卷外篇一卷
明嘉靖間刻《十二子》本
一册
十行十九字,白口,左右雙邊。
善 121.71/873-02

1568
呂氏春秋二十六卷
(漢)高誘注
明萬曆七年(1579)張登雲刻本
五册
十行二十字,小字雙行同,白口,左右雙邊。鈐"靖志堂"、"曜貞珉館所收"、"曾植印信"等印。

善 121.84/446 - 03

1569

呂氏春秋二十六卷

(宋)陸游評　(明)凌稚隆批

明萬曆四十八年(1620)凌毓枬刻朱墨套印本

八册

九行十八字,白口,四周單邊。

善 121.84/446 - 392

1570

淮南子二十一卷

(漢)劉安撰

明萬曆間吳勉學刻《二十子》本

八册

九行十八字,白口,左右雙邊。

善 122.1/892 - 441

1571

淮南鴻烈解二十一卷

(漢)劉安撰　(明)茅坤評

明刻朱墨套印本

八册

九行二十字,白口,四周單邊。鈐"邑人賈維禎遵祖訓捐置尊經閣中時康熙六十一"印。

善 122.1/892 - 516

1572

淮南鴻烈解輯略二卷

(明)張榜等輯

明刻本

一册

九行十八字,白口,四周單邊。眉欄鎸評。鈐"顧應選印"印。　善 122.1/892 - 287

1573

淮南子校勘記一卷

(清)汪文臺撰

清汪錫蕃抄本　黄襄成跋

一册

十行二十二字,紅格,白口,四周單邊。鈐"緗盦圖書"印。　善 122.1/712 - 02

1574

新刻白虎通德論二卷

(漢)班固撰

明萬曆間胡文煥刻《格致叢書》本

一册

十行二十字,白口,左右雙邊。　善 071/123

1575

論衡三十卷

(漢)王充撰

明嘉靖十四年(1535)蘇獻可通津草堂刻本

十册

十行二十字,白口,左右雙邊。版心下鎸"通津草堂"。鈐"徐鈞印"、"曉霞所藏"、"愛日館收藏印"、"長林愛日"諸印。　善 122.6/117 - 011

1576

論衡三十卷

(漢)王充撰

清刻本　高步瀛校

六册

九行二十字,白口,左右雙邊。鈐"孟津高氏"、"高閬仙藏書記"、"篴樓"等印。

善 122.6/117 - 012

1577

風俗通義十卷

(漢)應劭撰

明刻本

二册

九行十七字,白口,四周雙邊。有刻工。

善 041/674 - 03

1578

重校天禄閣寓言外史八卷

題(漢)黄憲撰

明萬曆三十九年(1611)王澍校刻本

二册

九行二十字,白口,四周單邊。　善 122.6/170

1579

天禄閣外史八卷

題(漢)黄憲撰

明刻本

二册

九行二十字,白口,左右雙邊。眉上鎸評。

善 122.6/170 - 02

1580

顔氏家訓二卷

(北齊)顔之推撰

明萬曆二年(1574)顔嶷乾刻本

一册

九行二十字,白口,左右雙邊。

善 193/679 - 02

1581
顏氏家訓七卷補遺一卷重校正一卷
(北齊)顔之推撰　(清)趙曦明注　(清)盧文弨補
北齊書文苑傳顔之推傳一卷
(清)盧文弨注
清乾隆五十四年(1789)盧文弨刻《抱經堂叢書》五十八年(1793)重修校本　劉半農題識
四册
十行二十一字,小字雙行同,白口,左右雙邊。版心下鎸"抱經堂校定本"。鈐"劉家書庫"印。
善 193/679－07

1582
兩同書二卷
(唐)羅隱撰
明嘉靖間范欽刻本
一册
九行十八字,白口,左右雙邊。　善 124.1/482

1583
譚子化書六卷
(五代)譚峭撰　(清)晉民正注
於陵子一卷
題(齊)陳仲子撰　(清)晉民正注
稿本　祝廷錫跋
二册
八行二十、二十一字不等,無格。鈐"知非樓所藏書"、"嘉興李潛"、"粹芬閣"等印。
善 124.8/601

1584
宋林和靖先生省心錄一卷
(宋)林逋撰　(明)何養純　時諸實輯
明萬曆四十一年(1613)何養純、時諸實等刻本
一册
八行二十字,白口,四周單邊。鈐"程守中"、"皖歙程守中藏書之印"、"彊齋"等印。
善 125.3/255

1585
南部新書十卷
(宋)錢易撰
清抄本
二册
十行二十字,無格。鈐"莫棠字楚生印"、"獨山莫氏銅井文房藏書印"、"瑞軒"諸印。
善 857.1/930－02

1586
夢溪筆談二十六卷補筆談三卷續筆談一卷
(宋)沈括撰
明崇禎四年(1631)馬元調刻本
八册
九行十八字,細黑口,左右雙邊。
善 072/741－03

1587
東坡先生志林五卷
(宋)蘇軾撰
明萬曆二十三年(1595)趙開美刻本　(清)陸珣批校
二册
九行十八字,白口,左右雙邊。鈐"高陽氏槐榮堂"、"二十八宿井磚之實"印。　善 072/554

1588
百納居士鐵圍山叢談六卷
(宋)蔡絛撰
清抄本
二册
十行二十二字,無格。　善 857.1/563

1589
北牕炙輠錄二卷
(宋)施德操撰
清抄本
二册
九行二十字,無格。鈐"天泉閣"、"海昌許氏"、"許聞泉"、"思潛室"等印。　善 072/627.9

1590
容齋隨筆十六卷續筆十六卷三筆十六卷四筆十六卷五筆十卷
(宋)洪邁撰
明崇禎三年(1630)馬元調刻本
十八册
九行十八字,細黑口,左右雙邊。鈐"皖江王氏珍藏"、"王文治印"、"御賜清愛堂"等印。
又一部　二十四册　鈐"書有未曾經我讀"、"餘姚謝氏永耀樓藏書"、"旰光賞鑒"、"衣白山人"諸印。　善 071/720－03

1591
鶴林玉露十六卷
(宋)羅大經撰

明萬曆間商濬刻《稗海》本
一册
九行二十字，白口，四周單邊。鈐"江南傅沅叔藏書記"、"安蹇齋"等印。　善857.1/482-03

1592
鶴林玉露十六卷
(宋)羅大經撰
明書林龔羽南刻本　佚名墨筆批點
四册(裝訂爲一册)
十行二十二字，白口，四周單邊。
善857.1/482-02

1593
南村輟耕錄三十卷
(明)陶宗儀撰
明玉蘭草堂刻本
八册
十行二十一字，白口，左右雙邊。版心下鎸"玉蘭草堂"。鈐"古邑屯"、"臣戴淳印"、"章貞私印"等印。　善071/404-03

1594
燕泉何先生餘冬序錄六十五卷
(明)何孟春撰
明萬曆十二年(1584)黄齊賢、張汝賢等刻本
十三册
十一行二十一字，白口，左右雙邊。鈐"毘陵莊祖基守齋藏書印"、"秀水莊氏蘭味軒收藏印"等印。　善072/898

1595
稽古緒論二卷
(明)趙時春撰
明嘉靖間刻本
二册
十行二十二字，白口，四周單邊。鈐"世襄"、"朱樫之印"、"九丹"、"徐君彦"等印。善072/203

1596
金罍子上篇二十卷中篇十二卷下篇十二卷
(明)陳絳撰
明萬曆三十四年(1606)陳昱刻本
十二册
九行二十字，白口，四周單邊。　善074/384

1597
重刻來瞿唐先生日錄内篇七卷外篇五卷
(明)來知德撰
明萬曆間刻本
六册
九行二十字，白口，四周單邊。　善846.8/344

1598
穀山筆塵十八卷
(明)于慎行撰　(明)郭應寵輯
明萬曆四十一年(1613)于緯刻本
四册
九行十八字，白口，四周單邊。鈐"霌園珍藏"、"石碣周氏藏書"印。　善072/111
又一部　八册　善10391

1599
鴻苞四十八卷
(明)屠隆撰
明萬曆三十八年(1610)茅元儀刻本
二十四册
八行十九字，白口，左右雙邊。鈐"迪吉堂"等印。　善072/319

1600
焦氏筆乘六卷續集八卷
(明)焦竑撰
明萬曆三十四年(1606)謝與棟刻本
十四册
九行十九字，白口，四周單邊。鈐"汪氏傳書樓珍藏書畫印"印。　善072/917

1601
五雜組十六卷
(明)謝肇淛撰
日本寬文元年(1661)刻本
八册
九行十八字，白口，四周單邊。鈐"渡氏藏書"、"佐滕氏藏"印。　善2199

1602
類次書肆説鈴二卷
(明)葉秉敬撰
明萬曆間刻本
一册
八行十八字，白口，四周單邊。　善072/504

1603
問奇類林三十五卷
(明)郭良翰撰
明萬曆間刻本
二十册

九行二十字,白口,四周單邊。鈐"孝感秦伯子鴻軒珍藏"、"東里歐陽子彬珍藏書籍"、"蒲邨氏珍藏書籍之印"印。　善 041/635

1604

沈氏弋説六卷

(明)沈長卿撰　(明)黄可師等評

明萬曆間刻本

六册

八行十八字,白口,四周單邊。鈐"復耕堂藏書記"印。

又一部　六册　善 072/743

1605

紫桃軒雜綴四卷又綴二卷

(明)李日華撰

明刻本　佚名墨筆批校

六册

八行十九字,白口,四周單邊。題辭首頁版心下鎸"倪應悌刻"。　善 857.1/289.4－02

1606

蒼崖子一卷

(明)朱健撰

明末刻本

一册

九行二十字,白口,四周單邊。　善 126.6/834

1607

學人説話一卷讀書一見一卷

(明)彭堯諭撰

明刻本

一册

九行十八字,白口,四周單邊。鈐"麋蕃藏書"印。　善 126.6/185

1608

潛書四卷

(清)唐甄撰

清康熙間王聞遠刻本

四册

九行二十字,白口,四周雙邊。　善 2210

1609

雕丘雜錄十八卷

(清)梁清遠撰

清康熙間抄本

二册

九行十九字,無格。版心署"太平園藏書"。鈐"王氏東始山房印記"、"損堂藏書善本"、"盤溪鑒賞"、"丁氏家藏"、"承忍堂"、"劉盼遂印"、"康生"諸印。　善 072/731

1610

因樹屋書影十卷

(清)周亮工撰

清康熙間刻本

十二册

九行十八字,小字雙行同,白口,四周單邊。版心下鎸"因樹屋"。鈐"震臺"印。

善 857.1/818－03

1611

因樹屋書影十卷

(清)周亮工撰

清雍正三年(1725)懷德堂刻本

六册

九行十八字,小字雙行同,白口,四周單邊。封面鎸"懷德堂梓"。鈐"叢士"、"廷來"等印。

善 10729

1612

匡林二卷

(清)毛先舒撰

清康熙間刻本

二册

十一行二十二字,白口,四周單邊。

善 072/781

1613

廣東新語二十八卷

(清)屈大均撰

清康熙三十九年(1700)木天閣刻本

六册

十一行十九字,白口,四周單邊。封面鎸"木天閣繡版"。鈐"梅花鐵石山房"印。

善 927.33/－321

1614

三岡識略十卷續識略一卷

(清)董含撰

清康熙間刻本

十册

九行十九字,白口,左右雙邊。鈐"菊人所藏"印。

善 072/548

1615

金鰲退食筆記二卷

（清）高士奇撰
清康熙二十三年(1684)刻本
二册
十行二十字,白口,四周單邊。善 928.42/641

1616
學海津梁四卷
（清）崔學古撰
清康熙三十四年(1695)敬業堂刻本
四册
八行二十字,白口,四周雙邊。版心下鐫"敬業堂"。善 374.9/593

1617
希賢錄十卷
（清）魏裔介撰
清康熙二十年(1681)雲間胡元成、周武功刻本
四册
九行二十字,白口,左右雙邊。封面鐫"雲間胡元成、周武功梓行"。善 192/804

1618
片刻餘閒集二卷
（清）劉埥撰
清乾隆十九年(1754)右北平署刻本
二册
九行二十字,白口,左右雙邊。封面鐫"右北平署授梓"。鈐"柳陰書屋趙氏鑒藏印"、"揖武"印。善 857.1/887

1619
書隱叢説十九卷
（清）袁棟撰
清乾隆間鋤經樓刻本
八册
十行二十字,白口,左右雙邊。封面鐫"鋤經樓藏板"。善 072/188

又一部　善 6712

雜記

1620
唐摭言十五卷
（五代）王定保撰
清抄本　佚名朱筆校
四册
十行二十字,無格。鈐"樂天知命"、"閉門無事鉏華"印。善 323.35/118－02

1621
蘇黄門龍川略志十卷
（宋）蘇轍撰
明弘治間無錫華氏刻《百川學海》本
四册
十二行二十字,白口,左右雙邊。鈐"虞山錢曾遵王藏書"印。善 982.851/554

1622
默記一卷
（宋）王銍撰
清鮑氏知不足齋抄本　（清）王懿榮校
二册
十一行二十字,無格。鈐"知不足齋鮑以文藏書"、"朱檉之印"、"震旦第一山樵"、"玖聃鑒賞之章"、"永清朱玖聃珍藏金石經籍書畫記"諸印。善 857.1/120.9

1623
清夜錄一卷
（宋）俞文豹撰
明嘉靖間刻本
一册
十行十八字,白口,左右雙邊。善 072/990.6

1624
桯史十五卷
（宋）岳珂撰
附錄一卷
明刻本　卷十二及附錄系抄配
四册
十行二十字,細黑口,四周單邊。鈐"身世滄桑"、"清群簃鑒藏"等印。善 857.1/884

1625
水東日記四十卷
（明）葉盛撰
明末葉重華賜書樓刻清康熙十九年(1680)葉方蔚重修印本
十六册
九行十九字,白口,四周單邊。封面鐫"賜書樓藏板不準翻刻"。原鈐"賜書樓"印。鈐"沈季耕校閱秘籍藏本"、"留耕草堂"、"涌翠山房"、"宗疇之印"、"海豐吳氏"諸印。善 6563

1626
玉麒麟二卷
（明）夏樹芳輯

明萬曆間刻本

四册

七行十六字,白口,四周單邊。有刻工楊同春等。　善 982.1/348

1627

玉堂叢語八卷(存卷一至四)

(明)焦竑撰

明萬曆四十六年(1618)徐象橒曼山館刻本

二册

八行十八字,白口,四周單邊。鈐"損堂藏書善本"、"于氏東始山房印記"印。　善 074/917

1628

西山日記二卷

(明)丁元薦撰

清康熙二十八年(1689)丁氏先醒齋刻本

四册

十行二十二字,白口,左右雙邊。版心下鎸"先醒齋"。　善 072/158

1629

湧幢小品三十二卷

(明)朱國禎撰

明天啓二年(1622)朱氏自刻本

十二册

九行二十字,白口,左右雙邊。

善 857.1/830

1630

十研山房筆記三卷教子弟式一卷年譜一卷

(清)薛元敏撰

慎宦先生傳略一卷

(清)張元升撰

清抄本

二册

十行二十四至二十六字不等,無格。鈐"稚軒珍藏"印。　善 857.1/566

1631

觚賸八卷續編四卷

(清)鈕琇撰

清康熙間鈕氏臨野堂刻本

三册

十行十九字,白口,左右雙邊。版心下鎸"臨野堂"。封面鎸"臨野堂藏板"。　善 11897

1632

鐵若筆談四卷

(清)雙保撰

清抄本

四册

八行十七字,無格。鈐"曠園主人"、"愛吾廬"、"納哈塔氏"、"孤鴻和尚"、"鰥夫裕爵"等印。

善 857.1/916

1633

鄉園憶舊錄六卷

(清)王培荀撰

清道光二十五年(1845)刻本

十二册

十行二十一字,白口,左右雙邊。　善 073/113

1634

隨緣日錄三卷

題(清)海濱逸叟撰

清抄本

一册

十一行二十四字,無格。鈐"邵園藏書"、"東海張氏藏書"印。　善 857.1/752.88

1635

春在堂隨筆不分卷

(清)俞樾撰

清光緒間稿本　(清)張鳴珂　曹楞跋

一册

八行二十或二十一字不等,無格。

善 857.1/990-02

1636

畊暇堂瑣談一卷

(清)鄒存淦撰

稿本

一册

八行二十四字,紅格,四周雙邊。鈐"儷生"(撰者字)印。　善 857.3/842

雜考

1637

西溪叢語二卷

(宋)姚寬撰

明嘉靖二十七年(1548)俞憲鴸鳴館刻本

二册

十行二十一字,白口,四周單邊。版心下鎸"鴸鳴館刻"。　善 071/994.7-02

1638

西溪叢語二卷

(宋)姚寬撰

明崇禎間虞山毛氏汲古閣刻《津逮祕書》本　(清)趙味滄過録黄丕烈校語

二册

八行十九字,白口,左右雙邊。　善 071/994.7

1639

古今攷三十八卷

(宋)魏了翁撰　(元)方回續

明崇禎九年(1636)謝三賓刻本

八册

九行二十字,白口,四周單邊。　善 10742

1640

丹鉛總録二十七卷

(明)楊慎撰

明萬曆間刻本

十册

十行二十字,白口,左右雙邊。有刻工。鈐"尚古堂""吳勱之印"、"尚桓子孫永昌"、"阿斯陀"等印。　善 10747

1641

秇林伐山二十卷(存卷一至十二)

(明)楊慎撰

明刻本

四册

九行二十二字,白口,四周雙邊。

善 074/271 - 02

1642

秇林伐山二十卷

(明)楊慎撰

明萬曆三十五年(1607)孫居相校刻本

四册

九行十九字,白口,四周雙邊。　善 074/271

1643

名義考十二卷

(明)周祈撰

明萬曆十七年(1589)黄中色刻本

四册

十行二十三字,白口,四周雙邊。鈐"大雷經鋤堂藏書"、"劉明陽王静宜夫婦讀書之印"、"劉明陽研理樓劉氏藏"諸印。　善 041/813

1644

徐氏筆精八卷

(明)徐𤊹撰

清抄本

二册

九行十八字,無格。鈐"李文田印"印。

善 071/952

1645

通雅五十二卷首三卷

(清)方以智撰

清康熙五年(1666)姚文燮刻本

十二册

八行二十字,小字雙行同,白口,四周單邊。版心下鐫"浮山此藏軒"。　善 422.6/626 - 02

1646

日知録三十二卷

(清)顧炎武撰

清康熙三十四年(1695)潘耒遂初堂刻本

十六册

十一行二十二字,小字雙行同,白口,左右雙邊。鈐"陳家康藏書"印。

又一部　十六册　善 071/965 - 02

1647

古今釋疑十八卷附録一卷

(清)方中履撰

清康熙二十一年(1682)楊霖、楊嗣漢刻本

二十册

八行二十字,小字雙行同,白口,左右雙邊。各卷首頁版心下鐫"汗青閣"。鈐"壽椿堂王氏家藏"、"太原仲子"、"汾澱釣徒"、"靈石王臣恭觀"、"靖廷"諸印。　善 071/626

1648

燕在閣知新録三十二卷

(清)王棠撰

清康熙間燕在閣刻本　(清)焦循題識

八册

十行二十一字,白口,四周單邊。鈐"焦氏藏書"、"秦州劉氏漢臣麓樵氏印"印。　善 072/116

1649

實踐録一卷

(清)德沛撰

清乾隆元年(1736)德氏自刻本　(清)李沅跋

一册

九行十七字,白口,四周雙邊。　善 1970

1650

潛邱劄記六卷

(清)閻若璩撰

清乾隆九年(1744)眷西堂刻本

六册

十一行二十字,白口,左右雙邊。版心下鎸"眷西堂"。封面鎸"眷西堂藏板"。　善 071/459

1651

北窗偶談三卷

(清)胡彦穎撰

清乾隆間刻本

一册

十行二十五字,白口,四周單邊。

善 424.7/220

1652

焠掌錄二卷

(清)汪啓淑撰

清汪氏開萬樓刻本

二册

八行十七字,白口,左右雙邊。版心下鎸"開萬樓"。

又一部　一册　鈐"淮安陳墉鑒賞之印"、"陳氏之印"、"陳墉伯容氏收藏金石圖書印"、"青宮太保大司農"、"蟫隱廬"等印。　善 071/714

1653

稗販八卷

(清)曹斯棟撰

清乾隆五十九年(1794)飯顆山房刻本

四册

九行二十字,白口,左右雙邊。封面鎸"飯顆山房"。鈐"三唐石齋藏書"印。　善 071/140

1654

札樸十卷

(清)桂馥撰

清嘉慶十八年(1813)李宏信小李山房刻本

六册

十行二十一字,黑口,左右雙邊。版心下鎸"小李山房校刊"。封面鎸"山陰小李山房藏板"。

善 071/251－02

1655

四寸學六卷

(清)張雲璈撰

清道光十一年(1831)簡松草堂刻本

二册

十行二十字,小字雙行同,白口,左右雙邊。封面鎸"簡松草堂藏板"。　善 071/308

1656

鮑靚山樓隨筆十八卷

(清)陸恩澍撰

稿本

十八册

行款不一。鈐"陸恩澍印"、"鮑靚山房"、"安定胡氏之印"、"芙蓉江上人家"、"環翠山房"、"仲楊審定"、"袖海道人"等印。　善 071/389

雜品

1657

書墁錄一卷

(宋)張舜民撰

明萬曆間會稽商濬刻《稗海》本

一册

九行二十字,白口,四周單邊。　善 072/314

1658

居家必用事類全集十卷

明刻本

十册

九行十六字,黑口,四周雙邊。　善 046/320

1659

新增格古要論十三卷

(明)曹昭撰　(明)王佐增補

明天順間新都黄珙重校刻本

十册

十行二十字,白口,四周單邊,序首頁版心下鎸"吳應芝"。卷一首頁版心下鎸"吳應芝梓"。鈐"明善堂覽書畫印記"、"洞庭席氏家藏"、"席氏永勛"、"洞庭席氏受祉堂印"、"元公印信"等印。

善 709.2/142－02

1660

新增格古要論十三卷

(明)曹昭撰　(明)王佐增補

明萬曆間黄正位刻清淑艄堂重修本

六册

十行二十字,白口,四周單邊。序首頁版心下鎸"吳應芝"。卷一首頁版心下鎸"吳應芝梓"(當爲重刻黄珙刻本)。封面鎸"清淑艄堂藏板"。鈐"墨瀰樓珍藏書畫鈐記"諸印。　善 709.2/142

1661
遵生八牋十九卷
(明)高濂撰
明刻本
六册
九行二十字,白口,左右雙邊。　善 10727

1662
弦雪居重訂遵生八牋十九卷
(明)高濂撰　(明)鍾惺校閲
明刻課花書屋重修本
十六册
九行十八字,白口,四周單邊。封面鎸"課花書屋藏板"。鈐"北平李之庵藏"、"陳家康藏書"印。　善 041/646

雜纂

1663
意林五卷
(唐)馬總輯
清乾隆間木活字印《武英殿聚珍版書》本　佚名批校
二册
九行二十一字,白口,四周雙邊。鈐"費民澤印"、"天馬山房藏書印"、"馬叙倫"諸印。善 2080

1664
雲仙雜記十卷
題(唐)馮贄輯
明刻本
二册
九行二十字,小字雙行同,白口,四周單邊。鈐"介臣氏"、"何宣綸印"、"閩戴成芳芝農圖籍"、"書帶草堂"、"鄭杰"、"昌英"、"李氏藏書畫印"、"李瑞熙"諸印。　善 857.1/767

1665
紺珠集十三卷
清抄本
六册
九行二十字,無格。鈐"蔣伯子"、"曾在蔣研齋處"、"巴陵方氏碧琳琅館珍藏秘篇"、"方功惠藏書印"、"巴陵方氏功惠柳橋甫印"、"春□鑒賞圖書"、"方家書庫"、"泰峰所藏善本"等印。
善 074/858.1

1666
仕學規範八卷
(宋)張鎡輯　(明)范汝梓删訂
明范廷鳳、范廷駿刻本
六册
九行二十字,白口,四周單邊。　善 192/314.3

1667
續談助五卷
(宋)晁伯宇輯
清抄本
五册
八行十六字,無格。鈐"歸菴讀書記"、"歸安丁寶書鑒藏"印。　善 074/858-02

1668
廣卓異記二十卷
(宋)樂史撰
抄本　樂嘉藻校跋
四册
十三行二十字,無格。鈐"樂嘉藻印"、"黄平樂氏圖書"、"青燈盦"、"彩澄"諸印。
善 857.2/873.4

1669
為善陰騭二卷
(明)成祖朱棣撰　(明)張緒綸删定
明張緒綸刻本
四册
十行二十字,白口,四周單邊。鈐"江安傅增堉收藏書畫金石印"印。　善 857.1/828

1670
玉壺冰一卷
(明)都穆輯
續玉壺冰一卷
(明)鄭履準輯
明抄本
一册
十行二十字,白口,藍格,左右雙邊。
善 857.1/211

1671
初潭集三十卷
(明)李贄撰
明刻本
六册
九行二十字,白口,四周單邊。眉上鎸評。
善 074/287

1672
百家類纂四十卷
(明)沈津輯
明隆慶元年(1567)含山縣學宮刻本
三十八册
十一行二十二字,白口,左右雙邊。鈐"施毓奇"、"照海樓"印。　善 074/746

1673
新刻熙朝内閣評選六子纂要十二卷
(明)張位　趙志皋編
明萬曆二十一年(1593)書林余成章刻本
八册
十一行二十二字,小字雙行同,白口,四周單邊。眉欄鐫評。　善 121.3/313

1674
琅邪代醉編四十卷
(明)張鼎思輯
日本延寶三年(1675)刻本
二十二册
十行二十一字,白口,四周雙邊。鈐"天黥"印。　善 074/309

1675
山林經濟籍不分卷
(明)屠本畯輯
明自娱齋刻本
四册
九行二十字,白口,左右雙邊。　善 081.3/319

1676
千一疏二十二卷
(明)程涓撰
明萬曆三十七年(1609)陳所學、范檞刻本
八册
九行二十二字,白口,四周單邊。　善 074/791

1677
説類六十二卷
(明)葉向高輯
明萬曆間刻本
十册
十行二十一字,白口,左右雙邊。　善 074/504

1678
焦氏類林八卷
(明)焦竑輯
明萬曆十五年(1587)王元貞刻本
十二册
十行二十字,白口,左右雙邊。鈐"存業堂"、"李承祖印"、"繩武"、"蠖公所寄"等印。　善 041/917

1679
新鍥翰林三狀元會選二十九子品彙釋評二十卷首一卷
(明)焦竑　翁正春　朱之蕃評
明萬曆四十四年(1616)實善堂刻本
三十册
十行二十四字,小字雙行同,白口,四周單邊。眉欄鐫評。鈐"汝謙"、"環山樓藏書印"印。　善 120.8/917

1680
榕陰新檢二卷
(明)徐𤊹輯
清抄本
一册
十行二十四字,無格。鈐"鑒古"、"不堪持贈君"等印。　善 982.631/952

1681
智品十三卷
(明)樊玉衝撰　(明)於倫增補
明萬曆四十二年(1614)於斯行刻本
十六册
十行二十字,白口,左右雙邊。　善 074/284

1682
經世奇謀八卷
(明)俞琳輯
明萬曆四十四年(1616)刻本
八册
八行十九字,白口,四周單邊。　善 982.1/990

1683
醉古堂劍掃十二卷
(明)陸紹珩輯
日本抄本
十二册
九行二十字,無格。　善 074/393

1684
諸子奇賞前集五十一卷後集六十卷
(明)陳仁錫輯並評
明天啓六年(1626)武林好生館刻本
三十二册

九行二十字，白口，四周單邊。眉上鎸評。目錄後鎸“好生館藏板，如有欠頁不妨取補以成完整”。　善 120.8/384

1685
福壽全書六卷
(明)陳繼儒撰
明末聚錦堂刻本
八册
八行十八字，白口，四周單邊。封面鎸“聚錦堂藏板”。　善 192/384

1686
湘煙錄十六卷
(明)閔元京　凌義渠輯
明天啓間刻本
六册
九行十九字，白口，四周單邊。鈐“陽長公”、“方曉之印”、“鄧尉山房”、“王氏信芳閣藏書印”、“粹芬閣”等印。　善 074/458

1687
廣古今議論參三十卷
(明)陳子龍輯　(明)龍雲　張廷鸞輯評
明崇禎十五年(1642)刻本
十六册
九行二十六字，白口，四周單邊。
善 834/313.84

1688
昨非菴日纂二十卷二集二十卷三集二十卷
(明)鄭瑄輯
明崇禎間刻本
二十四册
八行十八字，白口，四周單邊。鈐“姒兼山”、“華陽張氏桐生藏書之印”。
又一部　二十六册　鈐“張道彭”、“桑園珍藏”印。
善 074/971

1689
格言類編六卷
(明)胡正言輯
明崇禎六年(1633)刻本
六册
九行二十一字，白口，四周單邊。
善 192/216.26

1690
小窓自紀四卷豔紀十四卷清紀四卷(存三卷)別紀四卷附雜記一卷
(明)吴從先撰
明萬曆間刻本
四十册
八行十八字，白口，四周單邊。鈐“周紹良”等印。　善 074/442
又一部　**清紀四卷附一卷**　四册　善 12335
自紀四卷　八册　善 12308
別紀四卷附雜記一卷　五册　善 11889

1691
漢魏叢書纂二十八卷
(明)周莊輯
明匪石居刻清印本
十二册
九行二十四字，白口，四周單邊。
善 080/791－816

1692
闡義二十二卷
(清)吴肅公輯
清康熙四十六年(1707)慕園刻本
四册
九行二十字，白口，左右雙邊。版心下鎸“慕園藏板”。　善 982.1/435

1693
古夫于亭雜錄六卷
(清)王士禛撰
清康熙間刻本　(清)陳鱣批注
二册
十行十九字，黑口，左右雙邊。鈐“仲魚過眼”、“蘭雪齋”、“吴氏藏書”、“徐恕讀過”、“駱士奎印”諸印。　善 072/113.21

1694
宋稗類鈔八卷
(清)潘永因輯
清康熙間刻本
八册
十行二十四字，小字雙行，白口，四周單邊。
善 922.5105/754

1695
齊召南雜稿不分卷
(清)齊召南輯
稿本
八册

行、款不一。鈐“賜硯堂”、“召南”、“次風”、“一陽欣賞”、“拙存珍藏”、“曾經民國二十五年浙江省文獻展覽會陳列”諸印。　善 074/661

1696

庸行編八卷

(清)史典輯　(清)牟允中參補

康熙三十一年(1692)尚朝柱、尚詮源澹寧堂刻本

四册

九行二十一字,小字雙行同,白口,四周單邊。版心下鐫“澹寧堂”。　善 192/857.8

1697

寄園寄所寄十二卷

(清)趙吉士撰

清康熙間刻本

十二册

十行二十一字,小字雙行同,白口,左右雙邊。序文版心下鐫“寄園寄所寄”。

又一部　十二册　鈐“小峰所藏”印。

又一部　十四册　鈐“國禎私印”印。　善 857.2/198

1698

閑家編八卷

(清)王士俊輯

清雍正十二年(1734)旌邑劉天奇刻本

六册

九行二十一字,白口,四周雙邊。　善 193/113

1699

權衡一書四十一卷

(清)王植輯

清乾隆元年(1736)崇雅堂刻本

二十四册

十行二十一字,小字雙行同,白口,四周單邊。封面鐫“崇雅堂藏板”。　善 074/113.2

1700

習是編二十六卷

(清)屈成霖輯

清乾隆間屈氏豫簪堂刻本

八册

九行二十一字,上黑口,左右雙邊。封面鐫“豫簪堂藏板”。鈐“知非樓所藏書”、“粹芬閣”諸印。

又一部　四册　善 192/321

1701

雙節堂庸訓六卷

(清)汪輝祖撰

清乾隆五十九年(1794)汪繼坊等校刻本

一册

十行二十一字,白口,左右雙邊。　善 193/711

1702

述記不分卷

(清)任兆麟輯

清乾隆五十三年(1788)任氏忠敏家塾刻映雪草堂印本

十册

九行十七字,小字雙行同,白口,左右雙邊。版心下鐫“忠敏家塾”。封面鐫“映雪堂藏板”。　善 082/915

1703

芝菴雜記四卷

(清)陸雲錦撰

清嘉慶八年(1803)刻本

二册

九行二十字,白口,左右雙邊。　善 857.1/388.3

1704

一歲貨聲不分卷

(清)鞠農撰

清抄本

一册

十行二十三字,無格。　善 396.211/175

1705

彝門篝燈錄八卷

(清)盧士傑撰

謄清本

八册

十行二十四字,無直格,白口,四周單邊。版心下鐫“十笏齋藏書”。鈐“盧生”、“士傑之印”、“維宙”、“王翰”等印。　善 074/491

小說家類

1706

世說新語三卷

(劉宋)劉義慶撰　(梁)劉孝標注

明萬曆十七年(1589)周氏博古堂刻本

六册

十行二十字,小字雙行同,白口,左右雙邊。

序後鎸"萬曆己酉春周氏博古堂刊"。鈐"秉笏之印"等印。　善857.1/892-010

1707

世説新語三卷

(劉宋)劉義慶撰　(梁)劉孝標注

明萬曆十七年(1589)周氏博古堂刻本　(清)丁晏校跋

六册

十行二十字,小字雙行同,白口,左右雙邊。序後鎸"萬曆己酉春周氏博古堂刊"。鈐"丁晏之印"、"餘姚謝氏永耀樓藏書"印。

善857.1/892-012

1708

世説新語六卷

(劉宋)劉義慶撰　(梁)劉孝標注

明萬曆間吴中珩刻本

六册

九行十八字,小字雙行同,白口或細黑口,左右雙邊間有四周雙邊或四周單邊。鈐"半隱菴子金主人賞玩"印。　善857.1/892-014

1709

世説新語六卷

(劉宋)劉義慶撰　(梁)劉孝標注　(宋)劉辰翁等評

明吴興凌瀛初刻四色套印本

六册

八行十八字,白口,四周單邊。

善857.1/892-113

1710

世説新語六卷

(劉宋)劉義慶撰　(梁)劉孝標注

清初抄本　佚名墨筆批校

四册

十行二十四字,藍格,白口,四周單邊。鈐"乾隆御覽之寶"、"敬叔"、"韜庵"等印。

善857.1/892-08

1711

世説新語八卷

(劉宋)劉義慶撰　(梁)劉孝標注　(宋)劉辰翁等評

明吴興凌瀛初刻四色套印本

八册

八行十八字,白口,四周單邊。鈐"明净山人"印。　善857.1/892-09

1712

世説新語補二十卷

(劉宋)劉義慶撰　(梁)劉孝標注　(宋)劉辰翁評　(明)何良俊增補　(明)王世懋批釋

明萬曆八年(1580)王世懋刻本

五册

九行十八字,小字雙行同,白口,左右雙邊。眉上鎸評。鈐"精一齋"、"程士□家藏書"、"遵輿子"等印。　善857.1/892-901-02

1713

世説新語補二十卷

(劉宋)劉義慶撰　(梁)劉孝標注　(宋)劉辰翁批　(明)何良俊增補　(明)王世懋批釋　(明)王世貞删定　(明)鍾惺批點　(明)張文柱校注

清朝鮮活字印本

七册

十行十八字,小字雙行同,白口,四周單邊。

善857.1/892-901-04

1714

李卓吾批點世説新語補二十卷

(劉宋)劉義慶撰　(梁)劉孝標注　(宋)劉辰翁評　(明)何良俊增補　(明)李贄批點

附釋名一卷

明萬曆十三年(1585)張文柱刻本

八册

九行十八字,白口,四周單邊。眉欄鎸評。鈐"心梅"、"才伯"等印。

又一部(存卷一至八)　四册　鈐"楊體仁印"、"晚學齋藏書印"印。　善857.1/892-901-03

1715

世説新語校箋不分卷

劉盼遂撰

稿本

一册

九行二十四字,無格。　善857.1/892-899

1716

唐世説新語十三卷

(唐)劉肅撰

明萬曆三十一年(1603)潘玄度刻本

四册

八行二十字,白口,四周單邊。鈐"耐菴"、"稚農"、"如皋祝受慈印"、"大儒子范率祖"、"漢鹿齋

金石書畫印"諸印。　善 857.1/886-02

1717

大唐新語十三卷

(唐)劉肅撰

明萬曆間商濬刻《稗海》本

四册

九行二十字,白口,四周單邊。　善 857.1/886

1718

南北史續世説十卷

(唐)李垕撰

明萬曆間安茂卿刻三十七年(1609)俞安期翏翏閣重修本

五册

十行二十字,白口,左右雙邊。敘首頁版心下鎸"翏翏閣藏板"。目錄首頁版心下鎸"何鑒刻"。鈐"陽羡徐氏正誼堂藏書之章"、"仁釗秘籍"、"適盦藏書"等印。　善 857.1/294.92

1719

何氏語林三十卷

(明)何良俊撰

明嘉靖二十九年(1550)何氏清森閣刻本

十册

十行二十字,小字雙行同,白口,左右雙邊。有刻工。有清森閣牌記。鈐"滄海一粟樓藏書"、"亥菴曼士鑒藏"、"津門王鳳岡風篁館藏印""湘潭袁厚之缸甫"、"國楨私印"等印。　善 857.1/901

1720

癖顛小史一卷

(明)華淑撰　(明)袁宏道評

明閔于忱松筠館刻朱墨套印《枕函小史》本

一册

七行十七字,白口,四周單邊。　善 857.3/456

1721

山海經十八卷

(晉)郭璞注

明刻本

六册

九行二十字,小字雙行同,白口,四周單邊。有圖。　善 926.1/630-02

1722

山海經十八卷

(晉)郭璞注

清項絪群玉書堂刻本　(清)惠士奇朱筆批點

一册

十一行二十一字,小字雙行同,細黑口,四周單邊。每卷末鎸"歙縣項絪校刊"。封面鎸"項氏群玉書堂"。鈐"臣濬之印"、"困而學者"、"莫友芝圖書印"、"莫經農"、"獨山莫繩孫字仲武號省能影山草堂收藏金石圖書印"、"徐恕讀過"等印。　善 926.1/630-05

1723

山海經釋義十八卷圖一卷

(明)王崇慶撰

明萬曆間大業堂刻後印本

三册

九行十九字,白口,四周單邊。版心下偶存"大業堂"。　善 926.1/630-116

1724

新刻出像增補搜神記六卷

明萬曆元年(1573)金陵唐富春刻清初金陵大盛堂修補本

四册

十行二十字,白口,四周單邊。有圖。卷端鎸"金陵三山對溪唐富春校梓"。封面鎸"金陵大盛堂梓"。　善 857.2/110-03

又一部　六册　善 2197

1725

隋遺錄二卷

(唐)顏師古撰

翰林志一卷

(唐)李肇撰

明弘治十四年(1501)華珵刻《百川學海》本

一册

十二行二十字,白口,左右雙邊。鈐"桐城馬抱潤軒藏書"、"劉盼遂印"印。　善 857.2/667

1726

遊仙窟五卷

(唐)張文成撰

清末抄本

五册

六行十六字,小字雙行同,無格。有圖。鈐"李盛鐸印"、"木齋"印。　善 857.2/311-02

1727

太平廣記五百卷目錄十卷

(宋)李昉等輯

明許自昌刻本

三十二册

十二行二十四字,白口,左右雙邊。鈐"淺草文庫"印。　善857.08/289－07

1728

江淮異人錄一卷

(宋)吳淑撰

舊抄本

一册

十行十七字,無格。　善857.1/440.74

1729

睽車志六卷(殘存一至五卷)

(宋)郭彖撰

明萬曆間會稽商濬刻《稗海》本　(清)傅山批點

一册

九行二十字,白口,四周單邊。鈐"傅山之印"印。　善857.2/638

1730

續夷堅志四卷

題(金)元好問撰

孫氏蝸寄廬抄本

二册

十行二十四字,白口,四周雙邊。版心下鎸"蝸寄廬孫氏抄藏"。　善857 .2/128

1731

月旦堂仙佛奇踪合刻八卷

(明)洪應明撰

明刻本

四册

八行十八字,白口,四周單邊。有圖。

善238/720－02

1732

秋燈叢話十八卷

(清)王椷撰

清乾隆四十二年(1777)刻本

八册

九行十七字,黑口,四周單邊。

善857.2/113－02

道家類

1733

四子全書九卷

(明)董逢元編

明萬曆二十三年(1595)董氏秋聲閣刻綠筠堂印本

八册

九行十八字,白口,左右雙邊。封面鎸"綠筠堂藏板"。

子目:

道德真經一卷

關尹子文始真經一卷

列子冲虚至德真經二卷

莊子南華真經五卷　善121.3/485

1734

三子通義二十卷

(明)朱得之撰

明嘉靖四十三年(1564)至四十四年(1565)浩然齋刻本

八册

九行十七字,小字雙行同,白口,四周雙邊。有刻工。版心上鎸"浩然齋"。

子目:

老子通義二卷　善121.31/835

莊子通義二卷　善121.33/835

列子通義八卷　善121.32/8

1735

老子翼三卷莊子翼八卷

(明)焦竑撰

明萬曆十六年(1588)王元貞刻本

十册

十行二十字,小字雙行同,白口,左右雙邊。

善121.31/917－02

1736

老莊翼十一卷

(明)焦竑撰

明陳長卿刻本

十二册

十行二十字,小字雙行同,白口,左右雙邊。封面鎸"古吳陳長卿梓"。　善121.31/917－03

又一部　十六册　鈐"天馬山房藏書印"、"馬叙倫印"印。　善2030

1737

玉堂校傳如崗陳先生二經精解全編九卷

(明)陳懿典撰

明萬曆二十二年(1594)熊雲濱刻本

六册

十行二十字,小字雙行同,白口,四周單邊。

眉欄鎸評。　善 121.3/378.2

1738
纂圖互註老子道德經二卷
題(漢)河上公章句
元刻本　秦更年跋
二册

十一行二十一字,小字雙行二十一字或二十五字,黑口,四周雙邊。鈐"孫星衍印"、"孫忠愍侯祠堂藏書記"、"東魯觀察使者"諸印。

是書原爲孫星衍舊藏。《平津館鑒藏記書籍》及扉頁秦更年所跋皆定爲南宋坊間刻六子本。

本館另有元刻本《冲虚至德真經》八卷,亦孫氏舊藏。　善 121.31/717

1739
老解二卷
(明)郭子章撰
明刻本
二册

九行十八字,白口,四周單邊。善 121.31/632

1740
老子宗指四卷首一卷
(清)吳世尚撰
清雍正二年(1724)易老莊書屋刻本
一册

十行二十一字,小字雙行同,細黑口,左右雙邊。封面鎸"易老莊書屋藏板"。　善 121.31/435

1741
道德經妙門約二卷
(清)潘靜觀撰
清嘉慶四年(1799)于陽海等刻本　佚名墨筆批注
三册

九行二十字,白口,左右雙邊。鈐"天馬山房藏書印"印。　善 2010

1742
老子覈詁四卷
馬叙倫撰
民國間謄清本
二册

十行二十字。　善 2007

1743
老子校勘記不分卷附老子傳考等不分卷
蔣錫昌撰
民國間稿本
四册　善 121.31/526-02

1744
纂圖互註南華真經十卷
(晉)郭象注　(唐)陸德明音義
明刻本
五册

十一行二十一字,小字雙行二十五字,黑口,左右雙邊。鈐"陳家康藏書"印。
善 121.33/525-637-013

1745
莊子南華真經十卷
(晉)郭象注
明刻本　卷九部分及卷十系抄配　(清)顧瀛批校
十二册

九行十九字,白口,四周單邊。眉上鎸評。
善 121.33/525-637-010

1746
南華真經十卷
(晉)郭象注　(唐)陸德明音義
明嘉靖十二年(1533)顧春世德堂刻《六子全書》本
六册

八行十七字,白口,四周雙邊。版心上鎸"世德堂刊"。鈐"則古氏"、"凌稚隆印"、"天馬山房藏書印"、"夷初"、"石屋"等印。　善 2045

1747
南華真經十卷
(晉)郭象注　(唐)陸德明音義
清金閶聚文堂刻本　楊守敬批校並題識
四册

十行二十一字,小字雙行同,黑口,四周單邊。眉上鎸評。鈐"飛青閣藏書印"、"楊守敬印"、"宜都楊氏藏書記"、"惺吾甫"諸印。
善 121.33/525-637-05

1748
莊子十卷
(晉)郭象注　(唐)陸德明音義
明萬曆三十三年(1605)鄒之嶧刻本
六册

九行十八字,白口,四周單邊。鈐"沈周模字四瞻"、"號江峰一曰檢翁"、"忍辱僊人"、"西吳坦菴居士沈周模恕專閱"、"當湖徐氏思補齋珍藏"、

"嘉興陳其榮珍藏記"等印。

善 121.33/525－637－07

1749

莊子十卷

(晉)郭象注　(唐)陸德明音義

清光緒二年(1876)浙江書局重刻明世德堂本　佚名朱、墨筆過録各家批校

四册

九行二十一字,小字雙行同,白口,左右雙邊。

善 121.33/525－637－011

1750

南華經注疏三十五卷

(晉)郭象注　(唐)成玄英疏

清慎思堂抄本

二十册

九行二十二字,白口,四周雙邊。版心下題"慎思堂"。　善 121.33/525－637－09

1751

莊子南華真經四卷

(唐)陸德明音義

明閔齊伋刻朱墨套印本

四册

九行十九字,白口,四周單邊。鈐"棣華館藏書畫之章"、"馬增祺印"、"閑散野人"、"介眉"、"崔廣智印"諸印。　善 121.33/525－637－2－02

又一部　四册　鈐"王金龍"等印。　善 2032

1752

南華經十六卷

(晉)郭象注　(宋)林希逸口義　(宋)劉辰翁點校　(明)王世貞評點　(明)陳仁錫批注

明刻四色套印本

四册

八行十八字,小字雙行同,白口,四周單邊。

又一部　八册　鈐"誦清閣"、"俞氏家傳書畫之寶"、"俞氏藏書"諸印。

善 121.33/525－637－06

1753

莊子鬳齋口義十卷

(宋)林希逸撰　(明)張四維補

明隆慶間張氏敬義堂刻《三子口義》本

十册

十行二十二字,白口,四周單邊。版心下鐫"敬義堂刊"。鈐"傳家墨寶"、"馬叙倫印"、"天馬山房藏書印"諸印。　善 2033

1754

莊子鬳齋口義十卷

(宋)林希逸撰

新添莊子十論一卷

(宋)李士表撰

日本寬文五年(1665)風月莊左衛門刻本

十册

八行十六字,小字雙行同,白口,四周單邊。

善 121.33/525－4

1755

南華經七卷首一卷

(明)潘其慶集注

明星帶草堂刻本

四册

行、字數不等,白口,四周單邊。眉上鐫評。封面鐫"星帶草堂藏板"。鈐"大中丞后裔章"印。

善 2033

1756

南華真經副墨八卷

(明)陸西星撰

明萬曆六年(1578)李齊芳刻本

十六册

九行十八字,白口,四周單邊。鈐"静安堂"、"馬叙倫"、"天馬山房藏書印"諸印。　善 2050

1757

南華經别編二卷

(明)王宗沐撰

明萬曆三年(1575)施觀民刻本

二册

八行十六字,白口,四周雙邊。

善 121.33/528－118

1758

説莊三卷

(明)李騰芳撰

清乾隆間青蓮齋刻本

三册

九行二十字,白口,四周雙邊。版心下鐫"青蓮齋"。

又一部　二册　鈐"文瀾"、"陳家康藏書"等印。

善 121.33/293

1759

南華真經旁注五卷

(明)方虚名撰
明萬曆二十二年(1594)刻本
五册
六行十七字,小注單行,白口,左右雙邊。有刻工黄德新、黄得懋。　善 121.33/525－626.4

1760
南華真經本義十六卷附錄八卷
(明)陳治安撰
明崇禎五年(1632)刻本
四册
十行二十字,白口,四周單邊。
善 121.33/525－383

1761
新刻韓會狀註釋莊子南華真經狐白四卷
(明)韓敬撰
明萬曆四十二年(1614)書林余氏自新齋刻本
四册
十行二十字,小字雙行同,白口,四周單邊。眉上鎸評。鈐"醉竹軒藏書印"印。
善 121.33/525－229

1762
南華發覆八卷
(明釋)性涵撰
明末刻本
六册
九行二十字,小字雙行同,白口,四周單邊。
善 121.33/941

1763
讀莊一吷不分卷
(清)顧如華撰
清木活字印本
二册
九行二十字,白口,四周單邊。
善 121.33/967

1764
南華簡鈔四卷
(清)徐廷槐撰
清乾隆六年(1741)徐氏刻本
六册
九行二十字,小字雙行,白口,左右雙邊。眉上鎸評。　善 2044

1765
莊子獨見不分卷
(清)胡文英撰
清乾隆十七年(1752)三多齋刻本
六册
十行十九字,小字雙行同,白口,左右雙邊。封面鎸"三多齋藏板"。鈐"龍山蟄廬藏書章"、"陳家康藏書"等印。　善 121.33/220

1766
莊子集釋十卷
(清)郭慶藩撰
清光緒二十二年(1896)思賢講舍刻本　馬叙倫墨筆據《太平御覽》校並朱筆釋義
八册
十一行二十四字,注文中字單行同,疏文小字雙行同,黑口,左右雙邊。　善 2047

1767
莊子哲學一卷莊子字義一卷
民國間稿本
二册　善 121.33/525.4

1768
冲虚至德真經八卷
(晉)張湛注　(唐)殷敬順釋文
元刻本
四册
十一行二十一字,小字雙行同,黑口,四周雙邊。鈐"孫星衍印"、"嘉石軒藏書"、"東魯觀察使者"等印。　善 121.32/312－03
孫星衍《平津館鑒藏記書籍》著錄爲南宋坊間刻六子本。

1769
冲虚至德真經八卷
(晉)張湛注　(唐)殷敬順釋文
元刻明修本
二册
十一行二十一字,小字雙行同,黑口,四周雙邊。鈐"友竹馬氏藏世守書畫記"、"寒雲秘籍珍藏之印"等印。　善 121.32/312－05

1770
列子八卷
(晉)張湛注　(唐)殷敬順釋文
清光緒三年(1876)浙江書局刻本　吳士鑑朱筆批校並墨筆題識
二册
九行二十一字,白口,左右雙邊。鈐"炯齋校

讀之印"印。　善 121.32/312-02

1771

列子冲虚至德真經釋文二卷

(唐)殷敬順撰　(宋)陳景元補遺

清抄本

一册

九行十七字,白口,無格。鈐"秦伯敦甫"、"石研齋秦氏印"、"盱眙吳氏藏書"、"望三益齋"、"戴芝農收藏書畫印"等印。　善 121.32/968

1772

列子鬳齋口義二卷

(宋)林希逸撰　(宋)陳景元補遺

明嘉靖四年(1525)張士鎬刻《三子口義》本

六册

十行十八字,白口,左右雙邊。有刻工。鈐"鮑氏覺園"、"甲申元宵之日"印。

善 121.32/262-02

1773

列子鬳齋口義二卷

(宋)林希逸撰

日本寬永四年(1627)安田安昌容膝亭刻本

四册

九行十九字,黑口,四周雙邊。善 121.32/262

1774

亢倉子三卷

(宋)何粲注

明萬曆間金陵聚奎樓刻本

一册

九行二十字,白口,四周單邊。鈐"弢霞齋印"印。　善 121.39/668

1775

漁莊錄二卷附玄要集二卷

題(宋)漁莊輯

清嘉慶十九年(1814)秦純真抄本

一册

八行字不等,紅格。鈐"純真"、"秦二痴子"印。　善 540.99/537

1776

列仙傳二卷

(漢)劉向撰

明嘉靖三十二年(1553)黃魯曾刻《漢唐三傳》本

二册

十二行二十字,白口,左右雙邊。鈐"旋谷氏藏印"印。　善 238/893

釋家類

1777

二十八經同函一百四十七卷

清雍正十三年(1735)内府刻本

三十二册

十行二十字,白口,四周單邊。有圖。

子目:

大方廣圓覺修多羅了義經二卷　(唐釋)佛陀多羅譯

金剛般若波羅密經一卷　(後秦釋)鳩摩羅什譯

入法界體性經一卷　(隋釋)闍那崛多譯

大佛頂如來密因修證了義諸菩薩萬行首楞嚴經十卷　(唐釋)般剌密帝譯

維摩詰所説經三卷　(後秦釋)鳩摩羅什譯

文殊師利所説摩訶般若波羅密經一卷　(梁釋)曼陀羅僊譯

仁王護國般若波羅密經二卷　(後秦釋)鳩摩羅什譯

佛説如來智印經一卷

勝天王般若波羅密經七卷　(陳釋)月婆首那譯

善住意天子所問經三卷　(北魏釋)毗目智仙共流支等譯

持世經四卷　(後秦釋)鳩摩羅什譯

大乘本生心地觀經八卷　(唐釋)般若等譯

佛説長者女菴提遮師子吼了義經一卷

佛説辯意長者子所問經一卷　(北魏釋)法場譯

佛説五王經一卷

佛説賢者五福德經一卷　(西晉釋)白法祖譯

無量義經一卷　(南齊釋)曇摩伽陀耶舍譯

妙法蓮華經七卷　(後秦釋)鳩摩羅什譯

佛説賢首經一卷　(西秦釋)聖堅譯

佛説白衣金幢二婆羅門緣起經三卷　(宋釋)施護譯

佛説魔逆經一卷　(西晉釋)竺法護譯

大明仁孝皇后夢感佛説第一希有大功德經二卷

思益梵天所問經四卷　(後秦釋)鳩摩羅什譯

楞伽阿跋多羅寶經四卷　(劉宋釋)求那跋陀羅譯
解深密經五卷　(唐釋)玄奘譯
佛説如來不思議秘密金剛手經二十卷　(宋釋)法護等譯
大乘瑜伽金剛性海曼殊室利千臂千鉢大教王經十卷　(唐釋)不空譯
大般涅槃經四十卷後分二卷　(北凉釋)曇無讖等譯　善 220.8/100

1778
維摩詰經二卷
(三國吳釋)支謙譯
清康熙元年(1662)浙江嘉興楞嚴寺般若堂刻本
一册
十行二十字,白口,四周雙邊。 善 221.7/212

1779
妙法蓮華經七卷
(後秦釋)鳩摩羅什譯
明萬曆二十七年(1599)麗江府羅春泥金寫本
七册
五行十五字,上下雙邊。經折裝。鈐"正續中興"、"藏之名山傳之后人"、"性徧之印"、"獅子山正續寺常性印"等印。　善 223.73/854

1780
大方等大集經三十卷
(北凉釋)曇無讖譯
清康熙二十九年(1690)刻本
六册
十行二十字,白口,四周雙邊。善 221.59/465

1781
佛母大孔雀明王經三卷
(唐釋)不空譯
明萬曆二十年(1592)刻本
三册
五行十五字,上下雙邊。經折裝。　善 2237

1782
大佛頂如來密因修證了義諸菩薩萬行首楞嚴經如説十卷
(明)鍾惺輯
明天啓四年(1624)弘覺山房刻本
十册
九行十八字,白口,四周單邊。版心下鐫"弘覺山房"。鈐"陳文田硯卿氏藏本"印。
善 223.78/937

1783
佛遺教經註一卷佛説四十二章經註一卷
(明釋)古靈了童補注
清乾隆元年(1736)莊府刻本
二册
八行二十字,白口,四周雙邊。　善 2251

1784
子遊眼三藏取經解懺理六卷
題(清)無夢道人撰
清康熙二十二年(1683)刻本
六册
九行二十字,白口,四周雙邊。 善 220.7/857

1785
釋迦如來成道記一卷
(唐)王勃撰　(唐釋)道誠注
清抄本
一册
七行十七字,小字雙行同,無格。鈐"葉德祿印"印。　善 228.1/113-762-02

1786
指月錄三十二卷
(明)瞿汝稷撰
明萬曆三十年(1602)釋通一刻本
十册
十一行二十一字,白口,四周單邊。卷末鐫"板存金陵普德寺禪堂"。鈐"重泰禪寺"印。
善 12365

1787
佛法金湯編十六卷
(明釋)心泰撰
明萬曆二十八年(1600)刻本
四册
九行二十字,白口,左右雙邊。有刻工孫納、張紹祖。鈐"王曙和印"、"五畝園主"、"别號虚自"、"陸時化印"、"聽松山人"印。 善 228.9/776

1788
法喜志二卷補遺一卷
(明)夏樹芳撰
清初雲棲寺刻本
二册
十行二十字,白口,左右雙邊。 善 228.9/348

1789

居士傳五十六卷

題(清)知歸子撰

二林居唱和詩一卷體仁要術一卷

清乾隆間長洲彭氏刻本

三册

十一行二十三字,黑口,左右雙邊。封面鎸“長洲彭氏藏板”。鈐“毗陵鎦氏毅遠堂藏書”、“武進劉子脊生遺書”印。　善 228.9/836-02

1790

異方便净土傳燈歸元鏡三祖實録二卷

(清釋)智達撰

清乾隆十九年(1754)刻本

二册

十行二十字,白口,四周單邊。有圖。

善 226.8/836-03

1791

釋氏源流應化事蹟二卷

(清)孫祖奭輯

清抄本

二册

雙節欄。上欄圖,下欄十八行十六字,黑口,四周雙邊。鈐“劉氏經眼”、“清愛堂”印。

善 228.1/360

1792

一切經音義二十五卷(殘存卷十)

(唐釋)玄應撰

元刻本

一册

六行字不等。經折裝。　善 1435

1793

一切經音義二十五卷

(唐釋)玄應撰

補訂新譯大方廣佛華嚴經音義二卷

(唐釋)慧苑撰

清同治八年(1869)曹籀刻本　(清)褚儀過録　(清)盧文弨校

四册

十二行二十四字,小字雙行同,大黑口,四周單邊。鈐“郎亭校讀”、“叔庵所藏”印。

善 223/128-02

1794

一切經音義一百卷

(唐釋)慧琳撰

續一切經音義十卷

(遼釋)希麟撰

日本延享三年(1746)獅谷白蓮社刻本

五十五册

十行二十字,小字雙行,上黑口,四周雙邊。

又一部　三十二册鈐“高閬仙藏書記”印。

善 223/126-02

又一部　五十五册　善 1434

1795

五大部直音三卷

(清釋)上路輯

清康熙十六年(1677)浙江靈隱經房刻本

三册

十行大、小字不等,白口,四周雙邊。鈐“惠月”、“宗承”、“皆得堂”等印。　善 422.7/487

1796

諸佛世尊如來菩薩尊者神僧名經不分卷

(明)成祖朱棣撰

明永樂間内府刻本

八册

十六行三十字,黑口,四周雙邊。

善 224.5/603.68

1797

諸佛世尊如來菩薩尊者名稱歌曲不分卷感應歌曲二卷

(明)成祖朱棣撰

明永樂間内府刻本

六册

十六行三十一字,黑口,四周雙邊。有圖。

善 224.5/603

1798

諸佛如來菩薩名稱歌曲不分卷

(明)成祖朱棣撰

明永樂十五年(1417)内府刻本

六册

八行十九字,黑口,四周雙邊。鈐“蜀丞”、“辭經堂”、“孫人和藏書記”印。　善 224.5/603.6

1799

天地冥陽水陸儀文三卷天地冥陽水陸壇場式一卷

明刻本

四册

十二行十六字,白口,四周雙邊。　善 224/130

1800
大慧普覺禪師語錄三十卷大慧普覺禪師年譜一卷
(宋釋)祖詠撰
大慧普覺禪師宗門武康一卷
(宋釋)道謙撰
雪堂行和尚拾遺錄一卷
(宋釋)大慧撰
清刻本
八册
十一行二十字,白口,左右雙邊。有圖。鈐"孫華卿章"印。　善 220.7/354.2

1801
天愚和尚蓬語一卷千巖語錄一卷
(明釋)寂鑑輯
明萬曆四十六年(1618)刻本
一册
十行二十字,白口,四周雙邊。鈐"小李山房圖籍"印。　善 220.7/700

1802
黄蘗無念禪師復問三卷醒昏錄一卷附錄二卷
(明釋)明聞輯
明天啓五年(1625)姑蘇兜率園刻本
二册
十行二十字,白口,四周雙邊。鈐"黄陂陳氏究齋圖籍記"、"仁壽毛倧金石是佳"、"傳燈崖精舍"等印。　善 18664

1803
御選語錄十九卷
(清)世宗胤禛輯
清雍正十一年(1733)刻本
十四册
十行二十一字,白口,四周單邊。　善 18684

耶教類

1804
天主實義二卷
(泰西)利瑪竇撰
明萬曆三十五年(1607)汪孟樸刻本
四册
十行二十字,白口,四周雙邊。　善 10514

1805
聖年廣益十二編首一編
(法蘭西)馮秉正譯
清乾隆間刻本
二十四册
八行二十字,白口,四周雙邊。　善 9828

1806
彌撒經典不分卷
(泰西)利類思譯
民國十八年(1929)陳氏勵耘書屋抄本　陳垣親題書名
五册
十行二十五字。　善 3699

1807
聖事禮典不分卷
(泰西)利類思譯
民國十八年(1929)陳氏勵耘書屋抄本　陳垣校並親題書名
三册
十行二十五字。　善 3692

類書類

1808
編珠二卷
(隋)杜公瞻撰
補遺二卷續編珠二卷
(清)高士奇輯
清康熙三十七年(1698)高氏自刻本
四册
九行十六字,黑口,四周單邊。鈐"復菴"印。　善 041/250
又一部(與《謝華啓秀》八卷合函)　三册　善 12261

1809
藝文類聚一百卷
(唐)歐陽詢輯
明嘉靖六年(1527)至七年(1528)胡纘宗、陸采刻本
二十册
十四行二十八字,白口,左右雙邊。有刻工。鈐"夢選樓胡氏宗楙藏"、"韶州府印"、"莫棠楚生甫印"、"獨山莫氏銅井文房藏書印"、"劉盼遂印"、"康生"、"康生看過"、"大公無私"、"歸公"諸印。　善 041/423－05

1810
藝文類聚一百卷
(唐)歐陽詢輯
明萬曆十五年(1587)秣陵王元貞校刻本
二十册
十行二十字,白口,左右雙邊間有四周單邊。
又一部　十六册　鈐"吳興徐鴻寶藏書之印"、"劉文典"、"莫繩孫字仲武"、"孟津高氏"、"高閬仙藏書記"等印。　善 041/423－02

1811
北堂書鈔一百六十卷
(唐)虞世南輯　(明)陳禹謨補注
明萬曆二十八年(1600)陳禹謨刻本
十六册
九行二十字,小字雙行同,白口,左右雙邊。鈐"鼓瑟齋珍藏書畫記"、"儀徵滿氏醒黄珍賞"、"鎮南軍假司馬"等印。　善 073/489－02
又一部　鈐"明倫堂印"、"江陽陳氏孟孚收藏書畫金石印章"印。　善 0333

1812
初學記三十卷
(唐)徐堅等輯
明嘉靖十三年(1534)晉府虛益堂刻本
十二册
九行十八字,小字二十四字,上黑口,左右雙邊。鈐"孟津高氏"、"高閬仙藏書記"、"簃樓"諸印。　善 041/949－06

1813
初學記三十卷
(唐)徐堅等輯
明萬曆二十五年(1597)至二十六年(1598)陳大科刻本　(清)李慈銘題識
十册
九行二十字,小字雙行同,白口,左右雙邊。鈐"越縵堂主"、"蒓客"、"越縵堂藏書印"、"慈銘私印"諸印。　善 041/949－03

1814
古香齋鑒賞袖珍初學記三十卷
(唐)徐堅等輯
清乾隆間武英殿刻本　樂嘉藻題識
十二册
九行十八字,小字雙行同,白口,四周雙邊。鈐"樂嘉藻印"、"嘉藻珍藏之印"、"彩臣"等印。　善 041/949

1815
唐宋白孔六帖一百卷目錄二卷
(唐)白居易　(宋)孔傳輯
明刻本
三十二册
十行十八字,白口,左右雙邊。有刻工。　善 6122

1816
事類賦三十卷
(宋)吳淑撰注
明翻刻明嘉靖十一年(1532)崇正書院刻本
十二册
十二行二十字,白口,四周雙邊。有刻工。版心上鎸"崇正書院"。鈐"曹家駼印"、"江都曹氏家駼秘籍"、"曹聲濤印"印。　善 041/440－04

1817
事類賦三十卷
(宋)吳淑撰注
廣事類賦四十卷
(清)華希閔撰
清康熙間芸經堂刻本
十六册
十二行二十字,白口,左右雙邊間有四周單邊。封面鎸"芸經堂藏板"。　善 041/440－03

1818
事類賦三十卷
(宋)吳淑撰注
清康熙間華氏劍光閣刻本
六册
十二行二十字,細黑口,左右雙邊。封面鎸"劍光閣藏板"。　善 041/440－02

1819
册府元龜一千卷
(宋)王欽若等奉敕撰
明崇禎十五年(1642)黄國琦刻清乾隆間修補本有抄配
二百四册
十行二十字,小字雙行同,白口,四周單邊。　善 041/120
又一部　二百四十册　善 0090

1820
文選雙字類要三卷

題(宋)蘇易簡撰
明嘉靖十九年(1540)姚虞、范季本刻本
三册
十行二十字,小字雙行同,白口,左右雙邊。鈐"范止箴印"、"烏臺總憲"印。　善422.9/554

1821
新刻事物紀原十卷
(宋)高承輯
明萬曆間胡文焕刻《格致叢書》本　佚名朱筆校
六册
十行二十字,白口,左右雙邊。鈐"五松書"、"臣星衍印"、"沈雲閣所藏"、"番禺陶福祥藏"諸印。　善041/642

1822
海錄碎事二十二卷
(宋)葉廷珪輯
明萬曆二十六年(1598)劉鳳刻本
十二册
十二行二十一字,白口,左右雙邊。鈐"京江燕翼堂錢氏藏書"、"秦州劉漢臣麓樵氏審藏善本"、"吳郡張紹仁孝安執經堂藏書"等印。
善041/504
又一部　二十四册　善18119

1823
東萊先生詩律武庫十五卷後集十五卷
(宋)呂祖謙輯
清康熙五十四年(1715)鄭氏桃源山莊刻本
四册
九行十九字,白口,左右雙邊。封面鎸"桃源山莊藏板"。卷末有"康熙乙未七月洞庭東山鄭氏校刻於桃源山莊"木記。　善041/449

1824
新刊歷代制度詳説十二卷
(宋)呂祖謙撰
清抄本
四册
八行十八字,無格。　善323.1/449

1825
錦繡萬花谷前集四十卷後集四十卷續集四十卷
明嘉靖十四年(1535)徽藩崇古書院刻本
二十册
九行十七字,小字雙行同,白口,四周單邊。版心上鎸"敕賜崇古書院刻"。　善3759

1826
錦繡萬花谷前集四十卷後集四十卷續集四十卷別集三十卷
明嘉靖十五年(1536)秦汴繡石書堂刻本
二十四册
十二行二十一字,白口,左右雙邊。版心上鎸"繡石書堂"。　善041/938

1827
錦繡萬花谷前集四十卷後集四十卷續集四十卷
明刻本
二十四册
十二行二十一字,白口,左右雙邊。鈐"萬選樓胡氏宗楙藏"、"聽雨樓查氏甙圻珍賞圖書"、"燕山昌平郡北邵里張氏積善堂書記"、"劉盼遂印"、"康生"等印。　善041/938-02

1828
新編古今事文類聚前集六十卷後集五十卷續集二十八卷別集三十二卷
(宋)祝穆輯
新集三十六卷外集十五卷
(元)富大用輯
明内府刻本
八十册
十行十八字,黑口,四周雙邊。
又一部　前集六十卷　二十九册　善3332
後集五十卷　二十七册　善3334
續集二十八卷　十九册　善3333
別集三十二卷　十九册　善3335
新集三十六卷　十九册　善3336
外集十五卷　十册　善3338

1829
新編古今事文類聚前集六十卷後集五十卷續集二十八卷別集三十二卷
(宋)祝穆輯
新集三十六卷外集十五卷
(元)富大用輯
遺集十五卷
(元)祝淵輯
明萬曆間唐富春德壽堂刻安正堂劉元初印本
六十五册
十一行二十四字,白口,四周單邊。版心下偶存"得壽堂重梓"。封面鎸"安正堂劉元初重梓"。
善041/106

1830

羣書考索前集六十六卷(存卷一至十九、二十一至六十六)**後集六十五卷續集五十六卷别集二十五卷**

(宋)章如愚輯

明正德三年(1508)至十三年(1518)劉洪慎獨齋刻正德十六年(1521)重修本

三十二册

十四行二十八字,黑口,左右雙邊。有像。目録後有"皇明正德戊寅慎獨書齋刊"木記。又别集末有"正德十六年十一月内蒙建寧府知府張、邵武府同知同校正過山堂考索,計改差訛三千二十七字。書户劉洪改刊"。　善 041/655

1831

古今合璧事類備要前集六十九卷後集八十一卷續集五十六卷

(宋)謝維新輯

别集九十四卷外集六十六卷

(宋)虞載輯

明嘉靖三十一年(1552)至三十五年(1556)夏相刻本

八十六册

八行,小字雙行二十四字,白口,左右雙邊。有刻工夏文德、寫工吳應龍等。鈐"大雅山房"、"御兒鄉呂聚之家藏"印。

又一部(存後集)　二十六册　鈐"黄扉青瑣"、"劉盼遂印"、"康生"等印。　善 041/623

1832

新鍥簪纓必用增補秘笈新書十三卷别集三卷

(宋)謝枋得輯　(明)吳道南增補

明萬曆三十六年(1608)刻本

八册

十一行二十二字,白口,四周雙邊。鈐"少泉蔡氏珍藏"、"求善價而沽諸"印。　善 10741

1833

新增説文韻府羣玉二十卷

(元)陰時夫輯　(元)陰中夫注

明刻本

二十册

十一行大字不等,小字雙行二十九字,黑口,四周雙邊。　善 423.9/407-02

1834

新增説文韻府羣玉二十卷

(元)陰時夫輯　(元)陰中夫注　(明)王元貞校正

明萬曆十八年(1590)王元貞刻本

十册

十一行二十二字,小字雙行同,白口,左右雙邊。序及凡例後鎸"金陵徐智督刊"。鈐"翠蔭山房珍藏"、"南陜藏書"印。

又一部　二十册　鈐"葉遵印"、"王孟起卧痴閣圖書"等印。

又一部　二十册　鈐"高陽張氏静修精舍藏書"、"雁門馮氏翠滂樓藏書"印。　善 423.9/407

1835

新增説文韻府羣玉二十卷

(元)陰時夫輯　(元)陰中夫注　(明)王元貞校正

清初文光堂刻本

二十四册

十一行二十二字,小字雙行同,白口,四周單邊。版心下鎸"文光堂"。　善 5683

1836

聲律發蒙二卷

(元)祝明撰

明刻本

一册

八行二十二字,白口,四周單邊。封面鎸"文運堂梓"。　善 424.7/106

1837

千家姓一卷

(明)吳沉等撰

舊抄本

一册　善 428.1/440

1838

新刊姓源珠璣六卷

(明)楊信民輯

明萬曆二十八年(1600)閻伯子刻本

六册

十行二十字,白口,四周單邊。

善 982.04/273

1839

姓源珠璣六卷

(明)楊信民輯

舊抄本

四册

九行二十五字,白口,無格。鈐"沈氏粹芬閣所得善本書"、"研易樓藏書印"印。

善 982.04/273－02

1840

原始祕書十卷

(明)朱權輯

清抄本

六册

九行二十字,無格。鈐"翰林院"(滿漢文)、"秀水王相"、"王氏信芳閣藏書印"諸印。

善 041/828

1841

對類二十卷首一卷

(明)吳勉學考注

明萬曆二十三年(1595)吳勉學刻本

十二册

十二行二十四字,小字雙行同,白口,左右雙邊。總目後鐫"新安吳勉學攷注重梓"、"金陵徐智督刊"。鈐"餘姚謝氏永耀樓藏書"印。

善 041/442

1842

新刻訂補註釋會海對類十九卷(存卷一至三)卷首一卷

明古潭書林楊帝卿刻本

一册

十六行二十七字,白口,四周雙邊。有圖。卷端鐫"書林楊帝卿繡梓"。鈐"燦若"印。

善 041/582

1843

羣書集事淵海四十七卷

明弘治十八年(1505)賈性刻本　有抄配

六十册

十二行二十四字,黑口,四周雙邊。鈐"濠堂所得善本"、"欣之之印"、"臣劉紹濂"、"澮通丙辰所得"、"蓉裳收藏印"等印。　善 041/324

1844

紺珠不分卷

明霄峥閣抄本

一册

九行二十四字,白口,藍格,四周單邊。鈐"致克"印。

是爲殘本,另半部存上海圖書館。善 041/858

1845

羣書麗句二卷

(明)楊愼輯

明刻本

二册

八行十六字,白口,左右雙邊。善 041/271－2

1846

新編博物策會十七卷

(明)戴璟撰

明嘉靖十七年(1538)李復初、高鳳鳴刻本

四册

十二行二十一字,白口,四周單邊。鈐"王氏信芳閣藏書印"、"沈氏粹芬閣所得善本書"、"研易樓藏書印"諸印。　善 982.1/213

1847

謝華啓秀八卷

(明)楊愼撰

清康熙間高士奇刻本

一册

九行十六字,小字雙行同,黑口,四周雙邊。(與《編珠》二卷等合函)　善 12261

1848

新刊唐荆川先生稗編一百二十卷目錄三卷

(明)唐順之輯

明萬曆九年(1581)茅一相文霞閣刻本

六十四册

十行二十字,白口,四周雙邊。有刻工周雷、周邦明等。鈐"安昌毛氏藏書之印"、"無竟先生獨志堂物"、"瀧川藏書"等印。　善 041/667

1849

修辭指南二十卷

(明)浦南金輯

明嘉靖三十六年(1557)浦氏五樂堂刻張象賢印本

十二册

九行十八字,白口,左右雙邊。有刻工,版心下鐫"五樂堂"。　善 041/718

1850

左粹類纂十二卷

(明)施仁輯

明嘉靖間錫山安國弘仁堂刻本

八册

十一行二十二字,小字雙行同,白口,左右雙邊。鈐"觀生堂印"印。　善 041/627

1851

彙苑詳註三十六卷

(明)王世貞輯
明萬曆二十三年(1595)刻本
八册
十行二十字,小字雙行同,白口,左右雙邊。鈐"陳本之印"、"居三氏"、"陳木齋"等印。
善 041/842.7

1852
天中記六十卷
(明)陳耀文輯
明刻本
三十册
十一行二十一字,白口,左右雙邊。
又一部　六十册　善 041/382
又一部　六十册　善 2300

1853
國憲家猷五十六卷(殘存卷五至六、九至十)
(明)王可大撰
明萬曆十年(1582)自刻本
二册
九行十八字,白口,四周單邊。鈐"煙客"、"掃花菴藏書"、"劉盼遂印"諸印。　善 041/114

1854
三才圖會一百六卷
(明)王圻撰
明萬曆三十七年(1609)刻王爾賓重修本
一百二十册
九行二十二字,白口,四周單邊。　善 524/113
又一部　八十册　善 11909

1855
正音攟言四卷
(明)王荔撰　(明)王允嘉注
明崇禎元年(1628)刻本
四册
八行二十字,白口,四周雙邊。眉欄鎸音注。
善 10059

1856
丹霞姓氏彙典二卷增補一卷
(明)邢參撰
清康熙十五年(1676)濟美堂刻本
二册
九行二十字,小字雙行,白口,四周單邊。版心下鎸"濟美堂"。原鈐"内翰林院胡衙藏板"印。
善 982.04/129

1857
喻林一百二十卷
(明)徐元太輯
明翻刻萬曆四十三年(1615)本
六十四册
十行二十字,小字雙行同,白口,四周單邊。
善 041/946

1858
古儁考略六卷
(明)顧充輯
明萬曆二十七年(1599)李楨、蕭大亨等刻本
六册
七行字不等,白口,左右雙邊。鈐"曾藏姚致堂家"、"智樞氏"、"曾寄梁園李氏家"等印。
善 041/964

1859
圖書編一百二十七卷
(明)章潢輯
章斗津先生年譜一卷
(明)丘日敬撰
章斗津先生行狀一卷
(明)萬尚烈撰
明萬曆四十一年(1613)涂鏡源等刻本
六十册
十行二十二字,白口,四周單邊。
善 041/655.7

1860
經濟類編一百卷
(明)馮琦輯
明萬曆三十二年(1604)周家棟等刻本
一百册
十行二十字,白口,四周單邊。姓氏後鎸"大明萬曆三十二年校刻於浙虎林郡南屏山"。鈐"佩刃"印。　善 041/766

1861
六經類雅五卷
(明)徐常吉輯
明萬曆十七年(1589)刻本
十册
九行二十字,白口,四周雙邊。鈐"此静坐齋珍藏"、"湘圃氏章"、"陳鱣收藏"等印。
善 091.337/950

1862
學海君道部□卷(殘存卷八十四至八十五)
(明)饒伸輯
明萬曆三十六年(1608)刻本
一册
十一行二十六字,白口,四周單邊。鈐"天祿繼鑒"、"太上皇帝之寶"、"八徵耄念之寶"、"五福五代堂古稀天子寶"、"乾隆御覽之寶"、"延秋閣物"諸印。　善041/940

1863
新刻彭氏類編雜説六卷
(明)彭好古輯
明萬曆十五年(1587)吳勉學刻本
十二册
十行二十二字,白口,四周單邊。卷端鎸"門人吳勉學吳時集校"。　善041/185

1864
增訂二三場羣書備考四卷
(明)袁黄撰　(明)袁儼注
明大觀堂刻本
八册
九行二十一字,小字雙行同,白口,四周單邊。封面鎸"大觀堂梓"。鈐"以勤補拙"印。
善046/188

1865
抄撮袁坤儀群書備考不分卷
(明)袁黄撰
清雙桂書屋抄本
四册
八行二十四字,小字雙行同。竹册式。版框外鎸"雙桂書屋"。鈐"五桂堂"、"松陵"印。
善2317

1866
駢志類編十卷補遺一卷續集十卷補遺一卷
(明)陳禹謨輯
清抄本
三十六册
八行大字不等,小字雙行二十四字,無格。鈐"學壽老人"、"曾藏沈燕謀家"、"衡齋書畫之章"印。　善041/384.86

1867
新刻古今玄屑八卷
(明)王家佐輯評
明刻本
八册
九行二十字,白口,四周單邊。　善041/118

1868
玉堂故事大全十卷
(明)鍾惺輯
明刻本
三册
九行十八字,小字雙行同,白口,四周單邊。卷九至卷十題:玉堂故事巧對。　善857.1/937

1869
山堂肆考二百四十卷
(明)彭大翼撰
明萬曆二十三年(1595)刻本
四十册
十一行二十二字,白口,四周單邊。鈐"雲間陶氏藏書之印"、"南村草堂校定"印。　善18925

1870
山堂肆考二百四十卷
(明)彭大翼撰
明萬曆二十三年(1595)刻萬曆四十七年(1619)張幼學重修本
八十册
十一行二十二字,白口,四周單邊。鈐"萬卷藏書宜子弟"印。
又一部　八十册　鈐"宗北鈞藏"印。　善071/185

1871
新鍥考數問奇諸家字法五侯鯖三卷
(明)陳三策輯
明萬曆三十一年(1603)萃慶堂刻本
三册
雙節板。上欄十一行九字,下欄五行八字,白口,四周雙邊。鈐"羅錦日章"、"周在休東隆阜郵"等印。　善745/377

1872
精鋟星卿瞿先生彙拔舉業文航四卷
(明)瞿汝説輯
明萬曆間刻本
一册
十行二十一字,小字雙行同,白口,四周單邊。卷端鎸"譚城書坊泗泉余彰德梓行"。
善856.5/476

1873

唐類函二百卷目錄二卷

(明)俞安期輯

明萬曆三十一年(1603)自刻本

四十册

十行二十字,小字雙行同,下細黑口,四周單邊。鈐"竹垞家珍"、"陳編世守"、"太子舍人"、"傳之同好"等印。

又一部　四十八册　頭兩册系抄配。　善 041/990

又一部　四十册　善 10667

1874

文苑彙雋二十四卷

(明)孫丕顯輯

明萬曆三十六年(1608)刻本

八册

十一行二十一字,小字雙行同,白口,四周單邊。眉上鐫注。鈐"萬石君家"、"志鯨"印。

善 423.9/362

1875

劉氏鴻書一百八卷

(明)劉仲達輯

明萬曆間陳長卿刻本

八十册

十行二十一字,白口,四周單邊。封面鐫"古吳陳長卿梓"。　善 041/893

又一部　十六册　善 10681

1876

事言要玄天集三卷地集八卷人集十四卷事集四卷物集三卷

(明)陳懋學輯

明萬曆四十六年(1618)楊秉正、王民皞等刻本

四十册

十一行二十四字,小字雙行同,白口,四周單邊。　善 041/378

1877

廣博物志五十卷

(明)董斯張撰

明萬曆四十三年(1615)董氏高暉堂刻本

三十二册

九行十八字,白口,四周單邊。版心下鐫"高暉堂"。有刻工蔣禮等。鈐"家住剡溪第二泉"、"高洽堂"、"萊山堂"等印。　善 041/541

1878

廣博物志五十卷

(明)董斯張撰

明董氏高暉堂刻清乾隆二十六年(1761)印本

三十二册

九行十八字,白口,四周單邊。版心下鐫"高暉堂"。　善 12352

1879

花鳥争奇三卷

(明)鄧志謨(題鄧百拙生)輯

明春雨堂刻《七種争奇》本

三册

六行二十字,白口,四周單邊。有圖。鈐"字北文"、"王起鳳印"印。　善 831/372

1880

太史華句八卷

(明)凌迪知輯

明萬曆四年(1576)至五年(1577)凌稚隆刻《文林綺繡》本

四册

八行十七字,白口,左右雙邊。有刻工沈玄易等。鈐"彦梅"、"肥遯廬"、"佩蘭館"、"含德堂"、"李國松"印。　善 041/765

1881

文選錦字錄二十一卷

(明)凌迪知輯

明萬曆四年(1576)至五年(1577)凌氏刻《文林綺繡》本

二十册

八行十七字,白口,左右雙邊。版心下鐫刻工、寫工。鈐"如松"、"范定印"印。

又一部　十二册　善 830/514－765

1882

古今萬姓統譜一百四十卷歷代帝王姓系統譜六卷氏族博考十四卷

(明)凌迪知輯

明萬曆間刻後印本

七十六册

九行二十字,小字雙行,白口,四周單邊。有刻工。版心下鐫刻工、寫工名。　善 982.1/765

又一部　二十四册　善 3691

1883

新鐫名公釋義全備墨莊白眉故事六卷

題(明)呰窳子輯

明萬君甫刻本
六册
十一行二十六字,白口,四周單邊,有圖。
善 041/611－03

1884
新鐫陳太史子史經濟言十二卷新刻陳太史經制考略八卷
(明)陳子壯撰
明天啓間刻本
四册
十行二十字,白口,四周單邊。眉上鐫評。鈐"惜陰齋"印。 善 074/379.3

1885
潛確居類書一百二十卷
(明)陳仁錫輯
明崇禎十五年(1642)陳智錫繼志堂刻本
四十册
九行二十字,白口,四周單邊。版心下鐫"繼志堂"。 善 0091

1886
潛確居類書一百二十卷
(明)陳仁錫輯
明崇禎賜閒堂刻本
八十册
十行二十字,白口,四周單邊。封面鐫"賜閒堂藏板"。
又一部　八十册　鈐"黄岡程氏藏書"、"深柳讀書堂"印。 善 041/384

1887
四六霞肆十六卷
(明)何偉然輯
明末胡正言十竹齋刻聚錦堂印本
十册
八行十八字,白口,四周單邊。版心下鐫"十竹齋"。封面原鈐"聚錦堂"印。 善 041/903

1888
四六鴛鴦譜十二卷新集十二卷
(明)陰太乙　蘇紫蓋輯
明崇禎間刻本
六册
九行十八字,小字雙行同,白口,左右雙邊。《新集》卷端署"書林呂太如較梓"。善 856.3/407

1889
博物典彙十九卷
(明)黄道周輯
明崇禎間刻清初大雅堂印本
十二册
九行十九字,白口,左右雙邊。封面鐫"大雅堂梓"。 善 041/170

1890
增删陶朱公奇書類纂六卷
(明)陳繼儒輯
明崇禎九年(1636)刻本
二册
九行二十字,白口,四周單邊。 善 041/384.8

1891
麗句集六卷
(明)許之吉輯
明天啓間刻本
七册
九行十九字,白口,四周單邊。 善 041/612

1892
姓氏譜纂七卷
(明)李日華輯　(明)魯重民補
明崇禎元年(1628)刻《四六全書》本
四册
九行二十字,小字雙行同,白口,四周單邊。鈐"合肥王氏藏書畫印"、"謙齋"、"王尚辰印"、"冰翠堂"、"積學齋徐乃昌藏書"諸印。
善 982.04/171

1893
時物典彙二卷
(明)李日華輯　(明)魯重民補訂
明崇禎元年(1628)刻《四六全書》本
四册
九行二十字,白口,四周單邊。鈐"澹園"印。
善 041/289.4

1894
廣韻藻六卷
(明)方夏輯
明崇禎十五年(1642)方來刻本
六册
八行十八字,小字雙行同,白口,左右雙邊。鈐"張曾望印"、"孫鄂珍藏"等印。
善 424.5/626.3
又一部　六册　鈐"慈谿畊餘樓"、"馮氏辨齋藏書"

印。　善9987

1895

尚友錄二十二卷

(明)廖用賢輯

明天啓元年(1621)刻本

十二册

七行大字不等,小字雙行十八字,白口,四周單邊。版心下鐫刻工及字數。　善982.1/670

1896

子史類語二十四卷

(明)胡尚洪輯

明天啓六年(1626)刻本

六册

九行十九字,白口,四周單邊。伍承載序首頁版心下鐫"李元甫梓"。　善041/219

1897

新鐫雅俗通用珠璣藪八卷

題(明)西湖散人輯

明崇禎間刻本

四册

九行二十字,小字雙行同,白口,四周單邊。

善041/152

1898

增補類編音釋四民切用便讀雜字四卷

(明)余一夔輯

明末書林詹鍾瑞刻本　有抄配

一册

八行大小字不等,白口,四周單邊。

善423.9/988

1899

新刊古今類書纂要十二卷

(明)璩崑玉輯

日本寛文九年(1669)刻本

七册

九行十八字,小字雙行同,白口,四周單邊。

善045/122

1900

册府元龜獨制三十卷

(明)曹胤昌輯評

明末刻本

三十册

九行二十二字,白口,四周單邊。鈐"劉盼遂印"等印。　善041/120-147

1901

類書纂要三十三卷

(清)周魯輯

清康熙間侯杲刻本

二十四册

九行二十二字,小字雙行同,白口,四周單邊。

善041/820

1902

廣群輔錄六卷

(清)徐汾撰

清康熙九年(1670)刻本

二册

十行二十字,小字雙行同,白口,四周雙邊。

善982.1/404-952

1903

齒譜九卷

(清)易宗涒輯

清雍正三年(1725)賜書堂刻本

九册

十四行二十八字,黑口,左右雙邊。版心下鐫"賜書堂藏板"。封面題"歷代名賢齒譜"。

善982.1/404-952

1904

三才彙編六卷

(清)龔在升撰　(清)顧珵美增補

清康熙五年(1666)刻本

二册

九行二十四字,白口,左右雙邊。有圖。

善041/659.3

1905

三才藻異三十三卷

(清)屠粹忠撰

清康熙二十八年(1689)栩園刻本

二十四册

八行十九字,小字雙行,白口,四周雙邊。版心下鐫"栩園"。鈐"無竟先生獨志堂物"印。

善041/319

1906

希姓補五卷

(清)單隆周撰

清康熙間刻本

二册

九行二十字,小字雙行同,白口,四周單邊。

封面鎸"雪園藏板"。　善 982.04/272.7－430

1907

振綺類纂四卷

(清)翁天游　(清)宗觀輯

清康熙三年(1664)翼雲堂刻本

八册

十行二十一字,白口,左右雙邊。封面鎸"翼雲堂藏板"。　善 041/983

1908

古事比五十二卷

(清)方仲德輯

清康熙四十五年(1706)書種齋刻本

二十四册

九行二十一字,小字雙行同,白口,左右雙邊。版心下鎸"書種齋"。　善 041/626

1909

杜韓詩句集韻三卷

(清)汪文柏輯

清康熙四十五年(1706)汪氏古香樓刻本

三册

八行字不等,小字雙行二十三字,黑口,左右雙邊。封面鎸"古香樓藏板"。鈐"滌盦藏書之印"印。　善 844.17/243－712－02

1910

淵鑒類函四百五十卷目錄四卷

(清)張英　(清)王士禛等輯

清康熙四十九年(1710)清吟堂刻本

一百四十册

十行二十一字,小字雙行同,黑口,四周雙邊。封面鎸"板藏清吟堂"。　善 041/309－02

1911

三體摭韻不分卷

(清)朱昆田輯

清抄本

二十四册

雙節欄。上下欄十行字不等,白口,四周單邊。　善 041/830

1912

讀書記數略五十四卷

(清)宮夢仁輯

清康熙間刻本

二十四册

十一行二十一字,下黑口,四周雙邊。　善 041/700

1913

省軒考古類編十二卷

(清)柴紹炳撰

清雍正三年(1725)刻乾隆二十三年(1758)增補本

六册

十行二十一字,小字雙行同,黑口,左右雙邊。

又一部　五册　善 071/501

1914

格致鏡原一百卷

(清)陳元龍輯

清康熙五十六年(1717)刻雍正十三年(1735)印本

十六册

十一行二十一字,黑口,左右雙邊。鈐"曾經星垣閲過"、"星垣珍藏"印。　善 041/377

又一部　二十四册　鈐"如臯章氏藏書"印。　善 10679

1915

子史精華一百六十卷

(清)聖祖玄燁撰

清雍正五年(1727)武英殿刻本

六十四册

八行二十四字,小字雙行同,白口,四周雙邊。鈐"萝選樓胡氏宗楙藏"印。　善 041/716－1－04

1916

事物異名錄四十卷

(清)厲荃輯　(清)關槐增補

清乾隆間刻本

二十册

十一行二十一字,白口,左右雙邊。鈐"環翠山房詩辭書畫印"印。

又一部　十册　鈐"紹彝謹藏"、"瑞明之印"、"小超持此"等印。　善 041/337

又一部　十二册　善 9479

1917

喻林一葉二十四卷

(清)王蘇輯

清乾隆五十九年(1794)劉質谷刻本

六册

八行十八字,白口,四周雙邊。　善 10672

1918

典制類林四卷

(清)唐式南輯

清乾隆三十年(1765)刻本　佚名朱、墨筆批校
四册
九行二十五字,小字雙行同,白口,左右雙邊。
善041/667.1

1919
四書琳琅冰鑑五十四卷
(清)董餘峰輯　(清)高其閎注釋
清乾隆三十九年(1774)南翼正誼堂刻本
十二册
九行二十五字,小字雙行同,白口,四周雙邊。版心下鐫"正誼堂"。　善041/641

1920
闔姓類集儷語四卷
(清)張越英撰
清乾隆二十年(1755)桃湖刻本
四册
十行二十字,小字雙行同,下黑口,左右雙邊。封面鐫"桃湖藏書"。鈐"文光堂珍藏"、"秀野草堂"、"嘉惠堂丁氏藏書之印"印。　善982.32/307

1921
韻圃羣芳八卷
(清)姚焜輯注
清乾隆三十二年(1767)立達堂刻本
四册
八行二十字,小字雙行同,大黑口,左右雙邊。封面鐫"立達堂藏板"。　善423.9/994

1922
奩史一百卷拾遺一卷
(清)王初桐輯
清嘉慶二年(1797)王氏古香堂刻本
八册
十行二十字,白口,左右雙邊。封面鐫"古香堂藏板"。鈐"仲淵校讀一過"、"仲淵"、"南沙翁氏"印。　善041/117.6

集　部

總集類

叢編

1923

屈陶合刻十六卷

(明)毛晉編

明萬曆四十六年(1618)、天啓五年(1625)毛氏綠君亭刻本

二册

八行十八字,白口,四周單邊。原鈐"毛氏正本"、"汲古閣"印。

子目:

屈子七卷　(楚)屈原撰　評一卷　(明)毛晉輯　楚譯二卷參疑一卷　(明)毛晉參定

陶靖節集詩一卷文一卷　(晉)陶潛撰　總評一卷　(明)毛晉輯　參疑一卷　(明)毛晉參定　雜附一卷　善830/781

1924

漢魏六朝二十一名家集一百二十三卷(殘存六種五十三卷)

(明)汪士賢編

明萬曆天啓間新安汪氏刻本

十九册

九行二十字,白口,左右雙邊。

子目:

陸士衡集十卷　(晉)陸機撰　善2717

陸士龍文集十卷　(晉)陸雲撰　善843.11/388

潘黄門集六卷　(晉)潘岳撰　善843.2/754

謝宣城集五卷　(南齊)謝朓撰　善843.52/619－02

江文通文集十卷　(梁)江淹撰　善843.53/719

庾開府集十二卷　(北周)庾信撰　善843.65/673－06

1925

漢魏六朝諸家文集二十二種一百二十九卷

明刻本

十二册

九行二十字或十八字,白口,左右雙邊間有四周單邊。

子目:

董仲舒集一卷　(漢)董仲舒撰

司馬長卿集一卷　(漢)司馬相如撰

東方先生集一卷　(漢)東方朔撰

揚子雲集三卷　(漢)揚雄撰

蔡中郎集八卷　(漢)蔡邕撰

陶靖節集十卷　(晉)陶潛撰　(宋)湯漢等箋注　總論一卷

嵇中散集十卷　(魏)嵇康撰

陸士衡集十卷　(晉)陸機撰

曹子建集十卷　(魏)曹植撰

陸士龍文集十卷　(晉)陸雲撰

阮嗣宗集二卷　(魏)阮籍撰

潘黄門集六卷　(晉)潘岳撰

謝康樂集四卷　(劉宋)謝靈運撰

顔延之集一卷　(劉宋)顔延之撰

謝惠連集一卷　(劉宋)謝惠連撰

謝宣城集五卷　(南齊)謝朓撰

昭明太子文集五卷　(梁)蕭統撰

任彦升集六卷　(梁)任昉撰

江文通文集十卷　(梁)江淹撰

陶貞白集二卷　(梁)陶弘景撰

鮑明遠集十卷　(劉宋)鮑照撰

庾開府集十二卷　(北周)庾信撰　善834.2/721

1926

陶謝詩集四種十三卷

(清)姚培謙編

清乾隆三十二年(1767)清妙軒刻巾箱本

四册

六行十四字,白口,左右雙邊。

子目:

陶彭澤詩四卷　(晉)陶潛撰

謝康樂詩三卷　(劉宋)謝靈運撰
謝法曹詩二卷　(劉宋)謝惠連撰
謝宣城詩四卷　(南齊)謝朓撰

善 831.3/994

1927

詩詞雜俎十二種二十五卷(存十一種二十四卷)

(明)毛晉編

明天啓崇禎間汲古閣刻本

四册

八行十九字間有十八字,白口,左右雙邊。版心下鎸"汲古閣"。《三家宫詞》、《二家宫詞》版心下鎸"緑君亭"。

子目:

衆妙集一卷　(宋)趙師秀輯
剪綃集二卷　(宋)李龏撰
石湖詩集一卷　(宋)范成大撰
月泉吟社一卷　(宋)吳渭輯
谷音二卷　(元)杜本輯
河汾諸老詩集八卷　(元)房祺輯
三家宫詞三卷　(明)毛晉輯
二家宫詞二卷　(明)毛晉輯
漱玉詞一卷　(宋)李清照撰
斷腸詞一卷　(宋)朱淑真撰
女紅餘志二卷　(元)龍輔撰

善 830/7816 - 6

1928

五家宫詞五卷

(明)毛晉編

明天啓間毛氏緑君亭刻本

二册

八行十八字,白口,四周單邊。鈐"陸侃如"、"馮沅君"印。

此書實爲《二家宫詞》與《三家宫詞》之合印本。封面爲裝訂者後加,並題"毛氏原本五家宫詞"其上。　善 833.4/781 - 02

1929

六家宫詞六卷

明刻本

八行十六字,白口,四周單邊。

子目:

王建宫詞一卷　(唐)王建撰
花蕊夫人宫詞一卷　(後蜀)花蕊夫人(費氏)撰
王珪宫詞一卷　(宋)王珪撰
宋徽宗宫詞一卷　(宋)徽宗趙佶撰
楊太后宫詞一卷　(宋)楊皇后撰
元宫詞一卷　(明)蘭雪軒主人撰

善 921.85/700

1930

寶晉齋四刻十八卷

明刻本

五册

子目:

屈子七卷　(楚)屈原撰　評一卷　(明)毛晉輯　楚譯二卷　參疑一卷　(明)毛晉參定
陶淵明全集四卷　(晉)陶潜撰
月泉吟社一卷　(宋)吳渭輯
谷音二卷　(元)杜本輯

此叢書中《屈子七卷》等用緑君亭刻《屈陶合刻》版,《陶淵明全集四卷》用《陶李合刊》版,《月泉吟社一卷》、《谷音二卷》用《詩詞雜俎》版。書前《寶晉齋四刻序》殆爲書賈刻印。　善 081.3/781

1931

唐宋八大家文鈔十種一百六十六卷

(明)茅坤輯評

明崇禎元年(1628)方應祥刻本

三十五册

九行二十字,白口,四周單邊。眉上鎸評。封面鎸"小築藏板"。

子目:

唐大家韓文公文抄十六卷　(唐)韓愈撰
唐大家柳柳州文抄十二卷　(唐)柳宗元撰
宋大家歐陽文忠公文抄三十二卷五代史抄二十卷新唐書抄二卷　(宋)歐陽修撰
宋大家蘇文公文抄十卷　(宋)蘇洵撰
宋大家蘇文忠公文抄二十八卷　(宋)蘇軾撰
宋大家蘇文定公文抄二十卷　(宋)蘇轍撰
宋大家曾文定公文抄十卷　(宋)曾鞏撰
宋大家王文忠公文抄十六卷　(宋)王安石撰

善 834.4/516

1932

唐宋八大家文鈔九種一百六十四卷

(明)茅坤輯評

明崇禎四年(1631)金閶簣玉堂刻本

六十册

九行二十字,白口,四周單邊。眉上鐫評。封面鐫"金閶簧玉堂梓"。

是刻較方應祥刻本少《新唐書》二卷。

又一部　四十八册。　善834.4/516-02

1933

唐人三家集二十八卷

(清)秦思復編

清嘉慶二十一年(1816)至道光十年(1830)石研齋仿宋刻本

六册

十一行二十字,小字雙行同,白口,左右雙邊。有刻工。

子目:

駱賓王文集十卷　(唐)駱賓王撰　附考異一卷　(清)顧廣圻撰

呂衡州文集十卷　(唐)呂温撰　附考證一卷　(清)顧廣圻撰

李元賓文集三卷文編三卷外編二卷續編一卷　(唐)李觀撰

又一部　四册　鈐"高閬仙藏書記"印。

善834.4/102

1934

唐三高僧詩四十七卷

(明)毛晉編

明崇禎間毛氏汲古閣刻本

十四册

八行十九字,白口,左右雙邊。版心鐫"汲古閣"。

子目:

禪月集二十五卷補遺一卷　(唐釋)貫休撰

白蓮集十卷　(唐釋)齊己撰

杼山集十卷補遺一卷　(唐釋)皎然撰

善831.4/667.9-1

1935

初唐四傑集三十七卷

(清)項家達編

清乾隆四十六年(1781)星渚項家達刻本　有抄配

十二册

九行二十一字,白口,左右雙邊。

子目:

王子安集十六卷　(唐)王勃撰

楊盈川集十卷　(唐)楊炯撰

盧升之集七卷　(唐)盧照鄰撰

駱丞集四卷　(唐)駱賓王撰

善830.4/161-02

1936

唐四家詩八卷

(清)汪立名編

清康熙三十四年(1695)天都汪立名刻本

十册

十行十九字,黑口,左右雙邊。

子目:

王右丞詩集二卷　(唐)王維撰

韋蘇州詩集二卷　(唐)韋應物撰

孟襄陽詩集二卷　(唐)孟浩然撰

柳河東詩集二卷　(唐)柳宗元撰

善831.4/712

1937

三唐人文集三十四卷

(明)毛晉編

明末毛氏汲古閣刻本

十册

九行十九字,白口,左右雙邊。版心鐫"汲古閣"。

子目:

孫可之集十卷　(唐)孫樵撰

皇甫持正集六卷　(唐)皇甫湜撰

李文公集十八卷　(唐)李翱撰

善834.4/772-02

1938

唐四名家集十二卷

(明)毛晉編

明末毛氏汲古閣刻本　陸勅先過錄(清)何焯據宋本校並跋語

四册

十二行二十字,細黑口,左右雙邊。

子目:

歌詩編四卷集外詩一卷　(唐)李賀撰

唐英歌詩三卷　(唐)吳融撰

唐風集　(唐)杜荀鶴撰

竇氏聯珠集一卷　(唐)竇常　竇牟　竇群　竇庠　竇鞏撰　善831.4/667.4

1939

唐人選唐詩八種二十三卷

(明)毛晉編

明崇禎元年(1628)毛氏汲古閣刻本

八册

八行十九字,白口,左右雙邊。版心鎸"汲古閣"。鈐"白髮青山老逸民"、"王李詠"、"慧音"等印。

子目:

御覽詩一卷　(唐)令狐楚輯

篋中集一卷　(唐)元結輯

國秀集三卷　(唐)芮挺章輯

河嶽英靈集三卷　(唐)殷璠輯

中興間氣集二卷　(唐)高仲武輯

蒐玉小集一卷

極玄集二卷　(唐)姚合輯

才調集十卷　(唐)韋穀輯　善831.41/781

又一部　八册　善1811

1940

唐人選唐詩八種二十三卷

(明)毛晉編

清康熙三十二年(1693)學稼草堂重刻汲古閣本

八册

八行十九字,白口,左右雙邊。序目首頁鎸"學稼草堂藏板"。鈐"温廬藏書"、"師古藏書之印"、"顧詒禄印"、"禄伯别字華橋"、"徐乃昌馬韻芬夫婦印"、"長尾甲印"諸印。

善831.41/781-02

1941

唐人六集四十二卷

(明)毛晉輯

明崇禎間毛氏汲古閣刻本

十二册

九行十九字或二十一字,白口,左右雙邊。鈐"笥河府君遺藏書畫"、"燕庭藏書"印。

子目:

常建詩集三卷　(唐)常建撰　附録一卷

韋蘇州集十卷拾遺一卷　(唐)韋應物撰

王建詩八卷　(唐)王建撰

鮑溶詩六卷集外詩一卷　(唐)鮑溶撰

姚少監詩集十卷　(唐)姚合撰

韓内翰别集一卷補遺一卷　(唐)韓偓撰

善831.4/667.9

1942

唐人八家詩四十二卷(存三家十六卷)

(明)毛晉編

明崇禎十二年((1639)毛氏汲古閣刻本

六册

十二行二十字,細黑口,左右雙邊。鈐"芰湄"印。

子目:

李義山集三卷　(唐)李商隱撰

長江集十卷　(唐)賈島撰

李文山詩集三卷　(唐)李群玉撰

善831.4/100

1943

十二家唐詩二十四卷(存七家十四卷)

(明)張遜業編

明嘉靖三十一年(1552)江都黄埻刻本

五册

九行十九字,白口,四周雙邊。版心上鎸"東壁圖書府"。

子目:

王勃集二卷　(唐)王勃撰

楊炯集二卷　(唐)楊炯撰

駱賓王集二卷　(唐)駱賓王撰

陳子昂集二卷　(唐)陳子昂撰

杜審言集二卷　(唐)杜審言撰

沈佺期集二卷　(唐)沈佺期撰

宋之問集二卷　(唐)宋之問撰

善831.4/308

1944

唐十二家詩十二卷(存十家十卷)

(明)楊一統編

明萬曆十二年(1584)刻本

十册

九行二十字,白口,四周單邊。

子目:

王勃集一卷　(唐)王勃撰

楊炯集一卷　(唐)楊炯撰

宋之問集一卷　(唐)宋之問撰

沈佺期集一卷　(唐)沈佺期撰

陳子昂集一卷　(唐)陳子昂撰

王維集一卷　(唐)王維撰

駱賓王集一卷　(唐)駱賓王撰

孟浩然集一卷　(唐)孟浩然撰

杜審言集一卷　(唐)杜審言撰

盧照鄰集一卷　(唐)盧照鄰撰

善831.4/272

1945
廣十二家唐詩八十一卷(存四家二十七卷)
(明)陸汴編
明刻本
十册
十行二十字,白口,左右雙邊。
子目:
唐李義山詩集六卷　(唐)李商隱撰
唐王建詩集八卷　(唐)王建撰
唐盧户部詩集十卷　(唐)盧綸撰
毘陵集三卷　(唐)獨孤及撰
善 831.4/291

1946
前唐十二家詩二十四卷
(明)許自昌編
明萬曆三十一年(1603)霏玉軒刻本
十二册
九行十九字,白口,左右雙邊。
子目:
王勃集二卷　(唐)王勃撰
楊炯集二卷　(唐)楊炯撰
宋之問集二卷　(唐)宋之問撰
沈佺期集二卷　(唐)沈佺期撰
王摩詰集二卷　(唐)王維撰
陳子昂集二卷　(唐)陳子昂撰
駱賓王集二卷　(唐)駱賓王撰
孟浩然集二卷　(唐)孟浩然撰
杜審言集二卷　(唐)杜審言撰
盧照鄰集二卷　(唐)盧照鄰撰
高常侍集二卷　(唐)高適撰
岑嘉州集二卷　(唐)岑參撰
善 831.4/614

1947
中唐十二家詩集十一卷
(明)朱之蕃編
明萬曆四十年(1612)金陵書坊王世茂刻本
十二册
九行十九字,白口,四周雙邊。
子目:
卷一　唐儲光羲詩集　(唐)儲光羲撰
卷二　毘陵詩集　(唐)獨孤及撰
唐孫集賢詩集　(唐)孫逖撰
唐崔補闕詩集　(唐)崔峒撰
卷三　唐錢起詩集　(唐)錢起撰
卷四　唐劉隨州詩集　(唐)劉長卿撰
卷五　唐劉賓客詩集　(唐)劉禹錫撰
卷六　唐劉賓客外集　(唐)劉禹錫撰
卷七　唐盧户部詩集　(唐)盧綸撰
卷八　唐張司業詩集　(唐)張籍撰
卷九　唐王建詩集　(唐)王建撰
卷十　唐賈浪仙長江詩集　(唐)賈島撰
卷十一　唐李義山詩集　(唐)李商隱撰
善 831.417/832

1948
十三唐人詩十四卷
(清)劉雲份編
清康熙間野香堂刻本
六册
九行十九字,白口,左右雙邊。劉雲份序所在頁版心下鎸“野香堂”。
子目:
中唐姚合詩一卷　(唐)姚合撰
中唐周賀詩一卷　(唐)周賀撰
中唐戎昱詩一卷　(唐)戎昱撰
中唐唐球詩一卷　(唐)唐球撰
中唐沈亞之詩一卷　(唐)沈亞之撰
中唐儲嗣宗詩一卷　(唐)儲嗣宗撰
晚唐曹鄴詩一卷　(唐)曹鄴撰
晚唐姚鵠詩一卷　(唐)姚鵠撰
晚唐邵謁詩一卷　(唐)邵謁撰
晚唐韓偓詩一卷香奩集一卷　(唐)韓偓撰
晚唐林寬詩一卷　(唐)林寬撰
晚唐孟貫詩一卷　(唐)孟貫撰
晚唐伍喬詩一卷　(唐)伍喬撰　善 8719

1949
八劉唐人詩八卷
(清)劉雲份編
清康熙間野香堂刻本
四册
九行十九字,白口,左右雙邊。版心下偶存“野香堂”。
子目:
中唐劉義詩一卷　(唐)劉義撰
中唐劉商詩一卷　(唐)劉商撰
中唐劉言史詩一卷　(唐)劉言史撰
晚唐劉得仁詩一卷　(唐)劉得仁撰

晚唐劉駕詩一卷　(唐)劉駕撰
晚唐劉滄詩一卷　(唐)劉滄撰
晚唐劉兼詩一卷　(唐)劉兼撰
晚唐劉威詩一卷　(唐)劉威撰

善 9819

1950

唐詩二十六家五十卷

(明)黄貫曾編

明嘉靖三十三年(1554)黄氏浮玉山房刻本

十六册

十行十九字,白口,左右雙邊。目録後鎸"嘉靖甲寅首春江夏黄氏刻於浮玉山房"。鈐"曾在趙元方家"、"董康暨侍姬玉奴珍藏書籍記"、"毘陵董康審定"諸印。

子目:

李嶠集三卷　(唐)李嶠撰
蘇廷碩集二卷　(唐)蘇頲撰
虞世南集一卷　(唐)虞世南撰
許敬宗集一卷　(唐)許敬宗撰
李頎集三卷　(唐)李頎撰
王昌齡集二卷　(唐)王昌齡撰
崔顥集二卷　(唐)崔顥撰
崔曙集一卷　(唐)崔曙撰
祖詠集一卷　(唐)祖詠撰
常建集二卷　(唐)常建撰
嚴武集一卷　(唐)嚴武撰
皇甫冉集三卷　(唐)皇甫冉撰
皇甫曾集二卷　(唐)皇甫曾撰
權德輿集二卷　(唐)權德輿撰
李益集二卷　(唐)李益撰
司空曙集二卷　(唐)司空曙撰
嚴維集二卷　(唐)嚴維撰
顧况集二卷　(唐)顧况撰
韓君平集三卷　(唐)韓翃撰
武元衡集三卷　(唐)武元衡撰
李嘉祐集二卷　(唐)李嘉祐撰
耿湋集三卷　(唐)耿湋撰
秦隱君集一卷　(唐)秦系撰
郎士元集二卷　(唐)郎士元撰
包何集一卷　(唐)包何撰
包佶集一卷　(唐)包佶撰　善 831.4/167

1951

唐三十家詩集四十二卷

明刻本

二十册

十行十八字,白口,左右雙邊或四周單邊。鈐"胡氏家藏"印。

子目:

孟浩然集三卷　(唐)孟浩然撰
王昌齡詩集三卷　(唐)王昌齡撰
耿湋詩集一卷　(唐)耿湋撰
嚴維詩集一卷　(唐)嚴維撰
唐靈一詩集一卷　(唐釋)靈一撰
唐皎然詩集一卷　(唐釋)皎然撰
韓君平集三卷　(唐)韓翃撰
武元衡集三卷　(唐)武元衡撰
會昌進士詩集一卷　(唐)馬戴撰
唐秦隱君詩集一卷　(唐)秦系撰
呂衡州詩集一卷　(唐)呂温撰
于鵠詩集一卷　(唐)于鵠撰
唐女郎魚玄機詩一卷　(唐)魚玄機撰
李丞相詩集二卷　(唐)李建勳撰
唐貫休詩集一卷　(唐釋)貫休撰
唐齊己詩集一卷　(唐釋)齊己撰
僧無可詩集二卷　(唐釋)無可撰
曹松詩集一卷　(唐)曹松撰
劉兼詩集一卷　(唐)劉兼撰
鄭巢詩集一卷　(唐)鄭巢撰
王周詩集一卷　(唐)王周撰
于鄴詩集一卷　(唐)于鄴撰
嗣宗詩集一卷　(唐)儲嗣宗撰
章碣詩集一卷　(唐)章碣撰
伍喬詩集一卷　(唐)伍喬撰
唐姚鵠詩集一卷　(唐)姚鵠撰
李遠詩集一卷　(唐)李遠撰
羅鄴詩集一卷　(唐)羅鄴撰
林寬詩集一卷　(唐)林寬撰
經進周曇詠史詩三卷　(唐)周曇撰

此即《唐百家詩》之零種,當刻於嘉靖前。卷前"唐三十家詩集總目"爲裒集者刻印。

善 831.4/667.6

1952

李杜詩選十一卷

(明)張含編　(明)楊慎等評

明刻朱墨套印本

八册

八行十八字,白口,四周單邊。眉上行間鐫評。鈐"葉氏鐵研齋珍藏書畫印"印。

子目:

李詩選五卷　(唐)李白撰

杜詩選六卷　(唐)杜甫撰　善 831.41/314

1953

詩緯十一卷

(清)丁谷雲編　(清)應時删定

清康熙十七年(1678)野雲草堂刻本

二册

九行二十字,小字雙行同,白口,左右雙邊。鈐"瓠室"印。

子目:

詩緯李集四卷　(唐)李白撰

詩緯杜集七卷　(唐)杜甫撰

善 831.41/674

1954

韓柳文一百卷

(明)游居敬編

明嘉靖三十五年(1556)莫如士刻本　佚名朱筆批注

十二册

十一行二十二字,白口,左右雙邊。鈐"東海何仝"、"何從光印"、"卧雪山房"、"南通沈氏藏書"、"沈燕謀校讀書記"、"行素堂藏書記"諸印。

子目:

韓文四十卷外集十卷遺集一卷　(唐)韓愈撰　集傳一卷

柳文四十三卷别集二卷外集二卷　(唐)柳宗元撰　附錄一卷　善 834.41/749

1955

宋詩鈔初集九十五卷

(清)吕留良　吴之振　吴爾堯編

清康熙十年(1671)吴氏鑒古堂刻本

二十四册

十二行二十二字,黑口,左右雙邊。

善 831.5/439-02

1956

宋十五家詩選十六卷

(清)陳訏編

清康熙三十二年(1693)刻本

十二册

十一行二十二字,黑口,左右雙邊。

子目:

宛陵詩選一卷　(宋)梅堯臣撰

廬陵詩選一卷　(宋)歐陽修撰

南豐詩選一卷　(宋)曾鞏撰

臨川詩選一卷　(宋)王安石撰

東坡詩選一卷　(宋)蘇軾撰

欒城詩選一卷　(宋)蘇轍撰

山谷詩選一卷　(宋)黄庭堅撰

石湖詩選一卷　(宋)范成大撰

劍南詩選二卷　(宋)陸游撰

誠齋詩選一卷　(宋)楊萬里撰

梅溪詩選一卷　(宋)王十朋撰

朱子詩選一卷　(宋)朱熹撰

菊磵詩選一卷　(宋)高翥撰

秋崖詩選一卷　(宋)方岳撰

文山詩選一卷　(宋)文天祥撰

善 831.5/382

1957

宋百家詩存二十卷

(清)曹庭棟編

清乾隆五年(1740)至六年(1741)嘉善曹氏二六書堂刻本

二十册

十一行二十一字,小字雙行同,白口,左右雙邊。　善 18692

1958

蘇黄題跋十二卷

(明)楊鶴編

明刻本

五册

九行十九字,白口,四周單邊。鈐"□山樵"、"江五岡印"印。

子目:

蘇東坡題跋雜書六卷　(宋)蘇軾撰

黄山谷題跋書後六卷　(宋)黄庭堅撰

善 743.2/552

1959

蘇門六君子文粹七十卷

題(宋)陳亮編

明崇禎六年(1633)胡潜刻本

十二册

九行十九字,白口,左右雙邊。

子目:

淮海先生文粹十四卷　(宋)秦觀撰
豫章先生文粹四卷　(宋)黄庭堅撰
濟北先生文粹二十一卷　(宋)晁補之撰
宛丘先生文粹二十二卷　(宋)張耒撰
後山居士文粹四卷　(宋)陳師道撰
濟南先生文粹五卷　(宋)李廌撰

善 834.5/382

1960

九金人集補遺□卷(存八卷)

孫德海輯
抄本
一册

十行二十五字,白口,四周單邊,版心下鎸"四益宧叢書"。鈐"海豐吳氏"、"石蓮闇"、"之静觀過"諸印。

子目:
蕭閑集補遺一卷　(金)蔡松年撰
拙軒集補遺一卷　(金)王寂撰
滏水集補遺一卷　(金)趙秉文撰
滹南遺老王先生文集補遺一卷　(金)王若虚撰
遺山集補遺一卷　(金)元好問撰
莊靖集補遺一卷　(金)李俊民撰
二妙集補遺一卷　(金)段成己撰
天籟集補遺一卷　(金)白樸撰

善 830.56/368

1961

元詩四大家二十七卷

(明)毛晉編
明崇禎間毛氏汲古閣刻本
十六册

九行十九字,白口,左右雙邊。版心下鎸"汲古閣"。

子目:
虞伯生詩八卷補遺一卷　(元)虞集撰
楊仲弘詩八卷　(元)楊載撰
范德機詩七卷　(元)范梈撰
揭曼碩詩三卷　(元)揭傒斯撰

又一部　六册　鈐"清江楊氏"、"培山"印。

善 831.57/781

1962

元人集十種五十四卷

(明)毛晉編
明崇禎十一年(1638)毛氏汲古閣刻本
二十二册

九行十九字,小字雙行同,白口,左右雙邊。版心鎸"汲古閣"。鈐"□亭楊承訓珍藏書畫印"印。

子目:
遺山先生詩集二十卷　(金)元好問撰
薩天錫詩集三卷集外詩一卷　(元)薩都剌撰
金臺集二卷　(元)迺賢撰
翠寒集一卷　(元)宋旡撰
哈囕集一卷　(元)宋旡撰
倪雲林先生詩集六卷集外詩一卷　(元)倪瓚撰　附錄一卷
南邨詩集四卷　(元)陶宗儀撰
玉山草堂集二卷集外詩一卷　(元)顧瑛撰
句曲外史集三卷補遺三卷張伯雨集外詩一卷　(元)張雨撰　附錄一卷
霞外詩集十卷　(元)馬臻撰

善 831.57/128.9

又一部　二十二册　善 18331

1963

丘海二公文集合編十六卷

(清)焦映漢編
清乾隆十八年(1753)邱氏可繼堂刻本
十册

十行二十二字,白口,四周雙邊。封面鎸"板藏邱氏可繼堂"。鈐"古莘陳氏子子孫孫永寶用"、"龍山贅廬藏書之章"印。

子目:
丘文莊公集十卷　(明)丘濬撰
海忠介公集六卷　(明)海瑞撰

善 13348

1964

皇明十六名家小品三十二卷(存十家二十卷)

(明)陸雲龍編
明崇禎六年(1633)崢霄館刻本
二十册

九行十九字,白口,四周單邊。

子目:
翠娱閣評選屠赤水先生小品二卷　(明)屠隆撰
翠娱閣評選徐文長先生小品二卷　(明)徐渭撰

翠娱閣評選王季重先生小品二卷　(明)王思任撰

翠娱閣評選虞德園先生小品二卷　(明)虞淳熙撰

翠娱閣評選黄貞父先生小品二卷　(明)黄汝亨撰

翠娱閣評選湯若士先生小品二卷　(明)湯顯祖撰

翠娱閣評選陳明卿先生小品二卷　(明)陳仁錫撰

翠娱閣評選袁小脩先生小品二卷　(明)袁中道撰

翠娱閣評選鍾伯敬先生小品二卷　(明)鍾惺撰

翠娱閣評選曹能始先生小品二卷　(明)曹學佺撰

又一部　(存四家八卷)　四册

子目:

翠娱閣評選屠赤水先生小品二卷　(明)屠隆撰

翠娱閣評選黄貞父先生小品二卷　(明)黄汝亨撰

翠娱閣評選湯若士先生小品二卷　(明)湯顯祖撰

翠娱閣評選陳眉公先生小品二卷　(明)陳繼儒撰

又一部　(存四家四卷)四册　善 834.6/388

1965

國朝六家詩鈔八卷

(清)劉執玉編

清乾隆三十二年(1767)詒燕樓刻本

六册

十行二十一字,小字雙行同,下細黑口,左右雙邊。封面鎸"詒燕樓藏板"。

子目:

茘裳詩鈔一卷　(清)宋琬撰

愚山詩鈔一卷　(清)施閏章撰

阮亭詩鈔二卷　(清)王士禎撰

秋谷詩鈔一卷　(清)趙執信撰

竹垞詩鈔一卷　(清)朱彝尊撰

初白詩鈔二卷　(清)查慎行撰

又一部　六册　善 831.7/887

1966

四種詩集合抄七卷

清末松竹齋抄本

二册

九行字不等,紅格,白口,四周雙邊,版心下鎸"松竹齋"。

子目:

妙香館詠物試帖二卷　(清)銘嶽撰

集詩一卷洋烟詩一卷　(清)張恩閎輯

看雨軒詩稿一卷　(清)楊紉蘭撰

吟碧山房詩草一卷峭碧山房詩鈔一卷　(清)路德撰　善 831.7/485

1967

國朝三家文鈔三十二卷

(清)宋犖　許汝霖編

清康熙三十三年(1694)刻本

十册

十二行二十三字,黑口,左右雙邊。鈐"硯翁戊午以後所藏"印。

子目:

侯朝宗文鈔八卷　(清)侯方域撰

魏叔子文鈔十二卷　(清)魏禧撰

汪純翁文鈔十二卷　(清)汪琬撰

又一部　十册　鈐"昌侯"、"施邦襄印"、"青萍閣"、"曾經東山柳蓉邨過眼印"諸印。　善 834.7/908

通代

1968

文選白文六十卷

(梁)蕭統輯

明萬曆十三年(1585)吳彰刻本　佚名朱筆批點

二十四册

十行二十二字,白口,四周雙邊。鈐"葉氏藏書"印。　善 830/514-029

1969

文選六十卷

(梁)蕭統輯　(唐)李善注

明嘉靖六年(1527)晉藩養德書院刻本

三十二册

十行二十二字,小字雙行同,黑口,四周雙邊。鈐"李培之印"、"南飛"印。　善 830/514-013

1970

文選六十卷

(梁)蕭統輯　(唐)李善注

明成化二十三年(1487)唐藩朱芝址刻本　(日本)佚名墨筆批校
三十册
十行二十二字,小字雙行同,黑口,四周雙邊。鈐"楊星吾東瀛所得秘笈"印。　善830/514－025

1971
文選六十卷
(梁)蕭統輯　(唐)李善注
明晉藩文思堂刻本　佚名朱筆過録(清)何焯批校
四十八册
十行,二十二字,白口,四周單邊。每卷五、六行署"晉藩文思堂訂正重刊"。鈐"宗室盛昱審定真蹟"印。未見著録。　善830/514－012

1972
文選六十卷
(梁)蕭統輯　(唐)李善注
明萬曆二十九年(1601)鄧原嶽刻本
二十册
十行二十字,小字雙行同,白口,左右雙邊。
善830/514－030

1973
文選六十卷
(梁)蕭統輯　(唐)李善注
明汲古閣刻本　佚名朱筆批點
十六册
十二行二十五字,小字雙行三十七字,白口,左右雙邊。封面鎸"汲古閣新鎸"。原鈐"尚友堂圖書"。鈐"小倉山房"、"十二歲舉秀才"、"毓芝軒藏書印"、"淮安何寶善字楚侯亦字守拙"諸印。
善830/514－036

1974
文選六十卷
(梁)蕭統輯　(唐)李善注
明汲古閣刻清康熙二十五年(1686)錢士謐重修本　佚名朱、墨筆批注
二十册
十二行二十五字,小字雙行三十七字,白口,左右雙邊。　善830/514－015

1975
文選六十卷
(梁)蕭統輯　(唐)李善注
明汲古閣刻清康熙二十五年(1686)錢士謐重修本　(清)嚴虞惇黄筆批點
十册
十二行二十五字,小字雙行三十七字,白口,左右雙邊。封面鎸"汲古閣新鎸"。原鈐"豹霽齋圖書"。鈐"家英之印"印。　善830/514－0

1976
文選六十卷
(梁)蕭統輯　(唐)李善注
清乾隆二十七年(1762)楊氏儒纓堂重刻汲古閣本　佚名朱筆過録(清)顧廣圻批點
十册
十二行二十五字,小字雙行三十七字,白口,左右雙邊。封面鎸"儒纓堂藏板"。卷一末鎸"大清乾隆壬午春正月雲林楊氏儒纓堂鎸"。鈐"餘姚謝氏永耀樓藏書"印。　善830/514－041

1977
文選六十卷
(梁)蕭統輯　(唐)李善注
清素位堂刻本　佚名朱筆過録(清)何焯等批校
十二册
十二行二十五字,小字雙行三十七字,白口,左右雙邊。封面鎸"素位堂藏板"。鈐"餘姚謝氏永耀樓藏書"印。　善830/514－040

1978
文選六十卷(存卷一至三十)
(梁)蕭統輯　(唐)李善注
清乾隆二十七年(1762)楊氏儒纓堂刻寶華堂印本　目録系抄配　佚名朱筆過録(清)何焯批校
十二册
十二行二十五字,小字雙行三十七字,白口,左右雙邊。封面鎸"寶華堂藏板"。卷一末鎸"大清乾隆壬午春正月雲林楊氏儒纓堂鎸"。鈐"星槎圖書"印。　善830/514－034

1979
文選六十卷
(梁)蕭統輯　(唐)李善注
清乾隆四十七年(1782)周氏懷德堂重刻汲古閣本　(清)佚名朱墨筆過録(清)何焯、(清)錢湘靈批點
十二册
十二行二十五字,小字雙行三十七字,白口,左右雙邊。鈐"孫爾周印"印。　善830/514－026

1980
文選六十卷

(梁)蕭統輯　(唐)李善注
清乾隆二十五年(1760)珠樹堂重刻明汲古閣本　佚名朱筆過錄諸家批校
二十四册
十二行二十五字,小字雙行三十七字,白口,左右雙邊。鈐"琅琊王氏珍藏"印。
善 830/514-019

1981
文選六十卷
(梁)蕭統輯　(唐)李善注
清乾隆二十五年(1760)珠樹堂重刻明汲古閣本
十二册
十二行二十五字,小字雙行三十七字,白口,左右雙邊。　善 830/514-039

1982
文選六十卷
(梁)蕭統輯　(唐)李善注
清乾隆三十七年(1772)葉氏海錄軒刻朱墨套印本
十二册
十二行二十五字,小字雙行三十七字,白口,左右雙邊。版心下鎸"海錄軒"。善 830/514-03

1983
文選六十卷
(梁)蕭統輯　(唐)李善注
考異十卷
(清)胡克家撰
清嘉慶十四年(1809)胡克家影宋刻本
四十册
十行二十一字,小字雙行,白口,左右雙邊。鈐"劍閣藏書"、"劉不同印"印。
又一部　六十册　鈐"歸善鄧氏語冰閣珍藏"印。
善 830/514-011

1984
文選六十卷
(梁)蕭統輯　(唐)李善注
清同治八年(1869)金陵書局翻刻明汲古閣本　光緒十九年(1893)許玉瑑朱筆批注
十六册
十二行二十五字,小字雙行三十七字,白口,左右雙邊。鈐"玉瑑校讀"、"曾藏長洲徐氏錄叢閣"、"錄叢審藏"諸印。　善 830/514-037

1985
文選六十卷
(梁)蕭統輯　(唐)李善注
清同治八年(1869 年)金陵書局翻刻明汲古閣本　劉昐遂等批注
十册
十二行二十五字,小字雙行三十七字,白口,左右雙邊。鈐"魯菴藏書"、"董氏珍藏書畫之印"印。　善 830/514-035

1986
文選六十卷
(梁)蕭統輯　(唐)李善　呂延濟　劉良　張銑　呂向　李周翰注
明嘉靖十三年(1534)至二十八年(1549)吳郡袁褧嘉趣堂刻本
三十册
十一行十八字,小字雙行二十六字,白口,左右雙邊。有牌記。
又一部　三十册　鈐"范熙壬印"印。
善 830/514-023

1987
六家文選六十卷
(梁)蕭統輯　(唐)李善　呂延濟　劉良　張銑　呂向　李周翰注
明嘉靖間丁覲刻本
六十册
十行十八字,小字雙行二十六字,白口,四周單邊。有刻工楊又安、葉傑、葉松、楊明等。每卷三、四行有剜改痕迹。鈐"松善"、"吳越王孫"印。
善 830/514-014

1988
六家文選六十卷
(梁)蕭統輯　(唐)李善　呂延濟　劉良　張銑　呂向　李周翰注
明嘉靖間丁覲刻本　佚名朱、藍筆校注
六十册
十行十八字,小字雙行二十六字,白口,四周單邊。有刻工。每卷第四行鎸"皇明……重刊"。皇明下年月削去。鈐"維宙"、"王樹翰印"、"惕庵行篋珍藏"、"柯逢時印"諸印。　善 830/514-017

1989
六臣註文選六十卷
(梁)蕭統輯　(唐)李善　呂延濟　劉良　張銑　呂向　李周翰注
明萬曆二年(1574)崔氏刻明萬曆六年(1578)徐成

位重修本

三十二册

九行十八字,小字雙行同,白口,四周雙邊。序後鎸"冰玉堂重校"。鈐"餘姚謝氏永耀樓藏書"印。

又一部　六十册　鈐"東海彭氏家藏圖書"、"衡陽常氏澶印閣藏書之圖記"、"芸閣"、"徐氏潤周"、"宗因之印"諸印。　善 830/514－028

1990

六臣註文選六十卷

(梁)蕭統輯　(唐)李善　呂延濟　劉良　張銑　呂向　李周翰注

明潘惟時、潘惟德刻本

六十一册

九行十八字,小字雙行同,白口,左右雙邊。有刻工。

又一部　六十册　善 830/514－06

1991

六臣註文選六十卷

(梁)蕭統輯　(唐)李善　呂延濟　劉良　張銑　呂向　李周翰注

明潘惟時、潘惟德刻本　(清)佚名墨筆批注　高步瀛綠筆過錄(清)吳汝倫點評並題識

三十二册

九行十八字,小字雙行同,白口,左右雙邊。鈐"益津高氏"、"高閬仙藏書記"、"簹樓"諸印。

善 830/514－027

1992

六臣註文選六十卷

(梁)蕭統輯　(唐)李善　呂延濟　劉良　張銑　呂向　李周翰注

諸儒議論一卷

(元)陳仁子輯

明翻刻元茶陵本　佚名朱筆批注

三十册

十行十八字,小字雙行二十三字,白口或細黑口,四周單邊。有刻工。有"茶陵東山陳氏古迂書院刊行"牌記。　善 830/514－016

1993

六臣註文選六十卷

(梁)蕭統輯　(唐)李善　呂延濟　劉良　張銑　呂向　李周翰注

諸儒議論一卷

(元)陳仁子輯

明翻刻元茶陵本　首册系抄配

四十八册

十行十八字,小字雙行二十三字,白口或細黑口,四周單邊。鈐"袁芳瑛印"、"湘譚袁氏藏書之印"、"卧雪廬袁氏藏書"、"曾經過目"等印。

善 830/514－032

1994

文選十二卷

(梁)蕭統輯　(明)張鳳翼纂注

明萬曆八年(1580)刻本　佚名朱筆過錄諸家批語

十二册

十一行二十二字,小字雙行同,白口,左右雙邊。鈐"養雲山館"印。

又一部　十二册　鈐"蘊山眼福"、"長林愛日"、"徐鈞印信"、"曉霞"、"澹菴"、"東里歐陽子彬珍藏書籍"諸印。

又一部　十二册　鈐"曾錫私印"印。

善 830/514－024

1995

梁昭明文選十二卷

(梁)蕭統輯　(明)張鳳翼纂注

清康熙十一年(1672 年)吳芝願好堂刻本

十二册

九行二十字,小字雙行同,白口,四周單邊。封面鎸"菉溪願好堂藏板"。　善 830/514－048

又一部　十二册　鈐"方功惠藏書印"印。　善 18330

1996

文選纂注十二卷

(梁)蕭統輯　(明)張鳳翼纂注

明萬曆十年(1582)書林余碧泉刻本　(清)唐翰題朱筆校注並跋

六册

十一行二十二字,小字雙行同,白口,左右雙邊。眉欄鎸評。鈐"唐翰題"、"海豐吳氏藏書"等印。　善 830/514－020

1997

文選十二卷

(梁)蕭統輯　(明)張鳳翼纂注　(明)惲紹龍參訂

明萬曆二十九年(1601)惲紹龍刻本

十二册

十一行二十二字,小字雙行同,白口,四周單

邊。眉欄鎸評。目錄及版心上鎸"文選纂注評林"。鈐"誠齋居士"、"函雅堂印"印。

善 830/514－313

1998

孫月峰先生評文選三十卷

(梁)蕭統輯　(明)孫鑛評　(明)閔齊華注

明天啓二年(1622)烏程閔氏刻本

十册

九行十九字,小字雙行同,白口,四周單邊。眉上鎸評。　善 830/514－458

1999

孫月峰先生評文選三十卷

(梁)蕭統輯　(明)孫鑛評　(明)閔齊華注

明天啓二年(1622)烏程閔氏刻清康熙間柯維楨重修本

十册

九行十九字,小字雙行同,白口,四周單邊。眉上鎸評。鈐"高閬仙藏書記"印。

善 830/514－458－02

2000

文選章句二十八卷

(明)陳與郊撰

明萬曆二十五年(1597)刻本

十五册

十行二十字,小字雙行同,白口,左右雙邊。

善 830/514－384.8

2001

文選尤十四卷

(梁)蕭統輯　(明)鄒思明删評

明天啓二年(1622)刻三色套印本

十四册

八行十八字,白口,四周單邊。鈐"吳啓賢印"、"希菴"、"擁書萬卷"諸印。

又一部(存卷一至七)　七册　善 830/514－842

2002

選詩三卷補一卷

(明)顧大猷輯

明萬曆二十八年(1600)劉大文校刻本

四册

十行二十字,白口,左右雙邊。　善 831/961

2003

選賦六卷

(梁)蕭統輯　(明)郭正域評點

名人世次爵里一卷

明末凌氏鳳笙閣刻朱墨套印本

六册

八行十八字,白口,四周單邊。眉上鎸評。

善 830/514－84

2004

文選後集五卷

(梁)蕭統輯　(明)郭正域評

明閔于忱刻朱墨套印本

六册

八行十九字,白口,四周單邊。眉上鎸評。鈐"悟言一室"、"莊曾熙印"等印。善 830/514－631

2005

文選音義八卷

(清)余蕭客撰

清乾隆二十三年(1758)静勝堂刻本

四册

八行十九字,小字雙行同,細黑口,四周雙邊。

又一部　二册　善 830/514－988

2006

文苑英華一千卷

(宋)李昉等輯

明隆慶元年(1567)胡維新、戚繼光刻遞修本

一百册

十一行二十二字,白口,四周單邊。有刻工。

又一部　一百册　鈐"穎川陳氏較定典籍之章"、"卧子龍"、"碧雲仙館珍藏書畫之印"、"讀有用書"、"劉盼遂印"、"歸公"、"康生"、"康生存書"、"戊戌人"等印。

又一部　一百二十册　善 830/289.4

2007

文苑英華律賦選四卷

(清)錢陸燦輯

清康熙二十五年(1686)吹藜閣銅活字印本

四册

十行十八字,黑口,四周單邊。鈐"許復淳印"、"古初"印。　善 830/929

2008

古文苑九卷

清嘉慶十四年(1809)孫星衍重刊宋淳熙本

四册

十行十八字,黑口,左右雙邊。鈐"潘祖蔭"、"伯寅"、"蜕廬所藏"、"蘭笑樓藏書印"、"劉盼遂

藏書"、"江青藏書之印"諸印。　善 830/655 - 07

2009

古文苑二十一卷

(宋)章樵注

明萬曆間張象賢刻本

六册

八行十八字,小字雙行同,白口,左右雙邊。鈐"臣齊召南珍藏"、"棟亭藏書"印。

善 830/655 - 05

2010

古文苑二十一卷

(宋)章樵注

明萬曆間張象賢刻樂志齋補修本

八册

八行十八字,小字雙行同,白口,左右雙邊。總目頁版心下鎸"樂志齋補"。　善 830/655 - 08

2011

廣文選八十二卷目錄二卷

(明)劉節輯

明嘉靖十二年(1533)侯秩刻本

二十二册

十二行二十一字,白口,左右雙邊。鈐"華陽曾氏家藏"、"羅六湖氏"、"千印樓"、"葉啓芳"、"葉啓芳丁酉六十藏書"等印。　善 830/893

2012

續文選十四卷著作人姓名錄一卷

(明)胡震亨輯

明萬曆間刻本

四册

九行十八字,小字雙行,白口,左右雙邊。

善 830/217

2013

續文選三十二卷

(明)湯紹祖輯

明萬曆三十年(1602)希貴堂刻本

十二册

十行,二十字,白口,左右雙邊。版心下鎸"希貴堂"。鈐"杜傅古字歸堂號非僧"印。

善 830/736

2014

玉臺新詠十卷

(陳)徐陵撰

清康熙五十三年(1714)硯豐齋刻本

四册

九行,十九字,四周雙邊。版框外鎸"硯豐齋"。　善 831/948 - 03

2015

玉臺新詠十卷

(陳)徐陵輯

清康熙四十六年(1707)古吳孟璟刻本　(清)歸天圻校跋

四册

八行十六字,細黑口,左右雙邊。鈐"玉橋"、"崔峰居士"、"歸天圻印"、"竹菴居士"、"歸紹曾章"、"思静樓"諸印。　善 831/948 - 02

2016

古樂府十卷

(元)左克明輯

明嘉靖二十三年(1544)蕭一中刻本

八册

九行十八字,小字雙行同,白口,左右雙邊。有刻工。鈐"鞠園藏書"、"貴陽趙氏壽華軒藏"、"晉安程氏執父之章"、"温陵張氏藏書"、"滌盦藏書之印"等印。

又一部　五册　鈐"謙牧堂藏書記"、"高閬仙藏書記"印。　善 831/352

2017

風雅翼十四卷(存卷一至五)

(元)劉履輯

傳抄四庫全書底本　扉頁有羅振玉手澤

二册

八行二十一字,藍格,白口,四周單邊。鈐"周白子"、"貞亮"印。　善 831/887

2018

五柳賡歌四卷

(晉)陶潛撰　(明)周履靖和

明金陵荆山書林刻《夷門廣牘》本

二册

九行十八字,白口,四周單邊。

善 843.2/404 - 814

2019

樂府原十五卷(存卷一至十)

(明)徐獻忠輯

明嘉靖四十年(1561)高應冕刻本

二册

十行二十字,細黑口,左右雙邊。　善 831/949

2020

樂府原十五卷

(明)徐獻忠輯

明萬曆間張所望刻本　卷十四至十五系抄配

二册

九行十八字,上細黑口,四周雙邊。鈐"東海少卿氏珍藏"、"少卿經眼"印。　善831/949-02

2021

古樂苑五十二卷目錄二卷前卷一卷衍錄四卷

(明)梅鼎祚輯

明萬曆十九年(1591)呂胤昌刻本

二十册

十行二十一字,小字雙行同,白口,左右雙邊。版心下鐫刻工及字數。鈐"節鉞世家"、"張子敬齋藏書"、"淑躬堂藏書"、"研易樓藏書印"、"沈氏粹芬閣所得善本書"等印。　善831/279

2022

采菽堂古詩選三十八卷補遺四卷

(清)陳祚明選

清康熙四十五年(1706)刻本

十六册

十行二十字,小字雙行同,白口,左右雙邊。封面鐫"武林翁氏訂定"。　善831/377

2023

阮亭選古詩三十二卷

(清)王士禛輯

清康熙間翻刻天藜閣本　佚名過錄(清)翁方綱等墨筆批改及題記

六册

十行二十一字,黑口,左右雙邊。鈐"狄氏種石軒"、"狄葆賢印"、"楚卿偶得"、"曼農"、"鑄夢盦主"等印。　善831/113-3

2024

榕村詩選八卷首一卷

(清)李光地輯

清雍正七年(1729)石川方覲刻教忠堂印本

三册

九行十九字,白口,左右雙邊。原鈐"御賜教忠堂"印。鈐"國子監"印。

書板後匯入乾隆元年(1736)印《安溪李先生全集》。　善831/290

2025

古詩箋三十二卷

(清)王士禛輯　(清)聞人倓箋

清乾隆三十一年(1766)芷蘭堂刻本

八册

十一行,二十一字,小字雙行同,白口,左右雙邊。版心下鐫"芷蘭堂"。　善831/113-2-02

又一部　十二册　善5407

2026

古詩源十四卷

(清)沈德潛輯

清刻本　佚名過錄(清)潘德輿批校

六册

九行二十一字,黑口,左右雙邊。鈐"沈熙乾韌"印。　善831/748-06

2027

漢魏詩乘二十卷吳詩一卷總錄一卷

(明)梅鼎祚輯

明翻刻明萬曆十一年(1583)劉文顯等刻本

六册

十行二十字,小字雙行同,白口,左右雙邊。　善831.2/279

2028

漢魏詩乘二十卷吳詩一卷末卷一卷總錄一卷

(明)梅鼎祚輯

明萬曆十一年(1583)劉文顯等刻萬曆三十四年(1606)續刻《八代詩乘》本

四册

十行二十字,小字雙行同,白口,左右雙邊。版心下鐫刻工及字數。　善831.2/279-02

2029

新刊古今名賢品彙註釋玉堂詩選八卷(存卷一至五、七至八)

(明)舒芬輯　(明)舒琛增補　(明)楊淙注

明萬曆七年(1579)金陵唐氏富春堂刻本

七册

十行二十字,白口,四周雙邊。版心下鐫"富春堂梓"。　善831/925

2030

詩紀一百五十六卷目錄三十六卷

(明)馮惟訥輯

明萬曆間吳琯、謝陛、陸弼、俞策刻本

二十册

九行十九字,小字雙行同,白口,四周雙邊。有萬曆十四年(1586)汪道昆序。序後鐫"金陵徐

智督刊"。 善831/771-02

又一部　四十八册　王世貞序後鎸"金陵徐智督刊"。 善18137

2031

詩紀一百五十六卷目録三十六卷

(明)馮惟訥輯

明萬曆間吳琯、謝陛、陸弼、俞策刻方天眷印本

四十八册

九行十九字,小字雙行,白口,四周雙邊。吳琯等校書人姓名被剜改爲"重訂"者方天眷、李秘等。

又一部　四十八册 善831/771-03

2032

詩紀一百五十六卷目録三十六卷

(明)馮惟訥輯

明萬曆間吳琯、謝陛、陸弼、俞策刻崇禎五年(1632年)南部玉函堂方虞升重修印本

十八册

九行十九字,小字雙行同,白口,四周雙邊。封面鎸"崇禎五年冬□□"、"南部玉函堂主人方虞升紀事"等。 善831/771-04

2033

名賢詩評二十卷(存卷一至十)

(明)俞允文輯

明萬曆四十一年(1613)刻本

一册

十行二十字,白口,左右雙邊。鈐"曾經王滄淵讀"、"華亭王慶麟字治祥別號滄淵私印"、"讀書養性"等印。 善821/990-8

2034

詩删二十三卷

(明)李攀龍輯　(明)鍾惺　譚元春評

明刻朱墨套印本

十二册

九行十九字,無直格,白口,四周單邊。鈐"平遥仿古閣主人國偉張氏收藏經籍金石書畫印"、"杰生過目"、"仿古閣"等印。 善831/287

2035

姑蘇新刻彤管遺編前集四卷後集十卷續集三卷附集一卷别集二卷

(明)酈琥輯

明隆慶元年(1567)自刻本

八册

十行十八字,白口,四周雙邊。有刻工。

善831/151

2036

詩所五十六卷歷代名氏爵里一卷

(明)臧懋循輯

明萬曆三十一年(1603)雕蟲館刻本

十二册

十行二十一字,白口,四周單邊。

又一部　十二册　鈐"鳴玉癖此"、"劉氏家珍"印。

善831/923

2037

詩品會函四卷

(明)陳仁錫輯

明末刻本

二册

九行二十二字,小字雙行,白口,四周單邊。眉上鎸評。 善831/384

2038

石倉十二代詩選□□卷(存古詩十三卷)

(明)曹學佺輯

明崇禎四年(1631)刻本

六册

九行十八字,白口,左右雙邊。 善831/146

2039

詩歸五十一卷

(明)鍾惺　(明)譚元春輯　(明)劉斆重訂

明末刻本

十三册

十行十九字,小字雙行同,白口,左右雙邊。

子目:

古詩歸十五卷

唐詩歸三十六卷

又一部(存唐詩歸三十六卷)　十二册　鈐"沈乃揵"印。 善831/937-2-02

2040

詩歸五十一卷(存三十九卷)

(明)鍾惺　譚元春輯

明末閔振業、閔振聲刻三色套印本

十三册

九行十八字,白口,四周單邊。鈐"慎宜軒"、"舒桐鄉民"印。

子目:

古詩歸十五卷

唐詩歸三十六卷(存二十四卷)

善 831/937－2

2041

名媛詩歸三十六卷

(明)鍾惺輯

明刻本

八册

九行十九字,小字雙行同,白口,左右雙邊。卷一首末頁版心下鎸"周明徵書"。鈐"韓應瑞印"、"吉徵氏"、"越中徐筠"、"字亦庭號香衫"等印。　善 831/937－02

2042

維風詩集三十五卷(存三十三至三十五卷)

(明)陸嘉穎輯

清初雲壑布衣抄本　劉盼遂題識

一册

十行二十一字,藍格,白口,左右雙邊。卷末題"己丑四月十一日寫畢,雲壑布衣時年七十有三"。鈐"劉盼遂印"印。

《北京圖書館善本書目》著錄有殘本:"維風詩集三十二卷存二十六卷:二至十五、二十一至三十二。"原爲西諦所藏。　善 831/387

2043

宋金元詩永二十卷補遺二卷

(清)吳綺輯

清康熙十七年(1678)刻本

十册

九行十九字,白口,左右雙邊。封面鎸"思永堂藏板"。　善 9822

2044

詩林韶濩二十卷

(清)顧嗣立輯

清康熙四十四年(1705)顧氏秀野草堂刻本

八册

十一行,二十一字,白口,左右雙邊。版心下鎸"秀野草堂"。　善 831/962

2045

佩文齋詠物詩選四百八十六卷

(清)張玉書等輯

清康熙四十六年(1707)内府刻本

三十二册

十一行二十一字,細黑口,左右雙邊。開化紙印。鈐"研易樓藏書印"、"沈氏粹芬閣所得善本書"印。　善 831/709

2046

御定歷代題畫詩類一百二十卷

(清)陳邦彦奉敕輯

清康熙四十六年(1707)内府刻本

二十四册

十一行二十三字,黑口,左右雙邊。鈐"思敬堂書畫印"印。

又一部　二十四册　善 749.31/384

2047

詩倫二卷

(清)汪薇輯

清康熙五十六年(1717)寒木堂刻本

一册

十行十九字,小字雙行同,白口,四周單邊。版心下鎸"寒木堂"。　善 831/710－02

2048

近光集二十八卷

(清)汪士鋐輯　(清)徐脩仁注

清康熙五十八年(1719)刻本

八册

九行十九字,小字雙行同,下黑口,左右雙邊。鈐"紀瑛訓印"、"雲軒藏書"印。　善 9299

2049

歷朝名媛詩詞十二卷

(清)陸昶輯

清乾隆三十八年(1773)陸氏虹樹樓刻本

六册

九行十九字,白口,左右雙邊。有圖。封面鎸"虹樹樓藏板"。

又一部　十册　善 831/389

2050

古賦辨體十卷

(元)祝堯輯

明嘉靖十六年(1537)顧可久等刻本

六册

十行十八字,白口,四周單邊。鈐"從山典籍"印。　善 832/106

2051

賦海補遺三十卷

(明)周履靖等輯

明書林葉如春刻本

十册

八行十八字,白口,四周單邊。　善 832/814

2052

賦苑八卷

(明)李鴻輯

明萬曆間刻本

十二册

十行二十字,白口,四周單邊。有刻工。

善 832/477

2053

四六法海十二卷

(明)王志堅輯

明天啓七年(1627)刻本

十六册

九行二十字,白口,四周單邊,無直格。

善 834/113－4

又一部　三十六册　善 2764

2054

御定歷代賦彙一百四十卷外集二十卷逸句二卷補遺二十二卷目録三卷

(清)陳元龍奉敕輯

清康熙四十五年(1706)内府刻本

七十二册

十一行二十一字,黑口,左右雙邊。

又一部　五十册　善 832/377－03

2055

賦學正體六卷

(清)魯琢輯評

清乾隆四十一年(1776)刻本

六册

十行二十字,白口,四周雙邊。封面鎸"養園藏板"。　善 2813

2056

七十家賦鈔六卷

(清)張惠言輯

清道光元年(1821)合河康紹鏞刻本　樂嘉藻批注並題識

四册

十三行二十二字,黑口,左右雙邊。鈐"黄平樂嘉藻印"、"彩澄閲過"等印。　善 832/307－04

2057

手抄賦文不分卷

明抄本

二册

九行二十字,無格。鈐"祝允明印"、"姜宸英印"、"西溟"、"易生讀過"、"行素堂藏書記"、"曾在南彎邨舍"、"沈燕謀以字行"諸印。善 830/106

2058

東萊先生古文關鍵二卷

(宋)吕祖謙輯

明嘉靖十一年(1532)李成刻本

四册

八行二十字,白口,四周雙邊。

善 824/449－04

2059

東萊先生古文關鍵二卷

(宋)吕祖謙輯　(宋)蔡文子注　(清)徐樹屏考異

清冠山堂刻本　佚名朱筆批注

二册

九行二十一字,小字雙行三十一字,白口,左右雙邊。鈐"惕翁"印。　善 824/449－03

2060

東萊集註類編觀瀾文集七十卷(存乙集卷一至七丙集卷八至十四)

(宋)林之琦輯　吕祖謙集注

清仿宋刻本　(清)黄彭年校　黄襄成題識

二册

十行十九字,小字雙行二十四字,細黑口,左右雙邊。鈐"戴經堂藏書"印。　善 830/260－02

2061

迂齋先生標註崇古文訣三十五卷

(宋)樓昉輯

明嘉靖十二年(1533)王鴻漸刻本

十二册

十行二十一字,白口,左右雙邊。有刻工。鈐"潛江甘鵬雲藥樵收藏書籍章"、"潛江甘鵬雲民國乙亥以後所收善本"、"潛廬藏過"等印。

善 834/276

2062

迂齋先生標註崇古文訣三十五卷

(宋)樓昉輯

明刻本

三十二册

九行十九字,白口,左右雙邊。鈐"秦氏子雙圖籍"、"武進費氏"、"益津高氏"、"高閬仙藏書記"等印。　善 832/276－02

2063
西山先生真文忠公文章正宗二十四卷
(宋)真德秀輯
明嘉靖四十三年(1564)杜陵蔣氏家塾刻本
十六册
十行二十一字,小字雙行同,白口,左右雙邊,有刻工。　善 845.22/998 -2

2064
西山先生真文忠公文章正宗二十六卷
(宋)真德秀輯　(明)唐順之批點
明刻本
二十六册
十行二十一字,小字雙行同,白口,四周單邊。
善 845.22/998 -2 -02

2065
妙絶古今不分卷
(宋)湯漢輯
明嘉靖四十二年(1563)衢州府刻本
六册
八行十七字,小字雙行同,白口,左右雙邊。鈐"雲間第八峰周氏藏書"印。　善 834/736

2066
文章軌範七卷
(宋)謝枋得輯
清康熙三十三年(1694)戴許光刻本　佚名朱筆批注
二册
十行二十字,小字雙行同,白口,左右雙邊。鈐"李賓壺家藏收"、"李世瑩印"、"秉和"、"稼堂"、"一品樓"諸印。　善 834/617 -03

2067
魁本大字諸儒箋解古文真寶前集十卷後集十卷
(元)黄堅輯
日本元禄十年(1697)八尾平兵衛刻本
二册
十行十七字,無直格,黑口,四周單邊。
善 830/167

2068
文章辨體五十卷外集五卷總論一卷
(明)吴訥輯
明嘉靖三十四年(1555)浙江湖州府徐洛刻本
十二册
十三行二十四字,白口,四周雙邊。鈐"六合徐氏孫麒珍藏書畫印"印。　善 830/439

2069
古文集四卷
(明)何景明輯
明嘉靖十五年(1536)嘉興鄭鋼刻本
四册
十行二十字,白口,四周單邊。鈐"泰州王氏雪飄藏書記"印。　善 830/899

2070
學約古文三卷
(明)岳倫輯
明嘉靖十年(1531)楊撫刻本
三册
九行十八字,白口,四周單邊。眉上鎸評。鈐"晉安徐興公家藏書"等印。　善 834/884

2071
文苑春秋四卷
(明)崔銑輯
明萬曆二十年(1592)陳簡刻藍印本
八册
十行二十字,白口,左右雙邊。有刻工。鈐"趙守維印"印。　善 834/592

2072
古文會編八卷
(明)黄如金輯
明正德五年(1510)刻本
八册
九行二十字,白口,四周單邊。　善 834/164

2073
古今翰苑瓊琚十二卷
(明)楊慎輯　(明)孫鑛評
明天啓間刻本
十二册
九行二十字,小字雙行同,白口,左右雙邊。前有天啓元年(1621)陳元素序。鈐"會稽姒氏明德堂藏書記"、"姒昆成印"、"兼山"印。
善 834/267

2074
文編六十四卷
(明)唐順之輯
明嘉靖間胡帛刻本
三十二册
十行二十字,白口,四周單邊。前有嘉靖三十

五年(1556)唐順之序。　善 834/667.8

2075

文編六十四卷

(明)唐順之輯

明天啓間刻本

二十六册

十行二十一字,白口,四周單邊。前有天啓元年(1621)陳元素序。鈐"益津高氏"、"簃樓"、"高閬仙藏書記"等印。　善 834/667.8－02

2076

新刊彙編秦漢精華十四卷

(明)詹惟修　汪道昆輯

明萬曆間刻本

四册

十行二十二字,白口,四周單邊。前有萬曆十五年(1587)汪道昆序;十三年(1585)詹軫光撰《秦漢精華後語》。後鎸"歙邑黄釜刊"。鈐"小李山房圖籍"印。　善 834.2/848

2077

文章正論二十卷

(明)劉祜輯

明萬曆十九年(1591)徐圖刻本

二十册

十行二十字,小字雙行同,白口,四周雙邊。眉上鎸注。版心下鎸刻工及字數。　善 834/886

2078

新鍥温陵鄭孩如先生約選古文四如編四卷

(明)鄭維嶽　李光縉輯評

明書林余東泉刻本

四册

十行二十字,小字雙行同,白口,四周單邊。眉欄鎸諸家評注。　善 834/978

2079

古今人物論三十六卷

(明)鄧賢輯

明萬曆三十六年(1608)余彰德刻本

十册

十行二十四字,白口,四周單邊。　善 2774

2080

文府滑稽十二卷

(明)鄒迪光輯

明萬曆三十七年(1609)鄒同光刻本

六册

十行二十字,白口,四周雙邊。卷一首末版心下鎸"六安崔繼堯刊"。　善 834/842.6

2081

名世文宗三十卷談藪一卷

(明)胡時化輯

明崇禎元年(1628)刻本

三十二册

九行十八字,小字雙行同,白口,四周單邊。眉欄鎸評。　善 834/218

2082

書記洞詮一百十六卷目錄二卷

(明)梅鼎祚輯

明萬曆二十五年(1597)刻本

三十二册

十行二十字,小字雙行同,白口,左右雙邊。鈐"環山樓藏書印"、"寧武南氏珍藏"、"復盦南氏"諸印。　善 856.1/279

2083

文體明辯六十一卷卷首一卷目錄六卷附錄十四卷附錄目錄二卷

(明)徐師曾輯

日本寬文十三年(1673)伊東氏刻本

八十四册

十行十九字,白口,左右雙邊。

善 427/953－02

2084

詞致錄十六卷

(明)李天麟輯

明萬曆十五年(1587)自刻本

八册

十行二十字,白口,四周單邊。

本書重刻時改名《八代四六全書》,内容同。

善 834/286－6

2085

八代四六全書十六卷

(明)李天麟輯

明刻本

十六册

十行二十字,白口,四周單邊。眉欄鎸評。

本書原名:《詞致錄》。　善 834/286

2086

四六類編十六卷

(明)李日華撰　(明)魯重民補訂

明崇禎十三年(1640)魯重民刻本
十四册
九行二十字,白口,四周單邊。　善 12297

2087
不多集二十二卷
(明)吳士奇輯
明萬曆四十年(1612)刻本
二十四册
九行二十字,白口,四周單邊。序及卷一首頁版心下均鎸"吉安周科刊"。　善 834/435.2

2088
新鎸張狀元遴輯評林秦漢狐白四卷
(明)張以誠輯　(明)許獬評注
明萬曆三十二年(1604)余紹崖刻本
四册
十行二十字,小字雙行同,白口,四周單邊。眉欄鎸評。有"萬曆甲辰仲秋余紹崖梓"牌記。
善 834.1/310

2089
清音集三卷
(明)賀烺輯
明刻本　有抄配
三册
九行十九字,白口,無直格,四周單邊。
善 834/331.7

2090
古文瀾編二十卷
(明)王志堅輯
明崇禎五年(1632)刻本
十册
九行二十字,小字雙行同,無直格,白口,四周單邊。　善 834/113

2091
秦漢文歸三十卷
(明)鍾惺輯評
明古香齋刻本
三十二册
九行二十六字,白口,無直格,四周單邊。版心下鎸"古香齋"。
子目:
秦文歸十卷
漢文歸二十卷　善 834.1/937

2092
秦漢鴻文二十五卷
(明)顧錫疇輯
明崇禎間刻本
十二册
九行二十字,白口,四周單邊。前有崇禎六年(1633)顧錫疇序。鈐"萊陽張氏桐生藏書之印"印。
子目:
先秦鴻文五卷
兩漢鴻文二十卷　善 834.1/967

2093
古逸書三十卷首一卷末一卷
(明)潘基慶輯
明萬曆三十九年(1611)刻本　有抄配
十六册
八行二十字,小字雙行同,白口,四周單邊。版心下鎸字數。　善 834/754

2094
古逸書三十卷首一卷末一卷
(明)潘基慶輯
明末刻本
六册
八行二十字,小字雙行同,白口,四周單邊。
善 11800

2095
古文品外錄十卷
(明)陳繼儒輯評
明末讀書坊刻本
十册
九行二十字,小字雙行同,白口,四周單邊。眉上鎸評。封面鎸"讀書坊藏板"。
善 834/384.8－02

2096
秦漢文鈔不分卷
(明)馮有翼輯
明萬曆十一年(1583)清音館刻本
十六册
九行二十字,小字雙行同,白口,左右雙邊,眉欄鎸評。目錄首頁版心下鎸"清音館雕"。
善 834.1/768

2097
秦漢文鈔十二卷
(明)馮有翼輯　(明)汪德元訂

明萬曆間刻本

十二册

九行十七字,小字雙行同,白口,四周單邊。眉欄鎸評。鈐“古春書室”、“毛天成印”、“琢峰”、“宫田珍藏”等印。　善 834.1/768－02

2098

天壤遺文七卷

(明)徐奮鵬輯並評　(明)徐春茂　徐春盛注釋

明刻本

三册

八行二十字,白口,四周單邊。　善 834/948

2099

秦漢文鈔六卷

(明)閔邁德等輯　(明)楊融博批點

明萬曆四十八年(1620)閔氏刻朱墨套印本

七册

九行十九字,白口,四周單邊。鈐“李氏藏書畫印”印。

又一部　十二册　鈐“黄襄成”、“湘乑”印。

善 834.1/458

2100

廣文字會寶十六卷

(明)朱文治輯

明閩建書林葉見遠刻本

十六册

行款不一,白口,四周單邊。　善 746.46/832

2101

古文奇賞二十二卷

(明)陳仁錫輯

明末刻本

十二册

十行二十字,小字雙行同,白口,四周單邊。

善 834/384－1

2102

奇賞齋廣文苑英華二十六卷

(明)陳仁錫輯

明天啓間刻本

三十册

十行二十字,小字雙行同,白口,四周單邊。版心下鎸“奇賞齋”。　善 834/384

2103

啓品有函二卷文品芾函三卷史品赤函四卷

(明)陳仁錫輯

明末刻本

八册

九行二十二字,小字雙行,白口,四周單邊。眉上鎸評。　善 834/384－6

2104

古今文統十六卷

(明)張以忠輯　(明)陳仁錫評

明崇禎間刻本

十二册

十行二十字,小字雙行同,白口,四周單邊。眉欄鎸評。前有崇禎二年(1629)張以忠序。鈐“吴端義印”、“筱梅”印。　善 834/310

2105

國瑋集五十六卷

(明)方岳貢輯

明刻本

二十四册

九行十九字,白口,左右雙邊。眉上鎸評。鈐“檠樵”、“甘氏崇雅堂藏書記”印。　善 831/626.8

2106

玉臺文苑八卷

(明)江元禧輯

續玉臺文苑四卷

(明)江元祚輯

明崇禎間刻本

六册

九行二十字,白口,四周單邊。鈐“南州後人”、“南州書樓所藏”、“徐湯啓”印。　善 834/719

2107

文致不分卷

(明)劉士鏻輯　(明)閔無頗　閔昭明集評

明天啓元年(1621)閔元衢刻朱墨套印本

十册

八行十八字,無直格,白口,四周單邊。鈐“寐叟”、“默菴藏書”、“漢齋”、“徐氏潤周”等印。

善 834/887

2108

删補古文今致十卷

(明)劉士鏻輯　(明)王宇增删

明天啓三年(1623)刻吴門寶翰樓印本

八册

九行二十字,白口,四周單邊。眉上鎸評。原鈐“寶翰樓藏書記”印。鈐“貯月山房”印。

善 834/887－118

2109

古文正集十卷二編二十二卷

(明)葛鼒　葛鼐輯

明末吳門葉顯吾刻本

八十四册

十行二十七字，白口，四周單邊。鈐"黄氏圖書"、"河間龎氏珍藏金石書畫"、"粹芬閣"諸印。

善 834/521

2110

二十一史文選一百卷

(明)周鍾輯

明崇禎十五年(1642)葉瞻泉、段君定刻本

一百七十七册

九行十九字，白口，四周單邊。　善 830/821

2111

文腴十四卷

(明)唐昕輯

明崇禎十七年(1644)刻本

八册

十行二十字，小字雙行，白口，四周單邊。序首頁版心下鎸"程定之刊"。　善 830/667

2112

賴古堂文選二十卷

(清)周亮工輯

清康熙六年(1667)自刻本

十册

九行二十字，白口，四周單邊。鈐"張學謙印"印。　善 834.6/815

2113

初學辨體增删定本不分卷

(清)徐與喬輯評

清康熙間刻本　佚名過録(清)朱彬並諸家評語　(清)朱彬跋　(清)梅植之跋

十册

九行二十六字，白口，四周單邊。

善 091.1/953

2114

典制考辨便讀八卷

(清)馬名駒輯

清抄本

四册

九行二十五字，小字雙行同，無格。

善 856.5/418

2115

古文淵鑒六十四卷

(清)徐乾學等輯並注

清康熙二十四年(1685)内府刻四色套印本

四十八册

九行二十字，小字雙行同，黑口，四周單邊。開化紙印。

又一部　二十四册　善 834/716

2116

古文淵鑒六十四卷

(清)徐乾學等輯並注

清康熙間刻五色套印本

二十四册

九行二十字，小字雙行同，黑口，四周單邊。

善 834/716－05

2117

斯文正宗十六卷

(清)張伯行輯

清康熙六十一年(1722)正誼堂刻本

十六册

十行二十二字，白口，左右雙邊。版心下鎸"正誼堂"。

又一部　八册　善 834/313.8

2118

古文彙鈔二卷

(清)劉青震輯

稿本　佚名墨筆批注

二册

十六行二十四字，無格。前有乾隆五十八年(1793)劉鵬翱序。原鈐"海亭氏"、"鵬翱"印。鈐"馬叙倫印"印。　善 2793

2119

古文雅正十四卷

(清)蔡世遠輯

清雍正三年(1725)念修堂刻本

六册

八行二十四字，白口，無直格，左右雙邊。

又一部　六册　善 834/557

2120

古文斳前集十六卷後集十八卷

(清)姚培謙並評

清康熙六十一年(1722)至雍正元年(1723)遂安堂

刻本
十六册
九行二十一字,小字雙行同,黑口,左右雙邊。
善 834/994.8

2121
古文辭類纂七十五卷
(清)姚鼐輯
清道光五年(1825)金陵吳氏刻本　佚名藍筆批校
十二册
十行二十五字,白口,左右雙邊。
善 834/994-013

2122
六朝文絜四卷
(清)許槤輯並評
清道光五年(1825)許氏享金寶石齋刻朱墨套印本
二册
九行十八字,黑口,左右雙邊。
善 834.34/608-04

2123
尺牘清裁六十卷補遺一卷
(明)王世貞輯
明刻本
六册
九行二十字,小字雙行同,左右雙邊。鈐"清白傳家"印。　善 856.1/113

2124
歷朝尺牘大全十四卷
(明)王錫爵輯
明萬曆三十九年(1611)周近泉刻本
十四册
九行二十字,白口,四周單邊。封面鎸"辛亥冬月書林周近泉梓"。　善 856.1/120

2125
春雪箋八卷
(明)許以忠　(明)王焞輯
明王世烘刻本　有抄配
十册
九行十八字,白口,四周單邊。鈐"壽祺堂葛氏珍藏"、"頁川珍藏"印。　善 856.1/611

2126
翰海十二卷
(明)沈佳胤輯
明崇禎間刻本
十册
九行二十字,白口,四周單邊。無直格。鈐"冰檗居"、"清白吏子孫"印。
又一部　十册　善 856.1/384

斷代

2127
春秋戰國文選三十四卷
(明)姚三才輯
明萬曆七年(1579)萬卷樓刻本　(清)胡培翬校並跋
十二册
九行二十字,小字雙行同,白口,四周雙邊。版心下鎸"萬卷樓梓"。鈐"樾侯"、"承蔭"諸印。
善 834.17/994

2128
周文歸二十卷
(明)鍾惺輯
明崇禎間豹變齋刻本
十六册
九行十九字,小字雙行同,白口,四周單邊。眉上鎸評。前有崇禎十二年(1639)顧錫疇序。
善 834.15/937

2129
漢詩説十卷總説一卷
(清)沈用濟　(清)費錫璜撰
清康熙間刻本
四册
九行十九字,黑口,左右雙邊。　善 821/747
又一部　四册　鈐"積學齋徐乃昌藏書"印。
善 12231

2130
西漢文統五卷
(明)童養正輯
明崇禎間刻《史漢文統》本　佚名朱筆批注
十册
九行二十字,白口,四周單邊。眉上鎸評。
善 834.21/115

2131
兩漢文四十卷
(明)張采輯
明崇禎間刻本
二十册

九行十九字,小字雙行同,白口,左右雙邊。眉上鐫評。前有崇禎六年(1633)張采題辭。

子目:

西漢文二十卷

東漢文二十卷

又一部　五册　善 834.2/314

2132

新雕校正三國志文類六十卷

清抄本

十册

十行二十字,無格。　善 834.23/100

2133

西晉文二十卷

(明)張采輯

明崇禎間刻本

十册

九行十九字,小字雙行同,白口,左右雙邊。眉上鐫評。　善 834.311/314

2134

宋文紀十八卷

(明)梅鼎祚輯

明崇禎間刻本

六册

十行二十字,小字雙行同,白口,左右雙邊。　善 834.351/279

2135

梁文紀十四卷

(明)梅鼎祚輯

明崇禎十二年(1639)刻本

三册

十行二十字,小字雙行同,白口,左右雙邊。前有崇禎十二年(1639)序。　善 834.353/279

2136

國秀集三卷

(唐)芮挺章輯

明萬曆三十一年(1603)張世才刻《唐詩六集》本

一册

九行二十字,白口,左右雙邊。鈐"伊氏秋水園藏書"、"伊立勛印"、"峻齋"、"伊遠昭印"、"臣對和印"、"温葆淳印"、"禮培私印"、"掃塵齋讀書記"等印。　善 831.41/524

2137

松陵集十卷

(唐)皮日休　陸龜蒙撰

明末汲古閣刻本

三册

八行十九字,白口,左右雙邊。版心下鐫"汲古閣"。鈐"葉德輝煥彬甫藏閱書"、"葉氏定侯紬書"、"葉啓發藏書"、"拾經樓著錄"印。

善 831.4/393

2138

才調集十卷

(蜀)韋縠輯

清康熙四十三年(1704)汪氏垂雲堂刻本　佚名墨筆及綠筆批注、朱筆校

二册

八行十九字,白口,左右雙邊。版心下鐫"垂雲堂"。鈐"心圃"、"曆山"、"二思居士"、"陳旭旦"、"雅初"諸印。　善 831.41/579-03

2139

才調集補註十卷

(蜀)韋縠輯　(清)殷元勳箋注　(清)宋邦綏補注

清乾隆五十八年(1793)思補堂刻本

六册

十行二十一字,白口,四周雙邊。封面鐫"思補堂藏板"。鈐"篁韻齋藏書記"、"澶州黄振藻印"等印。　善 831.41/579-02

2140

王荆公唐百家詩選二十卷

(宋)王安石輯

清康熙四十七年(1708)緯蕭草堂刻本

六册

十行十八字,白口,左右雙邊。封面鐫"緯蕭草堂藏板"。　善 8894

2141

宋洪魏公選萬首唐人絶句四十卷目錄四卷

(宋)洪邁輯　(明)趙宧光　黄習遠補

明萬曆三十五年(1607)趙宧光刻本

二十四册

十行十八字,小字雙行同,白口,左右雙邊。

善 831.41/720-02

又一部　十二册　鈐"果親王圖書記"印。善 18327

2142

箋註唐賢絶句三體詩法二十卷

(宋)周弼輯　(元釋)圓至注

明火錢刻本　(清)□修源校
四册
十一行十九字,小字雙行同,白口,左右雙邊。鈐“潄六執之芳潤”、“長水胡氏藏書”印。
善 831.41/814－02

2143
增註唐賢三體詩法三卷
(宋)周弼輯　(元釋)圓至注　(元)裴庚增注
日本元祿八年(1695)刻本
一册(原訂三册)
十行二十一字,小字雙行二十四字,白口,四周單邊。鈐“珂泉石印”印。　善 831.41/814

2144
唐詩始音一卷唐詩正音六卷唐詩遺響三卷
(元)楊士弘輯
明刻本
八册
十行十八字,白口,左右雙邊。鈐“竹垞私印”、“朱氏家藏子孫永賞”、“項子京收藏書畫章”印。　善 831.41/267

2145
唐詩品彙九十卷拾遺十卷詩人爵里詳節一卷
(明)高棅輯　(明)陸允中校訂
明刻本
四十册
十行二十字,小字雙行同,白口,左右雙邊。
善 831.4/641

2146
唐詩品彙九十卷唐詩拾遺十卷
(明)高棅輯　(明)張恂重訂
明末張恂刻本
十六册
十行二十字,小字雙行同,白口,左右雙邊。鈐“葉德輝煥彬甫藏閱書”印。　善 831.4/641－02

2147
唐詩正聲二十二卷
(明)高棅輯
明刻本
六册
十行二十字,白口,四周單邊。鈐“明善堂覽書畫印記”、“巴陵方氏碧琳琅館珍藏書籍”、“功惠珍藏”、“無竟先生獨志堂物”諸印。
善 831.41/641

2148
唐雅八卷
(明)胡纘宗輯
明嘉靖二十八年(1549)文斗山堂刻補修印本
四册
十行二十字,白口,四周單邊。版心下鐫“文斗山堂”。　善 831.4/222

2149
唐詩絶句類選四卷總評一卷人物一卷
(明)敖英　凌雲輯
明凌雲刻三色套印本
四册
八行十九字,白口,四周單邊。眉上及行間鐫評。鈐“吳越錢氏”、“西白山房藏書”、“愢予珍賞”等印。
又一部　四册　鈐“稚瞻”等印。　善 831.4/765.3

2150
唐律類鈔二卷
(明)蔡雲程輯
明嘉靖十八年(1539)刻本
一册
十行二十字,白口,四周單邊。　善 831.4/558

2151
唐雅二十六卷
(明)張之象輯
明嘉靖三十一年(1552)無錫縣刻本
十册
九行十七字,白口,左右雙邊。序後有“嘉靖三十一年板置無錫縣”牌記。　善 831.4/311－6

2152
唐詩類苑二百卷
(明)張之象輯
明萬曆二十九年(1601)曹仁孫刻本
四十八册
十行二十字,白口,四周雙邊。　善 831.4/311

2153
唐詩選八卷
(明)李攀龍輯　(日)碕允明箋注
日本天明四年(1784)江都嵩山房刻本　(日本)佚名墨筆注釋
八册
九行二十字,小字雙行同,白口,四周單邊。
善 831.4/287－351

2154
李于鱗唐詩廣選七卷
(明)李攀龍輯　(明)凌瑞森　凌南榮輯評
明萬曆間凌氏刻朱墨套印本
六册
八行十八字,白口,四周單邊,無直格。
善 831.4/287

2155
唐音類選二十四卷唐音拾遺一卷
(明)潘光統輯
清康熙四十九年(1710)潘銘刻本　(清)潘佛頤校並跋
八册
十行二十字,黑口,四周單邊。善 831.4/754

2156
唐詩會選十卷
(明)李栻輯
明萬曆二年(1574)自刻本
四册
十行二十字,白口,左右雙邊。鈐"燕謀"、"行素堂藏書記"印。善 831.4/287.2

2157
唐詩紀一百七十卷目錄三十四卷
(明)黄德水　吳琯輯
明萬曆十三年(1585)吳琯刻本
三十册
九行十九字,白口,四周雙邊。善 831.41/172
又一部　三十册　善 18214

2158
唐雅同聲五十卷目錄二卷
(明)毛懋宗輯　(明)朱謀垔輯補　(清)朱統鉷重編
明天啓五年(1625)朱謀垔刻清順治十八年(1661)容安朱統鉷補修本
二十册
十行二十字,白口,四周雙邊。版心下偶存"依仁山館"四字。善 831.4/832

2159
初唐彙詩七十卷詩人氏系履歷一卷目錄十卷盛唐彙詩一百二十四卷詩人氏系履歷一卷目錄二十二卷
(明)吳勉學輯
明萬曆間吳勉學刻《四唐彙詩》本
二十四册
九行十八字,白口,左右雙邊。鈐"曾在李鯆堂處"印。善 831.4/441

2160
唐詩名花集一卷
(明)楊肇祉輯
明天啓六年(1626)烏程閔一栻刻朱墨套印本
一册
八行十八字,白口,四周單邊。鈐"寶日閣藏書印"、"梅益徵印"、"蕓齋"印。善 831.4/274

2161
彙編唐詩十集四十一卷目錄七卷
(明)唐汝詢輯
明天啓三年(1623)刻本
十二册
九行十八字,小字雙行同,白口,四周單邊。
又一部　十六册　鈐"無竟先生獨山堂物"等印。
善 831.41/667

2162
唐詩選十卷拾遺十卷
(明)曹學佺輯
明崇禎間刻《石倉十二代詩選》本
四十八册
九行十八字,白口,左右雙邊。
善 831.41/146

2163
刪訂唐詩解二十四卷
(明)唐汝詢輯　(清)吳昌祺評
清康熙四十年(1701)刻本
六册
九行二十一字,白口,左右雙邊。眉欄鎸評。
善 2827

2164
唐音癸籤三十三卷
(明)胡震亨輯
清順治間刻本
三册
十行十九字,小字雙行同,白口,左右雙邊。卷一首頁版心下鎸"金陵劉鳳鳴刻"。鈐"安樂堂藏書記"、"明善堂覽書畫印記"印。善 18241

2165
唐音戊籤二百一卷餘閏六十三卷餘諸國主詩一卷
(明)胡震亨輯
清康熙二十六年(1687)南益堂刻本

三十二册

十行十九字，白口，左右雙邊。封面鎸“南益堂藏板”。

又一部　十八册

又一部　四十八册　善 831.4/217

2166

貫華堂批選唐才子詩甲集七言律八卷

（清）金人瑞輯　（清）金雍注

清初刻本

十二册

九行二十一字，小字雙行同，白口，左右雙邊。　善 9158

2167

近體秋陽十七卷

（清）譚宗輯

清金閶天禄閣刻本

八册

九行十九字，小字雙行同，白口，左右雙邊。封面鎸“金閶天禄閣梓行”。　善 821/601

2168

全唐詩九百卷目錄十二卷

（清）曹寅等輯

清康熙四十四年（1705）至四十六年（1707）揚州詩局刻本

一百二十册

十一行二十一字，細黑口，左右雙邊。開化紙印。　善 831.4/145

2169

御選唐詩三十二卷目錄三卷

（清）聖祖玄燁輯　（清）陳廷敬等注

清康熙五十二年（1713）内府刻朱墨套印本

十二册

七行十七字，小字雙行字不等，白口，四周雙邊。

又一部　十五册　開化紙印。　善 831.4/716

2170

唐人萬首絶句選七卷

（清）王士禛輯

清康熙間吳郡宋廣業校刻雍正間印本　劉盼遂題識

二册

九行十九字，黑口，左右雙邊。

善 831.4/113－03

2171

御定全唐詩錄一百卷詩人年表一卷

（清）徐倬　徐元正輯

清康熙四十五年（1706）揚州詩局刻本

三十二册

十一行二十一字，黑口，左右雙邊。鈐“愛日樓”印。　善 831.4/953

又一部　三十二册

又一部　二十一册　善 6650

2172

唐律消夏錄五卷

（清）顧安輯

清乾隆二十七年（1762）何文焕刻本

四册

九行十八字，小字雙行同，黑口，左右雙邊。鈐“悔庵”、“求放心齋藏書之印”印。

善 831.41/965

2173

中晚唐詩叩彈集十二卷續集三卷

（清）杜詔　杜庭珠輯

清康熙四十三年（1704）采山亭刻本

六册

十一行二十字，小字雙行字不等，白口，左右雙邊。有刻工。版心下鎸“采山亭”。鈐“黄節”印。　善 8713

2174

唐詩排律七卷

（清）牟欽元輯　（清）牟瀜箋注

清康熙五十四年（1715）刻本

二册

九行二十字，小字雙行三十字，細黑口，四周雙邊。　善 12253

2175

晚唐詩鈔二十六卷

（清）查克弘　凌紹乾輯

清康熙四十二年（1703）棲鳳閣刻本

六册

十行十九字，小字雙行字不等，白口，左右雙邊。版心下鎸“十干詩塢”。　善 831.419/295

2176

唐詩絶句英華十四卷

（清）梁無技輯

清康熙四十九年（1710）南樵草堂刻本

四册

十一行二十一字,黑口,左右雙邊。

善 831.41/732

2177

唐詩別裁集十卷

(清)沈德潜　陳培脈輯

清康熙五十六年(1717)碧梧書屋刻本　佚名墨筆過錄諸家評語

四册

十行十九字,黑口,左右雙邊。眉上鎸評。封面鎸"碧梧書屋藏板"。　善 831.4/748-6-04

2178

重訂唐詩別裁集二十卷

(清)沈德潜輯

清乾隆二十八年(1763)教忠堂刻本

十册

十行十九字,白口,左右雙邊。版心下鎸"教忠堂"。　善 5387

2179

唐詩向榮集三卷

(清)陶元藻輯並評

清乾隆二十五年(1760)衡河草堂木活字印本

二册

九行二十字,小字雙行同,四周雙邊。版框外鎸"衡河草堂"。　善 831.4/398

2180

查林詩略選不分卷

(清)查嗣蘭輯

稿本　佚名朱筆批點

一册

九行二十字,白口,四周雙邊。鈐"查嗣蘭印"、"子芷"、"鵝湖查嗣蘭字子芷"、"近號鵝峰"諸印。　善 831.4/295

2181

唐詩從繩不分卷

清乾隆間巢父抄本　(清)端方跋

一册

九行二十字,無格。　善 831.4/667

2182

唐詩選輯八卷補遺一卷目録二卷

清抄本　(清)黄彭年批校　(清)黄襄成跋

十册

十行二十字,無格。鈐"豐府藏書"、"楓林黄氏收藏經籍書畫金石文字"、"戴經堂藏書"、"觀略堂書畫記"、"黄氏家藏"等印。

善 831.41/667.6

2183

得一堂彙選唐詩定本不分卷

抄本

六册

八行二十一字,小字雙行同,黑口,四周雙邊。鈐"裔承越國後家住竹林邨"、"竹林汪氏珍藏"、"謏堯圖書"諸印。　善 831.41/942

2184

唐文粹一百卷

(宋)姚鉉輯

明嘉靖間刻本

四十八册

十三行二十一字,白口,四周單邊。鈐"豫齋收藏"、"賈氏董享珍藏"、"題客所讀書"、"李太史家藏"、"滿曲溪章"等印。　善 830.4/994-05

2185

欽定全唐文一千卷目録三卷

(清)董浩等輯

清嘉慶十九年(1804)内府刻本

三百二十册

九行二十二字,白口,四周雙邊。

又一部　三百二十册　善 834.4/947

2186

宋詩略十八卷

(清)汪景龍　(清)姚壎輯

清乾隆三十五年(1770)竹雨山房刻本

六册

十行十九字,小字雙行二十七字,黑口,左右雙邊。　善 8715

2187

九僧詩一卷

(宋釋)希晝等撰

清抄本　佚名墨筆校

一册

八行二十字,無格。鈐"執風堂藏書"、"荃孫"印。　善 831.5/992

2188

國朝文鑑一百五十卷(殘存卷六十八至七十一、一百一十一至一百一十二、一百二十二至一百三十一、一百四十二至一百四十五、一百四十九至一百五

十）
（宋）呂祖謙輯
明天順八年（1464）刻本
八册
十三行二十一字，黑口，左右雙邊。除卷一百三十五外，其餘各卷卷端“文鑑”前均剜去“聖宋”或“國朝”二字。鈐“書潜經眼”、“九與審定”、“傅嶽棻印”等印。
王重民《中國善本書提要》謂：“宋代嚴州曾刻是書，至天順間，殘版猶存。而郡守張永得善印本，恐有差誤，依原書上版翻雕（僅删去書題“皇朝”二字，亦有二三處未删者）”。
善 830.51/444－02

2189
大宋文鑑一百五十卷目録三卷
（宋）呂祖謙輯
明正德十三年（1518）慎獨齋刻本
四十册
十二行二十五字，細黑口，四周雙邊。鈐“葛鼒字經白”、“毅調”、“葛鼒字毅調别號頌魯圖書記”印。　善 830.51/444－03

2190
宋諸名家表不分卷
（明）汪用極輯
明刻本
二册
八行二十字，白口，四周單邊。　善 834.5/714

2191
中州集十卷卷首一卷中州樂府一卷
（金）元好問輯
明末毛氏汲古閣刻本
十册
八行十九字，白口，左右雙邊。版心下鎸“汲古閣”。封面鎸“吴門寒松堂藏板”。鈐“董氏石塘”、“臣濂”、“陳寶儉珍藏印”諸印。
善 831.57/128－03

2192
翰苑英華中州集十卷目録一卷樂府一卷
（金）元好問輯
抄本　佚名朱筆校
十二册
十行十九字，無格。　善 831.57/128

2193
御訂全金詩增補中州集七十二卷卷首二卷
（金）元好問輯　（清）郭元釪補輯
清康熙五十年（1711）内府刻本
二十四册
八行十九字，細黑口，四周單邊。
善 831.56/630－02

2194
御訂全金詩增補中州集七十二卷卷首二卷
（金）元好問輯　（清）郭元釪補輯
清康熙五十年（1711）内府刻乾隆五十四年（1789）重修本
二十四册
八行十九字，細黑口，四周單邊。
又一部　四十八册　善 831.56/630

2195
元詩選六卷補遺一卷
（清）顧奎光輯
清乾隆十六年（1751）刻本
四册
十行十九字，白口，左右雙邊。眉上鎸評。鈐“靈石楊氏墨林藏書印”印。
又一部　四册　善 831.57/961

2196
元詩自攜七言律詩十六卷七言絶句五卷
（清）姚培謙輯
清康熙六十一年（1722）姚氏刻雍正四年（1726）續刻本
十册
九行十九字，黑口，左右雙邊。善 831.57/994

2197
元文類七十卷目録三卷
（元）蘇天爵輯
明嘉靖十六年（1537）晉藩刻本
二十册
十行十九字，白口，四周單邊。鈐“半巢書屋主人李氏紹白珍藏”印。　善 830.57/554－02

2198
新鍥明詩十二家類抄八卷
（明）穆光胤輯
明萬曆三十九年（1611）金陵李氏聚奎樓刻本
六册
十行二十二字，小字雙行同，白口，四周單邊。
善 831.6/798

2199
皇明詩選十三卷
(明)陳子龍　李雯等輯
明崇禎間吳門蔣復貞刻本
十二册
九行十八字,白口,四周單邊。鈐"馬文英印"印。
又一部　四册　善831.6/288

2200
升恒編十二卷
(明)孫安國　陳卓輯
明崇禎六年(1633)張觥化刻本
六册
九行二十字,白口,左右雙邊。　善856/366

2201
明詩歸八卷
(清)程如嬰　朱衣輯並評
清順治間刻本
八册
八行二十二字,小字雙行同,白口,四周單邊。前有順治七年(1650)朱衣叙。　善831.6/793

2202
遺民詩十二卷
(清)卓爾堪輯
近青堂詩一卷
(清)卓爾堪撰
清康熙間近青堂刻本
十二册
十行十八字,白口,左右雙邊。鈐"王調鼎印"、"巨杲"、"可齋寓目"等印。　善831.69/500

2203
明詩綜一百卷
(清)朱彝尊輯
清康熙間刻後印本
三十二册
十一行二十一字,小字雙行三十一字,白口,左右雙邊。　善831.6/834
又一部　三十册　善6052

2204
皇明文選二十卷
(明)汪宗元輯
明嘉靖三十三年(1554)自刻本
十册
十行二十字,白口,左右雙邊。　善834.6/713

2205
鼎鐫諸方家彙編皇明名公文雋八卷
(明)袁宏道輯　(明)丘兆麟補　(明)吳從先　(明)陳萬言評
明末師儉堂蕭少衢刻本
十六册
九行二十字,小字雙行同,白口,四周單邊。眉欄鐫評。卷末有"師儉堂蕭少衢依京板刻"牌記。　善834.6/193

2206
明文奇賞四十卷
(明)陳仁錫輯並評
明天啓三年(1623)刻本
四十册
十行二十一字,白口,四周單邊,無直格。眉上鐫評。　善834.6/384

2207
明文霱二十卷
(明)劉士鏻輯並評
明崇禎七年(1634)刻本
十册
九行二十字,白口,四周單邊。鈐"滎氏讀未見書齋珍藏"、"葉啓芳藏"、"葉啓芳丁酉六十藏書"、"江西汪石琴家藏本"諸印。　善834.6/887

2208
媚幽閣文娛不分卷
(明)鄭元勳輯
明崇禎三年(1630)媚幽閣刻本
八册
九行二十一字,白口,四周單邊。無直格。
善834.6/971-02

2209
媚幽閣文娛不分卷
(明)鄭元勳輯
明崇禎三年(1630)刻清順治間補刻本
十二册
九行二十字,白口,四周單邊。無直格。
善18190

2210
岳石帆先生鑒定四六宙函三十卷
(明)李自榮輯　(明)王世茂注
明天啓五年(1625)刻石渠閣印本

十六册

九行二十字,小字雙行同,白口,四周單邊或左右雙邊。　善 834.6/293

2211

車書樓彙輯各名公四六争奇八卷

(明)許以忠輯

明萬曆四十八年(1620)刻本

八册

九行十八字,小字雙行同,白口,四周單邊。無直格。　善 834.6/611

又一部　八册　善 11765

2212

精選繩尺論二卷

明隆慶三年(1569)王建勳刻本

二册

十一行二十二字,小字雙行同,白口,四周雙邊。　善 856.5/761

2213

增訂國朝館課經世宏辭十五卷

(明)王錫爵　沈一貫輯

明萬曆十八年(1590)周氏萬卷樓刻本

十一册

十二行二十四字,白口,四周單邊。眉欄鐫評。每卷末鐫"周氏萬卷樓藏板"。鈐"吳江陳去病收藏金石書畫之印"印。　善 856.5/120

2214

新刻官板舉業巵言五卷

(明)武之望撰　(明)陸翀之等輯

明萬曆間周氏萬卷樓刻本

一册

九行十八字,白口,四周單邊。　善 826/103

2215

程文選四卷

(明)范應賓輯評

續程文選一卷

(明)張榜輯並評

明萬曆二十二年(1594)刻本

六册

九行二十字,白口,四周單邊。眉上鐫評。

善 856.5/535

2216

刻注釋論學臧耳三卷

(明)楊九經注釋

明萬曆二十六年(1598)余氏自新齋刻本

一册

十一行二十一字,小字雙行同,白口,四周單邊。眉上鐫注。卷末有"萬曆戊戌季夏穀旦書林余氏自新齋紹崖繡梓兑行"牌記。　善 856.5/273

2217

三秋業策選不分卷

明崇禎十年(1637)抄本

二册

十行二十四字,無格。鈐"吳燧寶藏先澤"、"雪痴"、"忠襄名家"、"拜經樓"等印。

善 856.5/100

2218

國朝七名公尺牘八卷

(明)屠隆輯

明萬曆間文斐堂刻本

六册

九行二十字,白口,左右雙邊。目録後鐫"文斐堂梓"。鈐"棲霞牟氏俗園藏書"印。

善 856.1/319

2219

國朝名公翰藻五十二卷(存卷一至二、五至二十一)

(明)凌迪知輯

明萬曆間刻本

十册

九行二十字,白口,四周單邊。有刻工。鈐"餘閑珍玩"、"日涉園收藏印"等印。

善 856.1/765

2220

明賢尺牘四卷附一卷

(明)周順昌等撰

清末黄彭年抄本　黄襄成題識

一册

九行字不等,紅格,白口,四周單邊。版心下鐫"翰寶齋"。鈐"黄氏家藏"、"湘丞所守先世手澤"、"承蔭堂"等印。　善 856.1/165

2221

同人集十二卷

(清)冒襄輯

清康熙間冒氏水繪庵刻本　謝心堯跋

二十四册

十行二十三字,白口,左右雙邊或四周單邊。版心鐫"水繪庵"。鈐"謝心堯印"印。

善 830.7/465

2222

詩觀初集十二卷二集十四卷三集十三卷閨秀别卷一卷

(清)鄧漢儀輯

清康熙間慎墨堂刻乾隆十五年(1750)至十七年(1752)仲之琮深柳讀書堂重修本

四十册

十行二十三字,白口,四周單邊。初集版心下鎸"慎墨堂篋中藏稿"。二、三集版心下鎸"慎墨堂定本"。封面鎸"深柳讀書堂藏板"。鈐"鶴巢藏書"、"百成侯"、"曾在董氏誦芬室中"、"毘陵董康審定"諸印。　善 831.7/372

2223

篋衍集十二卷

(清)陳維崧輯

清乾隆二十六年(1761)金匱華綺刻本

四册

十行十九字,黑口,左右雙邊。鈐"潜江甘鵬雲欒樵收藏書籍章"、"潜廬藏過"、"甘氏崇雅堂藏書記"諸印。　善 831.7/384

2224

感舊集十六卷

(清)王士禛輯　(清)盧見曾補傳

清乾隆十七年(1752)盧見曾刻本

六册

十一行二十一字,小字雙行三十二字,白口,左右雙邊。鈐"孫孟延收藏書畫印"、"蘭枝館"、"孫梃寶藏"諸印。　善 831.7/113-03

2225

感舊集四卷

(清)王士禛輯

清初抄本

八册

十行二十字,無格。鈐"古梁世家"、"張氏藏書之印"、"顔山趙緩庵藏書之印"、"趙憲"、"滌盦藏書之印"諸印。　善 831.7/113-02

2226

本朝名媛詩鈔六卷

(清)胡孝思　(清)朱珖輯評

清康熙五十五年(1716)凌雲閣刻乾隆間印本

二册

九行二十字,白口,左右雙邊。　善 831.7/216

2227

欽定國朝詩别裁集三十二卷

(清)沈德潜輯並評

清乾隆二十六年(1761)翰林院删定重刻本

十二册

十行十九字,白口,左右雙邊。鈐"幽欣書室"印。　善 8896

2228

苔岑集二十四卷附二卷

(清)王鳴盛輯

清乾隆三十二年(1767)三槐堂刻本

五册

十行十九字,白口,左右雙邊。　善 13341

2229

薰風協奏集三卷卷首一卷

(清)王又曾輯　(清)莊鳳翥注

清乾隆二十三年(1758)文映書屋刻本

四册

九行二十一字,小字雙行同,白口,左右雙邊。封面鎸"文映書屋藏板"。　善 831.7/114.3

2230

韓江雅集十二卷(存六卷)

(清)全祖望等撰

清乾隆十二年(1747)刻本

二册

十行二十一字,白口,四周單邊。初印本。鈐"孫梃寶藏"、"夢嚴秘笈"印。　善 831.7/984

2231

鴛央湖櫂歌四卷

(清)朱彝尊撰　(清)張燕昌等和　(清)朱芳衡輯

清乾隆四十年(1775)刻本

四册

九行二十字,黑口,四周單邊。卷末鎸"乾隆乙未重九前三日校寫於心遠堂之後軒。甥孫朱芳衡謹志"。　善 927.23/119-834

2232

千叟宴詩三十四卷卷首二卷

(清)高宗弘曆等撰

清乾隆五十年(1785)武英殿刻本

三十六册

九行十九字,小字雙行同,白口,四周雙邊。　善 831.7/716

2233
本朝應制和聲集六卷卷首三卷
(清)沈德潛　王居正輯並評
清乾隆間刻本
六册
十行十九字,白口,左右雙邊。善 830.7/748

2234
本朝五言近體瓣香集十六卷
(清)許英輯並注
清乾隆二十八年(1763)心逸堂刻本
四册
十行二十三字,小字雙行三十三字,黑口,左右雙邊。封面鎸“心逸堂藏板”。鈐“寄雲樓藏書印”印。善 856.5/610

2235
壽蘇集初編不分卷
(清)李長榮輯
舊抄本
一册
九行二十五字,小字雙行同,紅格,白口,四周雙邊。版心上鎸“觀善堂課藝”。善 856.6/289

2236
今文粹編八卷二編二卷
(清)趙熟典輯
清乾隆五十一年(1786)刻本
十册
十行十九字,白口,左右雙邊。善 834.7/202

2237
致羅澤南書札不分卷
(清)普承堯等撰
稿本
一册　善 856.1/359.3

2238
清代名人手札不分卷
(清)李元度等撰
稿本
二十册　善 856.1/716.7

2239
清季名人書札二卷
(清)楊岳斌等撰
稿本
八册　善 856.1/716

2240
閻敬銘朋僚函牘不分卷
(清)徐昌緒等撰
稿本
四册　善 856.1/359

2241
清代名人書札不分卷
(清)升允等撰
稿本
二册　善 856.1/716.71

2242
寒松閣藏同人志牘不分卷
(清)李錫光等撰　(清)張鳴珂輯藏
稿本　(清)張鳴珂題識
六册　善 856.1/309

2243
文禄堂藏各家手札不分卷
馬叙倫等撰
稿本
十一册　善 856.1/113.6

2244
名人手札不分卷
稿本
八册　善 856.1/852

郡邑

2245
河汾諸老詩集八卷
(元)房祺輯
明末汲古閣刻《詩詞雜俎》本
二册
八行十九字,白口,左右雙邊。版心下鎸“汲古閣”。鈐“李氏藏書畫印”、“瑞熙讀過”印。
善 839.14/958

2246
河汾諸老詩集八卷
(元)房祺輯
清乾隆四十三年(1778)敬翼堂刻本
二册
十行二十一字,白口,左右雙邊。版心下鎸“敬翼堂”。善 839.14/958－02

2247
頻陽集四卷
(明)劉兑輯

清康熙十四年(1675)刻本

四册

九行二十字,白口,四周單邊。善 839.15/892

2248

國朝山左詩鈔六十卷

(清)盧見曾輯

清乾隆二十三年(1758)雅雨堂刻二十四年(1759)重校印本

二十册

十行二十一字,白口,四周單邊。版心下鎸"雅雨堂"。善 839.12/493

2249

山左明詩鈔三十五卷

(清)宋弼輯

清乾隆三十六年(1771)恩平縣衙刻本

二十册

十一行二十一字,小字雙行同,黑口,左右雙邊。封面鎸"恩平縣衙藏板"。839.12/691

2250

梁園風雅二十七卷

(明)趙彦復輯

清康熙四十三年(1704)嘉定陸廷燦刻本

六册

十行十九字,白口,左右雙邊。鈐"徐鈞"、"曉霞"、"愛日館收藏印"印。

又一部　十六册　善 839.12/202

2251

中州名賢文表三十卷

(明)劉昌輯

清康熙四十五年(1706)汪立名刻本

六册

十二行二十二字,黑口,左右雙邊。原鈐"一隅草堂"印。善 839.12/889-02

2252

嘉定四先生集八十七卷

(明)謝三賓輯

明崇禎間刻清康熙三十三年(1694)陸廷燦修補雍正間印本

二十九册

十行十八字,細黑口,左右雙邊。鈐"于斯堂查珍藏書畫印"印。

子目:

三易集二十卷　(明)唐時升撰

學古緒言二十五卷吳歈小草十卷　(明)婁堅撰

檀園集十二卷　(明)李流芳撰

松圓偈菴集二卷浪淘集十八卷　(明)程嘉燧撰　善 18372

2253

江左十五子詩選十五卷

(清)宋犖輯

清康熙四十二年(1703)刻本

十册

十行十九字,小字雙行二十八字,黑口,左右雙邊。鈐"劍閣藏書"、"劉不同印"印。

又一部　六册　鈐"臣襄成印"等印。善 831.7/696

2254

鼉湖聯吟集七卷

(清)李光國輯

清乾隆間刻本

四册

十行十九字,黑口,左右雙邊。前有乾隆十九年(1754)趙青藜序。鈐"寶昉齋王氏珍藏"印。善 831.7/290

2255

甫里逸文一卷聞見集一卷詩文選一卷

(清)周秉鑑輯

竹素園詩選二卷古文三卷

(清)許廷鑅撰

清乾隆間周氏易安書屋活字印本

六册

十行十八字,白口,四周單邊。版心上木活字印"假年錄",下印"易安書屋"。鈐"周秉鑑印"、"顯光"、"易安軒"諸印。善 839.21/820

2256

玉山名勝集不分卷

(元)顧瑛等撰

清抄本　佚名朱筆校

二册

十二行二十六字,無格。鈐"小綠天藏書"、"孫毓修印"印。善 831.57/959

2257

海虞詩苑十八卷

(清)王應奎輯

清乾隆二十四年(1759)刻本

十六册

十行十九字,黑口,左右雙邊。封面鎸"古處堂藏板"。 善 9314

2258

國朝松陵詩徵二十卷

(清)袁景輅輯

清乾隆三十二年(1767)愛吟齋刻本

四册

十行二十一字,小字雙行同,白口,左右雙邊。版心下鎸"愛吟齋"。

又一部　八册　鈐"南陵徐乃昌校勘經籍記"印。

善 839.21/190

2259

國朝練音初集十卷首一卷末一卷補一卷

(清)王輔銘輯

清乾隆八年(1743)金尚東刻增修本

四册

十一行二十一字,白口,左右雙邊。總目後鎸"蘇州城隍廟橋西堍南首劉文斗鎸書籍局"。

善 10694

2260

新安文獻志一百卷先賢事略二卷目錄二卷

(明)程敏政輯

明萬曆三十七年(1609)畢懋康刻本

四十八册

九行二十字,小字雙行同,白口,四周單邊。鈐"弢齋藏書記"印。 善 839.22/792

2261

宛雅初編八卷

(明)梅鼎祚輯

宛雅二編八卷

(清)施閏章　(清)蔡蓁春輯

清乾隆十四年(1749)西阪草堂刻本

四册

十行二十一字,小字雙行二十七字,白口,左右雙邊。封面鎸"西阪草堂藏板"。善 839.22/279

2262

沈南疑先生檇李詩繫四十二卷

(清)沈季友輯

清康熙四十九年(1710)金南瑛敦素堂刻本

十六册

十一行二十一字,黑口,左右雙邊,版心下鎸"敦素堂"。鈐"曹秉章印"、"理齋"、"玉研堂"諸印。 善 12468

2263

甬上耆舊詩三十卷

(清)胡文學輯　(清)李鄴嗣叙傳

清康熙十五年(1676)胡氏敬義堂刻本

十二册

十一行二十二字,白口,四周單邊,版心下鎸"敬義堂"。 善 18243

2264

越風初編十五卷二編十五卷

(清)商盤輯

清乾隆三十七年(1772)王大治刻後印本

十册

九行二十一字,白口,左右雙邊。鈐"古莘陳氏子子孫孫永寶用"、"龍山蟄廬藏書之章"印。

善 12989

2265

當湖詩選不分卷

抄本　佚名墨筆批改

七册

十行二十三字,藍格,白口,四周單邊。

與任邱邊袞石詩稿目錄等合抄。 善 839.23/595

2266

嶺南三大家詩選二十四卷

(清)王隼輯

清康熙間刻本

四册

十行十九字,黑口,左右雙邊。鈐"珊舟氏珍藏"、"敬業書屋珊舟之章"印。

子目:

六瑩堂詩八卷　(清)梁佩蘭撰

道援堂詩八卷　(清)屈大均撰

獨漉堂詩八卷　(清)陳恭尹撰 善 839.33

2267

嶺南羣雅初集三卷筆耒軒吟稿一卷二集三卷

(清)劉彬華輯

清嘉慶間刻本　有抄配

十二册

十二行二十四字,黑口,四周單邊。

善 839.33/887

家集

2268

李卓吾批點曹氏一門二卷

(明)李贄輯並評
明刻本
二册
九行十八字,白口,左右雙邊。
善 831.24/140

2269
范文正公忠宣公全集七十一卷
(宋)范仲淹　范純仁撰
明范惟元重刻元天歷元年(1328)歲寒堂本
二十四册
十二行二十一字,白口,左右雙邊;或十一行二十字,白口,四周單邊。有刻工。
善 839.8/537－02

2270
范文正公忠宣公全集七十三卷
(宋)范仲淹　范純仁撰
清康熙四十六年(1707)范氏歲寒堂刻本
十六册
十一行二十一字,白口,左右雙邊。版心下鎸"歲寒堂"。
善 839.8/537

2271
午夢堂集十二種二十三卷(存十一種二十二卷)
(明)葉紹袁編
明崇禎間刻本
四册
九行二十字,白口,四周單邊。版心鎸"午夢堂"。鈐"敦復堂"、"臣白壽印"、"僊坪珍藏"、"愛日樓"等印。
子目:
鸝吹二卷　(明)沈宜修撰　附集二卷
鸝吹集梅花詩一卷　(明)沈宜修撰
愁言一卷　(明)葉紈紈撰　附集一卷
返生香一卷　(明)葉小鸞撰　附集一卷
窈聞一卷續一卷　(明)葉紹袁撰
伊人思一卷　(明)沈宜修輯
百旻遺草一卷　(明)葉世偁撰　附集一卷
秦齋怨一卷春餘續附一卷朞泪一卷　(明)葉紹袁撰
屺雁哀一卷　(明)葉紹袁輯
彤奩續些二卷　(明)葉紹袁輯
靈護集一卷　(明)葉世傛撰　附集一卷
善 830.6/504－02

2272
三蘇先生文粹七十卷
(宋)蘇洵　蘇軾　蘇轍撰
明刻本
十六册
十四行二十六字,白口,左右雙邊。鈐"書崖"、"陳印之印"、"天都段氏承雅堂圖籍"、"曾藏蔡南離處"諸印。
善 834.51/554－1

2273
嘉樂齋三蘇文範十八卷
(宋)蘇洵　蘇軾　蘇轍撰　(明)楊慎輯　(明)袁宏道評釋
明天啓二年(1622)刻本
八册
九行十八字,白口,四周單邊。眉欄鎸評。版心下偶存刻工名。
善 834.51/554－271

2274
述本堂詩集十八卷續集五卷
(清)方登嶧　方式濟　方觀承撰
清乾隆二十年(1755)、嘉慶十四年(1809)刻本
八册
十行十九字,白口,左右雙邊。鈐"孫孟延鑒賞書畫之章"、"濟寧孫氏蘭枝館藏"印。
子目:
依園詩略一卷　(清)方登嶧撰
星硯齋存稿一卷　(清)方登嶧撰
垢硯吟一卷　(清)方登嶧撰
葆素齋集三卷　(清)方登峰撰
如是齋集一卷　(清)方登嶧撰
陸塘初稿一卷　(清)方式濟撰
出關詩一卷　(清)方式濟撰
龍沙紀略一卷　(清)方式濟撰
東閣剩稿一卷　(清)方觀承撰
入塞詩一卷　(清)方觀承撰
懷南草一卷　(清)方觀承撰
豎步吟一卷　(清)方觀承撰
叩舷吟一卷　(清)方觀承撰
宜田彙稿一卷　(清)方觀承撰
看蠶詞一卷　(清)方觀承撰
松漠草一卷　(清)方觀承撰
薇香集一卷　(清)方觀承撰
燕香集二卷二集二卷　(清)方觀承撰
善 847.5/626

2275
泰州陸氏家集不分卷
(清)陸舜等撰
稿本
二十册
十行二十字,無格。
子目:
雙虹堂文集選不分卷　(清)陸舜撰
雙虹堂詩集選不分卷　(清)陸舜撰
漱碧堂集詩賦合選不分卷　(清)陸𨱆齡撰
陸夢九詩最不分卷　(清)陸與齡撰
小樵詩存不分卷　(清)陸鎮撰
樵澥詩鈔不分卷　(清)陸進撰
善 839.8/394

楚辭類

2276
楚騷五卷(殘存離騷)
(楚)屈原撰
明正德十五年(1520)熊宇刻篆楷對照本
二册
五行十字,白口,四周單邊。有刻工。
善 832.1/321-930

2277
楚辭二卷
(楚)屈原　宋玉　(漢)賈誼等撰
明吳勉學校刻本
二册
九行十八字,白口,左右雙邊。
善 832.1/321-06

2278
楚辭二卷
(楚)屈原　宋玉　(漢)賈誼等撰
明萬曆八年(1580)閔齊伋刻三色套印本
四册
九行十九字,小字雙行同,白口,四周單邊。鈐"曉定樓書畫印"、"半巖"、"借竹宦主"、"黄氏借楚藏書"、"黄海□印"、"子鴻平生珍賞"、"樓雲山館"、"南州書樓所藏"、"徐湯殷"等印。
又一部　二册　鈐"趙氏淵娛閣藏書畫印"、"孝山樓主人"印。　善 832.1/321-012

2279
楚辭章句十七卷
(漢)王逸撰
明正德十三年(1518)黄省曾、高第刻本
二册
十行十八字,小字雙行同,白口,左右雙邊。鈐"葉德輝焕彬甫藏閲書"印。
又一部　有抄配　六册　善 832.1/321-05

2280
楚辭章句十七卷
(漢)王逸撰
疑字直音補一卷
明隆慶五年(1571)豫章夫容館刻本
八册
八行十七字,小字雙行同,白口,四周雙邊。目録後有"隆慶辛未豫章夫容館宋板重雕"牌記。
善 832.1/321-03

2281
楚辭章句十七卷
(漢)王逸撰
疑字直音補一卷
明萬曆間朱燮元、朱一龍校刻本
二册
八行十七字,小字雙行同,白口,四周單邊。鈐"豐亭"、"全永茂印"印。　善 832.1/321-07

2282
楚辭十七卷
(漢)王逸章句　(明)劉鳳等注　(明)陳深批點
附録一卷
明凌毓枏刻朱墨套印本
四册
八行十八字,白口,四周單邊。
善 832.1/119-383

2283
楚辭句解評林十七卷
(漢)王逸章句　(明)馮紹祖輯評
附録一卷
明萬曆十五年(1587)刻本
二册
十行二十三字,小字雙行同,白口,四周雙邊。眉上鎸評。鈐"櫻船借讀"、"朱寶善印"、"領袖群英"諸印。　善 832.1/321-773

2284
楚辭集註八卷

(宋)朱熹撰
明刻本
二册
九行十八字,小字雙行同,白口,四周單邊。眉上鎸評。　善832.1/828-012

2285
楚辭集註八卷辯證二卷後語六卷
(宋)朱熹撰
明正德十四年(1519)沈圻刻本
四册
九行十七字,小字雙行同,黑口,四周雙邊。鈐"古杭董醇"、"千里劉駒覽印"、"鹽山劉千里藏書"等印。　善832.1/828-011

2286
楚辭集註八卷辯證二卷後語六卷
(宋)朱熹撰
反離騷一卷
(漢)揚雄撰
明嘉靖十四年(1535)袁褧刻本
十册
十行十八字,小字雙行同,白口,左右雙邊。鈐"王思籛所藏金石書畫"、"王思籛讀書記"、"瀨南之印"、"畿南文獻"諸印。
又一部(殘存辯證二卷後語六卷反離騷一卷)　六册
善832.1/828-08

2287
楚辭集註八卷辯證二卷後語六卷
(宋)朱熹撰
明萬曆二十五年(1597)吉府刻本有抄配　佚名藍筆批注
十册
八行十七字,小字雙行同,白口,四周雙邊。
善32.1/828-09

2288
楚辭集註八卷辯證二卷後語六卷
(宋)朱熹撰
明萬曆間朱崇沐刻本
八册
九行十七字,小字雙行同,白口,四周雙邊。鈐"丁福保讀書記"印。　善832.1/828-015

2289
楚辭集註八卷辯證二卷
(宋)朱熹撰　(明)蔣之翹補輯並評校
附覽二卷總評一卷
明天啓六年(1626)蔣之翹刻本
八册
九行二十一字,小字雙行同,白口,四周單邊。眉上鎸評。鈐"莫友芝圖書記"、"莫繩孫印"印。
善832.1/321-526.6

2290
楚辭集註八卷辯證二卷後語八卷
(宋)朱熹撰　(明)蔣之翹補輯並評校
附覽二卷總評一卷
明天啓六年(1626)刻補修本
五册
九行二十一字,小字雙行同,白口,四周單邊。眉上鎸評。
又一部(殘存楚辭集註八卷後語八卷)　六册
善832.1/828-010

2291
楚辭疏十九卷讀楚辭語一卷楚辭雜論一卷
(明)陸時雍撰
屈原傳一卷
(漢)司馬遷撰
明末緝柳齋刻本
六册
九行二十字,白口,四周單邊。版心下鎸"緝柳齋藏板"。
又一部　六册　善832.1/321-389

2292
楚騷綺語六卷
(明)張之象輯
明萬曆四年(1576)吳興凌迪知刻《文林綺繡》本
六册
八行十七字,小字雙行同,白口,左右雙邊。有刻工。鈐"遇讀者善"、"南昌彭氏"、"知聖道齋藏書"、"半巢書屋主人李紹白珍藏"諸印。
善832.12/312

2293
楚辭述註五卷
(明)來欽之撰
九歌圖一卷
(明)陳洪綬繪
明崇禎間刻黄象彝等校印本
四册
九行二十字,小字雙行同,白口,四周單邊。

眉上鎸評。有圖。鈐"小居硯"、"愚愚子"、"振翮"、"高氏"、"霞友"、"傅閔印"、"實詩簃鑒藏"等印。　善 832.1/321－119－02

2294

楚辭述註五卷

(明)來欽之撰

九歌圖一卷

(明)陳洪綬繪

清康熙三十年(1691)刻本

三册

九行二十字,小字雙行同,白口,四周單邊。

善 832.1/321－119

2295

楚辭述注十卷

(明)林兆珂撰

明萬曆間刻本　佚名朱筆批點

四册

八行二十字,白口,四周單邊。眉上鎸評。

善 832.1/321－262

2296

屈宋古音義三卷

(明)陳第撰

清乾隆三十二年(1767)徐時作刻本

三册

十行二十一字,白口,四周雙邊。

善 832.17/385－02

2297

楚辭聽直八卷合論一卷

(明)黄文焕撰

明崇禎十六年(1643)刻清順治十四年(1657)續刻本

六册

八行二十一字,白口,四周單邊。　善 11892

2298

楚辭燈四卷楚懷襄二王在位事蹟考一卷

(清)林雲銘撰

屈原列傳一卷

(漢)司馬遷撰

清康熙三十六年(1697)挹奎樓刻本

四册

八行二十字,小字雙行同,白口,左右雙邊。

善 832.1/321－256

2299

離騷辯不分卷

(清)朱冀撰

清康熙間緑筠堂刻本

一册

七行十八字,小字雙行同,白口,左右雙邊。版心下鎸"緑筠堂"。　善 832.12/830

2300

楚辭約註不分卷

(清)高秋月　(清)曹同春撰

清康熙二十八年(1689)文粹堂刻本

一册

九行二十四字,小字雙行同,白口,左右雙邊。

善 832.1/321－142

2301

離騷節解一卷離騷本韻一卷離騷正音一卷

(清)張德純撰

清康熙間刻本

二册

九行十九字,白口,左右雙邊。前有康熙五十三年(1714)張德純自序。鈐"芙蓉"印。

善 832.12/314

2302

山帶閣註楚辭六卷卷首一卷餘論二卷説韻一卷

(清)蔣驥撰

清雍正五年(1727)蔣氏山帶閣刻本

六册

十行二十一字,白口,左右雙邊。有圖。有刻工。封面鎸"山帶閣藏板"。

善 832.1/321－526－02

又一部　八册　鈐"高閬仙藏書記"印。

2303

離騷彙訂不分卷屈子雜文箋略六卷

(清)王邦采撰

清康熙六十一年(1722)刻本

六册

八行十六字,黑口,左右雙邊。

善 832.13/119－2

2304

楚辭新集註八卷

(清)屈復撰

楚懷襄二王在位事蹟考一卷

(清)林雲銘撰

屈原列傳一卷

（漢）司馬遷撰

末一卷

清乾隆三年(1738)弱水草堂刻本

四册

九行二十字,小字雙行同,白口,四周雙邊。封面鐫“弱水草堂藏板”。鈐“高閬仙藏書記”印。

善 832.1/321.9

2305

楚辭節註六卷

（清）姚培謙撰

楚辭葉音一卷

（清）劉維謙撰

清乾隆六年(1741)刻本

二册

八行十八字,小字雙行二十八字,黑口,左右雙邊。鈐“溱湖李氏家藏”、“盱眙王錫元蘭生收藏金石文字印”印。

善 832.1/321－994

2306

屈騷心印五卷卷首一卷

（清）夏大霖撰

清乾隆三十九年(1774)一本堂刻本

四册

十一行二十五字,小字雙行同,白口,四周雙邊。版心下鐫“一本堂”。

善 832.12/348

2307

楚辭韻解八卷

（清）邱仰文撰

乾隆三十七年(1772)碩松堂刻本

四册

九行二十字,小字雙行同,白口,四周雙邊。版心下鐫“碩松堂”。鈐“悟兒布衣小安士讀書”、“燕詒堂李氏藏書圖記”、“退耕堂藏書記”等印。

善 832.17/321－883

別集類

漢魏六朝

2308

賈長沙集三卷附錄一卷

（漢）賈誼撰　（明）張燮輯

清抄本

二册

八行十八字,小字雙行同,白口,藍格,四周單邊。鈐“王懿桀印”、“翰林供奉”、“九峰舊廬珍藏書畫之記”等印。

善 842.1/150

2309

東方先生文集三卷

（漢）東方朔撰

明康丕顯刻本

二册

九行十八字,白口,左右雙邊。　善 842.1/137

2310

漢劉子駿集一卷

（漢）劉歆撰

明婁東張溥刻《漢魏六朝百三名家集》本

二册

九行十八字,小字雙行同,白口,左右雙邊。鈐“惜陰”印。　善 842.1/891

2311

蔡中郎文集十卷外傳一卷

（漢）蔡邕撰

明萬曆二年(1574)徐子器刻本

四册

九行二十一字,白口,四周雙邊。鈐“有嬀之後”、“海昌陳琰”、“荃孫”、“雲輪閣”、“黄永年藏善本記”等印。

善 842.2/564－05

2312

漢蔡中郎集六卷

（漢）蔡邕撰

明嘉靖二十七年(1548)任城楊賢刻本

六册

九行二十一字,白口,四周單邊。

善 842.2/564－04

2313

曹子建集十卷

（魏）曹植撰　（明）李夢陽　（明）王世貞等評

明天啓元年(1621)凌性德刻朱墨套印本

六册

八行十八字,小字雙行同,白口,四周單邊。

善 842.4/140－02

2314

阮嗣宗集四卷

（魏）阮籍撰

明天啓四年(1624)及樸刻本

一册

十行二十字,白口,四周雙邊。有刻工李符春。 善 842.4/375－02

2315

陶淵明集十卷

(晉)陶潛撰

附錄二卷

明刻本 佚名朱筆依宋刻本校

四册

九行十七字,白口,左右雙邊。有刻工周永。鈐"敬亭"、"李光"印。 善 843.2/404－013

2316

陶靖節集十卷

(晉)陶潛撰 (明)何孟春注

明正德十六年(1521)刻本

四册

十行二十字,小字雙行同,白口,四周單邊。鈐"河北王氏子駿收藏金石圖畫書籍之印"印。

善 843.2/404－011

2317

陶靖節集詩一卷文一卷

(晉)陶潛撰

總評一卷

(明)毛晉輯

參疑一卷

(明)毛晉參定

雜附一卷

明天啓五年(1625)毛氏綠君亭刻《屈陶合刻》本

二册

八行十八字,白口,四周單邊。鈐"興光氏"、"世名之印"、"石林葉氏珍藏書畫之章"、"適盦藏書"、"仁釗秘笈"、"陽羡徐氏正誼堂藏書之章"、"滄亭"、"漢廣私印"等印。 善 843.2/404－781

2318

陶靖節集八卷

(晉)陶潛撰 (宋)湯漢等箋注

明凌濛初刻朱墨套印本

四册

八行十八字,白口,左右雙邊。

善 843.2/404－05

2319

箋註陶淵明集六卷

(晉)陶潛撰 (宋)湯漢等箋注 (明)張自烈評

總論一卷和陶一卷

(宋)蘇軾撰

律陶一卷

(明)王思任輯

敦好齋律陶纂一卷

(明)黄槐開輯

明末敦化堂刻本

四册

九行十八字,白口,四周單邊。封面鐫"敦好堂梓"。 善 8332

2320

箋註陶淵明集六卷

(晉)陶潛撰 (宋)湯漢等箋注 (明)張自烈評

總論一卷和陶一卷

(宋)蘇軾撰

律陶一卷

(明)王思任輯

敦好齋律陶纂一卷

(明)黄槐開輯

明樂愚堂刻本

二册

九行十八字,白口,四周單邊。封面鐫"樂愚堂藏板"。 善 843.2/404－09

2321

陶元亮詩四卷

(晉)陶潛撰 (明)黄文焕析義

明末刻本

二册

八行二十一字,白口,四周單邊。 善 11417

2322

陶詩集註四卷

(清)詹夔錫撰

清康熙三十三年(1694)詹氏寶墨堂刻得月樓印本

一册

八行十九字,白口,左右雙邊。版心下鐫"寶墨堂"。封面鐫"得月樓藏板"。鈐"筠墅"、"吳氏藏書印"、"叢桂樓"、"桂馨書屋"等印。

善 843.2/404－848

2323

謝宣城集五卷

(南齊)謝朓撰

明嘉靖間刻《六朝詩集》本

二册

十行十八字,白口,左右雙邊。

善 843.52/619－04

2324

謝宣城集六卷卷首一卷

(南齊)謝朓撰

清康熙四十六年(1707)郭威釗甓軒刻本

二册

九行十八字,白口,四周單邊。封面鎸"甓軒藏板"。鈐"南陵徐乃昌校勘經籍記"、"徐乃昌讀"等印。　善 843.52/619－03

2325

謝宣城詩集五卷

(南齊)謝朓撰

民國上海涵芬樓影印《四部叢刊》本　高步瀛朱筆校並跋

一册

十行二十字,白口,左右雙邊。

善 843.52/619－05

2326

沈休文集四卷

(梁)沈約撰

明萬曆四十一年(1613)楊鶴校刻《武康四先生集》本

二册

十行二十字,白口,左右雙邊。

善 843.53/747－7

2327

梁昭明太子文集五卷

(梁)蕭統撰

明遼國寶訓堂刻本

二册

八行十六字,白口,左右雙邊。善 843.53/514

2328

梁元帝集一卷

(梁)蕭繹撰

明婁東張溥刻《漢魏六朝百三名家集》本

四册

九行十八字,白口,左右雙邊。

善 843.53/514.8

2329

庾子山集十六卷

(北周)庾信撰　(明)屠隆評

明刻本

二册

九行二十字,白口,四周單邊。眉上鎸評。鈐"徐開私印"印。　善 843.65/673－05

唐

2330

楊盈川集十卷附錄一卷

(唐)楊炯撰　(明)童佩輯

明萬曆三年(1575)韓邦憲、涂杰刻本

四册

十一行二十字,白口,左右雙邊。鈐"太原叔子藏書記"、"蓮涇"、"莫棠楚生父印"、"獨山莫氏銅井文房藏書記"、"莫天麟印"、"曾在秦嬰闇處"、"秦更年"、"秦曼青"諸印。　善 844.11/272

2331

盧照鄰集二卷

(唐)盧照鄰撰

明刻《唐百家詩》本

一册

十行十八字,白口,左右雙邊。白棉紙印。鈐"長興王氏校藏經籍碑版印記"、"王修之印"、"楊弇秘笈"、"詒莊樓藏書記"、"王温匋"、"月桂主人"諸印　善 844.11/493

2332

駱臨海集十卷

(唐)駱賓王撰　(清)趙忠補輯

清康熙四十六年(1707)義烏黄之琦覺非齋刻本

二册

九行二十字,小字雙行同,白口,左右雙邊。鈐"會稽魯氏貴讀樓藏書之印"。

善 844.11/420－169

2333

唐駱先生集八卷

(唐)駱賓王撰　(明)王衡等評釋

明凌毓枏刻朱墨套印本

四册

八行十八字,白口,四周單邊。鈐"方□之印"、"雪廬藏書"、"柏嚴居士"、"臣名楊"、"對峰"等印。　善 844.11/420－02

2334

新刊駱子集註四卷

(唐)駱賓王撰　(明)陳魁士注

明萬曆七年(1579)劉大烈等刻本

四册

十行二十二字,小字雙行同,白口,四周雙邊。鈐"愛日樓收藏印"、"長林愛日"、"徐鈞印"、"曉霞"、"同鈺"、"俊儀"諸印。　善844.11/420-1

2335

刻梅太史評釋駱賓王文抄神駒四卷

(唐)駱賓王撰　(明)梅之煥釋

明萬曆三十五年(1607)閩書林劉大易刻本

二册

十行二十字,白口,四周單邊。眉欄鐫評。

善844.11/420-4

2336

駱賓王集不分卷

(唐)駱賓王撰

清抄本　佚名朱筆過錄諸家評語

一册

八行二十字,白口,無格。鈐"生太齋收藏記"、"閩吾審定"、"雲間陸氏"諸印。

善844.11/420-47

2337

杜審言集二卷

(唐)杜審言撰

明刻《唐百家詩》本

一册

十行十八字,白口,左右雙邊。善844.11/248

2338

宋之問集二卷

(唐)宋之問集

明刻《唐百家詩》本

二册

十行十八字,白口,左右雙邊。善844.13/695

2339

沈雲卿集三卷

(唐)沈佺期撰

明刻《唐百家詩》本

三册

十行十八字,白口,左右雙邊。善844.13/747

2340

陳伯玉集二卷

(唐)陳子昂撰

明刻《唐百家詩》本

二册

十行十八字,白口,左右雙邊。

善844.11/379-3

2341

王摩詰集十卷

(唐)王維撰

明刻本

二册

十行十八字,白口,左右雙邊。鈐"求是室藏本"印。　善844.13/119-02

2342

王摩詰詩集七卷

(唐)王維撰　(宋)劉辰翁評　(明)顧璘評

明萬曆間吳興凌濛初朱墨套印本

二册

八行十九字,白口,左右雙邊。眉上鐫評。

書板後匯入《盛唐四名家集》。

善844.13/119-6

2343

類箋唐王右丞詩集十卷

(唐)王維撰　(宋)劉辰翁評　(明)顧起經注

文集四卷集外編一卷

(唐)王維撰　(明)顧起經輯

年譜一卷

(明)顧起經撰

唐諸家同詠集一卷贈題集一卷歷朝諸家評王右丞詩畫鈔一卷

(明)顧起經輯

明嘉靖三十五年(1556)無錫顧氏奇字齋刻本

十二册

九行十八字,小字雙行同,細黑口,左右雙邊。版心上鐫"奇字齋"。下有刻工。鈐"金塾之印"印。　善844.13/119-6-02

2344

王右丞集二十八卷首一卷末一卷

(唐)王維撰　(清)趙殿成箋注

清乾隆間趙殿成目耕堂刻本

十册

十行二十字,小字雙行同,白口,左右雙邊。原鈐"目耕堂"印。鈐"日照寧氏海西閣收藏"印。

善844.13/119

2345

孟浩然詩集二卷

(唐)孟浩然撰　(宋)劉辰翁　(明)李夢陽評

明凌濛初刻朱墨套印本

二册

八行十九字,白口,左右雙邊。眉上鐫評。

書板後匯入《盛唐四名家集》。

善 844.13/358－888

2346

李頎集三卷

(唐)李頎撰

明刻本　(明)蔣玢題識

一册

十行十九字,白口,左右雙邊。鈐"晉安蔣絢臣家藏書"、"蔣玢"、"蔣氏峻臣"、"蔣寓配秘藏書"、"曾在施紹和處"、"施氏闞石閣鑒藏"、"黄源英印"、"黄淵士家里藏書"、"亦重"、"亦如"、"武曾任讀"諸印。

蔣玢:閩縣人,明崇禎間庠生,雅尚氣節,富藏書,多秘本。　善 844.13/294

2347

魯公文集十五卷

(唐)顔真卿撰

明萬曆二十四年(1596)顔胤祚刻本

六册

十行二十一字,白口,左右雙邊。

善 844.13/679－02

2348

李太白文集三十卷

(唐)李白撰

清康熙五十六年(1717)吳門繆日芑雙泉草堂影宋刻本

八册

十一行二十字,白口,左右雙邊。有刻工。封面鐫"雙泉草堂藏板"。

又一部　六册　善 844.13/293－02

2349

李太白文集三十卷

(唐)李白撰

清翻刻康熙五十六年(1717)吳門繆日芑雙泉草堂本　佚名朱筆校並跋

八册

十一行二十字,白口,左右雙邊。鈐"載□藏書"、"琴娱樓珍藏本"等印。　善 844.13/293－05

2350

分類補註李太白詩二十五卷

(唐)李白撰　(宋)楊齊賢集注　(元)蕭士贇補注

元建安余氏勤有堂刻本

十六册

十二行二十字,小字雙行二十六字,黑口,四周雙邊。目錄後有"建安余氏勤有堂刊"牌記。鈐"陸宜甫藏"、"中湖陸子"、"謙牧堂藏書記"、"虞生珍藏"等印。　善 844.13/293－271－03

2351

分類補註李太白詩二十五卷

(唐)李白撰　(宋)楊齊賢集注　(元)蕭士贇補注

元建安余氏勤有堂刻重修本

十六册

十二行二十字,小字雙行二十六字,黑口,四周雙邊。目錄後有"建安余氏勤有堂刊"牌記。鈐"定州王思錢收藏書畫章"、"安樂堂藏書記"、"壽彭曾觀"印。　善 844.13/293－271－03

2352

分類補註李太白詩二十五卷

(唐)李白撰　(宋)楊齊賢集注　(元)蕭士贇補注

分類編次李太白文五卷

(唐)李白撰　(明)郭雲鵬編次

明嘉靖二十二年(1543)郭雲鵬寶善堂校刻本

二十四册

八行十七字,小字雙行同,白口,左右雙邊。鈐"豫園主人"、"潘雲龍印"、"珊瑚閣珍藏印"、"稼儒氏藏"諸印。　善 844.13/293－271－04

2353

分類補註李太白詩二十五卷

(唐)李白撰　(宋)楊齊賢集注　(元)蕭士贇補注

唐翰林李太白年譜一卷

(宋)薛仲邕撰

明嘉靖二十五年(1546)玉幾山人刻本

二十四册

八行十七字,小字雙行同,白口,四周雙邊。有刻工。　善 844.13/293－271－02

2354

分類補註李太白詩二十五卷

(唐)李白撰　(宋)楊齊賢集注　(元)蕭士贇補注

唐翰林李太白年譜一卷

(宋)薛仲邕撰

明萬曆三十年(1602)許自昌刻《李杜全集》本
二十六册
九行二十字,小字雙行同,白口,左右雙邊。
又一部　二十册　善 844.13/293－271

2355
唐李白詩十二卷
(唐)李白撰
明嘉靖間刻本
六册
九行二十一字,白口,四周單邊。鈐"宛平查氏藏書印"印。　善 844.13/293－6

2356
李太白文集三十二卷
(唐)李白撰　(清)王琦輯注
清乾隆二十三年(1758)寶笏樓刻本
十二册
十行二十字,小字雙行同,白口,左右雙邊。封面鐫"寶笏樓藏板"。　善 6119

2357
李太白文集三十六卷
(唐)李白撰　(清)王琦輯注
清乾隆二十三年(1758)寶笏樓刻二十五年(1760)增刻本
十六册
十行二十字,小字雙行同,白口,左右雙邊。封面鐫"寶笏樓藏板"。
是書又名《李青蓮全集》。
善 844.13/293－112－03
又一部　二十四册　鈐"陳氏祝齡鑒藏書"印。
善 5385

2358
韋蘇州集十卷拾遺一卷
(唐)韋應物撰
明刻朱墨套印本
四册
八行十八字,白口,四周單邊。鈐"鋤經樓藏書印"印。　善 844.13/579－03

2359
韋蘇州集十卷
(唐)韋應物撰
明末刻聚錦堂印本
五册
八行十八字,白口,四周單邊。封面鐫"聚錦堂藏板"。　善 844.13/579－04

2360
集千家註分類杜工部詩二十五卷(存卷一至十七,十九至二十一,二十三至二十五)
(唐)杜甫撰　(宋)徐居仁編次　(宋)黄鶴補注
元廣勤書室刻後印本　(?)趙椿年校
十二册
十二行二十字,小字雙行二十六字,黑口,四周雙邊。鈐"昌平王氏北堂藏書"、"趙椿年"、"坡鄰所得"印。　善 844.17/243－947

2361
集千家註杜工部詩集二十卷文集二卷附録一卷
(唐)杜甫撰　(宋)黄鶴補注
明嘉靖十五年(1536)玉幾山人刻本
二十四册
八行十七字,小字雙行同,白口,四周雙邊。有刻工。白棉紙印。　善 844.17/243－917

2362
集千家註杜工部詩集二十卷文集二卷附録一卷
(唐)杜甫撰　(宋)黄鶴補注
明嘉靖十五年(1536)玉幾山人刻明易山人印本
十二册
八行十七字,小字雙行同,白口,四周雙邊。有刻工。鈐"蔭鷺"、"平水松印"、"揚州汪喜孫念慈父印"、"周玉奇金漢石之館"等印。
又一部(無附録)　二十四册　善 844.17/243－463

2363
集千家註杜工部詩集二十卷文集二卷
(唐)杜甫撰　(宋)黄鶴補注
重刊杜工部年譜一卷附録一卷
明萬曆間黄陞校刻本
十二册
八行十七字,小字雙行同,白口,左右雙邊。
善 844.17/243－166

2364
集千家註杜工部詩集二十卷
(唐)杜甫撰
明萬曆三十年(1602)許自昌校刻《李杜全集》本
八册
九行二十字,小字雙行同,白口,左右雙邊。
又一部　十册
又一部　二十一册　善 844.17/243－614－2

2365
集千家註批點杜工部詩集二十卷(存卷一、四至十一、十八至二十)
(唐)杜甫撰　(宋)黃鶴補注　(宋)劉辰翁評點
年譜一卷
明初刻本　佚名朱筆批注
十册
十二行二十三字,小字雙行同,黑口,四周雙邊或左右雙邊。　善 844.17/243-894

2366
集千家註批點補遺杜工部詩集二十卷
(唐)杜甫撰　(宋)黃鶴補注　(宋)劉辰翁評點
附錄一卷年譜一卷
明刻本
十册
十二行二十二字,小字雙行同,白口,四周單邊。鈐"江陰繆荃孫藏書記"、"荃孫"、"雲輪閣"諸印。　善 844.17/243-894-03

2367
重刊千家註杜詩全集二十卷文集二卷
(唐)杜甫撰　(宋)黃鶴補注　(宋)劉辰翁評
附錄一卷年譜一卷
明萬曆九年(1581)金鸞刻本　佚名朱、藍、墨筆批注
十二册
十一行二十二字,小字雙行同,白口,左右雙邊。鈐"平陽汪氏藏書"、"平陽舊族"、"雲蓀"、"毛廉印"、"秋堂"、"滌盦藏書之印"諸印。
善 844.17/243-03

2368
重刊千家註杜詩全集二十卷文集二卷
(唐)杜甫撰　(宋)黃鶴補注　(宋)劉辰翁評
附錄一卷年譜一卷
明萬曆九年(1581)金鸞刻本
八册
十一行二十二字,小字雙行同,白口,左右雙邊。　善 844.17/243-04

2369
杜工部詩二十卷文集二卷
(唐)杜甫撰　(宋)黃鶴補注
明嘉靖二十四年(1545)戴鯨時刻本
八册
九行十七字,小字雙行同,白口,四周單邊。後有戴鯨時跋。鈐"平子氏"、"鄭□之印"印。
善 844.17/243-08

2370
杜子美詩集二十卷
(唐)杜甫撰　(宋)劉辰翁評點
明天啓間刻本
六册
九行二十字,小字雙行同,白口,四周單邊。
善 844.17/243-894-02

2371
唐杜工部律詩四卷
(唐)杜甫撰
明和樂堂刻本　佚名墨筆批注
四册
十行二十字,白口,左右雙邊。版心下鐫"和樂堂"。鈐"沈仲芳印"、"沈氏鳴野山房圖籍印"、"柿書閣"、"詹給慶"等印。未見著錄。
善 844.17/243-6

2372
杜律七言註解一卷
(唐)杜甫撰　(元)虞集注
明刻本
二册
九行二十字,小字雙行同,白口,四周雙邊。
善 844.17/243-489-04

2373
杜工部七言律詩二卷
(唐)杜甫撰　(元)虞集注
清康熙二十四年(1685)吳源起刻本
四册
八行十九字,白口,左右雙邊。封面鐫"清畏堂藏板"。鈐"孫華卿章"、"瑞玉"印。
善 844.17/243-489-03

2374
杜律四卷(存二卷)
(唐)杜甫撰　(明)孫鑛評點
明刻本　佚名墨筆批注
二册
九行二十字,白口,四周單邊。
善 844.17/243-368

2375
杜詩通四十卷
(明)胡震亨輯注

清順治七年(1650)朱茂時刻《李杜詩通》本
四册
九行十九字,小字雙行同,細黑口,左右雙邊。
善 844.17/243－217

2376
杜詩分類五卷
(唐)杜甫撰　(明)傅振商輯
明萬曆四十一年(1613)傅振商刻本
五册
十行二十字,白口,四周雙邊。有刻工。
又一部　四册　鈐"東圃草堂陶鎔圖書印"、"孫華卿章"、"曾非與鑒藏金石書畫圖籍之章"諸印。
善 844.17/243－905.3

2377
杜詩分類全集五卷
(唐)杜甫撰　(明)傅振商輯　(明)張縉彦　(明)谷應泰重輯
清順治十六年(1659)還讀齋刻亮明齋印本
六册
十二行二十五字,白口,四周單邊。版心下鎸"還讀齋"。封面鎸"亮明齋藏板"。
善 844.17/243－307

2378
杜工部全集六十六卷目錄六卷
(唐)杜甫撰　(明)劉世教輯
明萬曆四十年(1612)刻《合刻分體李杜全集》本
十二册
九行十八字,白口,左右雙邊。
善 844.17/243－887

2379
杜工部集二十卷
(唐)杜甫撰　(清)錢謙益箋注
年譜一卷諸家詩話一卷唱酬題詠附録一卷附録一卷
清康熙六年(1667)静思堂刻本　佚名朱筆過録(清)王士禛批點、藍筆過録(清)查慎行批點、墨筆過録(清)查嗣瑮批點
五册
十一行二十字,小字雙行二十八字,黑口,四周雙邊。　善 844.17/243－932－08

2380
杜工部集二十卷
(唐)杜甫撰　(清)錢謙益箋注
年譜一卷諸家詩話一卷唱酬題詠附録一卷附録一卷
清康熙六年(1667)静思堂刻本　佚名朱筆過録諸家批點
八册
十一行二十字,小字雙行二十八字,黑口,四周雙邊。鈐"程氏珍藏"、"柏高所藏""松韻氏"等印。　善 844.17/243－932－07

2381
杜工部集二十卷
(唐)杜甫撰　(清)錢謙益箋注
年譜一卷諸家詩話一卷唱酬題詠附録一卷附録一卷
清康熙六年(1667)静思堂刻本　佚名朱筆過録(清)李念慈批點
四册
十一行二十字,小字雙行二十八字,黑口,四周雙邊。　善 844.17/243－932－06

2382
杜工部詩集二十卷
(唐)杜甫撰
清乾隆五十年(1785)玉勾草堂刻本
十二册
八行十八字,黑口,左右雙邊。版心下鎸"玉勾草堂"。封面鎸"玉勾草堂藏板"。鈐"樂嘉藻印"、"彩澄閲過"印。
又一部　十六册　善 844.17/243

2383
杜工部詩集二十卷集外詩一卷文集二卷杜詩補註一卷
(唐)杜甫撰　(清)朱鶴齡輯注
年譜一卷
(清)朱鶴齡撰
清康熙間金陵葉永茹刻本　(清)徐松朱筆校注
二十四册
九行十九字,小字雙行同,白口,左右雙邊。鈐"宛平李氏蘭淵珍藏圖書金石翰墨章"等印。
善 844.17/243－832

2384
杜詩選六卷
(唐)杜甫撰
明刻朱墨套印《李杜詩選》本
四册
八行十八字,白口,四周單邊,無直格。眉上鎸評。　善 844.17/243－25

2385
杜工部詩説十二卷
(清)黄生撰
清康熙三十五年(1696)一木堂刻本
十册
九行二十一字,小字雙行同,黑口,左右雙邊,無直格。封面鎸"一木堂梓"。鈐"張競仁印"、"黄節"印。　善 844.17/243－171

2386
讀書堂杜工部詩集註解二十卷文集註解二卷
(唐)杜甫撰　(清)張溍評注
杜工部編年詩史譜目一卷
清康熙三十七年(1698)張氏讀書堂刻本
十二册
九行二十二字,小字雙行同,上黑口,左右雙邊。版心下鎸"讀書堂"。封面鎸"讀書堂藏板"。
又一部　二十册　開化紙印。
又一部　十二册　善 844.17/243－312

2387
杜詩論文五十六卷
(清)吳見思撰
清康熙十一年(1672)常州岱淵堂校刻吳郡寶翰樓印本　佚名朱墨筆批注
十二册
九行二十二字,小字雙行同,白口,左右雙邊。序首頁後有"岱淵堂校定本"木記。封面鎸"寶翰樓藏板"。　善 844.17/243－437

2388
杜詩論文五十六卷
(清)吳見思撰
清康熙十一年(1672)岱淵堂校刻天德堂印本　(清)張問陶墨筆批注
十六册
九行二十二字,小字雙行同,白口,左右雙邊。序首頁後有"岱淵堂校定本"木記。封面鎸"天德堂藏板"。鈐"問陶"、"芝仙經眼"、"王堅霖印"諸印。　善 844.17/243－437－02

2389
杜詩會稡二十四卷年譜一卷
(唐)杜甫撰　(清)張遠箋注
清康熙二十七年(1688)蕉圃刻本
十二册
九行二十字,小字雙行同,白口,四周單邊。封面鎸"蕉圃藏板"。原鈐"重倫堂印"。鈐"蓉江"、"樂庵"、"樓外樓藏書"等印。　善 9153

2390
杜詩闡三十三卷
(清)盧元昌撰
清康熙間孫敬南刻本
十册
十行二十二字,小字雙行同,黑口,四周單邊。封面鎸"書林孫敬南梓行"。　善 9832

2391
讀杜心解六卷首二卷
(清)浦起龍撰
清雍正二至三年(1724－1725)浦氏寧我齋刻本　佚名朱、墨筆批點
十二册
十行二十二字,小字雙行同,白口,左右雙邊。版心下鎸"寧我齋"。　善 844.17/243－718－05

2392
讀杜心解六卷首二卷
(清)浦起龍撰
清雍正二至三年(1724－1725)寧我齋刻静寄東軒修補本　(清)潘德輿墨筆批校
一册
十行二十二字,白口,左右雙邊。封面鎸"静寄東軒藏板"。　善 844.17/243－718－04

2393
杜工部五言詩選直解三卷七言詩選直解二卷
(唐)杜甫撰　(清)范廷謀注釋
年譜一卷
清雍正間范氏稼石堂刻本
十册
九行二十字,白口,四周雙邊。版心下鎸"稼石堂"。　善 10006

2394
杜詩偶評四卷
(清)沈德潛撰
清乾隆十二年(1747)潘承松賦閒草堂刻本
二册
十行十九字,小字雙行二十七字,白口,左右雙邊。版心下鎸"賦閒草堂"。
又一部　四册
又一部　四册　善 844.17/243－748

2395

杜詩提要十四卷

(清)吳瞻泰撰

清乾隆間羅挺刻本

四册

十行十九字,白口,左右雙邊。

善 844.17/243 - 437.2

2396

杜詩集説二十卷末一卷

(清)江浩然輯

清乾隆四十三年(1778)本立堂刻本

十六册

十行二十一字,白口,左右雙邊。

善 844.17/243 - 918 - 05

2397

杜詩鏡銓二十卷

(清)楊倫撰

年譜一卷附錄一卷

清乾隆間九柏山房刻本

十册

九行二十字,小字雙行同,白口,四周單邊。封面鎸"九柏山房藏板"。　善 3778

2398

讀杜心解不分卷

(清)魯一同撰　(清)吳涑輯

稿本　段朝端跋

二册

十二行二十四字,白口,無格。

善 844.17/243 - 851

2399

睡美樓杜律五言不分卷

(清)王鄰德輯並評

稿本

二册

七行十九字,白口,無格。鈐"東橋"、"臣鄰私印"、"高郵王鄰德臣哉氏别號東橋圖書印記"、"王心潛"、"席三"、"張經印章"、"春草亭"、"黄裳書屋"、"綠池居士"等印。

善 844.17/243 - 118

2400

毘陵集二十卷補遺一卷

(唐)獨孤及撰

附錄一卷

清乾隆五十六年(1791)趙懷玉亦有生齋刻本

六册

十行二十一字,小字雙行同,白口,左右雙邊,版心下鎸"亦有生齋校本"。鈐"蒻雨樓"、"都昌氏"、"雲暝山館"、"許佶信記"、"天放樓"、"陽湖趙烈文字惠父號能静僑於海虞築天放樓所庋文翰之記"諸印。　善 844.17/996

2401

唐陸宣公集二十二卷

(唐)陸贄撰

明萬曆三十四年(1606)吳繼武光裕堂刻本

六册

十行二十字,白口,四周單邊。版心鎸"光裕堂梓"。　善 844.17/387 - 07

2402

唐陸宣公集二十二卷

(唐)陸贄撰

清雍正元年(1723)年羹堯刻本

六册

十行二十字,白口,四周單邊。開化紙印。鈐"姚江何氏藏書"印。

又一部　四册　善 844.17/387 - 05

2403

唐陸宣公翰苑集二十四卷

(唐)陸贄撰

明萬曆三十五年(1607)陸基忠刻本

六册

九行十八字,白口,四周雙邊。有刻工。

又一部　十六册　鈐"北平王三逮字公路記"印。

善 844.17/387 - 2 - 03

又一部　十册　善 2729

2404

唐陸宣公翰苑集二十四卷

(唐)陸贄撰　(清)張佩芳注

清乾隆間張氏希音堂刻本

十册

九行二十一字,小字雙行同,白口,左右雙邊,版心下鎸"希音堂"。　善 844.17/387 - 2 - 02

又一部　八册　鈐"萬卷樓藏書宜子弟"、"子實"、"葆采之印"諸印。　善 5554

2405

韓文四十卷外集十卷遺集一卷

(唐)韓愈撰

集傳一卷
明嘉靖十六年(1537)游居敬刻《韓柳文》本
二十册
十一行二十二字,白口,左右雙邊。
善 844.17/234－292

2406
朱文公校昌黎先生文集四十卷外集十卷遺文一卷集傳一卷
(唐)韓愈撰　(宋)朱熹考異　(宋)王伯大音釋
明初刻本
十六册
十三行二十三字,小字雙行同,黑口,四周雙邊。鈐"桐城姚氏珍藏書畫之章"、"徒河李氏藏書之印"、"徒河李氏樹棨字欣圃"諸印。
善 844.17/234－09

2407
朱文公校昌黎先生文集四十卷外集十卷遺文一卷
(唐)韓愈撰　(宋)朱熹考異　(宋)王伯大音釋
傳一卷
明萬曆間朱崇沐刻本　(清)方苞批　(清)汪由敦校並過錄(清)何焯評
十二册
九行十八字,小字雙行同,白口,四周雙邊。鈐"長白那氏"、"及鋒"、"謹堂"、"由敦"諸印。
善 844.17/234－012

2408
朱文公校昌黎先生文集四十卷外集十卷遺文一卷
(唐)韓愈撰　(宋)朱熹考異　(宋)王伯大音釋
傳一卷
明萬曆間朱崇沐刻本
八册
九行十八字,小字雙行同,白口,四周雙邊。
善 844117/234－020

2409
昌黎先生集四十卷外集十卷遺文一卷
(唐)韓愈撰　(宋)廖瑩中校正
朱子校昌黎先生集傳一卷
明萬曆間徐時泰東雅堂刻本
二十四册
九行十七字,小字雙行同,黑口,四周雙邊。版心下鎸"東雅堂"。鈐"焦氏藏書"、"景行錢氏家藏"、"錢士譽藏書記"、"揚州阮氏琅嬛僊館藏書印"、"盱眙吳氏藏書"諸印。

又一部　十六册　鈐"萊陽張氏桐生藏書之印"、"雙劍誃"、"椿宣書屋藏書"、"桐柏山人"、"徐燕譽印"諸印。
善 844.17/234－010

2410
昌黎先生集四十卷外集十卷遺文一卷
(唐)韓愈撰　(宋)廖瑩中校正
朱子校昌黎先生集傳一卷
明萬曆間徐時泰東雅堂刻清初冠山堂重修本　(清)吳昆田批校
十六册
九行十七字,小字雙行同,白口,四周雙邊。鈐"吳昆田印"、"稼軒"印。　善 844.17/234－013

2411
新刊五百家註音辯昌黎先生文集四十卷
(唐)韓愈撰　(宋)魏仲舉輯注
清乾隆四十九年(1784)刻本
十六册
十行十八字,小字雙行二十三字,白口,左右雙邊。鈐"胡蘇門藏書印"等印。
善 844.17/234－04

2412
重刊五百家註音辯昌黎先生文集四十卷
(唐)韓愈撰　(宋)魏仲舉輯注
清刻本　佚名墨筆批注
十六册
十行十八字,小字雙行二十三字,白口,左右雙邊。　善 844.17/234－017

2413
韓文評林八卷
(明)錢㝅撰
明萬曆間周對峰刻本
八册
九行十八字,小字雙行同,白口,左右雙邊。前有萬曆八年(1580)錢㝅自序。未見著錄。
善 844.17/234－928

2414
韓文公文鈔十六卷(存一至八卷)
(唐)韓愈撰　(明)茅坤評
明刻朱墨套印本
四册
九行二十字,白口,四周單邊。鈐"大城劉氏地山堂世傳必讀書"印。　善 844.17/234－3

2415

昌黎先生詩集注十一卷

(唐)韓愈撰　(清)顧嗣立删補

年譜一卷

清康熙三十八年(1699)顧氏秀野草堂本

六册

十一行二十字,小字雙行三十字,白口,左右雙邊。版心下鎸“秀野草堂”。

善 844.17/234-962-02

2416

韓昌黎詩集編年箋注十二卷

(清)方世舉撰

清乾隆二十三年(1758)盧見曾雅雨堂刻本　(清)馮浩批點

六册

十行二十三字,小字雙行同,白口,四周單邊。版心下鎸“雅雨堂”。　善 844.17/234-626-02

2417

李申耆先生選讀韓文不分卷

(唐)韓愈撰　(清)李兆洛輯並評

稿本

四册

八行二十字,無格。　善 844.17/234-294

2418

柳文四十三卷别集二卷外集二卷

(唐)柳宗元撰

附録一卷

明嘉靖十六年(1537)游居敬刻《韓柳文》本

十二册

十一行二十二字,白口,左右雙邊。

善 844.17/282-749

2419

柳文四十三卷别集二卷外集二卷

(唐)柳宗元撰

附録一卷

明嘉靖三十五年(1556)莫如士刻《韓柳文》本　佚名朱筆批點

八册

十一行二十二字,白口,左右雙邊。鈐“峧瞻”、“何焯之印”、“曾經于唐收藏”印。

善 844.17/282-519-02

2420

柳文四十三卷别集二卷外集二卷

(唐)柳宗元撰

附録一卷

明嘉靖三十五年(1556)莫如士刻《韓柳文》本

十二册

十一行二十二字,白口,左右雙邊。鈐“嚴虞惇”印。　善 844.17/282-519

2421

河東先生集四十五卷外集二卷龍城録二卷

(唐)柳宗元撰　(宋)廖瑩中校正

附録二卷傳一卷

明郭雲鵬濟美堂刻本

二十四册

九行十七字,小字雙行同,細黑口,四周雙邊。鈐“會稽鈕氏世學樓圖籍”、“雙劍誃”印。

善 844.17/282-07

2422

增廣註釋音辯唐柳先生集四十三卷别集二卷外集二卷

(唐)柳宗元撰　(宋)童宗説音注　(宋)張敦頤音辯　(宋)潘緯音義

明初刻本　(清)安璿跋

十册

十三行二十三字,小字雙行同,黑口,四周雙邊。鈐“安璿鑒定”、“小緑天藏書”、“孫毓修印”諸印。　善 844.17/282-09

2423

京本校正音釋唐柳先生集四十三卷别集一卷外集一卷

(唐)柳宗元撰　(宋)童宗説音注　(宋)張敦頤音辯　(宋)潘緯音義

明刻本　有抄配　劉盼遂　康生題識

十二册

十行二十四字,白口,四周雙邊。鈐“祇樹主人”、“劉盼遂印”、“康生”諸印。

善 844.17/282-657-02

2424

增廣註釋音辯唐柳先生集二十卷别集一卷外集一卷

(唐)柳宗元撰　(宋)童宗説音注　(宋)張敦頤音辯　(宋)潘緯音義

明刻本　有抄配

十册

十三行二十六字,小字雙行同,黑口,四周雙邊。鈐“曾在吴石雲處”、“吴氏筠清館所藏書

畫”、“粤人吳榮光印”、“高閬仙藏書記”、“益津高氏”等印。　善 844.17/282-013

2425
唐柳先生集四十五卷外集二卷龍城錄二卷
(唐)柳宗元撰　(宋)童宗説音注　(宋)張敦頤音辯　(宋)潘緯音義
附錄二卷傳一卷
明萬曆間光啓堂刻本
十册
十行二十字,小字雙行同,白口,四周單邊。眉上鎸評。封面題“鎸柳柳州先生全集評林”、“光啓堂王荆岑督刊”。　善 844.17/282-08

2426
柳文七卷
(唐)柳宗元撰　(明)茅坤評
明刻朱墨套印本
七册
八行十八字,白口,四周單邊。鈐“怡怡堂珍藏”、“有嬀之後”印。　善 844.17/282-26

2427
唐大家柳柳州文抄十二卷
(唐)柳宗元撰　(明)茅坤選評
明萬曆間茅一桂校刻《八大家文鈔》本
六册
九行十九字,白口,左右雙邊。
善 844.17/282-516

2428
劉賓客文集三十卷
(唐)劉禹錫撰
明刻本　徐鈞據宋刻本抄配並校、跋
十册
十行二十字,白口,四周雙邊。鈐“季振宜藏書”、“徐鈞之印”、“曉霞”、“愛日館收藏印”諸印。
善 844.17/893-02

2429
孟東野詩集十卷
(唐)孟郊撰　(宋)國材　劉辰翁評
明萬曆間凌濛初刻朱墨套印本
四册
八行十九字,白口,左右雙邊。眉上鎸評。
書板後匯入《盛唐四名家集》。
善 844.17/358-2-02

2430
孟東野集十卷
(唐)孟郊撰
聯句一卷
明末毛氏汲古閣刻《五唐人集》本　樂嘉藻題識
二册
九行十九字,白口,左右雙邊。版心下鎸“汲古閣”。鈐“趙在翰印”、“青鐙盦”、“黄平樂嘉藻印”、“彩澄閲過”諸印。
樂嘉藻(1870-1941):字彩澄,黄平人。光緒十五年舉人。　善 844.17/358-2-04

2431
李長吉歌詩四卷外詩集一卷
(唐)李賀撰　(宋)吳正子箋注　(宋)劉辰翁評點
明天啓間刻《合刻劉須溪點校書九種》本　(清)陳榕批校
二册
九行二十字,小字雙行同,白口,四周單邊。
善 844.17/288-888-02

2432
李長吉歌詩四卷外詩集一卷
(唐)李賀撰　(宋)劉辰翁評點
明凌濛初刻朱墨套印本
二册
八行十九字,白口,左右雙邊。眉上鎸評。
善 844.17/288-888

2433
李長吉集四卷外詩集一卷
(唐)李賀撰　(明)黄淳耀評點
清雍正九年(1731)金惟駿漁書樓刻本
二册
八行十九字,白口,左右雙邊。版心下鎸“漁書樓”。鈐“詩廣硯癖”、“澧清之印”、“劉盼遂印”、“康生”等印。　善 844.17/288-2-03

2434
李長吉昌谷集句解定本四卷
(唐)李賀撰　(清)姚佺箋　(清)陳愫　丘象隨辯注
清初丘象隨西軒刻本　(清)蒿廬居士批校並跋
四册
九行二十字,小字雙行同,白口,四周單邊。鈐“積學齋徐乃昌藏書”、“曾藏沈燕謀家”、“沈燕謀校讀記”等印。　善 844.17/288-994

2435
白氏長慶集七十一卷目録二卷
(唐)白居易撰
明萬曆三十四年(1606)馬元調魚樂軒刻《元白長慶集》本
二十册
十行二十一字,小字雙行同,白口,左右雙邊。
善 844.17/869-05

2436
白香山詩長慶集二十卷後集十七卷别集一卷補遺二卷
(唐)白居易撰
年譜一卷
(清)汪立名撰
年譜舊本一卷
(宋)陳振孫撰
清康熙四十一年(1702)至四十二年(1703)汪氏一隅草堂刻本
二十册
十二行二十一字,白口,左右雙邊。版心下鎸"一隅草堂"。
又一部　十册
又一部　十二册　善 844.17/869-712

2437
白氏文集七十一卷
(唐)白居易撰
日本文政六年(1823)木活字印本
三十册
九行十八字,白口,四周雙邊。
善 844.17/869-06

2438
沈下賢文集十二集
(唐)沈亞之撰
清抄張金吾藏抄本　(清)徐仁釗校
六册
九行,二十字,黑格,白口,四周單邊。鈐"適盦校"、"陽湖徐氏正誼堂藏書之章"、"徐仁釗"等印。　善 844.17/741

2439
樊川文集二十卷外集一卷别集一卷
(唐)杜牧撰
明嘉靖間影宋熙寧本　(明)徐𤊹、(清)莫棠抄補並題識
六册
十行十八字,白口,左右雙邊。鈐"閩中徐𤊹惟起藏書"、"獨山莫氏銅井文房藏書印"、"莫棠字楚生印"、"吴興潘承京承弼讀書記"諸印。
善 844.17/249-02

2440
李義山詩集三卷
(唐)李商隱撰　(清)朱鶴齡箋注
李義山詩譜一卷諸家詩評一卷
清順治十六年(1659)刻本　佚名朱、墨筆過録(清)朱彝尊　(清)紀昀等諸家批點
八册
十行二十一字,小字雙行同,白口,左右雙邊。鈐"錢棫之印"等印。　善 844.17/291-27-04

2441
李義山詩集三卷
(唐)李商隱撰　(清)朱鶴齡箋注
李義山詩譜一卷諸家詩評一卷
清順治十六年(1659)刻本　佚名朱、墨筆過録(清)朱彝尊等諸家批點
四册
十行二十一字,小字雙行同,白口,左右雙邊。鈐"漢田"、"二新"、"南陵張氏倭劫餘物"印。
善 844.17/291-27-05

2442
李義山詩集三卷
(唐)李商隱撰　(清)朱鶴齡箋注
李義山詩譜一卷諸家詩評一卷
清順治十六年(1659)刻乾隆間懷德堂重修本　(清)周振采批校
四册
十行二十一字,小字雙行同,白口,左右雙邊。封面鎸"懷德堂梓行"。鈐"菘畦"印。
善 844.17/291-27-03

2443
李義山詩集三卷
(唐)李商隱撰　(清)朱鶴齡箋注
李義山詩譜一卷諸家詩評一卷
清順治十六年(1659)刻乾隆間懷德堂重修本　佚名過録(清)何焯、(清)錢陸燦等批點
四册
十行二十一字,小字雙行同,白口,左右雙邊。封面鎸"懷德堂梓行"。鈐"太原温氏收藏"等印。

善 844.17/291－27－08

2444

李義山詩集三卷

(唐)李商隱撰　(清)朱鶴齡箋注

李義山詩譜一卷諸家詩評一卷

清順治十六年(1659)刻乾隆間懷德堂重修本　(清)潘心譚批並過錄(清)紀昀等諸家批點

二册

十行二十一字,小字雙行同,白口,左右雙邊。

善 844.17/291－27－02

2445

李義山詩集十六卷

(唐)李商隱撰　(清)姚培謙箋注

清乾隆五年(1740)松桂讀書堂刻本　佚名朱、墨筆批注

二册

十行二十一字,白口,小字雙行約三十二字,左右雙邊。版心下鎸"松桂讀書堂"。鈐"授可"、"吳經之印"、"雲樵"諸印。善 844.17/291－7－02

2446

李義山文集十卷

(唐)李商隱撰　(清)徐樹穀箋注　(清)徐炯注

清康熙四十七年(1708)徐氏花谿草堂刻本

二册

十行二十一字,小字雙行約三十一字,白口,左右雙邊。

又一部　四册　善 844.17/291－26

2447

唐皮日休文藪十卷

(唐)皮日休撰

明正德十年(1515)袁表刻本

四册

十一行二十字,白口,左右雙邊。鈐"賀湖范玉京家藏書畫印"印。　善 844.17/373

2448

唐皮日休文藪十卷

(唐)皮日休撰

明萬曆間許自昌刻《陸魯望皮襲美二先生集》本

四册

九行二十字,白口,左右雙邊。

善 844.19/373－02

2449

唐賈浪仙長江集十卷

(唐)賈島撰

明嘉靖二十九年(1550)蔣孝刻《中唐十二家詩集》本

二册

十行二十字,白口,左右雙邊。善 844.17/150

2450

重校甲乙集十卷

(唐)羅隱撰

清士禮居校抄本

二册

十一行二十字。緑格。版心下鎸"士禮居校抄"。鈐"子敦"、"八千卷樓所藏"、"沈碧樓藏書記"、"老見異書猶眼明"諸印。　善 844.19/482

2451

桂苑筆耕集二十卷

(朝鮮)崔致遠撰

清光緒間高麗活字印本

四册

十行二十字,白口,四周雙邊。善 844.19/586

宋

2452

徐公文集三十卷

(宋)徐鉉撰

清抄本

十册

十一行二十一字,無格。鈐"慈谿馮氏醉經閣圖籍"、"五橋珍藏"印。　善 845.11/954－02

2453

河東先生集十六卷

(宋)柳開撰

清抄本

四册

十一行二十字,無格。鈐"吳氏西齋"、"無竟先生獨志堂物"、"荃孫"、"雲輪閣"印。

善 845.11/282

2454

宋王黄州小畜集三十卷

(宋)王禹偁撰

清乾隆二十五年(1760)趙熟典愛日堂刻本

十二册

十一行二十二字,黑口,四周雙邊。封面鎸"愛日堂藏板"。　善 845.13/119－02

2455

林和靖詩集三卷

(宋)林逋撰

清乾隆十年(1745)深柳讀書堂刻本

二册

九行二十二字,白口,四周單邊。有像。鈐“觀海登山游聖門”、“鹵西范氏貞如藏書”等印。

善 845.13/255－2

2456

欽定元憲集三十六卷

(宋)宋庠撰

清抄本

十六册

九行二十一字,白口,四周雙邊。鈐“江西汪石琴藏手收書籍”印。　善 845.13/695－02

2457

武溪集二十卷

(宋)余靖撰

卷首一卷

清康熙三十六年(1697)韶州程德基刻本

六册

九行二十字,白口,左右雙邊。封面鎸“板存韶州府曲江縣”。鈐“臣棟”、“松厓”、“惠棟之印”、“紅豆書屋”、“則父金石文字記”諸印。　善 18101

2458

安陽集五十卷

(宋)韓琦撰

別錄三卷

(宋)王巖叟輯

遺事一卷

(宋)强至撰

忠獻韓魏王家傳十卷

清康熙間徐樹敏刻乾隆四年(1739)補修本

十册

十一行二十一字,細黑口,左右雙邊。

善 845.14/226－02

2459

范文正公集十二卷

(宋)范仲淹撰

范文正公褒祠錄二卷

(明)毛一鷺編

明萬曆三十六年(1608)毛一鷺刻《合刻范文正公忠宣公全集》本

八册

九行二十字,白口,四周單邊。版心下鎸刻工。鈐“内府藏書”、“仲張”、“仲張氏”、“張英之印”、“不羈齋圖書記”等印。　善 845.13/537

2460

范文正公集二十卷別集四卷政府奏議二卷尺牘三卷

(宋)范仲淹撰

年譜一卷

(宋)樓鑰編

年譜補遺一卷言行拾遺事錄四卷鄱陽遺事錄一卷遺跡一卷義莊規矩一卷褒賢集五卷補編五卷

清康熙四十六年(1707)范氏歲寒堂刻本

十册

十一行二十一字,白口,左右雙邊。版心下鎸“歲寒堂”。鈐“唐氏家藏書印”、“唐氏珍藏”、“崇德堂珍藏書畫金石文字印”諸印。

善 845.13/537－02

2461

徂徠石先生全集二十卷

(宋)石介撰

附錄一卷

清康熙五十六年(1717)石鍵刻本

四册

十行十九字,白口,左右雙邊。善 845.13/350

2462

宋端明殿學士蔡忠惠公文集三十六卷

(宋)蔡襄撰

別紀補遺二卷

(明)徐𤊹輯　(明)宋珏增輯

清雍正十二年(1734)至乾隆五年(1740)蔡氏遜敏齋刻本

十六册

九行二十字,白口,四周單邊。版心下鎸“遜敏齋”。　善 845.13/561

2463

蘇學士文集十六卷

(宋)蘇舜欽撰

清康熙三十七年(1698)徐氏白華書屋刻本

四册

十行二十一字,白口,四周單邊。封面鎸“白華書屋藏板”。鈐“積學齋徐乃昌藏書”、“乃昌校讀”、“小羅浮館”等印。

又一部　三册　善 845.14/554.9

2464

司馬太師温國文正公傳家集八十卷目錄二卷

(宋)司馬光撰

明萬曆十五年(1587)司馬祉刻本

三十二册

九行二十字,白口,四周雙邊。版心下鎸刻工。　善 845.14/303－04

2465

司馬文正公傳家集八十卷目錄二卷

(宋)司馬光撰

年譜一卷附錄一卷

(清)陳弘謀輯

清乾隆六年(1741)陳氏培遠堂刻本

二十四册

十一行二十一字,黑口,左右雙邊。封面鎸"培遠堂藏板"。　善 13354

2466

司馬温公文集八十二卷目錄一卷

(宋)司馬光撰

明崇禎元年(1628)吳時亮刻本

二十四册

九行二十字,白口,四周雙邊。版心下鎸刻工。

又一部　二十二册　善 845.14/303－03

2467

司馬文正公詩集七卷

(宋)司馬光撰

明嘉靖四年(1525)吕柟刻本

四册

十一行二十二字,白口,左右雙邊。鈐"晉卿珍藏"、"彭澤歐陽潤生鑒藏書畫之章"、"種松精舍主人藏書記"、"季彤平生真賞"、"項子京家珍藏"、"蓮樵成勛鑒賞書畫之章"諸印。

善 845.14/303－2

2468

新刻石室先生丹淵集四十卷拾遺二卷

(宋)文同撰

年譜一卷

(宋)家誠之撰

續編諸公書翰詩文一卷雜記一卷

明萬曆間刻本

四册

九行十八字,白口,四周雙邊。鈐"慕齋鑒定"、"海宿道人"、"俞郃"、"二酉藏書"、"黄甲之印"、"胡氏茨邨藏本"、"澹遠"、"聽雨樓查氏甙圻珍賞圖書"、"海寧查瑩"、"宛平王氏家藏"、"肇登"、"千頃齋"諸印。　善 845.14/677

2469

南豐先生元豐類藁五十一卷

(宋)曾鞏撰

明嘉靖間王忬刻本

十六册

十一行二十一字,黑口,四周雙邊。鈐"閒田張氏聞三藏書"印。　善 845.14/981－03

2470

南豐先生元豐類藁五十一卷

(宋)曾鞏撰

明萬曆二十五年(1597)查溪曾敏才等刻本

二十四册

十行二十字,白口,四周單邊。版心下鎸刻工。　善 845.14/981－02

2471

文潞公文集四十卷

(宋)文彦博撰

明嘉靖五年(1526)王溱刻本

四册

十行二十字,白口,四周單邊。鈐"觀古堂"、"郋園過目"、"葉德輝鑒藏善本書籍"、"葉啓蕃"、"葉氏啓勛讀過"、"葉啓發東明審定善本"、"交城任亮儕氏藏書"諸印。　善 845.14/677.6

2472

伊川擊壤集二十卷

(宋)邵雍撰

明末文靖書院刻本

八册

十行二十字,黑口,四周雙邊。封面鎸"文靖書院藏板"。　善 845.14/329

2473

宋邵康節先生伊川擊壤集十卷

(宋)邵雍撰　(明)吳瀚、吳泰注

清康熙八年(1669)邵養定等刻本

五册

九行十八字,白口,四周單邊。鈐"陳家康藏書"印。　善 845.14/329－02

2474

宋濂溪周元公先生集十卷

（宋）周敦頤撰　（明）周沈珂重輯

周元公世系遺芳集五卷

（明）周沈珂重輯

明萬曆四十四年(1616)周沈珂刻本

六册

十行二十字,白口,四周單邊。有像。鈐"西山周氏鑒藏"、"錫山周氏鑒藏金石書畫之印"、"梅坡珍藏"諸印。　善 845.13/818

2475

節孝先生文集三十卷

（宋）徐積撰

節孝先生語一卷節孝集事實一卷本朝名臣言行録一卷皇朝東都事略卓行傳序一卷諸君子帖一卷

元刻明補修本

十册

十行二十字,白口,四周單邊。有像。

善 845.14/953

2476

歐陽文忠公集一百五十三卷

（宋）歐陽修撰

年譜一卷

（宋）胡柯撰

附録六卷

明正德七年(1512)劉喬刻嘉靖十六年(1537)季本、詹治三十九年(1560)何遷遞修本

三十二册

十行二十字,小字雙行同,白口,四周雙邊。鈐"小寒山"、"求實齋藏"、"德鈞圖書"、"湘鄉蔣氏"、"戒廬"等印。　善 845.14/423－08

2477

歐陽先生文粹二十卷

（宋）歐陽修撰　（宋）陳亮輯

遺粹十卷

（宋）歐陽修撰　（明）郭雲鵬輯

明嘉靖二十六年(1547)郭雲鵬寶善堂刻本

十册

十一行二十一字,白口,左右雙邊。卷一首頁版心下鎸"張敖"。鈐"夢選樓胡氏宗楙藏"印。

又一部　四册　善 845.14/423－382

2478

蘇老泉先生全集十六卷

（宋）蘇洵撰

明刻本

四册

十行十九字,白口,四周單邊。鈐"式庵氏"、"庭印"印。　善 845.14/554.7

2479

蘇老泉先生全集二十卷

（宋）蘇洵撰

附録二卷

（宋）沈斐輯

清康熙三十七年(1698)邵仁泓安樂居刻本

四册

九行十九字,白口,左右雙邊。鈐"桐城方氏孝朗藏書章"、"德州北李後知堂文籍圖書記"、"北李渭占"諸印。　善 845.14/554.7－02

2480

臨川先生文集一百卷

（宋）王安石撰

宋紹興二十一年(1151)兩浙西路轉運司王珏刻元明遞修本

三十二册

十二行二十字,白口間有黑口,左右雙邊。

善 845.14/118－04

2481

臨川先生文集一百卷

（宋）王安石撰

明嘉靖三十九年(1560)何遷刻本

十册

十二行二十字,白口,左右雙邊。鈐"秀水潜采堂圖書"、"師竹齋圖書"印。

善 845.14/118－010

2482

臨川先生文集一百卷目録二卷

（宋）王安石撰

明嘉靖間刻本

二十册

十二行二十字,白口,左右雙邊。鈐"龍丘南□余氏藏書記"、"龐青城收藏印"、"百匱樓所藏善本書籍之印"諸印。

又一部　二十册　鈐"章氏圖書"、"然明氏"印。

善 845.14/118－09

2483

新刻臨川王介甫先生文集一百卷目録二卷

（宋）王安石撰

明萬曆四十年(1612)王鳳翔光啓堂刻本

三十二册

十行二十字，白口，四周單邊。鈐"范熙壬印"、"徐石卿印"印。

又一部　三十二册　善845.14/118-05

2484

宋大家王文公文鈔十六卷

(宋)王安石撰　(明)茅坤評

明萬曆間茅一桂刻《八大家文鈔》本

八册

九行十九字，小字雙行同，白口，左右雙邊。鈐"味琴仙館珍藏金石書畫之章"印。

又一部　四册

又一部　八册　善845.14/118-516-02

2485

王荆文公詩五十卷

(宋)王安石撰　(宋)李壁箋注

清乾隆六年(1741)張宗松清綺齋刻本

十二册

十一行二十一字，小字雙行，細黑口，左右雙邊。封面鎸"清綺齋藏板"。鈐"犮齋藏書記"印。

善845.14/118-287

2486

長興集四十一卷(存卷四至十二)

(宋)沈括撰

附錄三卷

(清)吳允嘉輯

清抄本

一册

八行二十一字，無格。　善845.14/741

2487

東坡全集一百十五卷目錄七卷

(宋)蘇軾撰

年譜一卷

(宋)王宗稷撰

明崇禎六年(1633)黄嘉芳校刻本

六十四册

十一行二十五字，白口，四周單邊。

善845.14/554-04

2488

東坡先生全集七十五卷

(宋)蘇軾撰

宋史本傳一卷

(元)脱脱撰

墓志銘一卷

(宋)蘇轍撰

年譜一卷

(宋)王宗稷撰

明萬曆三十四年(1606)茅維刻本

三十二册

十行十九字，白口，左右雙邊。

善845.14/554-03

2489

東坡先生全集七十五卷

(宋)蘇軾撰

年譜一卷

(宋)王宗稷撰

本傳一卷

(元)脱脱撰

明天啓間文盛堂刻本

二十六册

十行十九字，小字雙行同，白口，左右雙邊。封面鎸"文盛堂藏板"。鈐"李世軍印"、"三江監使兩院喉舌"印。　善845.14/554-010

2490

東坡詩選十二卷

(宋)蘇軾撰　(明)譚元春輯　(明)袁宏道評

年譜一卷

(宋)王宗稷撰

明天啓間文盛堂刻本

八册

八行十七字，白口，四周單邊。鈐"襄成"印。封面鎸"文盛堂藏板"。　善845.14/554-601

2491

蘇東坡詩集二十五卷

(宋)蘇軾撰　(宋)劉辰翁批點

明天啓間刻本

七册

九行二十字，白口，四周單邊。有"調馬歸來又讀書"、"林蔭堂珍藏印"、"徐定修印"、"學退一步"、"璧如"、"梅花作伴"等印。

善845.14/554-888

2492

東坡先生詩集註三十二卷

(宋)蘇軾撰　題(宋)王十朋纂輯

東坡紀年錄一卷

(宋)傅藻撰

明萬曆間茅維刻本
十二册
十行二十一字,小字雙行同,白口,左右雙邊。
又一部　十二册　鈐"餘姚謝氏永耀樓藏書"印。
善 845.14/554－113－04

2493
蘇東坡詩集注三十二卷
(宋)蘇軾撰　題(宋)吕祖謙分編　題(宋)王十朋纂輯　(清)朱從延補注
年譜一卷
(宋)王宗稷撰
清康熙三十七年(1698)朱從延文蔚堂刻本
二十四册
十一行十九字,白口,左右雙邊。有像。版心下鎸"文蔚堂"。　善 845.14/554－113－02

2494
施註蘇詩四十二卷總目二卷
(宋)蘇軾撰　(宋)施元之　顧禧注　(清)邵長蘅等删補
蘇詩續補遺二卷
(宋)蘇軾撰　(清)馮景補注
王註正譌一卷
(清)邵長蘅撰
東坡先生年譜一卷
(宋)王宗稷撰
清康熙三十八年(1699)宋犖刻本
十册
十行二十一字,黑口,四周單邊。鈐"夢選樓胡氏宗楙藏"印。　善 845.14/554－627

2495
施註蘇詩四十二卷總目二卷
(宋)蘇軾撰　(宋)施元之　顧禧注　(清)邵長蘅等删補
蘇詩續補遺二卷
(宋)蘇軾撰　(清)馮景補注
王註正譌一卷
(清)邵長蘅撰
東坡先生年譜一卷
(宋)王宗稷撰
清康熙三十八年(1699)宋犖刻本　佚名過録(清)查慎行、紀昀、王文獻等諸家批點
十九册
十行二十一字,黑口,四周單邊。鈐"蔗香館珍藏書畫記"、"秦隴歸裝"等印。
善 845.14/554－627－02

2496
東坡先生編年詩五十卷
(宋)蘇軾撰　(清)查慎行補注
年表一卷
清乾隆二十六年(1761)查開香雨齋刻本
十六册
十一行二十六字,白口,左右雙邊。版心下鎸"香雨齋"。　善 845.14/554－295

2497
蘇文忠詩合註五十卷卷首一卷目錄一卷
(宋)蘇軾撰　(清)馮應榴輯
清乾隆五十八年(1793)踵息齋刻本　(清)廉兆綸墨筆評點
十六册
十一行二十六字,小字雙行三十四字,白口,左右雙邊。封面鎸"踵息齋藏板"。
善 845.14/554－771

2498
重編東坡先生外集八十六卷
(宋)蘇軾撰
年譜一卷
明萬曆三十六年(1608)康丕揚刻本
十册
十行二十字,小字雙行同,白口,四周雙邊。有刻工。鈐"明善堂覽書畫印記"印。
善 845.14/554－8

2499
坡仙集十六卷
(宋)蘇軾撰　(明)李贄評輯
明萬曆二十八年(1600)繼志齋刻本
十册
九行二十字,白口,四周單邊。目錄後鎸"萬曆庚子歲錄梓於繼志齋中"。鈐"吳宫華印"等印。
善 845.14/554－2

2500
東坡禪喜集十四卷
(宋)蘇軾撰　(明)馮夢禎批點
明天啓元年(1621)凌濛初刻朱墨套印本
六册
八行十八字,白口,四周單邊。鈐"大城劉氏地山堂世傳必讀書"印。　善 845.14/554－765

2501
蘇長公文腴三十卷詩腴八卷
(宋)蘇軾撰　(明)陳于廷輯
明萬曆四十五年(1617)刻本
十四册
九行二十字,白口,四周單邊。卷一首頁版心下鎸"南昌萬國臣刻"。　善 845.14/554－377

2502
蘇長公集選二十二卷東坡居士艾子雜説一卷
(宋)蘇軾撰　(明)錢士鰲輯
明萬曆二十六年(1598)何文叔刻本
二十册
九行二十二字,白口,四周單邊。鈐"蓮甫"、"吴氏之印"、"允文"等印。　善 845.14/554－928

2503
東坡集選五十卷
(宋)蘇軾撰　(明)陳夢槐輯
年譜一卷
(宋)王宗稷撰
外紀二卷
(明)王世貞撰
外紀逸編一卷
(明)璩之璞撰
明萬曆間刻本
十二册
九行十九字,白口,四周單邊。
善 845.14/554－380

2504
宋大家蘇文忠公文鈔二十八卷
(宋)蘇軾撰　(明)茅坤評
明萬曆間茅一桂校刻《八大家文鈔》本
十二册
九行十九字,白口,左右雙邊。鈐"孫毓漢印"印。　善 845.14/554－527－02

2505
蘇長公合作内外篇不分卷
(宋)蘇軾撰　(明)鄭圭輯
明萬曆間刻本
八册
九行二十二字,白口,四周單邊。版心下鎸刻工。　善 845.14/554－976

2506
蘇文忠公策論選十二卷
(宋)蘇軾撰　(明)茅坤　鍾惺評
明天啓元年(1621)刻三色套印本
五册
九行十九字,白口,四周單邊。鈐"有竹氏"、"波撼岳陽"、"水涵雲夢"等印。
善 845.14/554－516

2507
蘇長公小品四卷
(宋)蘇軾撰　(明)王納諫輯並評
明凌啓康刻朱墨套印本
四册
八行十九字,白口,四周單邊。
善 845.14/554－113.9

2508
蘇詩二卷
(清)查慎行輯並評
清抄本　(清)沈廷芳朱筆批點　(清)張佩紱題跋
二册
七行十五字,無格。鈐"怡齋秘玩"、"韋孺觀過"、"沈十三"、"隱拙翁"、"張"、"怡齋"等印。
善 845.14/554－295－03

2509
蘇子瞻二卷
(宋)蘇軾撰
明末毛晉綠君亭刻本
二册
八行十八字,無直格,白口,四周單邊。版心下鎸"綠君亭"。鈐"海宗樓"印。
善 845.14/554－43

2510
欒城集五十卷
(宋)蘇轍撰
明萬曆間王執禮、顧天叙刻清夢軒印本
二十册
十行二十字,小字雙行同,白口,左右雙邊。目錄後鎸"清夢軒藏板"。鈐"鄞林氏藜照廬圖書"印。　善 845.14/554.2

2511
豫章黄先生文集三十卷别集二十卷外集十四卷簡尺二卷
(宋)黄庭堅撰
伐檀集二卷

(宋)黄庶撰

山谷先生年譜三十卷

(宋)黄罃撰

明弘治間葉天爵刻嘉靖六年(1527)喬遷余載仕重修本

二十四册

十二行二十一字,白口,四周雙邊。鈐"徐駿讀書記"、"痛飲讀離騷"等印。 善 845.14/169－5

2512

重刻黄文節山谷先生文集三十卷

(宋)黄庭堅撰

明王鳳翔光啓堂刻本

十二册

十行二十字,白口,四周單邊。

善 845.14/169－2

2513

宋黄文節公文集正集三十二卷外集二十四卷别集十九卷卷首四卷

(宋)黄庭堅撰

伐檀集二卷

(宋)黄庶撰

清乾隆三十年(1765)緝香堂刻本

十六册

九行二十字,白口,左右雙邊。鎸"江右寧州輯香堂藏板"。 善 845.14/169－6

2514

豫章先生遺文十二卷

(宋)黄庭堅撰

清刻本

六册

九行十六字,細黑口,四周雙邊。

善 845.14/169－36－02

2515

張文潛文集十三卷

(宋)張耒撰

明嘉靖三年(1524)郝梁刻本　有抄配　(清)石樵題識

六册

十行十八字,白口,左右雙邊。鈐"仙人石樵"、"蔣養菴藏書記"印。 善 845.14/313

2516

淮海集四十卷長短句三卷

(宋)秦觀撰

明萬曆四十六年(1618)李之藻刻本

六册

九行二十一字,白口,左右雙邊。版心下鎸刻工及字數。鈐"李俠之印"等印。

善 845.14/102－05

2517

倚松老人詩集三卷

(宋)饒節撰

清滂喜堂抄本　(清釋)超峻跋

二册

八行十一字,藍格,藍口,四周單邊。版框外鎸"滂喜堂"。 善 845.14/940

2518

西塘先生文集十卷

(宋)鄭俠撰

刻鄭一拂先生祠詩類一卷附錄一卷

明萬曆三十七年(1609)刻本

六册

九行十八字,小字雙行同,白口,四周單邊。鈐"禮培私印"、"掃塵齋積書記"印。

善 845.14/978

2519

濟北晁先生鷄肋集七十卷

(宋)晁補之撰

明崇禎八年(1635)吳郡顧凝遠詩瘦閣刻本

八册

九行十九字,白口,左右雙邊。版心下鎸"詩瘦閣"。 善 845.14/470－7

2520

北湖集五卷

(宋)吳則禮撰

清抄本　佚名錄(清)鮑廷博校

一册

八行二十一字,無格。有"黄裳容氏珍藏圖籍"、"□草亭藏"、"來燕榭"、"木雁齋"、"黄裳小雁"、"來燕榭珍藏記"、"黄裳藏本"、"黄裳青囊文苑"印。 善 845.14/437

2521

劉給諫文集五卷

(宋)劉安上撰

清抄本　(清)孫衣言校並跋

一册

八行二十一字,無格。鈐"孫衣言印"、"周連寬印"、"吳興劉氏嘉業堂藏書記"印。

善 845.16/892

2522

唐眉山詩集十卷文集十四卷

(宋)唐庚撰

清雍正三年(1725)歸安汪亮采南陔草堂活字印本

八册

十行二十字,白口,左右雙邊。鈐"古黟明經胡氏毋自欺齋藏書印"印。　善 845.16/667

2523

斜川詩集十卷

(宋)蘇過撰

清抄本

一册

十一行二十二字,無格。鈐"瑞軒"印。

善 845.16/554

2524

龜山先生全集四十二卷

(宋)楊時撰

明萬曆間翻刻林熙春本

二十册

十行二十字,白口,左右雙邊。善 845.16/269

2525

宋李忠定公文集選四十八卷奏議十五卷詩文集二十九卷卷首四卷

(宋)李綱撰　(明)左光先　李春熙輯

明崇禎間李嗣玄等刻清康熙乾隆間補修本

十六册

十行二十字,白口,四周單邊。善 845.21/293

2526

宋孫仲益内簡尺牘十卷卷首一卷

(宋)孫覿撰　(宋)李祖堯注

清乾隆十二年(1747)蔡龍孫等刻本

六册

九行二十字,小字雙行同,黑口,四周單邊。鈐"金溪傅氏平階珍藏書畫之章"印。

又一部　八册　鈐"無□友孝藏金石書畫"、"久久自芬芳室"等印。　善 856.252/361

2527

北山小集四十卷

(宋)程俱撰

清抄本

二十册

十行二十字,黑口,左右雙邊。鈐"四明盧氏抱經樓藏書印"印。　善 845.21/792

2528

東窗集十六卷

(宋)張擴撰

傳抄本(卷十一、十二、十五、十六配文瀾閣四庫全書寫本)

六册

二十一字,白口,紅格,四周雙邊。文瀾閣寫本原鈐"古稀天子之寶"、"乾隆御覽之寶"。

善 845.2/307

2529

華陽集四十卷

(宋)張綱撰

明萬曆二十五年(1597)于文熙刻本

六册

十行二十字,白口,四周單邊。

又一部　八册　鈐"秀水朱氏潛采堂圖書"、"禮培私印"、"行素堂藏書記"等印。　善 845.21/313

2530

韋齋集十二卷

(宋)朱松撰

玉瀾集一卷

(宋)朱槔撰

清抄本

六册

十行二十字,無格。鈐"雲間閒人卓山氏藏書"、"結一廬主"、"修身"、"朱學勤印"。

善 845.21/828

2531

横浦先生文集二十卷横浦心傳錄三卷横浦日新一卷

(宋)張九成撰

横浦先生家傳一卷

(宋)張棨撰

施先生孟子發題一卷

(宋)施德操撰

明萬曆四十二年(1614)吳惟明刻本

三册

十行二十字,白口,左右雙邊。鈐"梅溪呂錦文珍藏之印"、"鐵琴銅劍樓"印。

善 845.21/313.8

2532

重刊横浦先生文集二十卷横浦心傳錄三卷横浦日新

一卷
(宋)張九成撰
橫浦先生家傳一卷
(宋)張箕撰
施先生孟子發題一卷
(宋)施德操撰
明萬曆四十三年(1615)方士騏重刻本
五册
十行二十字,白口,左右雙邊。
善 845.21/313.8 -02

2533
莆陽知稼翁集二卷
(宋)黄公度撰
明天啓五年(1625)黄崇翰刻本
二册
九行二十字,白口,四周單邊。上卷首頁版心下鎸刻工。　善 845.21/172

2534
張于湖集八卷附錄一卷
(宋)張孝祥撰
明崇禎間張時行刻《兩張先生集》本
四册
九行二十字,白口,四周單邊。鈐"劉氏惟喆鑒賞"、"劉氏惟喆珍藏"印。　善 845.21/307

2535
羅鄂州小集六卷
(宋)羅願撰
羅郢州遺文一卷
(宋)羅頌撰
清康熙五十二年(1713)程哲七略書堂刻本
二册
十一行二十一字,白口,左右雙邊。封面鎸"七略書堂藏版",原鈐"七略書堂"、"詩文齋六經"印。
又一部　二册　鈐"歙南曹氏過雲樓鑒藏"、"永壽康寧"、"曹氏吉城"等印。　善 845.22/482 -02

2536
晦菴文抄六卷續集四卷
(宋)朱熹撰　(明)吳訥　崔銑輯
明嘉靖十九年(1540)張光祖刻本
四册
九行十八字,白口,左右雙邊。鈐"春園張基"印。　善 845.22/828 -4 -02

2537
晦庵文抄七卷五言詩抄一卷
(宋)朱熹撰　(明)吳訥輯
明嘉靖二十一年(1542)楊仲寬重刻太平郡學本
二册
十一行二十一字,白口,四周單邊。
善 845.22/828 -4

2538
晦菴朱先生五言詩抄一卷
(宋)朱熹撰
明星源潘文楚校刻本
一册
九行二十字,白口,四周單邊。善 845.22/828

2539
周文忠公文選□□卷(存卷一至五)
(宋)周必大撰　(明)胡廷宴輯
明萬曆二十七年(1599)胡廷宴刻本
五册
八行十八字,白口,四周單邊。鈐"寶應劉氏食舊德齋藏書記"、"黄彭年印"、"戴經堂藏書"印。　善 845.22/819

2540
方舟集二十四卷
(宋)李石撰
清抄本　(清)唐梁曜朱筆題識
十六册
九行十六字,無格。有"吳興劉氏嘉業堂藏書記"印。　善 845.22/288

2541
新訂朱淑貞分類詩斷腸集八卷
(宋)朱淑貞撰　題言子里閑閑野老重校
舊抄本
一册
九行十九字,藍格。鈐"汲古閣"、"俠香文劍之印"、"沈燕謀"、"湘鄉王氏秘籍孤本"、"寶鼎香濃,繡簾風細,綠窗人静"、"掃塵齋積書記"、"禮培私印"諸印。　善 845.21/833 -8

2542
宋王忠文公文集五十卷
(宋)王十朋撰
清雍正七年(1729)唐傳鉎刻本
十四册
十一行二十一字,白口,四周單邊。鈐"光遠

堂姚"印。　善 845.22/113－02

2543

義豐集一卷

(宋)王阮撰

宜秋館抄本　胡思敬朱筆校

一册

十行二十一字,黑口,左右雙邊。版框外鎸"宜秋館精鈔本"。鈐"南城李氏宜秋館藏"、"馮雄印信"、"南通馮氏景岫樓藏書"諸印。

善 845.22/114

2544

蠹齋先生鉛刀編三十二卷拾遺詩一卷

(宋)周孚撰

清抄本

二册

十行二十字,無格。鈐"小李山房"、"真州吴氏有福讀書堂藏書"印。　善 845.21/821

2545

象山先生全集三十六卷

(宋)陸九淵撰　(明)張嘉　傅振鐸重輯

附錄少湖徐先生學則辯一卷

明嘉靖四十年(1561)何遷刻本

十八册

十行二十字,白口,四周雙邊。有刻工。

善 845.22/393－03

2546

慈湖遺書抄六卷

(宋)楊簡撰　(明)楊世思輯

明萬曆間潘汝楨刻本

四册

八行二十字,白口,左右雙邊。　善 2505

2547

石湖居士詩集三十四卷

(宋)范成大撰　(清)顧嗣皋等重訂

清康熙二十七年(1688)顧氏依園校刻本

八册

十一行二十一字,白口,左右雙邊。鈐"韞齋"、"德甫"、"近庭"、"法祖之印"、"姚法祖印"、"威黄"、"初晴"、"滇南劉昆"、"近庭氏"印。

又一部　八册　鈐"近溪"、"質印"、"山響遺徽"、"夢仙氏"、"棣香堂珍藏印"、"玉芝生質審定"、"黎水"、"陳世發印"等印。　善 845.21/532

2548

劍南詩稾八十五卷

(宋)陸游撰

明末毛氏汲古閣刻本

五十二册

八行十八字,白口,左右雙邊。版心下鎸"汲古閣"。

又一部　三十二册　鈐"番禺陶福祥藏"印。

善 845.22/392－9

2549

渭南文集五十卷放翁逸稾二卷

(宋)陸游撰

明末毛氏汲古閣刻《陸放翁全集》本

十三册

八行十八字,白口,左右雙邊。版心下鎸"汲古閣"。　善 845.22/392－7

2550

水心文集二十九卷

(宋)葉適撰

清乾隆二十年(1755)温州府學刻本

十二册

十行二十字,白口,左右雙邊。

又一部　十二册　善 845.22/504－02

2551

江湖長翁文集四十卷

(宋)陳造撰

明萬曆四十六年(1618)李之藻刻本

八册

九行二十一字,白口,左右雙邊。版心下鎸刻工及字數。鈐"真州吴氏有福讀書堂藏書"印。

善 18248

2552

南軒先生文集四十四卷

(宋)張栻撰

明嘉靖間繆輔之刻本　有抄配

八册

十行二十字,白口,四周雙邊。鈐"瑞軒"、"天麟所藏"印。　善 845.22/307－03

2553

南軒文集節要八卷(存卷一至六)

(宋)張栻撰　(明)聶豹輯

明嘉靖十年(1531)聶豹刻本

六册

十行十八字,白口,四周單邊。鈐"新安汪

氏”、“啓淑信印”、“番禺何氏如舟閣所藏”、“璧流離館”等印。　善 845.22/307－2

2554

北溪先生大全文集五十卷外集一卷

(宋)陳淳撰

清趙氏小山堂抄本　劉盼遂跋

十二册

九行二十字,白口,四周單邊。版框外鎸“小山堂鈔本”。　善 845.22/383－4－02

2555

北溪先生大全文集五十卷外集一卷

(宋)陳淳撰

清抄本

八册

九行二十字,無格。鈐“五橋珍藏”、“慈谿馮氏醉經閣圖籍”印。　善 845.22/383－4

2556

校注橘山四六二十卷

(宋)李廷忠撰　(明)孫雲翼注

明萬曆三十五年(1607)刻本

十册

十行二十一字,小字雙行同,白口,左右雙邊。有刻工劉希賢、劉淇。鈐“秀溪草堂”、“泰和姚雪門鑒藏”印。　善 845.22/293－4

2557

騷略三卷

(宋)高似孫撰

明弘治間無錫華氏刻《百川學海》本

一册

十二行二十字,白口,左右雙邊。鈐“豹庵”、“養余山館”、“心葵”、“黄承煊”諸印。

善 845.21/647

2558

程端明公洛水集二十六卷首一卷

(宋)程珌撰

明嘉靖三十五年(1556)程元昞刻本　冬皋居士題識

八册

十一行二十一字,白口,左右雙邊。鈐“無竟先生獨志堂物”、“蒼嚴山人書屋記”、“樂蔭堂收藏印”、“劉程字翁雲”、“東皋山人印”。

善 845.25/785

2559

程洛水先生集三十卷

(宋)程珌撰

附錄一卷

明崇禎二年(1629)程至遠刻本

四册

九行十九字,白口,左右雙邊。鈐“南林劉氏求恕齋藏”、“劉承幹印”。　善 845.25/785－02

2560

龍洲道人詩文集十五卷

(宋)劉過撰

劉龍洲墓詩一卷

(清)顧湄輯

清抄本

二册

十行二十二字,無格。　善 845.22/889

2561

鶴山先生大全文集一百一十卷

(宋)魏了翁撰

抄本

十六册

十三行十六字,無格。鈐“吴興劉氏嘉業堂藏書記”、“近伯”印。　善 845.25/800－3

2562

海瓊玉蟾先生文集六卷續集二卷

(宋)葛長庚撰　(明)朱權重輯

明刻本

十六册

九行二十字,白口,左右雙邊。鈐“吴春林珍藏”、“菊農”等印。　善 845.25/869

2563

新刻瓊琯白先生集十二卷

(宋)葛長庚(題白玉蟾)撰

明萬曆二十二年(1594)林有聲刻本

八册

九行十八字,白口,四周單邊。鈐“羅繼祖印”、“羅郇舊農”、“成都李氏收藏故籍”、“東圖書印”、“無是樓藏書”等印。

葛長庚:字如晦,號海瓊子。閩清人,家居瓊州。至雷州,變易姓名爲白玉蟾。故卷端題宋海南白玉蟾著。　善 845.25/869－1

2564

白石道人詩一卷集外詩一卷詩説一卷

(宋)姜夔撰

諸賢酬贈詩一卷

清乾隆二十四年(1759)𡒄烏山房刻本

一册

十行十八字,細黑口,四周單邊。白石道人詩後鎸"乾隆二十四年六月𡒄烏山房重鎸",並翻刻"臨安府棚北大街陳宅書籍鋪刊行"牌記。

善 845.22/759-8

2565

白石道人詩集二卷集外詩一卷附錄一卷詩説一卷歌曲四卷歌曲别集一卷

(宋)姜夔撰

清乾隆間鮑氏知不足齋重刻陸鍾輝本

二册

十一行十九字,白口,左右雙邊。鈐"南海陳樾"、"面城樓藏書印"、"曾釗山印"、"賓草齋"等印。

善 845.22/759-87

2566

白石詩集一卷詞集一卷

(宋)姜夔撰

諸家評論一卷

清乾隆三十六年(1771)刻本　馬叙倫題識

一册

十行十九字,小字雙行同,細黑口,左右雙邊。鈐"天馬山房藏書印"、"石屋"、"夷初"諸印。

善 2914

2567

箋釋梅亭先生四六標準四十卷

(宋)李劉撰　(明)孫雲翼箋

明萬曆四十四年(1616)唐鯉飛刻本

二十册

十行二十一字,小字雙行同,白口,左右雙邊。封面鎸"金陵唐翀宇梓"。鈐"積勛"印。

善 845.22/293

2568

友林乙藁一卷

(宋)史彌寧撰

清抄本　(清)徐時棟題識

一册

九行十九字,無格。鈐"甬上"、"柳泉書畫"、"徐時棟秘笈印"等印。

善 845.22/455-02

2569

秋崖先生小藁四十五卷

(宋)方岳撰

明嘉靖五年(1526)方謙刻本

八册

十二行二十字,細黑口,四周單邊。鈐"培峰"、"遇讀者善"、"南昌彭氏"、"張"、"知聖道齋藏書"印。

善 845.25/626

2570

文山先生文集十七卷重刊文山先生别集二卷指南文集三卷文山先生遺墨一卷

(宋)文天祥撰

明正德九年(1514)張祥刻本(别集、指南文集、遺墨均配正德間文承蔭刻本)

十二册

十行二十四字,黑口,四周雙邊。鈐"綺印"、"青雲齋"、"歐陽綺印"等印。

善 845.25/677-65

2571

宋丞相文山先生全集十六卷

(宋)文天祥撰

明萬曆二十八年(1600)蕭大亨刻本

八册

十行二十二字,白口,四周雙邊。有"洹"、"修汲圖書"、"匪棘堂藏書印"、"其生父"印。

善 845.25/677-7

2572

劉須溪先生記鈔八卷

(宋)劉辰翁撰

明天啓三年(1623)楊讖西刻本

二册

九行二十字,白口,四周單邊。鈐"真州吳氏有福讀書堂藏書"印。

善 845.25/886-8

2573

須溪集十卷

(宋)劉辰翁撰

清孔氏嶽雪樓抄本

十二册

八行二十一字,無格。首頁鈐"孔氏嶽雪樓影鈔本"。鈐"粹芬閣藏書印"印。

善 845.25/8

2574

蘭皋集二卷

(宋)吳錫疇撰

明抄本　康生題識

二册

八行十六字,白口,四周雙邊,藍邊框,無直格。鈐"翰生藏甲部書"、"劉盼遂印"印。

善 845.25/441

2575

四明文獻集五卷

(宋)王應麟撰　(明)鄭真　陳朝輔輯

清抄本

四册

十一行二十字,無格。鈐"蕭山蔡陸士藏玩書畫鈐記"、"魯氏書印"、"甬上林集虚記"、"瑶仙收藏"印。　善 845.25/117 - 4

2576

柴四隱詩集二卷

(宋)柴望撰

清抄本

一册

十行十九字,白口,四周單邊,無直格。鈐"遇讀者善"、"知聖道齋藏書"、"南昌彭氏"、"獨志堂印"、"佐周藏書"、"湛華閣藏書印"。

善 839.8/501

2577

晞髮集十卷遺集二卷遺集補一卷

(宋)謝翱撰

天地間集一卷

(宋)謝翱撰

登西臺慟哭記註一卷冬青樹引註一卷

(宋)謝翱撰　(明)張丁注

清康熙四十一年(1702)平湖陸大業刻本

二册

九行十八字,黑口,左右雙邊。序後鎸"旌德劉聖立書"。鈐"寶德堂藏書"、"廣陵射陽朱萇生印"、"萇生長物乙酉寇退僅存"諸印。

善 845.25/623

2578

心史七卷

(宋)鄭思肖撰

附錄一卷

明崇禎十二年(1639)張國維刻本

四册

九行二十字,白口,左右雙邊。鈐"莫友芝圖書印"、"莫繩孫印"印。　善 845.25/947 - 02

金

2579

遺山先生文集四十卷附錄一卷

(金)元好問撰

清康熙四十六年(1707)無錫華希閔刻本　(清)錢大昕等批校

四册

十一行二十字,黑口,左右雙邊。開化紙初印。封面鎸"劍光閣"。原鈐"劍光閣"印。鈐"鞠霜樓"、"慭齋秘芨"、"葉啓發讀書記"、"葉氏啓勛讀過"、"朱亭山民"、"林焕庭所藏金石書畫"等印。　善 845.71/128 - 04

2580

元遺山詩集八卷

(金)元好問撰

清乾隆四十三年(1778)萬廷蘭刻本

四册

十二行二十三字,小字雙行同,白口,四周單邊。鈐"青鐙龕"印。

又一部　二册　鈐"恭父雷洛"、"長沙雷氏塹菴珍藏書籍"、"雷愷藏書"等印。

又一部　二册　善 845.71/128 - 1 - 02

元

2581

湛然居士文集十四卷

(元)耶律楚材撰

清乾隆間劉鳳岐抄本

八册

十行二十一字,黑口,左右雙邊。鈐"小李山房圖籍"、"柯溪藏書"、"張乃熊印"、"芹圃"、"石銘收藏"、"鈞衡之印"、"適園居士"、"張澤瑤"等印。　善 845.71/155

2582

巴西文集不分卷

(元)鄧文原撰

清抄本　(清)金德輿跋

六册

十行十九字,黑格。細黑口,左右雙邊。

此書卷末有清代鮑廷博題識。鈐"以文"、"遺稿天留"、"知不足齋抄傳秘册"諸印,均僞。然抄寫甚精。今上海圖書館、中國科學院圖書館、清華大學、中國人民大學、中山大學等十余所圖書館均藏有此所謂鮑廷博題跋本,用紙版式全同,字亦同出一家抄工之手。　善 845.74/372

2583
松雪齋文集十卷外集一卷
(元)趙孟頫撰
行狀謚文一卷
明初刻本　有抄配
六册
十二行二十二字,白口或黑口,四周雙邊或左右雙邊。鈐"烏程蔣維基記"、"咸豐庚申以後收藏"、"柘湖居士"、"無競居士"、"萬物過眼即爲我有"、"張之洞審定舊槧精鈔書籍記"、"荃孫"、"雲輪閣"諸印。　善 845.74/199

2584
趙文敏公松雪齋全集十卷外集一卷續集一卷附録一卷
(元)趙孟頫撰
清康熙五十二年(1713)曹培廉城書室刻後印本
四册
十行十九字,白口,左右雙邊,版心下偶存"城書室"。鈐"精讀齋印"。　善 845.74/199-03

2585
魯齋遺書十四卷
(元)許衡撰　(明)怡愉等輯
明萬曆二十四年(1596)怡愉、江學詩刻本
四册
十行二十二字,白口,四周雙邊。
善 18124

2586
臨川吴文正公集四十九卷道學基統一卷外集三卷
(元)吴澄撰
明成化二十年(1484)方中、陳輝刻本
二十七册
十行二十字或二十一字,黑口,四周雙邊。鈐"東郡楊紹和字彦和藏書之印"、"瀛海仙班"、"浩廷"諸印。　善 845.74/440-02

2587
草廬吴文正公集四十九卷卷首一卷外集三卷
(元)吴澄撰
清乾隆二十一年(1756)萬璜刻本
二十四册
十行二十一字,白口,左右雙邊。
善 845.74/440

2588
虞文靖公文選八卷
(元)虞集撰　(清)魯仕驥輯並評
清抄本
八册
九行二十四字,無格。　善 845.77/489

2589
揭文安公集六卷
(元)揭傒斯撰
清抄本
二册
十行二十一字,無格。鈐"賀氏家藏"、"知非堂書畫記"、"湘鄉王氏秘籍孤本"、"掃塵齋積書記"、"禮培私印"、"竹陰館"諸印。善 845.77/299

2590
圭齋文集十六卷
(元)歐陽玄撰
清乾隆十三年(1748)清劉紹文堂刻本
六册
九行二十字,白口,四周雙邊,無直格。版心下鎸"清劉紹文堂藏板"。鈐"長椿堂王氏家藏"、"鄭沅之印"印。　善 845.77/42

2591
青陽先生文集六卷
(元)余闕撰　(元)郭奎輯
明正德十五年(1520)胡汝登刻本
一册
十一行十九字,白口,四周雙邊。鈐"南通馮氏景岫樓藏書"、"馮雄印信"印。　善 845.77/988

2592
句曲外史集三卷補遺三卷集外詩一卷附録一卷
(元)張雨撰
明毛氏汲古閣刻清初增刻《元人十種詩》本
四册
九行十九字,白口,左右雙邊。版心下鎸"汲古閣"。鈐"清玩草堂"、"章氏珍藏書畫印"印。
善 845.77/307

2593
九靈山房集三十卷補編二卷
(元)戴良撰
清乾隆三十七年(1772)戴氏傳經書屋刻本
十二册
十行二十一字,黑口,左右雙邊。
善 845.77/213

2594

倪雲林先生詩集六卷集外詩一卷

(元)倪瓚撰

附錄一卷

明末毛氏汲古閣刻清初增刻《元人十種詩》本

四册

九行十九字,白口,左右雙邊。版心下鐫"汲古閣"。鈐"滎陽鄭"、"沁山藏書"、"同是天涯淪落人"等印。　善 846.1/919－02

2595

趙徵君東山先生存稿七卷

(元)趙汸撰

附錄一卷

清康熙二十年(1681)趙吉士等刻本

四册

十一行二十一字,白口,左右雙邊。

善 845.77/203

2596

楊鐵崖文集五卷史義拾遺二卷

(元)楊維楨撰

西湖竹枝集一卷

(元)楊維楨輯

明陳于京刻本

四册

九行二十字,白口,左右雙邊。

善 845.77/274－29

2597

鐵崖先生復古詩集六卷麗則遺音四卷

(元)楊維楨撰

附錄一卷

明末毛氏汲古閣刻本

六册

八行十九字,白口,左右雙邊。版心下鐫"汲古閣"。　善 845.77/274－9

2598

鐵崖先生古樂府補六卷

(元)楊維楨撰

明末毛氏汲古閣刻本

二册

八行十九字,白口,左右雙邊。版心下鐫"汲古閣"。鈐"思深堂印"、"泊生藏書之章"印。

善 845.77/274－5

2599

鐵崖樂府註十卷詠史註八卷逸編註八卷(存五卷)

(元)楊維楨撰　(清)樓卜瀍注

清乾隆三十九年(1774)楊惟信聯桂堂刻本

十册

十行二十二字,白口,四周雙邊。鈐"桐陰仙館"、"嘉猶號曰順菴"、"龍山許氏"諸印。

善 845.77/274－1

明

2600

新刊宋學士全集三十三卷

(明)宋濂撰

明嘉靖三十年(1551)韓叔陽刻本

八册

十一行二十四字,白口,左右雙邊。鈐"屠寄之印"、"公華閱"印。

又一部　十八册　鈐"徐鈞印信"、"曉霞藏本"、"曉霞"、"愛日館收藏印"諸印。　善 846.1/696－02

2601

新喻梁石門先生集十卷

(明)梁寅撰

首一卷末一卷

清乾隆十五年(1750)暨用其刻本

六册

十一行二十一字,白口,左右雙邊。版心鐫"義學藏板"。　善 846.1/731

2602

太師誠意伯劉文成公集十八卷

(明)劉基撰

明嘉靖三十五年(1556)樊獻科、于德昌刻本

十八册

十行二十三字,白口,四周雙邊。有像。有刻工。鈐"自怡悅齋珍藏"、"王懿榮印"、"翰林供奉"等印。　善 846.1/887

2603

太師誠意伯劉文成公集二十卷

(明)劉基撰

明隆慶六年(1572)謝廷傑、陳烈刻本

十册

十行二十三字,白口,四周雙邊。有像。有刻工。鈐"新日吉藏"印。　善 846.1/887－02

2604

王文忠公文集二十四卷

(明)王禕撰

明嘉靖元年(1522)張齊刻萬曆七年(1579)修補本

二十册

十行二十字,白口,左右雙邊。有刻工黄瑾等。卷末有"嘉靖改元十月四日分守浙東道委官金華府同知張齊校刊"。方鵬跋後又題"萬曆七年己卯四月吉日金華府重修"。鈐"李氏之亭藏書"、"海豐吳重熹印"、"沈氏粹芬閣所得善本書"、"研易樓藏書印"等印。　善 846.1/112

2605

高季迪先生大全集十八卷

(明)高啓撰

清康熙間許氏竹素園刻本

六册

十行二十字,白口,左右雙邊。

又一部　八册　鈐"新銘過眼"、"國秀私印"等印。　善 846.1/648

2606

春草齋文集選六卷詩集選一卷詩集選附錄一卷

(明)烏斯道撰　(清)熊伯龍輯　(清)黄敬修評

附錄一卷

清康熙間烏震刻本

四册

九行二十字,白口,四周雙邊。有像。鈐"鄞蝸寄廬孫氏藏書"印。　善 6543

2607

海叟詩集四卷集外詩一卷

(明)袁凱撰

附錄一卷

清康熙六十一年(1722)曹炳曾城書室刻本

二册

九行十九字,白口,左右雙邊。版心下鎸"城書室"。封面鎸"城書室藏板"。　善 846.1/191

2608

解學士全集十二卷年譜二卷

(明)解縉撰

明萬曆間晏良棨刻增修本

十册

十行二十字,白口,四周單邊。封面鎸"三吳晏少溪梓行"。目錄爲十卷。　善 846.1/853

2609

解文毅公集十六卷卷首一卷

(明)解縉撰

清乾隆三十二年(1767)解韜刻本

六册

十行十九字,白口,左右雙邊。封面鎸"敦仁堂藏板"。　善 846.1/853-8

2610

方正學先生遜志齋集二十四卷

(明)方孝儒撰

外紀二卷

(明)姚履旋輯

明萬曆四十年(1612)丁賓等刻本

二十四册

十行二十字,白口,四周單邊。有像。有刻工萬林、薛洪、邢繼昱、陳倫等。鈐"荃孫"、"雲輪閣"印。　善 846.1/626

2611

方正學集十三卷

(明)方孝儒撰

清康熙二十一年(1682)温陵書林刻本

八册

十行二十字,白口,四周單邊。行間鎸評。封面鎸"温陵書林梓行"。　善 846.1/626-6

2612

南齋先生魏文靖公摘藁十卷

(明)魏驥撰

附錄一卷

明弘治十一年(1498)洪鐘刻清康熙八年(1669)王余高重修本

四册

十行二十一字,黑口,四周雙邊。封面鎸"蕭山存問堂藏板"。鈐"蔗林藏書"印。　善 846.4/802

2613

敬軒薛先生文集二十四卷

(明)薛瑄撰

明弘治十六年(1503)李越刻遞修本

十二册

十一行二十二字,黑口,四周雙邊。　善 846.4/566

2614

商文毅公全集三十卷

(明)商輅撰

明萬曆間刻本

十二册

九行十九字,白口,四周單邊。鈐"退耕堂藏書記"印。 善 846.4/660

2615
十科策略箋釋十卷年譜一卷
(明)劉定之撰　(清)劉作樑注
呆齋公年譜一卷
(清)劉作樑撰
清劉廷琨刻本
八册
九行二十字,小字雙行同,白口,四周單邊。封面鎸"積秀堂梓"。鈐"潮洲南城謝氏小草堂藏"印。 善 856.5/892

2616
十科策略箋釋十卷年譜一卷
(明)劉定之撰　(清)劉作樑注
呆齋公年譜一卷
(清)劉作樑撰
清劉廷琨刻雍正七年(1729)同升堂印本
六册
九行二十字,小字雙行同,白口,四周單邊。封面鎸"同升堂藏板"。 善 856.5/892－02

2617
白沙子全集九卷
(明)陳獻章撰
附錄一卷
明萬曆四十年(1612)何上新刻本
十册
九行十八字,白口,四周單邊。鈐"澄谷道人"、"蘇州天寧禪寺"印。 善 846.5/380－4－02

2618
白沙子全集六卷首一卷附錄一卷
(明)陳獻章撰
清康熙四十九年(1710)何九疇刻本
六册
十一行二十一字,黑口,左右雙邊。封面鎸"理堂藏板"。鈐"退耕堂藏書記"印。
善 846.5/380－4

2619
瓊臺詩文會稿重編二十四卷
(明)丘濬撰
明天啓間丘爾穀等刻清順治間印本
十二册
九行二十字,白口,四周單邊。鈐"符氏又字龍川"、"李文駒印"、"易安園"諸印。
善 846.4/883

2620
方洲先生集二十六卷讀史錄六卷
(明)張寧撰
明萬曆間鹽官錢世堯等刻本
十二册
九行十九字,細黑口,左右雙邊。鈐"香霏閣"、"鄭恕材印"印。 善 846.4/312

2621
桂軒先生全集九卷卷首一卷斯文會詩一卷
(明)顧恂撰
清雍正十年(1732)崑山顧氏桂雲堂刻本
四册
十一行二十二字,黑口,左右雙邊。有像。鈐"閒田張氏閶三藏書"印。 善 846.5/964

2622
彭惠安公文集十一卷
(明)彭韶撰
明萬曆三十八年(1610)彭繼美刻本　有抄配
四册
十行二十字,白口,四周雙邊。有刻工。
善 846.5/185

2623
篁墩程先生文集九十三卷拾遺一卷別集二卷
(明)程敏政撰
明正德二年(1507)何歆刻本
三十二册
十三行二十七字,白口,四周單邊,卷一至卷七爲左右雙邊。有刻工。目錄後鎸"里生東郭汪鎡董工鋟梓并重校對"。鈐"孔子七十一世孫昭熏琴南氏印"等印。 善 846.5/792

2624
楓山章先生文集九卷
(明)章懋撰
明嘉靖九年(1530)張大綸刻明末章翰補修本
八册
十行二十字,白口,左右雙邊。每卷卷端鎸"五世孫翰重校補梓失頁"。 善 846.5/655

2625
未軒公文集十二卷補遺二卷
(明)黄仲昭撰
附錄一卷

明嘉靖三十四年(1555)黄希自刻清雍正十三年(1735)黄邁琮增修本

六册

十行二十字,小字雙行同,四周單邊。有像。有刻工。鈐"餘姚謝氏永耀藏書"印。

善846.4/171

2626

王文恪公集三十六卷

(明)王鏊撰

名公筆記一卷

明萬曆間王氏三槐堂刻本

二十四册

九行二十字,白口,四周單邊。版心鎸"三槐堂"。　善846.5/113

2627

馬東田漫稿六卷

(明)馬中錫撰

明嘉靖十七年(1538)文三畏刻本

八册

十行十七字,白口,四周雙邊。

又一部　八册　善846.5/414-02

2628

馬東田文集六卷

(明)馬中錫撰

附録一卷

明嘉靖二十一年(1542)刻本

七册

十行十九字,黑口,四周雙邊。　善846.5/414

2629

見素集二十八卷奏議七卷

(明)林俊撰

明萬曆十三年(1585)林及祖刻本

八册

十行二十二字,白口,四周單邊或左右雙邊。

善846.4/261

2630

翰林羅圭峰先生文集十八卷續集十五卷

(明)羅玘撰

明嘉靖五年(1526)陳洪漠、余載仕刻本

八册

十一行二十二字,白口,四周單邊。

善846.5/482.1

2631

石田先生集十一卷

(明)沈周撰

明萬曆三十四年(1606)陳仁錫刻本

六册

九行十九字,白口,四周雙邊。封面鎸"南城龔太初發兑"。　善846.5/740-02

2632

整菴先生存稿二十卷

(明)羅欽順撰

明天啓二年(1622)羅珽刻本

十册

九行二十字,白口,左右雙邊。鈐"德恒草堂"、"德恒主人珍藏"印。　善846.5/482

2633

鄭山齋先生文集二十四卷

(明)鄭岳撰

明萬曆十九年(1591)鄭炫刻清鄭之錦增修本

六册

九行十八字,白口,四周雙邊。封面鎸"六世孫之錦藏板"。　善846.5/978

2634

空同集六十三卷

(明)李夢陽撰

明嘉靖十一年(1532)曹嘉刻三十一年(1552)朱睦㮮增修本

十六册

十一行二十字,白口,左右雙邊。鈐"劉盼遂印"、"康生存書"、"大公無私"諸印。

善846.5/287.3-7-04

2635

空同先生集六十三卷

(明)李夢陽撰

明嘉靖間刻本

十六册

十一行二十字,白口,左右雙邊。有刻工。鈐"槜李項藥師藏"、"北平目山館氏圖書"、"忠貞世校"、"秀水朱氏潜采堂圖書"等印。

善846.5/287.3-7-02

2636

空同子集六十六卷

(明)李夢陽撰

明萬曆三十年(1602)鄧雲霄刻本

十册

十行二十字,白口,左右雙邊。鈐"東吳毛氏圖書"、"毛氏子晉"、"汲古主人"、"揚州阮氏琅嬛僊館藏書印"諸印。　善 846.5/287.3 -7 -03

2637

崆峒集二十一卷目録三卷

(明)李夢陽撰

明吳郡沈植繁露堂刻本

十册

十行二十字,白口,四周單邊。卷末鎸"吳郡沈植刊於繁露堂"。鈐"半哭半笑樓主"印。

善 846.5/287.3 -04

2638

空同詩選一卷

(明)李夢陽撰　(明)楊慎評

明萬曆四十六年(1618)閔齊伋刻朱墨套印本

二册

九行十九字,白口,四周單邊。

善 846.5/287.3 -03

2639

空同詩鈔十六卷附録一卷

(明)李夢陽撰

清乾隆十五年(1750)李斌、李辛耀刻本

四册

十行二十一字,白口,左右雙邊。鈐"桂馨山館"印。　善 846.5/287.3 -02

2640

何文簡公文集十八卷(存十至十三卷)

(明)何孟春撰

明萬曆二年(1574)郭崇嗣、邵城刻本

八册

十一行二十二字,白口,四周單邊。鈐"南邨"、"行素堂藏書記"、"沈燕謀藏書記"等印。

善 846.5/898

2641

重刻渼陂王太史先生全集二十七卷

(明)王九思撰

明嘉靖十二年(1533)王獻等刻二十四年(1545)翁邁達刻明崇禎十三年(1640)張宗孟遞刻匯印本

十六册

十行二十一字或九行二十二字,白口,四周單邊。　善 846.5/119

2642

熊士選集一卷

(明)熊卓撰

附録一卷

明嘉靖二十二年(1543)范氏天一閣刻本　高德啓墨筆題識

一册

八行二十字,白口,四周單邊。鈐"蘭雪堂王氏珍藏"、"益亭"、"高氏家藏"、"華陽國士"、"蒼茫齋藏善本"、"留耕草堂"諸印。　善 846.5/856

2643

陽明先生文録五卷外集九卷别録十卷

(明)王守仁撰

明嘉靖十五年(1536)聞人詮刻本

二十册

十行二十字,白口,左右雙邊。

善 846.5/118 -34 -02

2644

陽明先生文録五卷外集九卷别録十四卷

(明)王守仁撰

明嘉靖二十九年(1550)閭東刻本

二十册

十行二十字,白口,左右雙邊。鈐"長懽書室珍藏"、"古莘陳氏子子孫孫永寶用"、"龍山蟄庵藏書之章"、"江左李氏鑒賞"等印。

善 846.5/118 -34

2645

王文成公文選八卷

(明)王守仁撰　(明)王畿輯　(明)鍾惺評

明崇禎六年(1633)刻本

六册

九行十九字,白口,四周單邊。封面鎸"金閶溪香館發梓"。　善 846.5/118 -6

2646

王陽明先生全集二十二卷

(明)王守仁撰

清康熙十七年(1678)自公堂刻本

二十三册

九行十九字,白口,四周雙邊。封面鎸"自公堂藏板"。　善 2616

2647

何文定公文集十一卷首一卷

(明)何瑭撰

明萬曆八年(1580)張中鴻刻本

八册

十行二十二字,白口,四周雙邊。有刻工。
善 846.5/896

2648
袁中郎先生批評唐伯虎彙集四卷
(明)唐寅撰　(明)袁宏道評
唐六如先生畫譜三卷
(明)唐寅輯
外集一卷
(明)祝允明撰
紀事一卷傳贊一卷
明刻本
四册
九行二十字,白口,四周單邊。
善 846.5/667.7

2649
唐伯虎先生集外編續刻十二卷(存卷一至七)
(明)唐寅撰　(明)何大成輯
明萬曆間刻本
二册
九行二十字,白口,四周雙邊。
善 846.5/667.7 -6

2650
對山集十九卷
(明)康海撰
明嘉靖二十四年(1545)吳孟祺刻本
八册
十行二十字,白口,四周單邊。鈐"丁氏八千卷樓藏書記"、"進學齋藏書記"、"四庫附存"諸印。　善 846.5/668

2651
康對山先生集四十五卷
(明)康海撰
明萬曆十年(1582)潘允哲刻本
十二册
十行二十一字,白口,左右雙邊。鈐"退耕堂藏書記"印。　善 18187

2652
康對山先生文集十卷
(明)康海撰
附録一卷
清乾隆二十六年(1761)武功縣刻本
六册
十行二十字,白口,四周雙邊。封面鎸"武功縣藏板"。鈐"鶴峰楊氏藏書"、"石士"、"楊揆一讀書校碑之記"諸印。
又一部　二册　鈐"黄氏家藏"印。
善 846.5/668 -02

2653
蒼谷全集十二卷
(明)王尚絅撰
清乾隆二十三年(1758)密止堂刻本
八册
九行十八字,白口,四周雙邊。版心下鎸"密止堂"。鈐"退耕堂藏書記"印。　善 846.5/116

2654
湛甘泉先生文集三十二卷
(明)湛若水撰
清康熙二十年(1681)黄楷刻本
十册
十行二十一字,白口,四周雙邊。
善 126.6/722

2655
儼山外集四十卷
(明)陸深撰
明嘉靖二十五年(1546)陸楫刻本
八册
十行二十字,白口,左右雙邊。鈐"讀易樓藏書記"、"玉楝之印"、"吟白"、"明陽藏書"、"研理樓劉氏藏"、"劉明陽王静宜夫婦讀書記"、"寶閑簃主王静宜所得秘籍記"、"筠圃審定"、"愧蔭堂藏書記"諸印。　善 089.6/392

2656
儼山文集一百卷目録二卷陸文裕公續集十卷
(明)陸深撰
明嘉靖二十五(1546)年至三十年(1551)陸楫刻本
三十四册
十行二十字,白口,左右雙邊。　善 846.5/392

2657
徐迪功集六卷附談藝録一卷
(明)徐禎卿撰
清康熙十年(1671)徐龍文等刻乾隆二十五年(1760)鞠履厚重校本
一册
十一行二十一字,細黑口,左右雙邊。鈐"徐乃昌讀書"、"觀古堂"、"葉德輝焕彬甫藏閲書"諸印。　善 846.5/951

2658
鄭少谷先生全集二十四卷卷首一卷
(明)鄭善夫撰
清乾隆四十二年(1777)鄭拔臣刻本
十册
九行十八字,白口,左右雙邊。封面鎸“裕光堂藏板”。 善 846.5/977

2659
烏鼠山人小集十六卷
(明)胡纘宗撰
明嘉靖間刻本
十二册
十一行二十字,白口,四周單邊。鈐“蒼巖山人書屋記”印。 善 846.5/223

2660
烏鼠山人小集十六卷後集二卷擬漢樂府八卷可泉擬涯翁擬古樂府二卷
(明)胡纘宗撰
明嘉靖間刻清順治十三年(1656)周盛時補修匯印本　有抄配
十六册
十一行二十字或九行十九字或十行十九字,白口,四周單邊。鈐“秦安縣印”印。
善 846.5/223－1

2661
太史升菴文集八十一卷
(明)楊慎撰　(明)楊有仁輯
明萬曆十年(1582)張士佩等刻本
十六册
十行二十字,白口,四周單邊。有刻工。鈐“半園藏書之記”印。
又一部　十八册　鈐“海寧陳鱣觀”、“仲魚圖像”印。 善 846.5/269

2662
太史升菴文集八十一卷目録四卷
(明)楊慎撰
明趙開美刻本
十二册
十行二十字,白口,四周單邊。鈐“宣鼎”、“雲陽”、“彝尊”、“朱十”、“蹇廬病夫”諸印。
善 846.5/269－02

2663
李卓吾先生讀升菴集二十卷
(明)楊慎撰　(明)李贄評
明刻本
八册
九行二十字,白口,四周單邊。序首頁版心下鎸“錫山施世名書”。 善 846.5/269－287

2664
張南湖先生詩集四卷(存卷三至四)
(明)張綖撰
明嘉靖三十二年(1553)張守中刻本
一册
十行十九字,白口,四周單邊。鈐“靖廷”印。
善 846.5/313.8

2665
梓溪文鈔外集十卷
(明)舒芬撰
明萬曆四十八年(1620)舒瑮刻本
六册
九行十八字,白口,四周雙邊。封面鎸“本衙藏板”。鈐“嘉興太守善化許公雲門藏書”印。
善 846.5/925

2666
梓溪文鈔内集八卷外集十卷
(明)舒芬撰
明天啓間刻本
十二册
九行十八字,白口,左右雙邊。鈐“南林劉氏求恕齋藏”、“劉承幹印”印。 善 846.5/925－02

2667
拘虚集後三卷遊名山録不分卷
(明)陳沂撰
清抄本
一册
九行十八字,無格。鈐“子晉”、“朱彝尊印”、“青浦王昶”、“吳興劉氏嘉業堂藏書記”諸印。
善 846.5/383

2668
黄門集十二卷
(明)許相卿撰
附録一卷品藻一卷
明萬曆二十六年(1598)錢蕎刻本
八册
九行十九字,白口,左右雙邊。鈐“臣秀寧印”印。 善 846.5/608

2669

夏桂洲先生文集十八卷

(明)夏言撰

年譜一卷

明崇禎十一年(1638)吴一璘刻本

十册

十行十九字,白口,四周單邊。有像。

善 846.5/348

2670

小山類稿選二十卷

(明)張岳撰

明萬曆十五年(1587)林喬南刻遞修本

六册

九行二十字,小字雙行同,白口,四周雙邊。有像。卷一首頁下鎸"林蒼書張乾刻"。

善 846.5/313

2671

張龍湖先生文集十五卷

(明)張治撰

清雍正四年(1726)彭思眷刻本

八册

十行二十字,白口,左右雙邊。封面鎸"墨香閣藏板"。善 846.5/312

2672

困亨别稿一卷

(明)李默撰

明萬曆元年(1573)李培刻本

一册

九行十八字,白口,四周雙邊。鈐"曾歸徐氏彊誃"印。善 846.5/289.4

2673

甫田集三十六卷

(明)文徵明撰

明刻清修本

六册

十一行二十一字,白口,左右雙邊。卷端有王世貞撰《文先生傳》,後署"曾孫震孟謹錄,六世孫然重梓"。當爲重修時補入。

卷三十六系附錄　善 846.5/677

2674

蘇門集八卷

(明)高叔嗣撰

明嘉靖四十二年(1563)張正位刻本

四册

十行二十字,白口,四周單邊。

善 846.5/643

2675

趙浚谷文集十卷詩集六卷

(明)趙時春撰

明萬曆八年(1580)周鑑刻本

十六册

九行二十一字,白口,四周單邊。

善 846.5/203

2676

遵巖先生文集四十二卷

(明)王慎中撰

清康熙五十年(1711)閩中同人書社刻本

二十四册

九行十九字,黑口,四周單邊。鈐"南州許氏書畫"印。善 18196

2677

穀原詩集八卷

(明)蘇祐撰

明嘉靖三十七年(1558)龔秉德刻本

四册

九行二十字,白口,四周雙邊。善 846.5/554

2678

王太僕詩集略四卷文集略二卷詩略一卷文略一卷

(明)王格撰

清康熙四十二年(1703)王氏樂山堂刻本

二册

行款、格式不一。　善 846.8/113

2679

念菴羅先生集十三卷

(明)羅洪先撰

明嘉靖四十三年(1564)甄津刻本

八册

十一行二十字,白口,四周單邊。鈐"劉天授"、"劉明陽王静宜夫婦讀書之印"、"實閑簃主王静宜所得秘籍記"、"研理樓劉氏倭劫餘藏"、"有書自寶貴無病即神仙"諸印。善 846.5/482.7

2680

趙氏家藏集八卷

(明)趙文華撰　(明)徐階選

民國六年(1917)張宗祥抄本

一册

十行二十九字,無格。　善 846.5/202

2681
郭文簡公文集六卷管見一卷
(明)郭朴撰
清康熙間思齊軒刻本
五册
九行二十一字,白口,四周雙邊。版心下鐫“思齊軒藏板”。　善 846.8/631

2682
王槐野先生存笥稿二十卷
(明)王維楨撰
明萬曆七年(1579)尹應元刻本
十册
九行二十字,白口,四周單邊。有刻工張時節。鈐“南林劉氏求恕齋藏”、“劉承幹印”印。
善 846.5/119.8

2683
靳兩城先生集二十卷
(明)靳學顔撰
明萬曆十七年(1589)刻本
八册
九行十八字,白口,四周雙邊。　善 846.5/175

2684
葛端肅公集十八卷識闕一卷
(明)葛守禮撰
清嘉慶七年(1802)葛周玉棣萼山房付刻底稿本
七册
九行二十一字,白口,四周單邊。黑格或無格。版心下鐫(或墨筆題)“棣萼山房”。
善 846.5/521

2685
白華樓續稿十五卷
(明)茅坤撰
明萬曆間刻本
十三册
九行十八字,白口,左右雙邊。　善 846.5/516

2686
高文襄公文集四卷外制集一卷獻忱集五卷南宮奏牘二卷
(明)高拱撰
清康熙間新鄭高有聞刻本
八册
九行十八字,白口,四周雙邊。鈐“退耕堂藏書記”印。　善 089.65/641

2687
慎修堂集二十卷
(明)亢思謙撰
明萬曆三十二年(1604)刻清康熙十五年(1676)亢宗瑗重修本
十册
九行十八字,白口,四周單邊。　善 846.5/663

2688
新刻張太岳先生文集四十七卷
(明)張居正撰
明萬曆四十年(1612)唐國達刻本
二十四册
十行二十字,白口,四周單邊。鈐“行有恒堂藏書”、“北平李之庵藏”、“隴西氏”、“陳家康藏書”諸印。
本館另藏有清代翻刻本二部,封面鐫“江陵鄧氏藏板”。據其紙張,當爲嘉道以後所印。

2689
弇州山人四部稿一百七十四卷目錄十二卷
(明)王世貞撰
明萬曆五年(1577)王氏世經堂刻本
六十册
十行二十字,白口,四周雙邊。版心下鐫“世經堂刊”。鈐“君庚私印”印。　善 846.5/113.2
又一部　四十册　善 18021

2690
弇州山人續稿二百七卷目錄十卷
(明)王世貞撰
明萬曆間刻本
四十八册
十行二十字,白口,左右雙邊。鈐“君庚私印”印。　善 846.5/113.2-1

2691
王元美先生文選二十六卷
(明)王世貞撰　(明)喬時敏輯
明萬曆四十三年(1615)吳德聚刻本
十二册
九行二十字,白口,左右雙邊。
善 846.5/113.2-2

2692
讀書後八卷
(明)王世貞撰

清乾隆二十七年(1762)天隨堂刻本
四册
十行二十三字,細黑口,左右雙邊。封面鐫“天隨堂”。 善 074/113

2693
宗子相集十五卷
(明)宗臣撰
明萬曆間刻本
四册
九行十六字或十八字,白口,四周雙邊。鈐“又紹氏”、“謝道承印”、“春堂圖籍真賞”諸印。
善 846.5/684

2694
海忠介公文集十卷
(明)海瑞撰
明萬曆四十六年(1618)蔡鍾有刻本
五册
八行十六字,白口,四周單邊。有刻工。鈐“退耕堂藏書記”印。 善 846.5/752

2695
李氏焚書六卷
(明)李贄撰
明刻本
五册
九行二十字,白口,四周單邊。鈐“黄增輝印”、“黄伯子”印。 善 846.8/287－03

2696
李氏焚書六卷
(明)李贄撰
明刻朱墨套印本
六册
九行十九字,白口,四周單邊。鈐“山閔之印”等印。 善 846.8/287－05

2697
王奉常集詩十五卷目錄三卷
(明)王世懋撰
明萬曆十七年(1589)刻本
六册
十行二十字,白口,左右雙邊。
善 846.5/113.22

2698
王文肅公牘草十八卷
(明)王錫爵撰
明萬曆四十三年(1615)王時敏刻本
十册
九行十八字,白口,四周單邊。 善 856.2/120

2699
光祿集六卷
(明)管大勳撰
明萬曆二十七年(1599)刻本
六册
八行二十字,白口,四周單邊。鈐“南州書樓所藏”、“宛平王氏家藏”、“慕齋鑒定”、“徐紹棨”、“徐湯殷”諸印。 善 846.8/845

2700
歸先生文集三十二卷
(明)歸有光撰
附錄一卷
明萬曆四年(1576)翁良瑜雨金堂刻本
六册
十行二十字,白口,四周雙邊。刻工章右之。鈐“獨山莫氏藏書”、“莫棠字楚生印”、“天麟所藏”諸印。
又一部　十二册 善 846.5/868－02

2701
震川先生集三十卷别集十卷
(明)歸有光撰
清康熙十四年(1675)歸莊等刻本
十册
十行二十字,白口,左右雙邊。鈐“博陵氏”、“芸香書室”、“好將心地苦耕耘”等印。 善 3793

2702
歸太僕公文定四卷
(明)歸有光撰　(清)崔徵麟輯
清康熙間刻本
四册
十行二十二字,黑口,左右雙邊。鈐“適盦藏書”、“平粹軒”、“徐仁釗”、“陳金簡收藏”等印。
善 846.5/868－8

2703
陳白陽集十卷
(明)陳淳撰
附錄四卷
明萬曆四十三年(1615)陳仁錫閱帆堂刻本
四册
九行十九字,白口,四周雙邊。版心下鐫“閱

帆堂”。 善 846.5/383 -7

2704

蟣蠓集五卷

(明)盧柟撰

明嘉靖間刻本

五册

十行十九字,白口,四周單邊。有刻工邵埴、何器、何經等。 善 846.5/491

2705

蟣蠓集五卷

(明)盧柟撰

明萬曆三十年(1602)張其忠刻本

六册

九行十八字,白口,四周雙邊。

又一部　六册　鈐“楊氏潜籟軒收藏圖書”印。 善 846.5/491 -02

2706

徐文長三集二十九卷

(明)徐渭撰

明萬曆二十八年(1600)商濬等刻本

八册

九行二十字,白口,四周單邊。鈐“公弼”、“管領天下第一江山”、“篆香樓珍藏印”等印。 善 846.8/952 -64

2707

徐文長文集三十卷

(明)徐渭撰　袁宏道評點

明萬曆間刻本

二十册

九行二十字,白口,四周單邊。 善 846.8/952 -6

2708

屠先生評釋謀野集四卷

(明)王穉登撰　(明)屠隆評釋

明萬曆四十四年(1616)書林熊稔寰刻本

四册

十行二十一字,行間小字,白口,四周單邊。眉欄鐫評。卷末有“萬曆丙辰春正月書林熊稔寰重梓”牌記。鈐“芳心樓藏書印”、“賀揚錄”等印。 善 846.5/119

2709

大泌山房集一百三十四卷目錄二卷

(明)李維楨撰

明萬曆間刻本

四十八册

十行二十一字,白口,四周單邊。張惟任序首頁版心下鐫“晉陵孟純禮寫刻”。 善 846.8/293

2710

賜餘堂集十四卷

(明)吳中行撰

明萬曆二十八年(1600)吳亮等校刻本

十二册

十行二十字,白口,左右雙邊。 善 846.8/437

2711

李于田詩集十二卷

(明)李化龍撰

明萬曆間刻本

十册

八行十六字,白口,四周單邊。有刻工。鈐“朗亭藏書”印。 善 846.5/293

2712

虞德園先生集二十五卷

(明)虞淳熙撰

明天啓三年(1623)虞氏刻本

二十四册

九行二十字,白口,四周單邊。版心上鐫“壠務山館”。鈐“綬珊六十以後所得書畫”、“九峰舊廬珍藏書畫之記”印。 善 18590

2713

來禽館集二十九卷

(明)邢侗撰

明萬曆四十六年(1618)刻本

二十四册

九行二十一字,白口,四周單邊。有刻工吳大貴、萬儒、李陵春等。 善 846.8/129

2714

馮用韞先生北海集四十六卷

(明)馮琦撰

明萬曆間林有麟刻本

十二册

九行二十字,白口,四周單邊。 善 846.8/773

2715

白榆集二十八卷

(明)屠隆撰

明萬曆間龔堯惠刻本

八册

九行二十字,白口,四周單邊。鈐"松太"、"南陵徐乃昌校勘經籍記"、"胡觀洛印"諸印。　善 13350

2716

由拳集二十三卷

(明)屠隆撰

明萬曆八年(1580)馮夢楨刻重修本

八册

九行十九字,下細黑口,左右雙邊。沈明臣序首頁版心下鎸"秀水朱恒寫朱仁刻"。卷一首頁版心下鎸"秀水朱仁刻朱恒寫"。　善 846.8/319

2717

鄒子願學集八卷

(明)鄒元標撰

明萬曆四十七年(1619)龍遇奇、郭一鶚校刻本

五册

九行十九字,白口,四周單邊。鈐"李文騋藏書印"印。　善 12704

2718

瑞陽阿集十卷

(明)江東之撰

清乾隆八年(1743)東皋堂刻本

八册

十行二十一字,白口,左右雙邊。有像。　善 846.8/719－02

2719

四六雕蟲三十一卷

(明)馬朴撰

明萬曆間刻本

八册

九行十九字,下細黑口,四周單邊。南師仲序首頁版心下鎸"江夏蔣繼庸刻"。書衣題"閬風館四大雕蟲"。卷一首頁版心下鎸"黄岡鄭啓元寫"。鈐"古莘陳氏子子孫孫永寶用"、"龍山庵藏書之章"印。　善 846.8/412

2720

鐫蒼霞草十二卷

(明)葉向高撰

明萬曆三十四年(1606)趙邦柱等刻本

十四册

十行二十字,白口,四周雙邊。　善 846.8/504.8

2721

玉茗堂全集四十六卷(存文十六卷賦六卷)

(明)湯顯祖撰

明天啓間刻本

十二册

七行十八字,白口,四周單邊。鈐"堂名拱璧惟書是寶無意先必隨得隨校惟蔣氏子孫永以爲好"印。　善 846.8/736.4－1

2722

焦氏澹園集四十九卷

(明)焦竑撰

明萬曆四十三年(1615)黄雲蛟刻本

十册

九行十九字,白口,四周單邊。有刻工戴惟孝。鈐"恒齋所藏"、"金陵文獻"、"翁氏詒硯堂藏"印。　善 846.8/917

2723

歇菴集十六卷(存卷一至七)

(明)陶望齡撰

明萬曆三十九年(1611)刻本

十六册

九行十九字,四周雙邊。版框外有墨釘。鈐"資江陶氏雲汀藏書"印。　善 846.8/403

2724

容臺文集九卷别集四卷

(明)董其昌撰

明崇禎三年(1630)董庭刻本

十二册

八行十九字,白口,左右雙邊。文集卷一版心下鎸"金泰卿寫顧公彦刻"。鈐"周浩浩養"、"曾爲海□周公連收藏"印。　善 846.8/541

2725

周季平先生青黎館集四卷

(明)周如砥撰

明崇禎十五年(1642)周爆刻本

四册

九行十九字,白口,四周單邊。鈐"李氏序樂堂藏圖書記"、"繩武"、"李承祖印"諸印。　善 846.8/821

2726

馮少墟集二十二卷

(明)馮從吾撰

明萬曆四十年(1612)畢懋康刻明天啓元年(1621)馮嘉年增修本

十四册

九行十八字,白口,四周單邊。　善0186

2727

仰節堂集十四卷

(明)曹于汴撰

清康熙二年(1663)弘運書院呂崇烈等刻本

八册

八行二十字,白口,左右雙邊。鈐"劍叟欣偶暫得"印。　善846.8/139－02

2728

仰節堂集十四卷

(明)曹于汴撰

清康熙二年(1663)弘運書院呂崇烈等刻乾隆間增修本

八册

八行二十字,白口,四周雙邊。　善846.8/139

又一部　八册　善0193

2729

解脱集四卷

(明)袁宏道撰

明萬曆三十八年(1610)袁氏書種堂刻本

二册

九行十八字,白口,左右雙邊。鈐"湘靈"、"炳如"、"小方壺"諸印。　善846.8/193－9

2730

袁中郎全集四十卷

(明)袁宏道撰

明崇禎二年(1629)武林佩蘭居刻本

十六册

九行二十字,白口,四周單邊。鈐"子清"、"萬竹山房"等印。　善846.8/193－05

2731

瀟碧堂集二十卷

(明)袁宏道撰

明萬曆三十六年(1608)勾吳袁氏書種堂刻本

八册

九行十八字,白口,四周單邊。目録後鎸"萬曆戊申秋日勾吳袁氏書種堂校梓"。

又一部　四册　善846.8/193－7

2732

睡庵文稿十一卷詩稿四卷詩稿一卷文稿二卷

(明)湯賓尹撰

明萬曆間刻本(《詩稿一卷文稿二卷》配戴穀校刻本)

四册

九行十九字,白口,四周單邊。　善846.8/736

2733

玄晏齋文抄五卷

(明)孫慎行撰

明萬曆間刻本

二册

九行二十字,白口,四周雙邊。前有萬曆四十二年(1614)賈之鳳序。卷四、五卷端題"玄晏齋文集"。　善846.8/366.7

2734

緱山先生集二十七卷

(明)王衡撰

明萬曆間王時敏校刻本

八册

九行十八字,白口,四周單邊。

善846.8/120.8

2735

隱秀軒集三十三卷

(明)鍾惺撰

明天啓二年(1622)虞山沈春澤刻本

八册

八行十七字,白口,四周單邊。

又一部　六册　鈐"怡堂"、"海偉之印"、"紀氏家藏"諸印。　善846.8/937－3

2736

范文忠公初集十二卷

(明)范景文撰

年譜一卷

(清)王孫錫撰

清康熙四十年(1701)范毓秀、范繩祖刻本

四册

八行二十三字,白口,四周雙邊。版心下鎸"思仁堂"。鈐"壽椿堂王氏家藏"、"菴石王臣恭觀"、"靖廷校閱"諸印。封面鎸"與善堂校刻,思仁堂藏版"。　善846.8/533

2737

二餘齋詩集五卷

(明)寇學海撰

清初應城周于德等刻本

四册

九行十八字,白口,左右雙邊。鈐"式南"、"彭

士驄珍藏”等印。　善 846.5/687

2738

陳眉公集十七卷

(明)陳繼儒撰

明萬曆四十三年(1615)史辰伯刻本

四册

九行二十字,白口,左右雙邊。版心下偶存“蘇郡原板”。　善 846.8/384-3

2739

汲古堂集二十八卷

(明)何白撰

明萬曆間刻本

九册

九行十八字,白口,左右雙邊。鈐“南州書樓所藏”、“徐湯殷印”印。　善 846.8/903

2740

汪六可先生集一卷幼兒問答一卷

(明)汪應詩撰

明萬曆四十七年(1619)汪應照刻本

一册

九行二十字,白口,四周單邊。《汪六可先生集》首頁版心下鎸“汪文宇刻”。《幼兒問答》首頁版心下鎸“黄惟敬刻”。鈐“孚貞堂圖籍”印。

善 846.8/712

2741

選刻四六夢花四卷

(明)戴文宗撰　(明)戴國伯評

明萬曆二十六年(1598)星源桂巘貳氏學亹山房家刻本　有抄配

四册

九行二十字,白口,四周單邊。眉上鎸評。

善 846.8/213

2742

鴻寶應本十七卷

(明)倪元璐撰

明崇禎十五年(1642)刻本

六册

八行二十字,白口,四周單邊。

又一部　六册　善 846.8/919

2743

彙次英錫樓辛酉近藝不分卷附英錫樓同門課一卷

(明)吴明新撰

明末稿本　佚名朱筆評語

二册

八行字不等,紅格或藍格,無邊框。原鈐“英錫樓草”等印。　善 856.5/437

2744

黄石齋先生大滌函書六卷

(明)黄道周撰

明崇禎十五年(1642)刻本　卷五至六系抄配

三册

九行十九字,白口,四周單邊。

善 846.8/170-02

2745

黄忠端公明誠堂十四札疏證一卷

(明)黄道周撰　(清)黄彭年疏證

疏證題詞一卷

清諸可寶抄本

一册

八行十八字,紅格,四周雙邊。鈐“觀略堂藏書記”、“貴筑黄襄成印”、“黄氏家藏”、“湘丞所守先世手澤”諸印。　善 982.869/170-165

2746

凌忠清公集六卷

(明)凌義渠撰

清初刻本

八册

九行十八字,白口,左右雙邊。鈐“業精於勤”、“南林劉氏求恕齋藏”、“劉承幹印”印。

是書卷一至四爲詩集,卷五、六爲文集。

善 846.8/765

2747

新刻譚友夏全集二十三卷(存嶽歸堂新詩、鵠灣文草六卷)

(明)譚元春撰　(明)徐汧等評

明崇禎間吴門池白水刻本　馬叙倫題識

二册

九行二十字,白口,四周單邊。封面鎸“吴門池白水梓”。　善 2614

2748

金正希先生文集輯略九卷

(明)金聲撰

清初刻本

八册

九行二十字,白口,四周單邊。前有崇禎十七年(1644)熊開元序。序後及目錄首頁版心下鎸

"程定之刻"。封面鎸"尚志堂藏板"。

善 846.8/987

2749

金忠節公文集八卷

(明)金聲撰

清道光七年(1827)嘉魚官署刻本　英斂之題識

四册

九行二十二字,白口,左右雙邊。封面鎸"嘉魚官署藏"。　善 846.9/987－04

2750

金忠節公文集八卷

(明)金聲撰

清光緒三年(1877)嘉魚檜蔭山房重刻本　英斂之題識

四册

九行二十二字,白口,左右雙邊。封面鎸"嘉魚檜蔭山房藏板"。　善 846.9/987－03

2751

祝子遺書四卷附錄一卷

(明)祝淵撰

清抄本　佚名墨筆校

三册

十行二十三字,白口,紫格,四周單邊。版心下鎸"宗魯居校本"。　善 846.8/106

2752

樓山堂集二十七卷熹朝忠節死臣列傳一卷

(明)吳應箕撰

清逢原齋木活字印本(熹朝忠節死臣列傳爲道光二十年(1840)朱欒抄本)

七册

九行二十二字,白口,左右雙邊。封面鎸"逢原齋藏板"。　善 846.8/439

2753

張蒼水先生文集二卷

(明)張煌言撰　(清)董碧雲輯

清抄本

一册

十二行二十四字,無格。善 846.9/309.7－03

2754

天啓宮詞一卷

(明)秦徵蘭撰

崇禎宮詞一卷弘光宮詞一卷

題東吳崔樵撰

清抄本

一册

十行二十字,白口,四周單邊。鈐"藕唐讀過"、"王崇焕"印。　善 2703

清

2755

林茂之詩選二卷

(清)林古度撰　(清)王士禛輯

清康熙四十九年(1710)程哲等刻本

一册

十行十九字,黑口,左右雙邊。鈐"梧林山房"等印。　善 846.8/256.3

2756

夢餘集四卷

(清)李肇亨撰

清初刻本

四册

八行十九字,白口,四周單邊。鈐"姚光鑒號秋水"、"姚氏"、"雲溪"諸印。未見著錄。

善 847.1/291

2757

牧齋初學集一百十卷目錄二卷

(清)錢謙益撰

明崇禎十六年(1643)瞿式耜刻本

四十八册

十行十八字,白口,四周雙邊。鈐"無竟先生獨志堂物"印。　善 847.1/932－8

2758

牧齋初學集詩註二十卷有學集詩註十四卷

(清)錢謙益撰　(清)錢曾注

清玉詔堂刻本

三十六册

十行二十字,小字雙行同,下黑口,四周單邊。封面鎸"玉詔堂藏板"。　善 847.1/932－935－03

2759

牧齋初學集詩註二十卷有學集詩註十四卷

(清)錢謙益撰　(清)錢曾注

日本東京擁書城木活字印本　佚名朱筆批注

十二册

十行二十字,小字雙行同,白口,四周單邊。版心下印"擁書城印行"。鈐"廣川書庫"、"小瑯嬛館記"印。　善 847.1/932－935－02

2760
尊水園集略十二卷補遺一卷
(清)盧世漼撰
附一卷
(清)王永吉撰
清順治間刻十七年(1660)盧孝餘增修本
八册
九行十九字,白口,四周單邊。封面鎸"見實堂藏板"。
又一部　六册　善 847.1/493

2761
三山草一卷白門草一卷半塘草一卷
(清)趙士冕撰
清順治八年(1651)刻本
一册
八行十九字,白口,四周單邊。鈐"三修堂孔氏印"、"士修齋志"、"讀聖賢書"諸印。未見著錄。
趙士冕,字赤霞,東萊人。　善 847.1/198

2762
金文通公集二十卷詩集六卷
(清)金之俊撰
清康熙二十五年(1686)懷天堂刻本
六册
九行二十字,白口,左右雙邊。　善 6542

2763
擬山園選集二十六卷
(清)王鐸撰
清順治十年(1653)王鏞、王鑨刻本
十六册
九行十八字,白口,左右雙邊。封面鎸"本衙藏板"。卷一首頁版心下鎸"書辦高科督刊"。鈐"九峰舊廬珍藏書畫之記"印。
是書後增刻至八十一卷。　善 846.8/120

2764
石園詩草十五卷
(清)李元鼎撰
隨草二卷續編一卷
(清)朱中楣撰
倡和初集一卷附草詩餘一卷鏡閣新聲集一卷
(清)李元鼎　朱中楣撰
清康熙間刻本
八册
八行十八字,白口,左右雙邊。　善 847.2/286

2765
白華堂詩一卷
(清)宋權撰
西湄草堂詩一卷
(清)宋炘撰
清康熙三十年(1691)商丘宋犖刻本
一册
十行十九字,小字雙行同,白口,四周單邊。
善 847.1/691

2766
于清端公集四卷
(清)于成龍撰
傳一卷
(清)陳廷敬撰
附刻一卷
清康熙三十四年(1695)于廷翼等刻本
二册
九行二十字,白口,左右雙邊。鈐"玉如萬口書屋珍藏"、"鄞林氏藜照廬圖書"等印。
善 847.2/111-1

2767
于清端公政書八卷外集一卷
(清)于成龍撰
清康熙四十六年(1707)于準刻本
九册
八行二十字,白口,四周單邊。有像。
善 847.2/111

2768
四照堂文集五卷詩集二卷
(清)王猷定撰
清康熙二十三年(1684)龍眠王埜刻本
四册
八行十九字,白口,左右雙邊。鈐"忠州李芋仙隨身書卷"、"公威"、"捲雨樓藏"諸印。
善 847.1/120

2769
釣業不分卷
(清)查繼佐撰
謄清本
六册
六行字不等,無格。鈐"三槐堂"、"凡園寶藏"印。　善 072/295

2770

青箱堂詩集三十三卷

(清)王崇簡撰

清康熙二十八年(1689)王燕刻本

六册

十行十九字,白口,四周單邊。鈐"長齋"、"裕後堂"等印。　善 18054

2771

青箱堂文集十二卷遺稿續刻一卷年譜一卷

(清)王崇簡撰

清康熙間刻本

六册

十一行二十字,黑口,四周雙邊。鈐"賜鯉堂"印。　善 3567

2772

南雷文定十一卷後集四卷三集三卷

(清)黄宗羲撰

清康熙間靳治荆等刻本(三集配康熙間刻本)

二十册

十行十九字,黑口,四周單邊。鈐"天馬山房藏書印"印。　善 2624

2773

定山堂詩集四十三卷詩餘四卷

(清)龔鼎孳撰

清康熙十五年(1676)吴興祚刻本

十二册

九行十九字,細黑口,四周雙邊。封面鎸"金斗藏板"。　善 847.2/659

2774

賴古堂詩集四卷

(清)周亮工撰

清初刻本

二册

八行十九字,小字雙行同,白口,左右雙邊。封面鎸"删定賴古堂詩集"。原鈐"奇書無價印"。"玄"、"弦"等字不避諱。　善 11827

2775

客裝一卷里音一卷

(清)曹爾堪撰

清刻本

三册

九行十九字,白口,四周單邊。鈐"紹李"、"湯溢"印。未見著錄。

曹爾堪(1617－1679),字子顧,號顧庵。順治九年進士,官至侍講學士。　善 847.2/140

2776

蒿菴集三卷

(清)張爾岐撰

附錄一卷

清乾隆三十八年(1773)胡德琳刻濟陽縣衙印本

三册

十行二十一字,白口,左右雙邊。封面鎸"濟陽縣衙藏板"。　善 847.2/308

2777

再生錄一卷調運齋文鈔一卷

(清)錢陸燦撰

清康熙間刻本

一册

十行十九字,小字雙行同,黑口,左右雙邊。鈐"以書史爲園林"、"安樂窩主"、"君亭點勘"、"陽氏藏書"、"葩廬劫餘長物"等印。

善 847.2/929

2778

亭林文集六卷詩集五卷

(清)顧炎武撰

清康熙間潘耒遂初堂刻《亭林遺書》本

二册

十一行二十字,白口,左右雙邊。

善 847.1/965－03

2779

栖雲閣詩十六卷拾遺三卷文集十五卷

(清)高珩撰

清乾隆三年(1738)刻本

十二册

九行十九字,白口,四周單邊。

又一部(存詩十六卷)　六册　鈐"貴陽趙氏壽華軒藏"、"滌盦藏書之印"印。　善 847.2/640

2780

舟中雜咏一卷

(清)聶源撰

清康熙十四年(1675)刻本

一册

十行十八字,小字雙行同,白口,四周雙邊。未見著錄。　善 847.2/157

2781

丘邦士文集十七卷

(清)丘邦士撰

清康熙五十八年(1719)刻本

四册

九行二十字,小字雙行同,白口,左右雙邊。

善 847.2/883.8

2782

偶庵集略二卷

(清)趙善增撰

清康熙二十年(1681)刻本

二册

九行二十一字,白口,四周單邊。原鈐“公受”印。　善 847.2/203

2783

五公山人集十六卷

(清)王餘佑撰

清康熙三十四年(1695)枕釣齋刻本

四册

十行二十一字,黑口,四周雙邊。封面鐫“枕釣齋藏板”。　善 846.8/120.9

2784

趙清獻公集六卷

(清)趙廷臣撰

附刻一卷

清康熙二十二年(1683)趙延祺趙延組敬恕堂刻本

六册

九行二十字,白口,四周單邊。封面原鈐“敬恕堂藏板”。　善 925.372/204

2785

蕉林詩集十八卷

(清)梁清標撰

清康熙十七年(1678)梁允植刻本

八册

九行十九字,白口,左右雙邊。封面鐫“秋碧堂藏板”。鈐“此書曾在邵雪樵家”等印。

善 14203

2786

巽書六卷

(清)毛先舒撰

清順治十八年(1661)刻本

六册

十一行二十字,小字雙行同,白口,四周雙邊。鈐“陽湖董氏收藏圖書”印。　善 847.1/781

2787

居易堂集二十卷

(清)徐枋撰

清康熙間刻本

四册

十一行二十字,小字雙行不等,白口,左右雙邊。封面原鈐“姑蘇萬賢樓書坊發兑”。鈐“静庵”、“雙梧桐齋”、“鳳山藏書”等印。

善 847.2/947

2788

安雅堂文集二卷重刻文集二卷詩不分卷二鄉亭集三卷

(清)宋琬撰

清順治康熙間刻本

八册

版式、行款不一。《二鄉亭集三卷》版心下鐫“留松閣”。　善 6565

2789

林屋詩集九卷

(清)鄧旭撰

清道光三年(1823)鄧廷禎刻本　孫梃題識

二册

十一行二十字,白口,左右雙邊。

善 847.2/372.3

2790

爱日堂文集八卷詩集二卷

(清)孫宗彝撰

附一卷

清乾隆三十五年(1770)孫仝祁、孫仝庶刻本

四册

十一行二十字,小字雙行同,白口,左右雙邊。

善 847.2/366

2791

王文靖公集二十四卷年譜一卷

(清)王熙撰

附一卷

清康熙四十六年(1707)王克昌刻本

十册

八行二十字,白口,左右雙邊。　善 18180

2792

光啓堂文集四卷

(清)方孝標撰

清陳氏慎初堂抄本

四册

十行二十一字，黑口，左右雙邊。版框外鐫“陳氏慎初堂鈔本”。　善 847.2/626.2

2793

施愚山先生全集九十六卷（存九十卷）

（清）施閏章撰

清康熙四十七年（1708）楝亭刻乾隆間施企曾等續刻本

二十册

十一行二十一字，小字雙行同，白口，四周雙邊。　善 5364

2794

志壑堂詩集十二卷（存卷一至六、九至十二）**後集五卷文集十二卷後集三卷吳越同遊日記二卷辛酉同遊倡和詩餘後集二卷**

（清）唐夢賚撰

清康熙間刻本

十八册

九行十九字，白口，四周單邊。　善 847.2/667

2795

阮亭選志壑堂詩十五卷

（清）唐夢賚撰　（清）王士禛輯並評

清康熙間刻本

二册

十一行二十字，黑口，四周單邊。

善 847.2/667－1

2796

范忠貞公文集五卷

（清）范承謨撰

首一卷

清康熙四十七年（1708）圖爾泰等刻本

四册

十行十九字，黑口，四周單邊。　善 7421

2797

湯子遺書十卷

（清）湯斌撰

潛菴先生年譜一卷

（清）王廷燦撰

附錄一卷

清康熙四十二年（1703）王廷燦刻本

四册

十行十九字，黑口，左右雙邊。有像。各卷首頁版心下鐫“古吳范稼庵寫，金閶劉藻文刻”。

善 089.7/736－02

2798

偶更堂文集二卷詩稿二卷

（清）徐作肅撰

清康熙間傳盛社刻本

四册

十行十九字，黑口，四周單邊。封面鐫“傳盛社藏板”。鈐“孟延得來”印。　善 847.1/953

2799

千迭波餘不分卷

（清）趙吉士撰

清康熙間刻本

四册

九行十九字，小字雙行同，白口，四周雙邊。前有康熙三十五年（1696）戴名世序。

善 847.2/198.2

2800

堯峰文鈔四十卷詩十卷

（清）汪琬撰

清康熙三十二年（1693）林佶寫刻本

八册

十三行二十五字，黑口，左右雙邊。鈐“靈石山房”、“空同之人”、“慈谿胡哲煊藏書印”、“嚴誠之印”、“紹武之印”、“少施氏”諸印。

善 847.2/707－02

2801

汪鈍翁詩文全集一百二十五卷

（清）汪琬撰

清乾隆三十六年（1771）燕耀堂刻本

二十册

十行十九字，黑口，左右雙邊。封面鐫“燕耀堂藏板”。鈐“珊瑚閣珍藏印”印。

子目：

鈍翁前後類藁六十二卷　（清）汪琬撰

鈍翁續藁五十六卷　（清）汪琬撰

寸碧堂詩集二卷外集一卷　（明）汪膺撰

汪伯子箐菴遺藁一卷　（清）汪筠撰

姑蘇楊柳枝詞一卷補一卷補注一卷　（清）周枝懋輯　（清）周靖箋注　善 6058

2802

張力臣先生遺集不分卷

（清）張弨撰

清道光間丁晏等抄本　貼有批校浮簽

一册

十行二十二字,無格。鈐"柘翁"、"許氏漢卿珍藏"印。　善847.2/307.2

2803

江上詩集十卷

(清)笪重光撰

清宣統三年(1911)楊世沅抄本　楊世沅吳庠跋

一册

九行二十一字,黑口,四周單邊。鈐"世沅長壽"、"楚湘讀過"、"吳眉孫"、"南通馮氏景岫樓藏書"、"纆齋"、"馮雄之印"諸印。　善847.2/844

2804

鷗跡集二十一卷

(清)蔡受撰

清刻本

四册

十行二十字,小字雙行同,白口,左右雙邊。

蔡受,字白采,寧都人。廩生,康熙間入安親王岳樂府。　善847.2/564

2805

阮亭詩選十七卷

(清)王士禛撰

清康熙元年(1662)刻本

六册

九行十九字,白口,左右雙邊。鈐"周氏白巖草廬珍藏"、"寰滔氏周浩甫字少衡"、"許紹珊珍藏"、"古閩許氏紹珊讀書畫之圖章"諸印。

善847.2/113-3

2806

帶經堂集九十二卷

(清)王士禛撰

清康熙四十九(1710)至五十年(1712)程哲七略書堂刻乾隆十二年(1747)黃晟重修本

四十八册

十行十九字,白口,左右雙邊。封面鎸"七略書堂校刊"。　善847.2/113

2807

漁洋山人精華錄訓纂十卷

(清)王士禛撰　(清)惠棟注

漁洋山人自撰年譜註補二卷金氏精華錄箋註辯訛一卷

(清)惠棟撰

清乾隆間紅豆齋刻本

十二册

十行二十一字,小字雙行同,白口,四周雙邊。版心下鎸"紅豆齋"。鈐"張仲"、"戴經堂藏書印"。

又一部　十二册　善847.2/113-138-02

2808

漁洋山人精華錄十二卷補註一卷

(清)王士禛撰　(清)金榮箋注

年譜一卷附注一卷

清鳳翽堂刻本

四册

十一行二十字,白口,左右雙邊。各卷首頁版心下鎸"鳳翽堂"。有像。封面鎸"鳳翽堂藏板"。

善847.2/113-987-02

2809

經義齋集十八卷

(清)熊賜履撰

清康熙二十九年(1690)刻本

六册

九行二十字,白口,左右雙邊。　善847.2/856

2810

厚菴存稿十一卷

(清)王疑鼎撰

清抄本　(清)王懋竑校改

四册

十一行二十四字,無格。　善847.2/118

2811

午亭文編五十卷

(清)陳廷敬撰

清康熙四十七年(1708)林佶寫刻乾隆四十三年(1778)印本

八册

十一行二十一字,細黑口,左右雙邊。鈐"仲懌"、"吳重熹印"、"石蓮闇所藏書"諸印。

善11570

2812

改亭文集十六卷

(清)計東撰

清乾隆十三年(1748)計瑸刻本

四册

十行十九字,黑口,左右雙邊。封面鎸"讀書樂園藏板"。鈐"曾在潜樓"印。　善18208

2813

秋笳集八卷

(清)吳兆騫撰

清乾隆四十一年(1776)衷白堂刻巾箱本

四册

九行二十字,小字雙行同,細黑口,左右雙邊。封面鎸"衷白堂藏板"。　善847.2/442

2814

張文貞公集十二卷

(清)張玉書撰

清乾隆五十七年(1792)張獲松蔭堂刻本

四册

十一行二十一字,白口,左右雙邊。版心下鎸"松蔭堂"。封面鎸"松蔭堂藏板"。鈐"梯香閣藏"印。　善847.2/306-6

2815

松桂堂全集三十七卷

(清)彭孫遹撰

清乾隆八年(1743)彭景曾刻本

六册

十行二十六字,白口,四周雙邊。

善847.2/185.3

2816

葉忠節公遺藁十六卷

(清)葉映榴撰

清刻本

六册

十二行二十二字,黑口,左右雙邊。版心下鎸"蒼巖山房遺藁"。　善847.2/504

2817

古愚心言八卷中藏集二卷拒偽歷案白語一卷

(清)彭鵬撰

清康熙間莆田彭氏刻本

十册

九行二十二字,小字雙行同,細黑口,四周單邊。《中藏集二卷》八行二十字,細黑口,四周雙邊。《拒僞歷案白語一卷》八行二十二字,細黑口,四周雙邊。　善847.2/185

2818

呂晚村先生文集八卷續集四卷

(清)呂留良撰

附録一卷

清雍正間天蓋樓刻南陽講習堂印本

八册

十行二十字,黑口,左右雙邊。鈐"淵照樓藏書記"、"允叔藏書"印。　善847.2/451

2819

屈翁山詩集八卷詞一卷

(清)屈大均撰

清康熙間刻本

八册

十一行二十一字,白口,四周單邊。鈐"養真"印。　善847.5/321-3

2820

道援堂集十三卷

(清)屈大均撰

清康熙間刻本

六册

十行二十一字,白口,四周雙邊。鈐"仁和馬氏獻天廬珍藏書畫印"印。　善2639

2821

溉堂前集九卷續集六卷文集五卷詩餘二卷

(清)孫枝蔚撰

清康熙間刻本

八册

十一行二十一字,小字雙行同,白口,四周單邊。　善847.2/361

2822

績學堂文鈔六卷卷首一卷詩鈔四卷卷首一卷

(清)梅文鼎撰

清乾隆間梅穀成刻本

四册

九行十九字,小字雙行,白口,四周雙邊。鈐"負笈硯齋藏書"印。　善847.2/279

2823

西陂類稿五十卷

(清)宋犖撰

清康熙間毛扆、宋懷金、高岑刻本

八册

十行十九字,小字雙行同,白口,四周單邊。鈐"竹泉"、"昆瓊"、"介石"諸印。　善12370

2824

綿津山人詩集二十六卷楓香詞一卷

(清)宋犖撰

清康熙間刻本

六册

十行十九字,小字雙行同,白口,四周單邊。初印本。　善847.2/696.2

2825
綿津山人詩集二十八卷楓香詞一卷漫堂説詩一卷筠廊偶筆二卷怪石贊一卷漫堂墨品一卷
(清)宋犖撰
雪堂墨品一卷
(清)張仁熙撰
緯蕭草堂詩三卷
(清)宋至撰
清康熙間刻匯印本
六册
十行十九字,小字雙行同,白口,四周單邊。
善 18197

2826
七頌堂文集四卷詩集九卷
(清)劉體仁撰
清康熙間穎川劉氏刻本
四册
九行十九字,白口,四周雙邊。《詩集》九行二十二字。　善 847.2/889

2827
抱犢山房集六卷
(清)嵇永仁撰
清雍正間刻本
四册
九行十九字,黑口,左右雙邊。　善 847.2/783

2828
邵子湘全集三十卷
(清)邵長蘅撰
清康熙間青門草堂刻本
四册
十行二十一字,小字雙行同,黑口,左右雙邊。鈐"秀野草堂顧氏藏書印"、"俠君"、"顧嗣立印"、"葵崖"、"結一廬藏書印"、"亦客居士"、"悔不"、"高山流水"諸印。　善 847.2/329

2829
渠亭山人半部藁五卷
(清)張貞撰
清康熙間刻嘉慶間匯印本
四册
版式行款不盡同。鈐"孳荷館藏書印"印。
子目:
渠亭文藁一卷
或語一卷
潛洲集一卷
娱老集一卷
遺藁一卷　善 847.2/309

2830
旭華堂文集十四卷補遺一卷續編一卷
(清)王奐曾撰
清乾隆十六年(1751)趙熟典刻本
六册
十行十八字,白口,四周雙邊。
善 847.2/119.8

2831
紀城文藁四卷玉磑集四卷瀲江草一卷倦游草一卷柳邨雜詠二卷蠻音一卷吴江旅嘯一卷
(清)安致遠撰
綺樹閣賦稿一卷詩稿一卷
(清)安箕撰
清康熙間刻匯印本
六册
版式、行款不盡同。《倦游草》、《柳邨雜詠》版心"卷"字下餘墨釘。　善 847.2/704

2832
中山文鈔四卷詩鈔四卷史論二卷奏議四卷
(清)郝浴撰
清康熙間刻本
八册
十行二十字,小字雙行同,白口,左右雙邊。
善 847.2/209

2833
懷園集杜詩八卷
(清)車萬育撰
清康熙間自刻本
二册
八行十八字,白口,四周雙邊。　善 847.2/134

2834
百尺梧桐閣集十六卷
(清)汪懋麟撰
清康熙十七年(1678)自刻本
四册
十一行二十字,黑口,四周雙邊。
善 847.2/708

2835
憺園文集三十六卷
(清)徐乾學撰

清康熙三十六年(1697)冠山堂刻本
二十四册
十行十九字,白口,左右雙邊。封面鎸"冠山堂藏板"。　善 847.2/949

2836
己畦集十四卷
(清)葉燮撰
清康熙間二棄草堂刻本
二册
十行十九字,白口,四周雙邊。版心下鎸"二棄草堂"。
是書足本凡二十二卷,此本目錄僅十四卷。是全書未鎸竣時最初印本。　善 847.2/504.6

2837
有懷堂文藁二十二卷詩藁六卷
(清)韓菼撰
清康熙四十二年(1703)刻本
八册
十一行二十一字,白口,四周單邊。
善 847.2/229

2838
飲水詩集二卷詞集三卷
(清)納蘭性德撰
清康熙三十年(1691)張純修刻本　馮汝玠跋
四册
九行二十字,白口,細黑口,左右雙邊。鈐"謙牧堂藏書印"、"謙牧堂賞鑒書畫之章"、"馮汝玠印"、"志青"諸印。　善 847.2/861－9

2839
陳檢討集十二卷
(清)陳維崧撰　(清)蔣景祁　曹亮武輯
清康熙二十二年(1683)刻本
六册
十行二十一字,小字雙行同,黑口,左右雙邊。鈐"適盦藏書"、"仁釗秘籍"、"勉父"、"徐仁釗印"、"陽羡徐氏正誼堂藏書之章"、"泉唐耀松楊祉昌經眼"、"平菴珍藏"諸印。　善 847.2/385－3

2840
遂初堂文集二十卷別集四卷
(清)潘耒撰
清康熙間刻雍正間增刻本
八册
十行二十一字,小字雙行同,白口,四周單邊。
善 18207
又一部　十册　鈐"傭書堂藏書印"、"國楨藏書"、"剛主"諸印。　善 847.2/754

2841
曝書亭集八十卷附錄一卷
(清)朱彝尊撰
笛漁小藁十卷
(清)朱昆田撰
清康熙五十三年(1714)朱稻孫刻本
十二册
十二行二十三字,小字雙行同,白口,左右雙邊。　善 847.2/834

2842
秋水集十卷
(清)嚴繩孫撰
清康熙間雨青草堂刻本　孫梃題識
二册
九行十九字,白口,左右雙邊。版心鎸"佚亭"。封面鎸"雨青草堂藏板"。鈐"諸暨孫氏藏書"、"存三草堂"、"夢巖秘籍"、"孟梃"、"孫延印信"等印。　善 847.2/428

2843
鬟湖草堂文集六卷
(清)吳世杰撰
清康熙四十四年(1705)刻本
六册
十一行二十字,黑口,左右雙邊。鈐"漢陽葉名澧潤臣甫印"印。　善 18361

2844
飴山文集十二卷附錄一卷談龍錄一卷
(清)趙執信撰
清乾隆三十九年(1774)因園刻本
四册
十行二十一字,白口,左右雙邊。封面鎸"因園藏板"。　善 847.2/198

2845
璇璣碎錦二卷
(清)萬樹撰
清乾隆五年(1740)江氏刻本
四册
十二行二十八字,白口,四周單邊。鈐"永言實意"、"亦如居士"、"沈燕謀藏書"諸印。

善 856.7/522－03

2846

叢桂軒近集十卷

(清)姚祖振撰

清康熙間刻本

四册

九行二十字,白口,四周單邊。鈐"仁和馬氏獻天廬珍藏書畫印"印。　善 2667

2847

蓮洋集二十卷

(清)吳雯撰

年譜一卷附録一卷

清乾隆三十九年(1774)荆圃草堂刻本

八册

十一行二十三字,白口,左右雙邊。封面鐫"荆圃草堂藏板"。

又一部　八册　善 847.2/436.3

又一部　八册　善 6640

2848

清吟堂全集七十七卷(存七十六卷)

(清)高士奇撰

清康熙間刻本

二十四册

十一行二十字,小字雙行同,黑口,四周單邊。

子目:

清吟堂集九卷附神功聖德詩一卷恭奏漠北蕩平凱歌一卷

苑西集十二卷

竹北集八卷

竹窻詞一卷

蔬香詞一卷

扈從東巡日錄二卷扈從西巡日錄一卷附錄一卷

巡進文稿六卷

附輦集十卷續集一卷

歸田集十四卷

獨旦集八卷　善 6661

2849

湖海集十三卷

(清)孔尚任撰

清康熙間孔氏介安堂刻本

四册

九行十九字,小字雙行同,白口,左右雙邊。行間鐫評。版心鐫"介安堂第五刻"。

善 847.2/370

2850

心齋聊復集不分卷

(清)張潮撰

清康熙間詒清堂刻本

四册

八行十八字,白口,四周單邊。版心下鐫"詒清堂"。鈐"泰和蕭敷政蒲邨氏珍藏"。

善 847.2/312－7

2851

誤菴詩鈔三卷補遺一卷

(清)卓奇圖撰

清抄本

一册

十二行字不等,無格。鈐"餐華吟館"、"椝菴"、"臣如格印"諸印。

卓奇圖,字聖肇,號悟菴,滿洲人。《周朝耆獻類徵初編》有傳。　善 4986

2852

浪淘集詩鈔一卷

(清)金人望撰

清康熙六十年(1721)丘瑋刻本

一册

十行十九字,小字雙行同,白口,左右雙邊。

善 847.2/987

2853

樸村文集二十四卷詩集十三卷(存卷一至十一)

(清)張雲章撰

清康熙五十三年(1714)刻本

四册

十三行二十五字,小字雙行同,黑口,左右雙邊。鈐"江山劉履芬彦精甫收得"、"臣梃秘藏國朝名集之印"、"孫梃"、"夢巖秘籍"諸印。

善 847.4/308.2

2854

御制詩集十卷二集十卷三集八卷

(清)聖祖玄燁撰

清康熙四十二年(1703)宋犖刻本(三集八卷配康熙間内府刻本)

八册

六行十六字,白口,四周雙邊。鈐"萬松野人"、"淑仲"印。　善 847.2/716

2855

懷清堂集二十卷首一卷

(清)湯右曾撰

清乾隆十一年(1746)湯學基等刻本

四册

十行二十一字,白口,左右雙邊。鈐“臣梃秘藏國朝名集之印”、“濟寧孫氏蘭枝館藏”、“孟延平生所好”、“案頭遺集有先生”等印。

善 847.2/736.6

2856

寒村詩文選三十六卷

(清)鄭梁撰

清康熙間刻二老閣印本

十六册

九行二十字,小字雙行同,黑口,左右雙邊。封面鎸“二老閣藏板”。鈐“荆玉山人”印。

子目:

見黄稿詩删五卷

五丁詩稿五卷

安庸集一卷

玉堂集一卷

歸省偶錄一卷

還朝詩存一卷

玉堂後集一卷

寶善堂集二卷

白雲軒集二卷

南行雜錄一卷

高州詩集二卷

見黄稿二卷

五丁集二卷

安庸集二卷

雜錄二卷

雜錄補一卷

半生亭集一卷

尚息編四卷

善 18221

2857

道榮堂文集六卷滄洲近詩十卷

(清)陳鵬年撰

首一卷

清乾隆二十七年(1762)陳樹芝刻本

十四册

十行十九字,白口,左右雙邊。鈐“國子監祭酒盛昱印信”印。

善 11917

2858

夢月巖詩集二十卷詩餘一卷

(清)吕履恒撰

清雍正三年(1725)吕憲曾、吕宣曾等刻本

四册

十行十九字,白口,左右雙邊。鈐“孫孟梃紅豆山房秘藏印”印。

善 847.2/444

2859

嚴太僕先生集十二卷

(清)嚴虞惇撰

清乾隆元年(1736)繩武堂刻本

四册

十一行二十一字,白口,左右雙邊。封面鎸“繩武堂藏板”。鈐“石茹圖書”印。

善 847.2/428.4

2860

葦間詩集五卷

(清)姜宸英撰

清康熙五十二年(1713)唐執玉刻本　孫梃批注並題識

二册

十一行十九字,黑口,左右雙邊。封面鎸“二南堂藏板”。鈐“臣梃秘藏國朝名集之印”、“孫孟延鑒賞書畫之章”、“濟寧孫氏蘭枝館藏”等印。

善 847.2/759－02

2861

姜西溟先生文鈔四卷

(清)姜宸英撰

清抄本

四册

十一行二十二字,無格。鈐“舊貯蒲萄深處”、“十二紅梨齋”、“鄞馬氏廉隅之所珍愛書”等印。

善 8004

2862

莞青集十九卷

(清)陳至言撰

清康熙間芝泉堂刻本

四册

九行二十字,小字雙行同,白口,四周單邊,版心下鎸“芝泉堂”。鈐“詩龕居士存素堂圖書印”、“詩龕鑒藏”、“方功惠藏書印”諸印。

善 847.2/379

2863
查浦詩鈔十二卷
(清)查嗣瑮撰
清康熙六十一年(1722)刻本
六册
十一行二十一字,小字雙行同,白口,左右雙邊。鈐"何氏仲公"印。　善847.2/295

2864
静觀堂詩集三十卷(存卷一至二十一)
(清)勞之辯撰
清康熙間刻本
四册
十行十九字,黑口,左右雙邊。鈐"蘭枝館藏書記"印。
是書目錄二十一卷以後被書商剜去,以充足本。　善847.2/763

2865
世經堂集唐詩删八卷
(清)徐旭旦撰
清康熙五十三年(1714)世經堂刻本
八册
九行二十字,小字雙行同,下黑口,四周單邊。封面鐫"世經堂梓行"。　善847.2/953

2866
據梧詩集十五卷小遊仙集一卷
(清)管棆撰
清康熙間刻嘉慶間管學洛補修本
十二册
十行二十一字,小字雙行同,白口,四周單邊。鈐"孟梃印信"、"孟延"、"蘭枝館"、"孫孟延鑒賞書畫之章"諸印。　善847.2/845

2867
樓邨詩集二十五卷
(清)王式丹撰
清雍正四年(1726)王懋訥刻本
四册
十一行二十一字,小字雙行同,白口,左右雙邊。鈐"何紹昌字莢言"、"文伯"印。
又一部　十册　善847.2/117

2868
敬業堂詩集四十八卷
(清)查慎行撰
清康熙五十八年(1719)刻本
十册
十一行二十一字,小字雙行同,白口,左右雙邊。　善847.2/295.7

2869
敬業堂詩集五十卷
(清)查慎行撰
清康熙五十八年(1719)刻雍正間增刻本
十六册
十一行二十一字,小字雙行同,白口,左右雙邊。　善847.2/295.7-02

2870
思綺堂文集十卷
(清)章藻功撰
清康熙六十一年(1722)刻本
十册
十行二十二字,小字雙行同,白口,四周單邊。　善847.2/655

2871
高陽山人詩集二十卷補遺一卷
(清)劉青藜撰
清康熙四十九年(1710)刻本
四册
九行十九字,小字雙行同,黑口,左右雙邊。封面鐫"傳經堂藏板"。鈐"南通馮氏景岫樓藏書"印。　善847.2/886

2872
望溪文抄不分卷
(清)方苞撰　(清)黄彭年輯
清咸豐十年(1860)抄本　(清)黄彭年墨筆題識
二册
十二行二十四字,無格。鈐"黄彭年印"、"五芝堂"、"戴經堂藏書"、"觀略堂書畫記"、"黄氏家藏"、"傳甓堂經籍書畫金石文字"諸印。　善847.4/626-65

2873
穆堂別稿五十卷
(清)李紱撰
清乾隆十二年(1747)刻本
十二册
十二行二十三字,白口,左右雙邊。鈐"張潛園藏書記"印。　善847.2/293-1

2874
青要集十三卷

(清)呂謙恒撰
清乾隆十五年(1750)刻本
二册
十二行二十二字,小字雙行同,白口,四周雙邊。 善 847.3/449

2875
匠門書屋文集三十卷
(清)張大受撰
清雍正七年(1729)顧詒禄刻本
六册
十行二十一字,白口,左右雙邊。
善 847.2/308.39

2876
樸學齋詩藁十卷
(清)林佶撰
清乾隆九年(1744)家刻本
四册
十行十九字,黑口,左右雙邊。鈐"林淇之印"印。 善 847.4/261

2877
閭丘詩集二十卷
(清)顧嗣立撰
清康熙間刻本
四册
十一行二十一字,白口,左右雙邊。鈐"華氏家藏"、"臣鼎元印"印。 善 18077

2878
絸齋詩集十二卷焚餘一卷
(清)張謙宜撰
清抄本
十三册
八行二十四字,無格。鈐"磊磊道人"、"六石居士"等印。 善 6702

2879
陳學士文集十八卷
(清)陳儀撰
清乾隆十八年(1753)陳氏蘭雪齋刻本
八册
九行二十三字,白口,左右雙邊。版心下鎸"蘭雪齋"。 善 847.3/384

2880
白田草堂存稿二十四卷
(清)王懋竑撰

行狀一卷崇祀鄉賢録一卷
清乾隆間刻本
六册
十二行二十二字,白口,左右雙邊。目録後鎸"山陽後學邱敦美寫"。 善 847.2/113.2
又一部 六册 善 2653

2881
秋塍文鈔十二卷
(清)魯曾煜撰
清乾隆九年(1744)沈氏鳴野山房刻本
二册
九行二十二字,白口,四周單邊。封面鎸"鳴野山房藏板"。 善 847.4/851

2882
香樹齋詩集十八卷續集三十六卷文集二十八卷續鈔五卷
(清)錢陳群撰
清乾隆間刻本
二十六册
十行十九字,白口,左右雙邊。 善 847.4/929

2883
存研樓文集十六卷二編二卷
(清)儲大文撰
清乾隆九年(1744)刻本
十二册
九行二十字,白口,左右雙邊。 善 847.4/914

2884
存研樓二集二十五卷
(清)儲大文撰
清乾隆間刻本
八册
十一行二十三字,白口,左右雙邊。鈐"張耀光印"印。 善 847.4/914－1

2885
南谿偶刊三種
(清)鄭性撰
清乾隆八年(1743)刻本
八册
十四行二十六字,黑口,四周單邊。
子目:
南谿夢寐不分卷
南谿寐歌二卷
南谿不文不分卷 善 18681

2886

甘莊恪公全集十六卷

(清)甘汝來撰

清乾隆間賜福堂刻本

四册

九行二十一字,白口,四周單邊。封面鎸"賜福堂藏板"。 善 847.3/177

2887

庴堂集五十卷續八卷補遺二卷附冬錄一卷

(清)黄之雋撰

清乾隆間刻本

十二册

十行二十一字,白口,左右雙邊。鈐"退耕堂藏書記"印。 善 847.4/169

2888

延綠閣集十二卷

(清)華希閔撰

清雍正間刻本

四册

十行二十字,白口,左右雙邊。除卷四、五外其餘各卷版心"卷"字後餘留墨釘,是全書未編排卷次時最初印本。 善 847.3/502

2889

研堂詩十卷續稿二卷晚稿二卷拾遺一卷花外散吟一卷

(清)楊維坤

贈言三卷

清乾隆間刻本

六册

九行二十一字,黑口,左右雙邊。鈐"擁書權拜諸侯"、"碧芙蕖館珍藏"、"蓉士過眼"、"今爲梃所寶"等印。 善 847.2/274

2890

後村詩集七卷吴越游草一卷

(清)王文治撰

清康熙間刻本

八册

九行二十字,小字雙行同,黑口,左右雙邊。鈐"臣梃秘藏國朝名集之印"印。

書名據封面題。 善 847.2/117

2891

王文治雜著不分卷

(清)王文治撰

稿本

二册

十行字不等,白口,紅格,左右雙邊。版心下鎸"三願堂"。鈐"曾經滄海"、"王水淳印"、"半逸堂"諸印。 善 847.5/117

2892

穎川文集十三卷

(清)潘書馨撰

清康熙間刻本

四册

九行二十字,白口,四周雙邊。封面鎸"玉森堂藏板"。 善 847.2/754.2

2893

宛委山人詩集十六卷

(清)劉正誼撰

清刻乾隆四年(1739)增刻本

四册

十行十九字,白口,左右雙邊。(與王漘撰《鳳山集》二卷同函) 善 847.4/887

2894

若庵集六卷

(清)程庭撰

清康熙間刻雍正間增刻本

三册

十行十九字,白口,左右雙邊。 善 847.2/790

2895

朱圉山人集十二卷補遺一卷

(清)鞏建豐撰

清乾隆十九年(1754)鞏敬緒等刻本

六册

九行二十一字,黑口,左右雙邊。著錄僅見於《四庫全書總目》。 善 847.3/162

2896

半野居士焚餘集一卷西征記一卷

(清)毛振翧撰

清乾隆九年(1744)刻本

一册

九行十八字或十九字,白口,四周雙邊。 善 8003

2897

弱水集二十二卷

(清)屈復撰

清乾隆二十九年(1764)刻本

四册

十行二十一字,小字雙行同,白口,左右雙邊。鈐"士修堂藏書"、"吳享元"印。　善847.4/321

2898

方貞觀詩集六卷

(清)方貞觀撰

清乾隆三年(1738)汪廷璋刻本

三册

十行十九字,白口,左右雙邊。鈐"揚州金氏收藏"、"弇山畢氏珍藏"印。　善847.2/626.4

2899

八瓊樓詩集九卷

(清)金昌世撰

清乾隆間八瓊樓刻本

四册

十行二十一字,小字雙行同,無直格,白口,左右雙邊。版心下鐫"八瓊樓"。稀見。

金昌世(1693－?),字宋谷,山陰人。雍正二年進士,官清河、鹽山知縣。　善847.4/987.4

2900

尹文端公詩集十卷

(清)尹繼善撰

清乾隆間刻本

五册

九行二十一字,小字雙行同,白口,四周雙邊。鈐"雉皋袁壽祺"印。　善847.4/324

2901

紅鵝館詩選□卷(存鳳山集二卷)

(清)王溍撰

清乾隆四年(1739)刻本

一册

十行二十一字,白口,四周單邊。未見著錄。(與劉正誼撰《宛委山人詩集》十六卷同函)

善847.4/887

2902

板橋集五卷

(清)鄭燮撰

清乾隆間清暉書屋刻本

五册

版式、行款不盡同。卷末鐫"上元司徒文膏刻"。鈐"修禊堂王珍藏"、"全氏珍藏"印。

子目:

板橋詩鈔二卷

板橋詞鈔一卷附道情

板橋家書一卷

板橋題畫一卷　善847.4/976－05

2903

南陔堂詩集十二卷

(清)徐以升撰

清乾隆二十六年(1761)徐天柱等刻本

六册

十行十九字,小字雙行不等,黑口,左右雙邊。

善847.4/950

2904

四焉齋文集八卷詩集六卷

(清)曹一士撰

梯仙閣餘課一卷

(清)陸鳳池撰

清乾隆間刻本

十二册

十行二十一字,白口,左右雙邊。鈐"玖聃"、"朱樫之印"印。　善847.4/139

2905

與我周旋集詩十二卷文二卷四六一卷雜體一卷附寧武府志序一卷

(清)魏元樞撰

清乾隆五十八年(1793)清祜堂刻本

九册

八行二十一字,白口,四周單邊,無直格。封面鐫"清祜堂藏板"。　善847.4/799

2906

讀孟居集四卷

(清)蔣汾功撰

清抄本　劉持原校

二册

九行二十六字,無格。鈐"珊園"、"劉持原印"印。　善847.3/526

2907

己山先生文集十卷別集四卷

(清)王步青撰

傳一卷

清乾隆間敦復堂刻本

六册

九行二十字,白口,左右雙邊。封面鐫"敦復堂藏板"。　善847.3/115

2908
葆璞堂文集四卷
(清)胡煦撰
清乾隆三十七年(1772)刻本
二册
十行十九字,白口,左右雙邊。鈐"石碣周氏藏書"、"慰園珍藏"、"恒齋書藏"、"四明張氏古歡室藏書記"、"古鄞張之銘藏書"等印。
善 847.3/218

2909
矢音集十卷
(清)梁詩正撰
清乾隆二十年(1755)清勤堂刻本
八册
十行十九字,白口,四周雙邊。封面鎸"清勤堂藏板"。　善 847.4/730

2910
拾翠集十卷
(清)商盤撰
清抄本
四册
九行二十字,無格。鈐"舊雨草堂珍藏"、"抱經樓藏書印"、"五萬卷藏書樓"、"浙東沈德壽家藏之印"、"亞東沈氏抱經樓鑒賞圖書印"諸印。
善 847.3/660

2911
弢甫集十四卷續集二十卷文集三十卷五嶽集二十卷
(清)桑調元撰
清乾隆間蘭陔草堂刻修汲堂遞刻本
九册
十一行二十字,白口,四周單邊。鈐"太谷孫氏家藏"、"研理樓劉氏藏"、"天津劉明陽静遠甫藏書"等印。　善 847.4/374

2912
紫竹山房詩集十二卷文集二十卷
(清)陳兆崙撰
年譜一卷
(清)梁玉繩撰
清乾隆間刻本
六册
十行二十一字,小字雙行同,白口,四周雙邊。鈐"慈谿赭山楊氏經畬塾印"、"理菴"、"臣泰亨印"諸印。　善 847.4/384.9

2913
半舫齋編年詩二十卷
(清)夏之蓉撰
清乾隆三十六年(1771)刻本
四册
十行二十一字,小字雙行同,白口,四周單邊或左右雙邊。目錄後鎸"維揚湯鳴岐刻"。鈐"濟寧孫氏蘭枝館藏"印。　善 847.4/348

2914
半舫齋古文八卷
(清)夏之蓉撰
清乾隆間刻本
八册
十行二十一字,上黑口,四周單邊或左右雙邊。無直格。　善 3825

2915
慕陵詩稿二卷
(清)陳榮杰撰
清嘉慶八年(1803)陳昌刻本　佚名墨筆批注
一册
九行二十一字,白口,四周單邊。稀見。封面鎸"青藤書屋藏板"。鈐"吳越王孫"、"錢詠私印"、"鄞林氏藜照廬圖書"諸印。
陳榮杰(1685－1755),字遂南,浙江會稽人。
善 847.4/382

2916
南皐山人詩集類稿七卷
(清)高鳳翰撰
清乾隆二十八年(1763)高元質刻本
二册
十行十九字,小字雙行同,白口,左右雙邊。
善 847.4/647

2917
玉華集六卷
(清)趙宏恩撰
清雍正間刻本
二册
九行二十字,白口,左右雙邊。
善 925.372/200

2918
固哉草亭文集二卷補遺一卷
(清)高斌撰
清乾隆間高恒刻本

四册

九行二十字,白口,左右雙邊。　善 847.4/645

2919

樂善堂全集四十卷目録四卷

(清)高宗弘曆撰

清乾隆間蘇州府翻刻乾隆二年(1737)内府本

二十四册

七行十八字,白口,四周雙邊。開化紙印。

善 847.4/716

2920

御制盛京賦三十二卷

(清)高宗弘曆撰

清乾隆間武英殿刻滿漢楷篆合璧本

三十二册

五行七字,白口,四周雙邊。善 927.41/-716

2921

隱拙齋集五十卷續集五卷

(清)沈廷芳撰

清乾隆二十二年(1757)則經堂刻四十四年(1779)續刻本

十册

十行二十一字,小字雙行同,白口,左右雙邊。封面鐫"則經堂藏板"。鈐"豐善堂書庫寶藏印"印。　善 847.4/747

2922

緝齋詩稿八卷文集八卷卷首一卷

(清)蔡新撰

清乾隆五十年(1785)刻本

十册

九行二十一字,小字雙行同,白口,四周雙邊。鈐"倪奉士章"、"奉士"、"忠厚堂"諸印。

善 847.4/561

2923

漱芳居文鈔八卷

(清)趙青藜撰

清漱芳居刻本

四册

十一行二十一字,白口,左右雙邊。版心下鐫"漱芳居"。　善 847.4/198.1

2924

洗桐軒文集九卷

(清)顧陳垿撰

清刻本

四册

十行十九字,下黑口,左右雙邊。

顧陳垿(1678-1747),字玉亭,别號賓陽子,太倉人。康熙四十四年舉人,充樂館纂修。

善 847.2/961

2925

鮚埼亭集外編五十卷

(清)全祖望撰

清嘉慶十六年(1811)刻本　佚名朱筆過録(清)嚴元照批校

十六册

十行二十一字,白口,左右雙邊。鈐"吴興劉氏嘉業堂藏書記"、"劉承幹字貞一號翰怡"印。

善 847.4/984-8

2926

海山存稿二十卷

(清)周煌撰

清乾隆五十八年(1793)葆素家塾刻本

四册

十行二十一字,小字雙行同,白口,四周雙邊。封面鐫"葆素家塾藏板"。鈐"濟寧孫氏蘭枝館藏"印。　善 847.4/819

2927

沈歸愚詩文全集七十四卷(存六十九卷)

(清)沈德潜撰

清乾隆間教忠堂遞刻本

二十四册

十行十九字,白口,左右雙邊,年譜版心下鐫"教忠堂"。

子目:

歸愚詩鈔二十卷

詩鈔餘集十卷(存八卷)

歸愚文鈔二十卷

文鈔餘集八卷(存七卷)

説詩晬語二卷

浙江通省志圖説一卷

歸田集一卷

矢音集四卷

八秩壽序壽詩一卷

九秩壽序壽詩一卷

黄山遊草一卷

臺山遊草一卷

南巡詩一卷

自訂年譜一卷　善 18257

2928
袁文箋正十六卷補注一卷
(清)袁枚撰　(清)石韞玉箋
清嘉慶十七年(1812)鶴壽山堂刻本
六册
十行二十字,小字雙行三十字,白口,左右雙邊。封面鎸"鶴壽山堂藏板"。
又一部　十册
又一部　十五册　善 847.5/188－28

2929
迂齋學古編四卷
(清)法坤宏撰
清乾隆三十九年(1774)海上廬刻本
一册
十行十九字,白口,左右雙邊。版心下鎸"海上廬"。(與《春秋取義測》十二卷合函)
善 096.227/723

2930
孟亭居士文稿五卷詩稿四卷經進稿一卷
(清)馮浩撰
清嘉慶五年(1800)刻本
五册
十行二十一字,白口,左右雙邊。
善 847.4/772

2931
凝齋先生遺集十卷末一卷
(清)陳道撰
清乾隆間魯仕驥刻本
四册
九行二十字,白口,左右雙邊,卷八、九無直格。封面鎸"集古堂藏板"。鈐"課花齋"、"聽雨樓"、"安愚堂藏書畫記"等印。　善 847.4/383.7

2932
睫巢集六卷
(清)李鍇撰
清乾隆六年(1741)洪肇楙刻本
六册
十行二十一字,小字雙行同,白口,左右雙邊。封面原鈐"牿牛精舍圖書"。
又一部　四册　鈐"劉不同印"、"劍閣藏書"印。
善 847.4/294

2933
梅崖居士文集三十八卷外集二卷
(清)朱仕琇撰
清乾隆二十四年(1759)刻本
六册
九行二十五字,黑口,左右雙邊。封面鎸"松谷藏板"。鈐"柳林"、"荃孫"、"雲輪閣"諸印。
善 10661

2934
礬泉集三十卷
(清)顧光旭撰
清乾隆四十年(1775)刻五十七年(1792)增刻本
四册
十行十九字,小字雙行同,白口,左右雙邊。
善 847.4/963

2935
丁辛老屋集十二卷
(清)王又曾撰
清乾隆五十二年(1787)鄢陵官舍刻本
二册
十二行二十二字,白口,左右雙邊。鈐"臣梃秘藏國朝名集之印"、"夢巖秘籍"等印。
善 847.4/114.2

2936
小木子詩三刻十六卷
(清)朱休度撰
清嘉慶十七年(1812)刻本
六册
十二行二十三字,白口,左右雙邊。鈐"秀水陸氏郁林山館收藏印"、"泖生"、"劉履芬印"、"今爲梃所寶"諸印。
子目:
壺山自吟藁三卷
俟寧居偶詠一卷
梓廬舊藁一卷　善 847.5/834

2937
笠洲文集十卷
(清)瞿源洙撰
清乾隆十九年(1754)刻本
五册
十行二十三字,白口,左右雙邊或四周單邊。鈐"虛垣張氏藏書印"、"瞿氏補書堂所藏"、"蔭氏藏書之章"諸印。　善 847.4/476

2938
筠園稿三卷删稿三卷
(清)朱仕玠撰
清乾隆九年(1744)刻本
二册
十行十九字,黑口,左右雙邊。鈐"余誠之印"印。　善 847.4/834

2939
南坪詩鈔八卷
(清)張學舉撰
清乾隆五十八年(1793)珠光樓刻本　(清)疢翁跋
四册
八行十九字,白口,左右雙邊。封面鎸"珠光樓藏板"。鈐"漢鹿齋藏書印"、"冒懷辛印"等印。
善 847.4/314

2940
西霞文鈔二卷
(清)鄭光策撰
清嘉慶十年(1805)陳名世刻本
二册
十行二十三字,白口,四周雙邊。
鄭光策,字蘇年,閩縣人。乾隆四十五年進士,曾主鰲峰書院。梁章巨岳父。　善 847.5/975

2941
嶺南林睡廬詩選二卷
(清)林良銓撰
清乾隆二十年(1755)詠春堂刻本
二册
九行十九字,小字雙行同,白口,左右雙邊。版心下鎸"詠春堂"。鈐"有慈"、"臣□鎮堂"印。
善 847.4/259

2942
夢筆山房繭甕集八卷續編一卷
(清)紀逵宜撰
清乾隆四十年(1775)刻本
四册
十行二十一字,白口,四周雙邊。
善 847.4/859

2943
恩餘堂經進初藁十二卷續藁二十二卷三藁十一卷策問存課二卷知聖道齋讀書跋尾二卷
(清)彭元瑞撰
清乾隆嘉慶間刻本
十八册
八行十九字,小字雙行同,白口,四周雙邊。鈐"仁和龔氏家藏"、"濟寧孫氏蘭枝館藏"印。
善 847.5/185－02

2944
測海集五卷
(清)彭紹升撰
清抄本
五册
七行十七字,黑格,下黑口,四周雙邊。鈐"太史氏"、"新建王氏迪謝字欲臣鑒藏"、"王迪謝印"、"新風樓"、"雲峰後人"、"王文治印"諸印。
善 847.4/185.8

2945
悦親樓詩集三十卷詩外集二卷
(清)祝德麟撰
清嘉慶二年(1797)刻本
十册
十一行二十一字,小字雙行同,白口,四周單邊。　善 847.4/106

2946
白華前稿六十卷
(清)吳省欽撰
清乾隆間刻本
八册
十行二十一字,小字雙行同,白口,左右雙邊。
善 847.4/438

2947
大雅堂初稿文八卷詩六卷
(清)鄒方鍔撰
清乾隆二十七年(1762)刻本
六册
十行十九字,細黑口,左右雙邊。鈐"維增"、"南海程氏"印。　善 847.4/842

2948
竹葉庵文集三十三卷
(清)張塤撰
清乾隆五十一年(1786)刻本
八册
十二行二十四字,黑口,四周單邊。鈐"復盦南氏"、"寧武南氏珍藏"、"玉如"、"昭美"、"孔昭美印"、"襲文"諸印。　善 847.4/307

2949

魯山木先生文集十二卷首一卷外集二卷

(清)魯九皋撰

清道光十一年(1831)陳用光刻本

十六册

十行二十一字,白口,四周雙邊。

魯九皋,原名仕驥。　善 10580

2950

清素堂詩集十卷

(清)石鈞撰

清乾隆六十年(1795)刻本

二册

十行十九字,上黑口,左右雙邊。鈐"濟寧孫氏蘭枝館藏"印。

第十卷詞。　善 847.4/350

2951

南園文存不分卷

(清)錢澧撰

清道光十五年(1835)玉成書屋刻本

一册

九行二十一字,白口,左右雙邊。封面鐫"玉成書屋藏板"。　善 2747

2952

稽古齋全集八卷

(清)弘晝撰

清乾隆十一年(1746)刻本

五册

八行十八字,白口,四周雙邊。　善 847.4/315

2953

銅鼓書堂遺稾三十二卷

(清)查禮撰

清乾隆間查淳刻本

四册

十二行二十二字,白口,左右雙邊。　善 2450

2954

隨園詩草八卷禪家公案頌一卷

(清)邊連寶撰

清乾隆四十年(1775)刻本

四册

九行十九字,白口,左右雙邊。

又一部　四册　善 847.4/875

2955

娵雅堂詩集十二卷詩續集四卷詞集四卷別集六卷

(清)趙文哲撰

清乾隆間刻本

七册

十行十九字或二十一字,白口,左右雙邊。

又一部　八册(附娵雅堂時文稿一卷)　善 847.4/202

2956

來鶴堂詩鈔四卷

(清)于宗瑛撰

清乾隆五十二年(1787)刻本

二册

八行十八字,白口,左右雙邊。鈐"濟寧孫氏蘭枝館"館印。　善 847.4/111

2957

問渠詩草八卷

(清)陳濤撰

清刻本

二册

九行十九字,小字雙行,白口,左右雙邊。稀見。鈐"惜陰樓藏書"、"四明山人"、"鄞林氏藜照廬圖書"、"林集虛印"等印。　善 847.4/383

2958

晚聞居士遺集九卷首一卷

(清)王宗炎撰

清道光十一年(1831)陸貞一仿宋刻本

四册

十行二十字,小字雙行同,黑口,左右雙邊。　善 18230

2959

存素堂詩初集錄存二十四卷

(清)法式善撰

清嘉慶十二年(1807)王墉刻本　法式善題跋並批改

六册

十二行二十四字,黑口,四周雙邊。鈐"法式善字梧門"、"孟巖收藏圖書"印。　善 847.4/703

2960

素修堂詩集二十四卷後集六卷補遺一卷

(清)吳蔚光撰

清嘉慶十六年(1811)古金石齋刻本

八册

十二行二十四字,黑口,四周單邊。封面鐫"古金石齋藏板"。鈐"濟寧孔氏蘭枝館藏"、"孟延平生所好"、"案頭遺集有先生"諸印。

善 847.5/723

2961

獨學廬初稿詩八卷文三卷讀左巵言一卷漢書刊訛一卷二稿三卷三稿文五卷晚香樓集六卷獨學廬四稿文五卷池上集四卷

(清)石韞玉撰

清乾隆六十年(1795)至嘉慶間刻本

十四册

十行十八字,黑口,左右雙邊。善 089.75/350

2962

壹齋集二十五卷

(清)黄鉞撰

清嘉慶十年(1805)刻本

六册

十二行二十四字,小字雙行同,黑口,四周單邊。 善 6819

2963

小重山房初藁十五卷

(清)張祥河撰

霞閣小稿一卷

(清)張昌緒撰

清道光二年(1822)自刻本

三册

十二行二十三字,小字雙行同,黑口,左右雙邊。 善 847.5/311-5

2964

劉文清公遺集十七卷應制詩集三卷

(清)劉墉撰

清道光六年(1826)東武劉氏味經書屋刻本

四册

十一行二十字,白口,左右雙邊。封面鐫"道光六年歲次丙戌東武劉氏味經書屋開刊"。劉喜海跋後鐫"杭州愛日軒陸貞一仿宋鐫"。

善 847.5/887.2

2965

晚學集八卷未谷詩集四卷

(清)桂馥撰

清道光二十一年(1841)刻本

四册

十行二十一字,小字雙行同,黑口,左右雙邊。鈐"高閬仙藏書記"印。

又一部(存晚學集八卷) 三册 鈐"剛主秘玩"、"國楨之鈢"印。 善 847.5/251

2966

述學内篇三卷外篇一卷

(清)汪中撰

清嘉慶間問禮堂刻本

一册

十三行三十字,白口,左右雙邊。封面鐫"問禮堂藏板"。鈐"古潤吳載和仲□藏書"印。

善 073/710-03

2967

述學内篇三卷外篇一卷補遺一卷别錄一卷附春秋述義

(清)汪中撰

清道光間汪喜孫刻本

二册

十三行三十字,白口,左右雙邊。鈐"蓊雲"、"天津劉氏研理樓藏"印。 善 073/710-04

2968

小鈍居士集十三卷

(清)董秉純撰

抄本

四册

十行二十字,無格。 善 847.4/547

2969

廣輿吟稿六卷

(清)宋思仁撰

清乾隆四十一年(1776)刻本

二册

八行十七字,小字雙行同,白口,四周雙邊。

善 847.4/693

2970

聽雨齋詩集十二卷

(清)吳照撰

清乾隆五十九年(1794)刻本

二册

十一行二十四字,小字雙行同,黑口,四周單邊。 善 847.4/437.3

2971

白萏集四卷

(清)戴翼子撰

清義竹山房刻本

二册

八行十九字,白口,四周雙邊。版心鐫"義竹

山房家藏”。鈐“仁和馬氏歗天廬珍藏書畫印”、“二十五悔庵主”印。　善 2664

2972

弗如室詩鈔五卷

(清)蔣知廉撰

清嘉慶間蔣立中、蔣立屏等刻本　(清)周有聲朱筆批注　(清)葉鈞墨筆批注并題記　(清)吳嵩梁藍筆批注

二册

十二行二十四字,白口,左右雙邊。鈐“翰飛”、“馮雄印信”、“南通馮氏景岫樓藏書”諸印。

善 847.4/526

2973

味餘書屋全集定本四十卷目錄四卷隨筆二卷

(清)仁宗顒琰撰

清嘉慶五年(1800)内府刻本

三十二册

九行十七字,白口,四周雙邊。鈐“國子監”(滿漢文)、“京師圖書館收藏印”印。

善 847.5/716 -4

2974

御製詩初集四十八卷目錄六卷

(清)仁宗顒琰撰

清嘉慶八年(1803)内府刻本

三十册

九行十七字,白口,四周雙邊。鈐“京師圖書館收藏印”印。　善 847.5/716

2975

桂馨堂集十三卷

(清)張廷濟撰

清道光十九年(1839)至二十八年(1848)刻本

十册

十行十九字,小字雙行同,白口,左右雙邊。鈐“貴陽趙氏壽華軒藏”印。

子目:

清儀閣雜詠一卷

竹里耆舊詩一卷

感逝詩一卷

順安詩草八卷

竹里畫者詩一卷

竹里樂府一卷　善 4847

2976

心知堂詩稿十八卷

(清)汪仲洋撰

清道光六年(1826)刻本

六册

十一行二十一字,細黑口,左右雙邊。

善 847.5/714

2977

何氏學四卷

(清)何治運撰

清嘉慶二十四年(1819)杭州愛日軒刻本

二册

九行十八字,小字雙行同,白口,左右雙邊。封面鎸“瑞室藏板”。卷四五十三頁鎸“杭州愛日軒雕板”。　善 2458

2978

幼學堂詩稿十卷文稿四卷

(清)沈欽韓撰

清嘉慶十八年(1813)刻本

四册

十行二十二字,白口,左右雙邊。

善 847.5/748

2979

小倦游閣集□□卷(存八至十卷)

(清)包世臣撰

清包氏小倦游閣抄本

一册

十一行二十二至二十三字,藍格。版心下鎸“小倦游閣”。　善 847.5/840

2980

研六室文鈔一卷

(清)胡培翬撰

清道光十七年(1837)涇川書院刻本

四册

九行二十字,小字雙行同,白口,左右雙邊。

善 847.5/216

2981

政餘書屋文鈔二十卷

(清)王泉之撰

清道光十年(1830)刻本　佚名墨筆批點

十册

八行二十三字,白口,四周雙邊。無直格。

善 847.5/119

2982

詒晋齋集八卷後集一卷隨筆一卷

(清)永理撰
清道光二十九年(1849)載鋭刻本
四册
十二行二十二字,黑口,四周雙邊。卷末鎸“二世孫成郡王載鋭家藏板”。　善847.4/651

2983
硯卿别咏四卷
(清)王晉升撰
清嘉慶十四年(1809)彊恕堂刻本
一册
八行十九字,白口,左右雙邊。封面鎸“彊恕堂藏板”。稀見。　善847.5/113

2984
秋水閣詩集八卷卷首一卷
(清)許兆椿撰
清道光二十五年(1845)許方增等刻本
四册
九行二十一字,小字雙行同,白口,四周雙邊。鈐“孫梃”、“孫孟延鑒賞書畫之章”印。稀見。
善847.5/615

2985
喝水樓詩錄二十卷
(清)王鴻撰
清道光十九年(1839)刻本
六册
十一行二十一字,黑口,左右雙邊。鈐“都門正雅堂經藏書籍印”印。　善847.5/118

2986
芙蓉池館詩草二卷
(清)羅辰撰
清道光十一年(1831)刻本
二册
十三行二十四字或二十七字,白口,四周雙邊。眉上鎸評。
上卷爲桂林山水圖。　善847.5/482

2987
印月樓詩剩一卷詞剩一卷
(清)王璊撰
稿本　佚名朱、墨筆校改
一册
九行十九字,無格。
王璊,女,字湘梅,湘潭人。
疑道光十年(1830)刻本即以此爲底本。
善847.5/112

2988
白鶴山房詩鈔十八卷詞鈔二卷
(清)葉紹本撰
清道光間刻本　葉奕慶跋
十册
十二行二十四字,小字雙行同,黑口,左右雙邊。　善847.5/504

2989
思元齋全集七卷
(清)裕瑞撰
清嘉慶七年(1802)至十七年(1812)刻本
八册
六行十四字,白口,四周單邊或四周雙邊。鈐“律師陶潤波字芝田”印。
子目:
萋香軒吟草一卷
樊學齋詩集一卷
清艷堂近藁一卷
眺松亭賦鈔一卷
草檐即山集一卷
棗窓文藁二卷　善847.5/681

2990
養正書屋全集定本四十卷目錄四卷
(清)宣宗旻寧撰
清道光二年(1822)内府刻本
二十四册
九行十七字,白口,四周雙邊。
善847.5/716.7

2991
聽鐘山房文集不分卷附詩草一卷
(清)曹銜達撰　(清)曹楞輯
清抄本
一册
九行二十五字,黑格,白口,左右雙邊。鈐“曹楞印信”、“文采風流”、“賜硯堂”諸印。
曹銜達(1803-?),嘉善人。　善847.5/147

2992
朱魯存先生遺集十卷
(清)朱道文撰
清抄本
二册
八行二十字,無格。前有方宗誠撰《朱魯存先生傳》。

朱道文(1785－1857),字魯存,一作魯岑,桐城人。道光諸生。　善 847.6/833.7

2993

禪隱軒詩鈔一卷吟秋小草一卷澄江小草一卷味蔗軒詩鈔一卷夢琴軒詩集不分卷南鴻集一卷淮遊小草一卷紫蘅草不分卷

(清)劉倬撰

稿本　(清)徐鼒眉批　(清)范凌覆等題詩題詞題字

十二册

素紙寫,行格不一。鈐"雲齋"、"劉倬之印"等印。

劉倬,甘泉人。道光十五年舉人,官六合訓導,與太平軍作戰卒。　善 847.6/893.4

2994

求在我齋存稿一卷

(清)成毅撰

清道光間稿本　(清)鄧瑶墨筆批改

一册

九行二十五字,白口,紅格,四周雙邊。

成毅,字忍齋,湘鄉人。道光十八年進士,官岳州教授。與曾國藩等友善。　善 847.5/339－2

2995

郭嵩燾信札不分卷

(清)郭嵩燾撰

稿本

一册　善 856.2/634

2996

柏堂集不分卷

(清)方宗誠撰

清抄本

二册

十行二十字,白口,紫格,四周雙邊。版心下鐫"畿輔通志"。鈐"觀略堂圖書記"、"黄氏家藏"印。(卷首附方宗誠手稿一卷)　善 847.8/626.7

2997

徐西叔學正遺稿一卷

(清)徐子苓撰

清咸豐間稿本　郭則澐題識　黄襄成題詩

一册

行字數不等。鈐"觀略堂圖書記"、"湘龕圖書"、"湘龕長物"、"黄氏家藏"等印。　善 847.6/948

2998

廣經堂文鈔未刻手稿一卷

(清)劉恭冕撰

清咸豐間稿本　(清)馮志沂題記

一册

行、字數不等。　善 847.8/887.24

2999

澤雅堂文集十卷

(清)施補華撰

謄清本　佚名校

二册

十行二十三字,無格。鈐"襄成之鉢"、"雙紫薇華館藏"、"安國將軍"、"軍假侯印"等印。　善 847.8/627

3000

還讀我書室老人瑣記不分卷

(清)董恂撰

稿本

一册

十一行,黑口,黑格,左右雙邊。　善 8321

3001

養雲山莊詩草删存不分卷

(清)劉瑞芬撰

清光緒間養雲山莊抄本

二册

九行二十一字,白口,綠格,四周雙邊,版心下鐫"養雲山莊"。　善 847.6/886

3002

黄彭年文稿輯存不分卷

(清)黄彭年撰

稿本　(清)方宗誠　鄧瑶等批改　黄襄成題識

十四册

用紙、行格不一。鈐"黄彭年印"、"五芝堂"、"湘丞所守先世手澤"、"黄氏家藏"、"湘龕圖書"等印。

此稿本含撰者手稿及付刻稿本。　善 847.8/165

3003

陶樓文抄不分卷

(清)黄彭年撰

清末付刻稿本

三册

九行二十字，四周雙邊。綠格稿紙。版心上鈐"陶樓存藁"或"遯庵存藁"。　善 847.8/165－3

3004

陶樓函稿不分卷

（清）黄彭年撰　黄襄成輯

稿本（配有抄本）

十四册

九行字不等，紅格，四周雙邊，版心下鎸"松竹齋"或"五芝堂"。　善 856.278/165

3005

疊書龕遺稿不分卷

（清）劉位坦撰　（清）黄國瑾輯

清光緒間抄本　卷前有撰者手稿一葉及題識（清）黄國瑾朱筆校改

二册

十行二十二字，小字雙行同，無格。鈐"黄氏國瑾校書之印"、"觀略堂圖書記"、"湘丞所守先世手澤"、"湘龕圖書"、"黄氏家藏"等印。

劉位坦，字寬夫，大興人。道光五年拔貢，以御史出知辰州府。劉銓福之父。黄彭年岳父。

善 847.6/893.82

3006

小草吟草□□卷（存卷一、十至十三卷）

（清）郭鳳鳴撰

民國間抄本　馮雄、張維等跋

五册

八行二十二字，小字雙行同，無格。

郭鳳鳴，字瑞岐，秦州人。同治間舉人，以分部員外郎改官同知，指發山西。　善 847.8/637

3007

小草吟草□□卷（殘存八卷）

（清）郭鳳鳴撰　（清）段震乾輯

民國間抄本　題大壯朱筆校

八册

七行二十二字，朱格，左右雙邊。

善 847.8/637

3008

陶廬續憶補詠不分卷

（清）金武祥撰

稿本　佚名墨筆批校

二册

七行二十一字，小字雙行同，無格。原鈐"陶廬"、"金武祥原名仁字淮生號栗香父"。鈐"河北王氏子敭收藏金石圖畫書籍之印"印。

善 847.8/987.1

3009

鴻軒雜著存稿不分卷

（清）□鴻軒撰

稿本

一册

行字不等，紅格。　善 847.8/719

3010

葦翁遺墨不分卷

（清）吳汝舟撰

稿本

一册　善 856.278/440

3011

李桂林信札不分卷

（清）李桂林撰

稿本

六册　善 856.27/287

3012

劫餘吟不分卷

（清）齊學裘撰

清末稿本　佚名墨筆校改

一册

八行十九字，小字雙行同，無格。

齊學裘（1802－），字子治，一作子貞，號玉溪，婺源人，居揚州。道光間諸生。　善 847.6/661

3013

太傅孫文忠公為尊人五十壽日徵文啓一則

陳寶琛等撰

清同治十三年（1874）稿本　黄襄成題識

一册

九行二十二字，紅格，四周雙邊。

善 856.6/383

3014

雅遜齋詩二卷

樊增祥撰

稿本　黄襄成題識

一册

九行字不等，紅格，竹節欄，版心鎸"含英閣"。鈐"黄氏家藏"、"五芝堂"、"湘丞所守先世手澤"、"承蔭堂"、"觀略堂藏書記"等印。

善 847.8/284－2

3015
馬其昶文稿不分卷
馬其昶撰
抄本
一册
十行二十一字,無格。　善 9228

3016
制藝草不分卷
(清)黄賡三撰
清道光間稿本
二册
行、字數不等,無格。　善 856.5/169

詩文評類

3017
文心雕龍十卷
(梁)劉勰撰
明萬曆七年(1579)張之象刻本
四册
十行十九字,白口,左右雙邊。鈐"一木石居"、"亮侯"、"周尚錦印"諸印。
善 820.1/888-017

3018
文心雕龍十卷
(梁)劉勰撰　(明)鍾惺評
明末刻本
一册
九行二十五字,白口,四周單邊。眉上鎸評。鈐"碧蕖館藏"、"芸子"等印。善 820.1/888-937

3019
楊升庵先生批點文心雕龍十卷
(梁)劉勰撰　(明)楊慎批點　(明)梅慶生音注
明萬曆三十七年(1609)梅慶生刻明天啓二年(1622)重修本
四册
九行十八字,白口,左右雙邊。卷一首頁版心下鎸"天啓二年梅子庚第六次校定藏板"。
善 820.1/888-271

3020
劉子文心雕龍二卷
(梁)劉勰撰　(明)楊慎　曹學佺批點
注二卷
(明)梅慶生撰
明崇禎間凌綑初刻五色套印本
四册
九行十八字,白口,四周單邊。
善 820.1/888-271-02

3021
文心雕龍十卷
(梁)劉勰撰　(清)黄叔琳輯注
清乾隆六年(1741)黄氏養素堂刻本
四册
九行十九字,小字雙行約二十七字,白口,左右雙邊。版心下鎸"養素堂"。鈐"南蘭陵吕德鎬珍藏金石書籍圖章"印。　善 821.1/888-019

3022
文心雕龍十卷
(梁)劉勰撰　(明)楊慎批點　(清)張松孫輯注
清乾隆五十六年(1791)刻本
四册
九行十八字,小字雙行同,白口,四周雙邊。鈐"李問渠"印。　善 820.1/888-271-03

3023
文心雕龍十卷
(梁)劉勰撰　(清)黄叔琳輯注　(清)紀昀評
清道光十三年(1833)兩廣節署刻朱墨套印本　佚名墨筆批校
四册
十行二十一字,小字雙行,白口,左右雙邊。鈐"碧魯氏珍藏書畫之章"、"寒香館藏書印"、"天馬山房藏書印"諸印。　善 2885

3024
唐詩紀事八十一卷
(宋)計有功撰
明嘉靖二十四年(1545)洪楩清平山堂刻本
八册
十行二十字,白口,四周單邊。孔天胤序首頁版心下鎸"陳序刊"。　善 821/602-04

3025
唐詩紀事八十一卷
(宋)計有功撰
明崇禎五年(1632)毛氏汲古閣刻本
十六册
八行十九字,白口,左右雙邊。版心下鎸"汲古閣"。鈐"熊長春印"、"煦庵"、"鰲峰書屋"、"維揚司馬”、“王雪騆藏書印”、“王焕業印”、“子文一字小亭”諸印。

又一部　二十四册　鈐“夢漁樵舊廬”、“南友一字穎仙”、“許星箕印”諸印。　善821/602－03

3026

全唐詩話八卷

(宋)尤袤撰　(清)孫濤續輯

清乾隆三十九年(1774)孫濤清芬堂刻本

四册

十行二十一字,白口,左右雙邊。封面鎸“清芬堂藏板”。鈐“函雅堂印”、“誠齋居士”印。

善8890

3027

漁隱叢話前集六十卷後集四十卷

(宋)胡仔輯

清乾隆五年(1740)至六年(1741)楊佑啓耘經樓刻本

十册

十三行二十一至二十三字不等,黑口,左右雙邊。

封面鎸“耘經樓藏板”。鈐“聿文”、“顧成式印”、“寧静齋圖書印”印。　善821/222

3028

精選詩林廣記四卷

(宋)蔡正孫輯

明金閶十乘樓刻本

四册

九行二十字,小字雙行同,白口,四周雙邊。封面鎸“金閶十乘樓梓”。　善821/557

3029

精選古今名賢叢話詩林廣記前集十卷後集十卷

(宋)蔡正孫輯

清影宋抄本

五册

九行二十八字,無格。鈐“商丘宋氏收藏善本”、“梧門法式之印”、“劉盼遂印”、“康生”等印。

善821/557－02

3030

修辭鑑衡二卷

(元)王構輯

民國五年(1916)葉德輝影抄元至順四年(1336)集慶路儒學本　葉德輝、楊圻跋

一册

十行二十字,無格。鈐“觀古堂”、“葉德輝煥彬甫閲書”印。　善820.1/113－02

3031

冰川詩式十卷

(明)梁橋撰

明萬曆間刻本

四册

十行二十字,白口,左右雙邊。有刻工。

善821/726

又一部　四册　善8710

3032

秇藪談宗六卷

(明)周子文撰

明萬曆二十五年(1597)自刻本

二册

九行十九字,白口,四周單邊。鈐“秦川百二”、“羅浮山人”、“秦川藏本”等印。　善821/815

3033

堯山堂偶雋七卷

(明)蔣一葵撰

明刻本

四册

八行十九字,白口,四周單邊。　善821/526.1

3034

而菴説唐詩二十二卷卷首一卷

(清)徐增撰

清康熙間刻本

十册

九行二十一字,白口,四周單邊。版心下鎸“文茂堂”,間鎸“九誥堂”。　善821/947

3035

五代詩話十二卷

(清)王士禛輯

清乾隆十三年(1748)養素堂刻本

六册

九行十九字,白口,左右雙邊。鈐“金子謙珍藏書畫之印”等印。　善10280

3036

王文簡公論七言古體平仄一卷

(清)王士禛撰

清乾隆五十三年(1788)王允熙刻本

一册

九行十九字,黑口,四周雙邊。鈐“北平謝氏

藏書印"印。 善 2890

3037

諧聲別部六卷

(清)王士禛撰 (清)喻端士輯

清乾隆間刻本

四册

九行二十字,白口,四周雙邊。鈐"竹禪室"印。 善 821/432

3038

漢詩評十卷

(清)李因篤撰

清刻本

四册

九行二十字,小字雙行同,白口,左右雙邊。 善 9246

3039

續錦機十五卷補遺六卷

(清)劉青芝輯

乾隆二十年(1755)刻劉氏傳家集本

六册

十一行二十一字,黑口,左右雙邊。 善 8183

3040

柳亭詩話三十卷

(清)宋長白撰

清康熙四十六年(1707)天茁園刻本

八册

十行二十一字,小字雙行同,白口,左右雙邊。版心下鐫"天茁園"。封面鐫"天茁園藏板"。 善 821/693-03

3041

家學堂遺書十四卷

(清)張謙宜撰

清乾隆二十三年(1758)至二十四年(1759)法輝祖刻本 佚名朱筆批注

一册

十行二十一字,小字雙行同,白口,左右雙邊。 善 10705

3042

詩法辨體説二卷

(清)呂德本撰

清乾隆二十四年(1759)存正堂刻本

二册

八行二十五字,白口,四周雙邊,無直格。封面鐫"存正堂藏板"。鈐"詩椿堂王氏家藏"、"太原仲子"、"靖廷"等印。(與《詞學辨體式》二卷合刻)。 善 18657

3043

二山説詩四卷

(清)何忠相撰

清乾隆三十一年(1766)刻本 佚名墨筆批校

二册

十一行十九字,小字雙行同,白口,左右雙邊。 善 831.2/899

3044

詩説滙五卷

(清)張象魏輯

清乾隆三十年(1765)刻本

五册

九行二十二字,白口,四周單邊。 善 821/313

3045

朱飲山千金譜二十九卷三韻易知十卷

(清)朱燮撰

清乾隆五十五年(1790)治怒軒刻本

十二册

九行二十一字,白口,左右雙邊。封面鐫"治怒軒藏板"。鈐"静遠齋"印。 善 821/832

3046

遼詩話一卷選材錄一卷

(清)周春輯

清乾隆二十四年(1759)刻本

一册

十行二十一字,黑口,左右雙邊。 善 821.18/813

3047

古今詩話選雋二卷

(清)盧衍仁輯

清乾隆間刻本

二册

八行十八字,無格。 善 12312

3048

三唐詩品三卷

(清)宋育仁撰

清蒼茫齋抄本

一册

十一行二十二字,藍格,四周單邊。版框外鐫"蒼茫齋著錄"。鈐"蒼茫齋所藏鈔本"、"高世異

圖書印”、“夏山樓”、“慎先秘笈之印”、“韓德壽印”等印。　善 821/695

3049

全唐聲律論二十五卷

(日)谷立德撰

日本天保十年(1829)旭松館刻本

八册

十二行二十四字,黑口,四周雙邊。鈐“真州吳氏有福讀書堂藏書”印。　善 831.41/924

詞類

叢編

3050

詞苑英華九種四十五卷(存六種三十九卷)

(明)毛晉編

明末毛氏汲古閣刻清乾隆十七年(1752)曲溪洪振琦重修本

十七册

九行二十字,小字雙行同,白口,左右雙邊。版心中偶存“汲古閣毛氏正本”。

子目:

花菴絶妙詞選十卷　(宋)黄昇輯

中興以來花菴絶妙詞選十卷　(宋)黄昇輯

花間集十卷　(後蜀)趙崇祚輯

尊前集二卷　(明)顧梧芳輯

詞林萬選四卷　(明)楊慎輯

詩餘圖譜三卷　(明)張綖撰　善 833/781

3051

浙西六家詞十一卷

(清)龔翔麟編

清康熙間龔氏玉玲瓏閣刻本　佚名朱筆批注

八册

十行二十字,白口,左右雙邊。封面鎸“玉玲瓏閣鏤板”。鈐“惠伯四十年經歷所聚”、“借竹宧主”、“抗塵去俗”、“黄氏借竹宧藏書”、“天馬山房藏書印”、“夷初”諸印。

子目:

江湖載酒集三卷　(清)朱彝尊撰

秋錦山房集一卷　(清)李良年撰

柘西精舍集　(清)沈皞日撰

耒邊詞二卷　(清)李符撰

黑蝶齋詞一卷　(清)沈岸登撰

紅藕莊詞三卷　(清)龔翔麟撰　善 1989

3052

浙西六家詞十一卷

(清)龔翔麟編

附山中白雲八卷

(宋)張炎撰

清康熙間龔氏玉玲瓏閣刻嘉慶九年(1804)聚瀛堂印本

六册

十行二十字,白口,左右雙邊。封面鎸“聚瀛堂藏板”。鈐“鼎臣氏”印。　善 2360

總集

3053

花間集四卷

(後蜀)趙崇祚輯　(明)湯顯祖評

明萬曆間刻朱墨套印本

四册

八行十八字,白口,四周單邊。鈐“柱峰草堂”、“笏企”、“墨農”等印。　善 833.4/201 -08

3054

草堂詩餘五卷

(明)楊慎批點

明吳興閔暎璧刻朱墨套印本

六册

八行十八字,白口,四周單邊。　善 833/519

3055

類編箋釋國朝詩餘五卷

(明)錢允治輯　(明)陳仁錫釋

明萬曆四十二年(1614)刻本

一册

九行二十字,小字雙行同,白口,左右雙邊。鈐“子煦”、“籀古□書家善本”、“吳昌漢”諸印。

善 833.6/934

3056

古香岑草堂詩餘四集十七卷(存十四卷)

明末刻翁少麓印本

六册

九行十九字,小字雙行同,白口,四周單邊。眉欄鎸評。鈐“艷雯齋印”、“素華仙館”印。

子目:

草堂詩餘正集六卷(存卷二至卷六)　(明)顧徒敬輯　(明)沈際飛評
草堂詩餘別集四卷　(明)沈際飛輯並評
國朝詩餘新集五卷　(明)錢允治輯　(明)沈際飛評　善2843

3057
古今詞統十六卷(存卷一至六、十一至十六)雜説一卷
(明)卓人月輯　(明)徐士俊評
明崇禎六年(1633)刻本
六册
九行二十字,白口,四周單邊。眉上鎸評。
善2842

3058
東白堂詞選初集十五卷
(清)佟世南輯
清康熙十七年(1678)刻本
八册
九行二十字,白口,左右雙邊。　善833.6/916

3059
古今詞匯初編十二卷
(清)卓回輯
清康熙十八年(1679)刻本
六册
九行二十字,白口,四周單邊。鈐"陸進"、"藎思甫"印。　善833/500

3060
詞潔六卷前集一卷
(清)先著　(清)程洪輯
清康熙間刻本
四册
九行二十字,白口,四周雙邊。　善823.1/838

3061
御選歷代詩餘一百二十卷
(清)沈辰垣　王奕清等輯
清康熙四十六年(1707)內府刻本
四十册
十一行二十一字,白口,左右雙邊。鈐"謙齋珍賞"、"合肥王氏所藏"印。
又一部　三十二册　鈐"雅川"印。　善833/742-02

3062
清綺軒詞選十三卷
(清)夏秉衡輯
清乾隆間刻巾箱本　佚名朱筆批注
六册
六行十二字,黑口,左右雙邊。鈐"殿階"、"柳亭"、"光岸"、"珍寶"、"岸印"、"威魯點勘"、"星吾"、"景孟"、"黄襄成印"諸印。　善833/348

3063
詞綜補遺二十卷
(清)陶樑輯
清道光十四年(1834)紅豆樹館刻本
四册
十行二十一字,小字雙行同,黑口,左右雙邊。封面鎸"紅豆樹館藏板"。　善833/834-399

3064
昭代詞選三十八卷
(清)蔣重光輯
清乾隆三十二年(1767)經鉏堂刻本
十六册
十行二十字,小字雙行同,黑口,左右雙邊。封面鎸"經鉏堂藏板"。
又一部　十二册　善833.7/526

3065
國朝詞雅二十四卷
(清)姚階輯
清嘉慶三年(1798)刻本
八册
十行二十一字,黑口,左右雙邊。鈐"海豐吳氏石蓮闇"等印。　善6577

3066
薇省詞鈔不分卷
(清)況周頤輯
稿本
六册
十行二十一字,小字雙行同,無格。鈐"陸韜經眼"印。　善833.7/735

別集

3067
小山詞一卷
(宋)晏幾道撰
明崇禎間毛氏汲古閣刻《宋名家詞》本
一册
八行十八字,白口,左右雙邊。版心下鎸"汲古閣"印。　善845.14/467

3068
琴趣外篇六卷
(宋)晁補之撰
明崇禎間毛氏汲古閣刻《宋名家詞》本
二册
八行十八字,白口,左右雙邊。版心下鎸"汲古閣"。鈐"李氏藏書畫印"、"瑞熙讀過"印。
善 845.14/470-02

3069
盤洲詞三卷
(宋)洪適撰
清抄本
一册
十行二十四字,無格。鈐"馮雄印"、"南通馮氏景岫樓藏書"印。 善 845.22/720-9

3070
白石道人歌曲六卷别集一卷
(宋)姜夔撰
清乾隆十四年(1749)張奕樞松林讀書堂刻本
一册
十一行十九字,黑口,左右雙邊。鈐"夷初"、"白石詞"、"天馬山房藏書印"印。 善 2912

3071
陳忠裕詩餘不分卷
(明)陳子龍撰
清王鵬運抄本
一册
十行二十一字,無格。鈐"南通馮氏景岫樓藏書"印。 善 846.9/379-3

3072
拙政園詩餘三卷
(清)徐燦撰
清乾隆間吳騫刻本
二册
九行十七字,黑口,左右雙邊。封面鎸"耕烟館藏板"。卷末鎸"褚堂芹香齋刊"。鈐"天馬山房藏書印"、"夷初"印。 善 3024

3073
棠村詞一卷
(清)梁清標撰
清康熙十二年(1673)梁允植刻本
四册
十行十九字,黑口,四周雙邊。鈐"蟫隱廬所得善本"、"天馬山房藏書"、"天馬山房藏書印"、"馬叙倫印"諸印。 善 3303

3074
扶荔詞三卷别錄一卷
(清)丁澎撰
清康熙間丁辰槃刻本
四册
九行二十一字,小字雙行同,白口,左右雙邊。鈐"南海譚氏所藏"、"汛鑒"印。 善 3613

3075
栖香閣詞二卷
(清)顧文婉撰
清道光四年(1824)李氏聞妙香室刻本
一册
十一行十九字,黑口,左右雙邊。封面鎸"山陽李氏聞妙香室校刊"。卷末鎸"忠孝堂藏板"。鈐"杜氏珍藏"、"天馬山房藏書記"、"夷初"、"石屋"諸印。 善 3193

3076
珂雪詞二卷補遺一卷
(清)曹貞吉撰
清康熙間刻本
一册
十行二十一字,小字雙行同,白口,左右雙邊。鈐"天馬山房藏書"、"香圃私記"等印。 善 3206

3077
湘瑟詞四卷
(清)錢芳標撰
清抄本
四册
十一行二十一字,無格。鈐"南海譚氏"、"祖任之印"印。
附校勘記便箋六頁 善 3662

3078
蓼花詞一卷
(清)余光耿撰
清康熙間刻本　(清)蔣雍植跋
二册
十行十九字,黑口,四周單邊。鈐"天馬山房藏書印"、"夷初"印。 善 3254

3079
飲水詞一卷
(清)成德撰

清道光二十六年(1846)金粱外史刻本　佚名墨筆批注
一册
八行十九字,竹册式,白口,四周單邊。鈐"王繩長物"、"王氏叔子"、"筱延"、"天馬山房藏書印"諸印。　善3161

3080
清濤詞二卷
(清)孔傳鋕撰
清康熙四十五年(1706)刻本
四册
九行十九字,小字雙行同,白口,左右雙邊。鈐"夷初"印。　善3289

3081
譬山詞四卷
(清)張四科撰
清乾隆間刻本
一册
十行二十字,白口,左右雙邊。鈐"荃孫"、"雲輪閣"印。　善3402

3082
種芸仙館詞二卷
(清)馮登府撰
清道光六年(1826)刻本
一册
十一行二十三字,黑口,左右雙邊。鈐"天馬山房藏書"、"天馬山房藏書印"印。　善3202

3083
拜石詞一卷
(清)朱駿聲撰
清抄本　佚名朱筆校
一册
九行二十字,無格。鈐"馬叙倫印"、"天馬山房藏書印"印。　善3237

3084
銀藤花館詞四卷
(清)戴延介撰
清嘉慶十三年(1808)綠華樓刻本
二册
十一行十九字,白口,左右雙邊。鈐"石屋"、"夷初"、"天馬山房藏書印"印。　善3147

3085
寶晉磚室詞集三卷
(清)周樽元撰
清嘉慶十三年(1808)刻本
一册
十一行二十三字,黑口,左右雙邊。卷末鎸"粵東省城西湖街政堂承接"。鈐"文泉"、"天馬山房藏書印"印。
子目:
湘夢詞一卷
花間樓詞一卷
清真詞一卷　善3190

3086
二波軒詞選三卷
(清)王嘉福撰
清道光十四年(1834)刻本　(清)汪鐘霖、王仁俊、馬叙倫題識
三册
十行二十一字,白口,左右雙邊。鈐"靈鶼閣"、"蕭江書庫"、"書窟"、"大清光緒十二年十二月朔三十日書窟弟子江標像敬造長恩像一區碩鼠不敢嚙蟲魚不生永充供養"、"江標像"、"王氏籀鄦詅藏書記"、"王筱雲珍藏書畫記"、"靈鶼藏書"、"幹臣"、"王仁俊印"、"清陰堂"、"鍾霖眼福"、"夷初"、"天馬山房藏書記"、"馬叙倫印"印。　善3222

3087
潑墨軒詞不分卷
(清)戴鑑撰
稿本
一册
八行十九字,無格。前有嘉慶二十二年(1817)許夔臣等序。　善3290

3088
金粱夢月詞二卷懷夢詞一卷
(清)周之琦撰
清杭州愛日軒陸貞一刻本
二册
十行二十一字,白口,左右雙邊。
善847.6/818-1

3089
養默山房詩餘三卷
(清)謝元淮撰
清道光二十四年(1844)刻朱墨套印本
四册

六行十五字，白口，四周雙邊。

子目：

填詞淺説一卷

海天秋角詞一卷

碎金詞一卷　善 847.5/616

3090

存審軒詞二卷

(清)周濟撰

清抄本　邵章批校並跋

一册

十一行二十一字，無格。鈐"天馬山房藏書印"、"馬叙倫印"、"夷初"印。　善 3227

3091

思賢閣詩草二卷

(清)丁履恒撰

清抄本

一册

八行二十四字，無格。鈐"藝風堂藏書"、"天馬山房藏書印"、"夷初"諸印。　善 3281

3092

紅蕪詞鈔一卷

(清)鍾毓奇撰

抄本

一册

九行二十一字，無格。鈐"一半是空中傳恨"、"叔房"印。　善 2532

3093

聽楓詞不分卷

(清)陳鍾岳撰

松霞閣抄本　佚名墨筆批校

三册

八行二十二字，紅格，版心上印"含英咀華"。版心下印"松霞閣"。　善 847.8/385

3094

湘絃離恨譜一卷

張祖同撰

抄本　佚名墨筆校

一册

九行二十一字，無格。鈐"天馬山房藏書印"、"馬叙倫印"、"夷初"諸印。　善 3226

3095

聚學軒詞稿錄□卷(存三卷)

劉世珩撰

謄清本

一册

八行。十六字，小字雙行同，無格。鈐"聚卿長樂"、"天馬山房藏書印"、"石屋"、"夷初"諸印。

善 3053

3096

小居竹軒詞稿二卷

成沂撰

稿本

二册

八行十八字，竹册式。版心下鎸"小居竹軒"。鈐"成沂印信"、"成古頑"、"忍把浮名换了淺斟低唱"、"成沂"、"保庵"、"之青詞章金石"、"成之青書畫詩詞之章"印。　善 848/339

詞話

3097

楊升菴詞品四卷

(明)楊慎撰

王弇州詞譯一卷曲藻一卷

(明)王世貞撰

明刻本

二册

九行二十字，白口，左右雙邊。鈐"夢雨湖莊珍賞"、"氣象萬千"印。　善 823.1/271

3098

詞苑叢談十二卷

(清)徐釚撰

清康熙二十七年(1688)刻寶翰樓印本

六册

九行二十字，小字雙行同，白口，左右雙邊。封面鎸"寶翰樓藏板"。　善 823.1/954-02

詞譜詞韻

3099

記紅集四卷詞韻簡一卷

(清)吳綺　程洪輯

清康熙二十五年(1686)刻本

二册

九行二十字，白口，四周雙邊。　善 833/441

3100

詞律二十卷

(清)萬樹撰

清康熙二十六年(1687)萬樹堆絮園刻保滋堂印本
十册
七行二十一字,白口,左右雙邊。版心下鎸"堆絮園"。封面鎸"保滋堂藏板"。鈐"渭東"、"顧錫泰印"、"飛華人硯田"、"錫泰"諸印。
又一部　六册　鈐"古今須臾四海一瞬"、"慈谿畊餘樓藏"印。　善 833/522-04

3101
詞譜四十卷
(清)王奕清等撰
清康熙五十四年(1715)内府刻朱墨套印本
三十六册
八行二十一字,小字雙行同,白口,四周雙邊。鈐"王懋宣"、"張道彭"、"張元天"、"桑園珍藏"、"我是玉皇香案吏"印。(與《曲譜》十二卷同函)。　善 833/117-03

3102
詞鏡平仄圖譜三卷
(清)賴以邠撰　(清)查繼超輯
清乾隆四十八年(1783)古閩林栖梧軒刻朱墨套印本
四册
白口,四周單邊。　善 823.1/132

3103
詞槩二十四卷逸調備考一卷宋樂類編一卷宫譜錄要一卷詞旨叢説一卷調名彙辨一卷
(清)秦巘輯
稿本
二十三册
鈐"南樵"、"符子讀過"、"振藩流覽所有"印。　善 823.1/102

3104
詞學辨體式二卷
(清)吕德本撰
清乾隆三十一年(1766)刻本
二册
八行二十二字,白口,四周雙邊。封面鎸"存正堂藏板"印。鈐"小萬卷樓主人"、"陶嘉月軒"、"靖廷"印。　善 18657

3105
榕園詞韻不分卷發凡一卷
(清)吳寧撰
清乾隆四十九年(1784)冬青山館刻本
四册
八行十八字,黑口,左右雙邊。封面鎸"冬青山館藏板"。　善 9826

曲類

雜劇

3106
元曲選十集一百卷
(明)臧懋循編
論曲一卷
(明)陶宗儀等撰
元曲論一卷
明萬曆間刻本
八十册
九行二十字,白口,左右雙邊。有圖。鈐"吳興劉氏嘉業堂藏書記"印。　善 855.5/923-07

3107
三先生合評元本北西廂五卷
(元)王德信　關漢卿撰　(明)湯顯祖　李贄　徐渭評
明刻本
四册
九行二十字,白口,左右雙邊。有圖。眉上鎸評。鈐"新宋程式"、"怡齋所遇善本重加整理之記"、"怡齋過眼"印。　善 855.6/120-06

3108
貫華堂註釋第六才子書六卷
(元)王德信　關漢卿撰　(清)金人瑞評　(清)鄭汝寧音義
六才子書制藝一卷
清雍正間遠來齋刻本
六册
十行約二十八字,白口,四周單邊。有圖。各卷首頁版心下鎸"遠來齋"。鈐"沈氏可墙"、"周溶"等印。　善 855.6/120-08

3109
第六才子書八卷
(元)王德信　關漢卿撰　(清)金人瑞評
才子西厢文一卷
清乾隆五十六年(1791)金閶書業堂刻本

三册

十一行二十四字,小字雙行同,白口,四周單邊。有圖。　善 855.6/120-987-010

3110

西厢記不分卷

(元)王德信撰

清道光二年(1822)秀琨刻本

四册

十行二十一字,黑口,四周雙邊。卷末鎸"羊城西湖街簡書齋刊刻"印。　善 855.6/120-437

3111

誠齋雜劇三種三卷

(明)朱有燉撰

抄本　佚名朱筆校注

一册

十行二十字,無格。

子目:

劉盼春守志香囊怨一卷

清河縣繼母大賢一卷

趙貞姬身後團圓夢一卷　善 855.608/829

3112

四聲猿四卷

(明)徐渭撰

明萬曆間延閣刻本

一册

九行二十字,白口,四周單邊。有圖。版心下鎸"延閣"。鈐"文彬印"、"秋屏"印。

善 855.6/952-03

3113

雅趣藏書一卷

(清)錢書撰

清康熙四十二年(1703)刻朱墨套印本

一册

九行二十五字,白口,四周單邊。封面鎸"崇文堂藏板"。有圖。鈐"天緣奇遇"、"驚艷"、"龍鳳精神"印。　善 855.6/120-927

3114

續離騷四卷

(清)嵇永仁撰

清刻本

一册

九行十九字,黑口,左右雙邊。鈐"泊生藏書之章"印。　善 855.6/783-8

3115

吟風閣四卷

(清)楊潮觀撰

清嘉慶二十五年(1820)屋外山房刻本

四册

九行十九字,黑口,四周雙邊。鈐"博宜州"印。　善 855.5/272

3116

蕩婦秋思一卷葬花一卷

(清)孔昭虔撰

抄本

一册

九行二十一字,無格。鈐"特工模寫"、"閑情冷醉"、"黄梅石谷風藏書印"等印。　善 855.5/370

3117

紅樓夢散套十六卷

(清)吳鎬撰

清嘉慶間蟾波閣刻本

四册

八行十九字,譜六行十七字,白口,左右雙邊。有圖。版心下鎸"蟾波閣"。目錄後鎸"太倉張浩三鎸"。鈐"淞南秋頻氏"、"樹五藏書"、"耕石齋藏"、"淞南秋濱氏珍藏"、"人淡如菊"、"一塵不染"、"天墜沙鷗"、"曾經百眼"、"秋河人影清滄"、"我念梅花花念我"、"人比梅花瘦"、"一莊水竹數房書"、"念菩提"、"只將松菊比知己久與芝蘭結素心"等印。　善 855.4/503

3118

補天石傳奇八卷

(清)周樂清撰

清道光十年(1830)静遠草堂刻本

八册

六行十六字,白口,四周雙邊,無直格。有圖。眉上鎸評。封面鎸"静遠草堂藏板"。鈐"孤鴻和尚"、"納哈塔氏"等印。

又一部　四册　善 855.6/708

傳奇

3119

墨憨齋定本十種傳奇二十卷(存四種八卷)

(明)馮夢龍輯

明末刻清印本

八册

八行二十一字,小字雙行同,白口,左右雙邊。眉上鎸評。鈐"益丞甫印"印。

子目:

墨憨齋重定雙雄傳奇二卷　(明)馮夢龍撰

墨憨齋訂定萬事足傳奇二卷　(明)馮夢龍撰

墨憨齋重定夢磊傳奇二卷　(明)史槃撰　(明)馮夢龍定

墨憨齋新定灑雪堂傳奇二卷　(明)梅孝己撰　(明)馮夢龍定　善855.608/769

3120

琵琶記四卷

(元)高明撰

附錄一卷

明凌濛初刻朱墨套印本

四册

八行十八字,白口,四周單邊。有圖。跋首頁版心鎸"鄭聖卿鎸"。　善855.6/643-08

3121

鏡香園毛聲山評第七才子書十二卷首一卷

(元)高明撰　(清)毛宗崗評

清刻本

十二册

九行二十二字,小字雙行同,白口,四周單邊。　善855.6/643-06

3122

玉茗堂四種傳奇八卷

(明)湯顯祖撰　(明)臧懋循訂

明萬曆間刻清乾隆二十六年(1761)吳郡書業堂重修本

八册

九行十九字,白口,左右雙邊。有圖。眉欄鎸評。鈐"章馨吾"、"章氏馨吾珍藏"印。

子目:

還魂記二卷

紫釵記二卷

邯鄲記二卷

南柯記二卷　善855.608/736

3123

牡丹亭還魂記二卷

(明)湯顯祖撰

明末刻清懷德堂印本

四册

十行二十二字,小字雙行同,白口,四周單邊間有左右雙邊。封面鎸"懷德堂藏板"。　善855.6/736-010

3124

玉茗堂還魂記二卷

(明)湯顯祖撰

清乾隆五十年(1785)冰絲館刻本

六册

九行二十字,白口,四周單邊。有圖。眉上鎸評。版心鎸"冰絲館"。　善855.6/736-06

3125

東郭記二卷

(明)孫鍾齡撰

明末刻本

二册

十行二十字,白口,四周單邊。眉上鎸評。

此本與《古本戲曲叢刊》所用底本同版。　善855.6/367-03

3126

懷遠堂批點燕子箋二卷

(明)阮大鋮撰

明刻本

二册

九行二十四字,白口,四周雙邊。目錄題"雪豹堂批點燕子箋記"。有圖。眉上鎸評。鈐"文翰樓圖書"、"又曰心波"、"中正不二"、"徐江一字深濤"、"賓傳"印。

此本與《古本戲曲叢刊》所用底本同版。　善855.6/375-2-02

3127

療妬羹記二卷

(明)吳炳撰

明末刻本

二册

九行二十字,白口,四周單邊。眉上鎸評。

此本與《古本戲曲叢刊》所用底本同版。　善855.6/440

3128

秣陵春傳奇二卷

(清)吳偉業撰

清初刻乾隆五十九年(1794)重修本

二册

九行十九字,白口,左右雙邊。鈐"蘋鄉文氏舟虛鑒藏"、"思簡樓"印。　善855.6/441-8

3129

笠翁傳奇十二種曲二十四卷

清大知堂刻經術堂印巾箱本

十二册

九行十八字，白口，左右雙邊。

子目：

憐香伴傳奇二卷　(清)李漁撰

風箏誤傳奇二卷　(清)李漁撰

意中緣傳奇二卷　(清)李漁撰

蜃中樓傳奇二卷　(清)李漁撰

凰求鳳傳奇二卷　(清)李漁撰

奈何天傳奇二卷　(清)李漁撰

比目魚傳奇二卷　(清)李漁撰

玉搔頭傳奇二卷　(清)李漁撰

巧團圓傳奇二卷　(清)李漁撰

慎鸞交傳奇二卷　(清)李漁撰

邯鄲夢傳奇二卷　(明)湯顯祖撰

南柯記傳奇二卷　(明)湯顯祖撰

善 855.608/292－8

3130

墨憨齋訂定人獸關傳奇二卷

(清)李玉撰

清乾隆間寶研齋刻《一笠菴四種曲》本

二册

八行二十一字，小字雙行同，白口，左右雙邊。

善 855.6/286－94

3131

揚州夢二卷

(清)嵇永仁撰

清康熙間葭秋堂刻本

二册

九行十九字，黑口，左右雙邊。　善 855.6/783

3132

桃花扇傳奇二卷

(清)孔尚任撰

清西園刻本

四册

十行十九字，白口，四周單邊。眉欄鐫評。封面鐫"西園梓行"。鈐"藤花館主珍藏"、"會稽山陰人"等印。　善 855.6/370－09

3133

容居堂三種曲六卷

(清)周穉廉撰

清書帶草堂刻本

六册

九行二十字，白口，四周單邊。有圖。封面鐫"書帶草堂梓"。鈐"曲癡珍藏"、"城北曲癡藏章"印。

子目：

珊瑚玦傳奇二卷

新編元寶媒傳奇二卷

雙忠廟傳奇二卷　善 855.608/820

3134

惺齋新曲六種十三卷

(清)夏綸撰

清乾隆十八年(1753)夏氏世光堂刻本

十二册

十行二十字，白口，四周單邊。版心下鐫"世光堂"。眉欄鐫評。

子目：

無瑕璧傳奇二卷

杏花村傳奇二卷

瑞筠圖傳奇二卷

廣寒梯傳奇二卷補一卷

南陽樂傳奇二卷

花萼吟傳奇二卷　善 855.608/348

3135

玉燕堂四種曲八卷(存二種四卷)

(清)張堅撰

清乾隆間刻本

六册

十行二十字，白口，四周單邊。眉欄鐫評。

子目：

夢中緣二卷

梅花簪二卷　善 855.608/309

3136

旗亭記二卷

(清)金兆燕撰

清乾隆間刻本

四册

十行二十一字，白口，四周單邊。眉上鐫評。

善 855.6/518

3137

石榴記傳奇四卷

(清)黄振撰

清乾隆三十七年(1772)柴灣村舍刻本

四册

九行十九字,白口,四周雙邊。眉上鎸評。版心下鎸"柴灣村舍"。鈐"蘇州緑蔭堂鑒記精造書籍章"印。　善855.6/165

3138

紅雪樓九種曲十三卷

(清)蔣士銓撰

清乾隆間蔣氏紅雪樓刻本

十册

九行二十二字,小字雙行同,白口,四周單邊。眉上鎸評。封面鎸"紅雪樓藏板"。

是書又名《清音外集》。

子目:

冬青樹一卷

雪中人一卷

四弦秋(一名青衫泪)一卷

一片石一卷

第二碑(一名后一片石)一卷

香祖樓二卷

空谷香傳奇二卷

桂林霜(一名賜衣記)二卷

臨川夢二卷

又一部　八册

又一部　十二册　善855.608/526-03

3139

芝龕記六卷

(清)董榕撰

清乾隆十六年(1751)刻本

四册

十行十九字,小字雙行同,黑口,四周單邊。眉上鎸評。　善855.6/541

3140

義貞記二卷

(清)吴恒宣撰

清乾隆四十三年(1778)鋤月山房刻本

二册

十行二十字,白口,四周單邊。版心下鎸"鋤月山房"。　善855.6/439

3141

鶴歸來傳奇二卷

(清)瞿頡撰

清刻本

四册

九行二十四字,白口,左右雙邊。眉上鎸評。　善855.6/476

3142

一斛珠二卷

(清)程枚撰

清乾隆五十九年(1794)刻本

四册

九行二十字,白口,左右雙邊。　善855.6/786

3143

回春夢二卷

(清)顧森撰

清道光三十年(1850)三鱣堂刻本

二册

九行二十字,下黑口,四周雙邊。眉上鎸評。封面鎸"三鱣堂藏板"。　善855.6/960

3144

紅樓夢傳奇八卷

(清)陳鍾麟撰

清道光十五年(1835)汗青齋刻本

八册

九行十九字,下黑口,左右雙邊。眉上鎸評。卷末鎸"粤東省城西湖街汗青齋承刊"印。　善855.6/385

3145

三星圓初集二卷二集二卷三集二卷

(清)王懋昭撰

清嘉慶十五年(1810)刻本

六册

九行二十字,白口,四周雙邊。版心下鎸"踵武堂書"印。有圖。眉上鎸評。封面鎸"鄉嬛書屋藏板"。　善855.6/113.2

3146

桃花扇傳奇後序詳註四卷

(清)吴穆撰

清嘉慶二十一年(1816)刻本

四册

八行二十四字,白口,左右雙邊。鈐"程氏六子所藏"印。　善855.6/370-441

3147

茗雪山房二種曲四卷

(清)彭劍南撰

清道光六年(1826)茗雪山房刻本

六册

九行二十二字,白口,左右雙邊。

子目:

影梅菴傳奇二卷

香畹樓二卷

又一部　四册　　善 855.6/185

3148

紅樓夢佳話不分卷

(清)周宜撰

清道光六年(1826)趙麟趾抄本　(清)趙麟趾跋

二册

六行字不等,無格。鈐"麟趾珍藏"、"貴陽趙氏壽華軒藏"印。　　善 855.6/818

3149

錯中錯二卷

(清)周道昌撰

清道光九年(1829)懷清堂刻本

四册

十行二十二字,白口,四周雙邊。眉上鐫評。封面鐫"懷清堂藏板"。鈐"泊生藏書之章"印。

善 855.6/848

3150

譜定紅香傳不分卷

題(清)雲卧山人撰

抄本

二册

九行二十字,無格。　　善 855.6/333.2

3151

雙義緣傳奇不分卷

清抄本

六册

九行十九至三十字,無格。鈐"我也逢場作戲莫相疑"印。　　善 855.6/917

3152

瓦崗寨一卷

抄本

一册

八行二十字,無格。　　善 855.6/351

散曲

3153

新鐫古今大雅北宫詞紀六卷

(明)陳所聞輯

明萬曆三十二年(1604)陳氏繼志齋刻本

四册

十行二十字,白口,四周單邊。眉欄鐫注。(與《新鐫古今大雅南宫詞紀》六卷合函)。

又一部　六册

又一部　八册　　善 853.2/385

3154

新鐫古今大雅南宫詞紀六卷

(明)陳所聞輯

明萬曆三十三年(1605)陳氏繼志齋刻本

十二册

十行二十字,白口,四周單邊。眉欄鐫注。(與《新鐫古今大雅北宫詞紀》六卷合函)

善 853.2/385

3155

白雪齋選訂樂府吴騷合編四卷衡曲麈譚一卷

(明)張楚叔　張旭初輯

曲律一卷

(明)魏良輔撰

明崇禎十年(1837)張師齡刻本

八册

九行二十字,白口,四周單邊。有圖。有刻工。鈐"松石居澹菴印"、"吴宗孝印"印。

善 853/307

俗曲

3156

擊筑餘音一卷

(清)熊開元撰

清抄本

一册

八行二十字,無格。鈐"王樹"、"陶齋鑒藏書畫"印。　　善 846.9/856

3157

霓裳續譜八卷

(清)王廷紹輯

清乾隆六十年(1795)集賢堂刻本

六册

十行二十字,白口,四周單邊。封面鐫"集賢堂梓"。鈐"劉子賢印"印。　　善 853/119

3158

齊人夢鼓詞不分卷

題(清)嘯傲主人撰

稿本

六册

十行約二十字,紅格,四周雙邊。

善 858.4/427

彈詞

3159

廿一史彈詞註十卷

(清)楊慎撰　(清)張三異增定　(清)張仲璜注

明紀彈詞註一卷

(清)張三異撰

清康熙五十一年(1712)樹玉堂刻本

八册

九行二十四字,小字雙行同,黑口,四周單邊。眉欄鎸評。封面鎸"樹玉堂藏板"。鈐"果親王府圖書記"印。　善 857.5/272-2-02

3160

義俠好逑傳不分卷

明崇禎四年(1631)王承德堂抄本

一册

七行字不等,無格。　善 858.5/758

3161

子虛記四十四回

抄本

四十四册。　善 857.5/357

3162

青石山十卷三十回

清抄本

十册

八行字不等,無格。　善 858.4/125

3163

果報録十卷一百回

(清)海蘭濤撰

清抄本

十册

九行字不等,無格。　善 857.5/752.4

3164

新刻雙玉鐲初集十五卷後集十卷

清乾隆三十二年(1767)刻本

八册

十二行二十八字,白口,四周單邊。

善 857.5/916.8

3165

後唐誌續集十卷

清抄本

十册

八行二十一字,無格。　善 857.5/945.6

3166

晝錦堂記十六卷

抄本

八册

十二行二十一字,無格。　善 857.5/323

3167

玉鴛鴦全傳六卷

清咸豐五年(1855)惜陰主人抄本

六册

八行二十一字,無格。鈐"不勤士印"印。

善 858.4/121-02

3168

金魚緣二十卷

(清)鈕德英撰

抄本

二十册

十行二十七字左右,無格。　善 857.5/926

3169

玉如意不分卷

抄本

四册

八行字不等,無格。　善 857.5/121.9

寶卷

3170

古今寶卷彙集

鵝湖散人編

抄本

七十二册

子目:

財神寶卷一卷

竈皇寶卷一卷

家堂寶卷一卷

六神寶卷一卷

五聖家堂寶卷一卷

桃花寶卷一卷

蝴蝶夢寶卷一卷

沉香寶卷一卷

買臣寶卷一卷

琵琶寶卷一卷

精孝寶卷一卷
雌雄盞寶卷一卷
神光求道寶卷一卷
洛陽受生寶卷一卷
百鳥圖寶卷一卷
雕龍扇寶卷一卷
白兔記寶卷一卷
猛將寶卷一卷
天仙寶卷一卷
貞節寶卷一卷
西瓜寶卷一卷
巾帕寶卷一卷
延壽寶卷一卷
雙金花寶卷一卷
白羅衫寶卷一卷
絲絛寶卷一卷
長生寶卷一卷
白鶴圖寶卷一卷
雙印寶卷一卷
金鐲寶卷一卷
遊龍寶卷一卷
惻隱寶卷一卷
玉玦寶卷一卷
四喜寶卷一卷
雙珠鳳寶卷一卷
白玉燕寶卷一卷
蘭香閣寶卷一卷
麒麟豹寶卷一卷
金達寶卷一卷
女延壽寶卷一卷
百花莊寶卷一卷
碧玉簪寶卷一卷
昆仲寶卷一卷
山陽縣寶卷一卷
惡婦變驢寶卷一卷
河東獅吼寶卷一卷
長毛寶卷一卷
結緣寶卷一卷　　善 858.508/808

曲選

3171

新刻出像點板時尚崑腔雜曲醉怡情八卷

題青溪菰蘆釣叟輯

清初古吳致和堂刻本

八册

九行二十二字,白口,四周單邊。有圖。封面鐫"古吳致和堂梓"。鈐"王泊生"、"泊生藏書之章"印。　　善 855.608/516

3172

審音鑒古錄不分卷

清刻道光十四年(1834)王繼善修補本

八册

十行二十四字,白口,四周雙邊。有圖。眉上鐫評。　　善 853.2/703

曲譜曲律

3173

增訂南九宫曲譜二十一卷附錄一卷

(明)沈璟撰

清抄本

四册

八行二十字,無格。鈐"鄒國彬印"印。

善 853.2/740-02

3174

嘯餘譜十一卷

(明)程明善輯

明萬曆四十七年(1619)刻本

二十四册

九行二十字,白口,四周單邊。

善 853.2/788

3175

曲譜十二卷首一卷末一卷

(清)王奕清撰

清康熙間内府刻朱墨套印本

十二册

八行二十一字,白口,四周雙邊。開化紙印。(與《詞譜》四十卷合函)　　善 833/117-03

3176

新定十二律京腔譜十六卷

(清)王正祥撰

清康熙二十三年(1684)停雲室刻本

六册

八行二十字,小字雙行同,白口,四周雙邊。版心下鐫"停雲室"。鈐"葉志詵印"、"葉志詵信印"、"葉東鄉閲書記"印。　　善 853.2/113

3177

新定十二律崑腔譜十六卷

(清)王正祥撰

清康熙二十四年(1685)停雲室刻本　有抄配

四册

八行二十字,小字雙行同,白口,四周雙邊。版心下鎸"停雲室"。　善853.2/113-2

3178

新定九宫大成南北宫詞譜八十一卷閏一卷

(清)周祥鈺等輯

清抄本

四十八册

七行十六字,白口,四周雙邊。鈐"何紹基印"印。　善853.2/818-03

3179

新定九宫大成南北宫詞譜八十一卷閏一卷總目三卷

(清)周祥鈺等輯

乾隆十一年(1746)允祿刻朱墨套印本

五十册

七行十六字,白口,四周雙邊。

善853.2/818-02

3180

納書楹曲譜正集四卷續集四卷外集二卷補遺四卷納書楹玉茗堂四夢全譜八卷

(清)葉堂撰

清乾隆五十九年(1794)葉氏納書楹刻本

二十册

六行十八字,白口,四周雙邊。眉上鎸評。

善853.2/504

3181

吟香堂曲譜四卷

(清)馮起鳳撰

清乾隆五十四年(1789)吟香堂刻本

四册

七行十四字,白口,左右雙邊。眉上鎸注。封面鎸"吟香堂藏板"。鈐"文秀堂記"印。

子目:

牡丹亭曲譜二卷

長生殿曲譜二卷　善853.2/767

3182

承軒曲譜四卷

清抄本

四册

三行二十字,無格。　善853.2/359

3183

春雨樓曲譜不分卷

(清)周調元撰

抄本

四册

三行十八字,無格。　善853.2/818.6

小説類

短篇

3184

今古奇觀四十卷

題(明)抱甕老人輯

明末同文堂刻本

十六册

十二行二十七字,白口,四周單邊。有圖。版心下鎸"同文堂"。　善857.4/301-06

3185

石點頭十四卷

題(明)天然癡叟撰　(明)馮夢龍評

清刻本

六册

十一行二十二字,白口,四周單邊。

善857.41/130-03

3186

拍案驚奇三十六卷

(明)凌濛初撰

清消閒居刻本

十册

十二行二十五字,白口,四周單邊。封面鎸"消閒居梓行"。　善857.41/765-03

3187

龍圖公案八卷

清初刻本

六册

十二行二十六字,白口,四周單邊。有圖。

善857.2/658-03

3188

柳崖外編八卷

(清)徐昆撰

清乾隆五十八年(1793)刻本

四册

九行二十字,白口,左右雙邊。封面鎸"貯書樓存板"。鈐"石守常藏書印"印。

善 857.1/949-02

長篇

3189

精訂綱鑑廿一史通俗衍義二十六卷四十四回

(清)呂撫撰

清雍正間活字印本

十册

十行二十二字,白口,四周單邊。有圖。前有雍正十年(1732)呂作肅序。鈐"緣書山館馬氏家藏"、"希百"、"古閩馬氏"諸印。

善 857.4/445-4-02

3190

李卓吾先生批評三國志真本一百二十回

(明)羅本撰 (明)李贄評

清初刻本 有補配

三十六册

十行二十二字,白口,無直格,四周單邊。有圖。眉上鎸評。 善 857.4/482-07

3191

四大奇書第一種十九卷一百二十回

(明)羅本撰 (清)毛宗崗評

清初大魁堂刻本

二十二册

十二行二十六字,小字雙行同,白口,四周單邊,有圖。封面鎸"大魁堂藏板"。

善 857.4/482-781-03

3192

新刻按鑑演義京本三國英雄志傳六卷

(明)羅本撰

清道光九年(1829)聚賢山房刻本

十四册

十五行三十二字,白口,四周單邊。有圖。封面鎸"聚賢山房藏板"。序首頁版心下鎸"竹秀山房"。鈐"不肖堂"、"英千里藏"印。

善 857.4/482-014

3193

三國志一百二十回(存圖像一百十四幅)

明刻本

一册 善 857.4/482-015

3194

新鐫批評出像通俗奇俠禪真逸史八集四十回

(明)方汝浩撰(題清溪道人)

清寄暢樓刻本

八册

九行二十二字,白口,四周單邊。封面鎸"寄暢樓藏板"。 善 857.4/786-02

3195

新鐫批評出像通俗演義禪真後史十集六十回

(明)方汝浩撰(題清溪道人)

明末金衙刻本

十二册

九行二十字,白口,四周單邊。有圖。眉上鎸評。鈐"飛華人硯池"、"古照堂"、"觀瀾書屋"印。

善 857.4/786-1

3196

四雪草堂重訂通俗隋唐演義二十卷一百回

(清)褚人獲撰

清康熙間四雪草堂刻本

二十一册

十行二十三字,白口,四周單邊。版心下鎸"四雪草堂"。有圖。鈐"李宗侗藏書"印。

善 857.4/482-3-03

3197

新鐫全像通俗演義隋煬帝艷史八卷四十回

題(明)齊東野人撰 (明)不經先生評

明崇禎間刻本

十四册

九行二十字,白口,四周單邊。鈐"濟水"、"竹遠堂藏"、"范作楫印"諸印。 善 857.4/661-02

3198

新鐫全像通俗演義隋煬帝艷史八卷四十回

題(明)齊東野人撰 (明)不經先生評

明末刻本

十六册

九行二十字,白口,四周單邊。 善 857.4/661

3199

鐫李卓吾批點殘唐五代史演義傳八卷六十四回

(明)羅本撰 (明)李贄評

清初刻本

六册

九行二十字,白口,四周單邊。有圖。

又一部　八册　善 857.4/482－9－03

3200

飛龍傳六十回

(清)吴璿撰

清乾隆間崇德書院刻本

十六册

十行二十字,白口,四周單邊。有圖。封面鎸“崇德書院藏板”。　善 857.4/434.1－02

3201

新鐫楊家府世代忠勇通俗演義八卷

(明)紀振倫校　題(明)烟波釣叟參訂

清初刻本

八册

十行二十二字,白口,四周單邊。有圖。　善 857.4/272－03

3202

第五才子書施耐菴水滸傳七十五卷七十回

(元)施耐菴撰　(清)金人瑞評

明崇禎間貫華堂刻本

三十二册

八行十九字,小字雙行同,白口,左右雙邊。版心下鎸“貫華堂”。　善 857.4/627－987－04

3203

新鐫全像武穆精忠傳八卷

清初映秀堂刻本

八册

十一行二十二字,黑口,四周單邊。眉欄鎸評。有圖。封面鎸“映秀堂藏板”。　善 857.4/103.8

3204

新刻全像三寶太監西洋記通俗演義二十卷一百回

(明)羅懋登撰

明三山道人刻本

二十册

十二行二十五字,白口,左右雙邊或四周雙邊。有圖。　善 857.4/482.2－05

3205

新刻逸田叟女仙外史大奇書一百回

(清)吕熊撰

清康熙五十年(1711)釣璜軒刻本

二十册

十行二十二字,白口,四周單邊。封面鎸“釣璜軒貯板”。　善 857.4/451

3206

鐫于少保萃忠傳十卷七十回

(清)孫高亮撰　(清)沈國元評

抄本

十册

十行二十字,白口,無格。　善 857.4/741.2

3207

海角遺編三十回

清抄本

二册

八行二十五字,無格。鈐“質清四十以后止”、“質清所遇善本暫爲護持”、“怡齋過眼”等印。　善 857.4/752.3

3208

七峰遺編六十回

題(清)七峰樵道人撰

清抄本

一册

九行二十四字,上黑口,黑格,四周單邊。　善 857.4/752.8－02

3209

第一奇書全像金瓶梅一百回

題(明)蘭陵笑笑生撰　(清)張竹坡評

清康熙間刻本

二十四册

十一行二十五字,白口,四周單邊。有圖。　善 857.4/846.214－09

3210

新鐫古本批評繡像三世報隔簾花影四十八回

題(清)四橋居士撰

清刻本

六册

十一行二十四字,白口,左右雙邊。有圖。　善 857.4/376.3

3211

好逑傳四卷十八回

題名教中人編

清獨處軒刻本

四册

十行二十字,白口,四周雙邊。封面鎸“獨處軒藏板“。　善 857.4/852－02

3212

快心編初集五卷十回二集五卷十回三集六卷十二回

題(清)天花才子編　(清)四橋居士評點
清課花書屋刻本
十三册
十行二十二字,白口,四周單邊。鈐"大興本記"。　善 857.4/130 - 02

3213
儒林外史五十六回
(清)吳敬梓撰
清同治八年(1869)羣玉齋活字印本　第十四册系抄配
十四册
九行二十字,白口,四周單邊。
善 857.4/437 - 07

3214
第一奇書野叟曝言二十卷一百五十二回
(清)夏敬渠撰
清光緒七年(1881)毘陵彙珍樓活字印本
二十册
十行二十八字,小字雙行同,白口,左右雙邊。
善 857.4/348

3215
脂硯齋重評石頭記八十回(原闕六十四、六十七回)
(清)曹霑撰題　(清)脂硯齋主人評　陶洙校訂
抄本
十六册
十行約三十字,無格。　善 857.4/141 - 012

3216
紅樓夢一百二十回
(清)曹霑　高鶚撰
清乾隆五十七年(1792)萃文書屋活字印本
二十四册
十行二十四字,白口,四周雙邊或上下雙邊。有圖。封面鎸"萃文書屋"。　善 857.4/141 - 016

3217
紅樓夢一百二十回
(清)曹霑　高鶚撰
清抄本
三十六册
十行二十二字,白口,四周單邊。有圖。鈐"孫氏人和"、"鹽城孫氏"、"孫人和藏書記"諸印。
善 857.4/141 - 011

3218
綺樓重夢四十八回
題(清)蘭皋居士撰
清嘉慶十年(1805)瑞凝堂刻本
十二册
八行二十一字,白口,四周單邊。封面鎸"瑞凝堂藏板"。　善 857.4/141 - 518

3219
忠孝節義二度梅全傳四卷四十回
題(清)惜蔭堂主人編
清抄本
二册
十六行三十六字,白口,四周單邊。
善 857.4/454 - 02

3220
新刻鍾伯敬先生批評封神演義十九卷一百回
(明)陸西星撰　(明)鍾惺評
清康熙間四雪草堂刻本
二十册
十一行二十四字,白口,四周單邊。有圖。版心下鎸"四雪草堂"。
又一部　二十册　善 857.4/680 - 02

3221
新鐫批評出相韓湘子三十回
(明)楊爾曾(題雉衡山人)撰
明天啓間刻金陵九如堂印本
八册
十行二十二字,白口,左右雙邊。有圖。封面鎸"金陵九如堂藏板"。　善 857.4/854

3222
蟫史二十卷
(清)屠紳撰
清庭梅朱氏刻本
十二册
九行二十字,白口,左右雙邊。封面鎸"磊砢山房原本"。有圖。鈐"七寶樓中舊主人"、"胡曉初"、"胡熺"諸印。　善 857.4/319

叢書部

匯編類

3223

百川學海一百種一百七十九卷(存四種六卷)

(宋)左圭編

明弘治十四年(1501)華珵刻本　(清)吳騫校

四册

十二行二十字,白口,左右雙邊。鈐"書帶草堂藏印"、"汲古閣"、"汪士鐘印"、"戴穗孫藏書印"諸印。

子目:

翰林志一卷　(唐)李肇撰

丁晉公談錄一卷

淳熙玉堂雜記三卷　(宋)周必大撰

王文正公筆錄一卷　(宋)王曾撰

善 80/352-03

3224

小四書五卷

(明)朱升編　(清)陸隴其校訂

清雍正十一年(1733)鄒持雅刻本

四册

上欄十八行八字,下欄六行八字,白口,左右雙邊。

子目:

名物蒙求一卷　(宋)方逢辰撰

性理字訓一卷　(宋)程若庸撰

歷代蒙求一卷　(宋)陳櫟撰

史學提要二卷　(宋)黄繼善撰

善 428.1/834

3225

國朝典故六十二種一百十六卷(存二十種四十五卷)

(明)朱當㴐編

明抄本

十六册

十一行二十五字,藍格,白口,四周雙邊。

子目:

革除遺事六卷　(明)黄佐撰

御製官箴一卷

天順日錄一卷　(明)李賢撰

宣宗御製詩一卷　(明)宣宗朱瞻基撰

野記四卷　(明)祝允明撰

宸章集錄一卷　(明)費宏輯

御製大狩龍飛錄二卷　(明)世宗朱厚熜撰

王文恪公筆記一卷　(明)王鏊撰

前聞記一卷　(明)祝允明撰

青溪暇筆二卷　(明)姚福撰

寓圃雜記二卷　(明)王錡撰

病逸漫記一卷　(明)陸釴撰

蓬軒類記四卷　(明)黄暐撰

彭文憲公筆記一卷　(明)彭時撰

菽園雜記十一卷　(明)陸容撰

縣笥瑣探一卷　(明)劉昌撰

瑯琊漫鈔一卷　(明)文林撰

君子堂日詢手鏡二卷　(明)王濟撰

朝鮮紀事一卷　(明)倪謙撰

朝鮮賦一卷　(明)董越撰　　善 13344

3226

范氏奇書□□種□□卷(存三種十四卷)

(明)范欽編

明范氏天一閣刻本

一册

九行十八字,小字雙行同,白口,左右雙邊。有刻工。

子目:

穆天子傳六卷　(晉)郭璞注

廣成子解六卷　題(宋)蘇軾撰

竹書紀年二卷　題(梁)沈約注

善 081.3/538

3227

古今説海一百三十五種一百四十二卷(殘存説纂部二十三卷)

(明)陸楫輯

明嘉靖二十三年(1544)陸氏儼山書院刻本

十册

八行十六字,白口,左右雙邊。版心下鎸"儼山書院"。鈐"楝亭曹氏藏書"、"長白敷槎氏堇齋昌齡圖書印"、"曾藏沈燕謀家"諸印。

子目:

(逸事家)

漢武故事一卷　題(漢)班固撰

艮嶽記一卷　(宋)張淏撰

青溪寇軌一卷　(宋)方勺撰

煬帝海山記一卷　(唐)韓偓撰

煬帝迷樓記一卷　(唐)韓偓撰

煬帝開河記一卷　(唐)韓偓撰

(散録家)

江行雜録一卷　(宋)廖瑩中撰

行營雜録一卷　(宋)趙葵撰

避暑漫抄一卷　(宋)陸游撰

養痾漫筆一卷　(宋)趙溍撰

虚谷閒抄一卷　(宋)方回撰

蓼花洲閒録一卷　(宋)高文虎撰

(雜纂家)

樂府雜録一卷　(唐)段安節撰

教坊記一卷　(唐)崔令欽撰

孔内翰北里誌一卷　(唐)孫棨撰

青樓集一卷　(元)夏廷芝撰

雜纂三卷　(唐)李商隱撰　(宋)王君玉　蘇軾續

損齋備忘録一卷　(明)梅純撰

復辟録一卷　(明)楊暄撰

靖難功臣録一卷　(明)朱當㴐撰

備遺録一卷　(明)張芹撰　(明)姜南續增

善 857.08/625

3228

古今説海一百三十五種一百四十二卷(存説略部三十卷)

(明)陸楫輯

明嘉靖間雲山書院刻本

十册

八行十六字,白口,左右雙邊。版心下鎸"雲山書院"。鈐"沈氏粹芬閣所得善本書"、"研易樓藏書印"印。

子目:

(雜記家)

默記一卷　(宋)王銍撰

宣政雜録一卷　(宋)江萬里撰

靖康朝野僉言一卷

朝野遺紀一卷

墨客揮犀一卷　(宋)彭乘撰

續墨客揮犀一卷　(宋)彭乘撰

聞見雜録一卷　(宋)蘇舜欽撰

山房隨筆一卷　(元)蔣子正撰

諧史一卷　(宋)沈俶撰

昨夢録一卷　(宋)康譽之撰

三朝野史一卷　(元)吴萊撰

鐵圍山叢談一卷　(宋)蔡絛撰

孔氏雜説一卷　(宋)孔平仲撰

瀟湘録一卷　(唐)李隱撰

三水小牘一卷　(唐)皇甫枚撰

談藪一卷　(宋)龐元英撰

清尊録一卷　(宋)廉布撰

睽車志一卷　(宋)陸偉撰

話腴一卷　(宋)陳郁撰

朝野僉載一卷　(唐)張鷟撰

古杭雜記一卷　(元)李有撰

蒙齋筆談一卷　題(宋)鄭景璧撰

文昌雜録一卷　(宋)龐元英撰

就日録一卷

碧湖雜記一卷　(宋)謝枋得撰

錢氏私誌一卷　(宋)錢愐撰

遂昌山樵雜録一卷　(元)鄭元祐撰

高齋漫録一卷　(宋)曾慥撰

桐陰舊話一卷　(宋)韓元吉撰

霏雪録一卷　(明)劉績撰

東園友聞一卷

掛掌録一卷　(元)元懷撰

善 857.08/625.4－02

3229

漢魏叢書三十八種二百五十一卷

(明)程榮編

明萬曆二十年(1592)程榮刻本

二十四册

九行二十字,白口,左右雙邊。鈐"顧芸臺"、"遠香"、"顧曾壽印"、"沈均倉"、"曾藏沈氏積照堂"、"古劍子"、"陶然居秘笈"、"鐵石山房"等印。

子目:

(經籍)

京氏易傳三卷　(漢)京房撰　(吴)陸績注

周易略例一卷　(晉)王弼撰　(唐)邢璹注
古三墳一卷
詩説一卷　(漢)申培撰
韓詩外傳十卷　(漢)韓嬰撰
大戴禮記十三卷　(漢)戴德撰
春秋繁露十七卷　(漢)董仲舒撰
白虎通德論二卷　(漢)班固撰
獨斷二卷　(漢)蔡邕撰
忠經一卷　(漢)馬融撰　(漢)鄭玄注
輶軒使者絶代語釋别國方言十三卷　(漢)揚雄撰　(晉)郭璞解
(史籍)
元經薛氏傳十卷　(隋)王通撰　(唐)薛收傳　(宋)阮逸注
逸周書十卷　(晉)孔晁注
穆天子傳六卷　題(晉)葛洪撰
西京雜記六卷　題(晉)葛洪撰
(子籍)
素書一卷　(漢)黄石公撰　(宋)張商英注
新語二卷　(漢)陸賈撰
趙飛燕外傳一卷　題(漢)伶玄撰
新序十卷　(漢)劉向撰
説苑二十卷　(漢)劉向撰
法言十卷　(漢)揚雄撰
孔叢子三卷　(漢)孔鮒撰
新書十卷附録一卷　(漢)賈誼撰
潛夫論十卷　(漢)王符撰
申鑒五卷　(漢)荀悦撰　(明)黄省曾注
中論二卷　(漢)徐幹撰
顔氏家訓二卷　(北齊)顔之推撰
商子五卷
人物志三卷　(魏)劉邵撰　(西涼)劉昞注
風俗通義十卷　(漢)應劭撰
劉子新論十卷　(北齊)劉晝撰　(唐)袁孝政注
神異經一卷　題(漢)東方朔撰
别國洞冥記四卷　題(漢)郭憲撰
述異記二卷　(梁)任昉撰
王子年拾遺記十卷　(前秦)王嘉撰　(梁)蕭綺録
通占大象曆星經二卷　(漢)甘公　石申撰
古今刀劍録一卷　題(梁)陶弘景撰
論衡三十卷　(漢)王充撰

3230

增定古今逸史五十五種二百二十三卷

(明)吳琯編

明吳琯刻本

四十册

十行二十字,小字雙行同,白口,左右雙邊。

子目:

(逸志)

(合志)

輶軒使者絶代語釋别國方言十三卷　(漢)揚雄撰　(晉)郭璞撰
釋名八卷　(漢)劉熙撰
白虎通德論二卷　(漢)班固撰
廣雅十卷　(魏)張揖撰　(隋)曹憲音
風俗通義四卷　(漢)應劭撰
小爾雅一卷　題(漢)孔鮒撰　(宋)宋咸注
獨斷一卷　(漢)蔡邕撰
刊誤二卷　(唐)李涪撰
古今注三卷　題(晉)崔豹撰
中華古今注三卷　(後唐)馬縞撰
博物志十卷　題(晉)張華撰　(宋)周日用　(宋)盧□注
續博物志十卷　題(宋)李石撰
拾遺記十卷　(前秦)王嘉撰　(梁)蕭綺録
(分志)
山海經十八卷　(晉)郭璞傳
海内十洲記一卷　題(漢)東方朔撰
吳地記一卷後集一卷　(唐)陸廣微撰
岳陽風土記一卷　(宋)范致明撰
洛陽名園記一卷　(宋)李格非撰
桂海虞衡志一卷　(宋)范成大撰
北邊備對一卷　(宋)程大昌撰
真臘風土記一卷　(元)周達觀撰
三輔黄圖六卷
雍録十卷　(宋)程大昌撰
洛陽伽藍記五卷　(後魏)楊衒之撰
教坊記一卷　(唐)崔令欽撰
樂府雜録一卷　(唐)段安節撰
九經補韻一卷　(宋)楊伯嵒撰
(逸記)
(紀)
三墳一卷

穆天子傳六卷　(晉)郭璞注
竹書紀年二卷　題(梁)沈約注
汲冢周書十卷　(晉)孔晁注
西京雜記六卷　題(晉)葛洪撰
別國洞冥記四卷　題(漢)郭憲撰
漢武故事一卷　題(漢)班固撰
趙后外傳一卷　題(漢)伶玄撰
海山記一卷
迷樓記一卷
開河記一卷
六朝事迹編類二卷　(宋)張敦頤撰
(世家)
晉史乘一卷
楚史檮杌一卷
越絶書十五卷　(漢)袁康撰
吳越春秋六卷　(漢)趙曄撰　(宋)徐天祜音注
華陽國志十二卷　(晉)常璩撰
(列傳)
高士傳三卷　(晉)皇甫謐撰
列仙傳二卷　題(漢)劉向撰
劍俠傳四卷　(唐)段成式撰
神僧傳九卷
本事詩一卷　(唐)孟棨撰
續齊諧記一卷　題(梁)吳均撰
博異記一卷　(唐)谷神子(鄭還古)撰
集異記一卷　(唐)薛用弱撰
遼志一卷　(宋)葉隆禮撰
金志一卷　題(宋)宇文懋昭撰
松漠紀聞一卷　(宋)洪皓撰　善 081.3/434

3231

尚白齋鐫陳眉公訂正祕笈二十一種四十九卷

(明)陳繼儒編

明萬曆三十四年(1606)沈氏尚白齋刻本

二十四册

八行十八字,白口,四周單邊。鈐"楊紹和印"印。

玉照新志六卷　(宋)王明清撰
宋周公謹雲烟過眼錄四卷　(宋)周密撰
雲烟過眼續錄一卷　(元)湯允謨撰
陳眉公重訂學古編一卷　(元)吾丘衍撰
筆疇二卷　(明)王達撰
陳眉公重訂書品一卷　(梁)庾肩吾撰
樂郊私語一卷　(元)姚桐壽撰
清暑筆談一卷　(明)陸樹聲撰
貧士傳二卷　(明)黄姬水撰
焚椒錄一卷　(遼)王鼎撰
陳眉公重訂歸有園麈談一卷　(明)徐學謨撰
娑羅館清言二卷　(明)屠隆撰
續娑羅館清言一卷　(明)屠隆撰
娑羅館逸稿二卷　(明)屠隆撰
冥寥子游二卷　(明)屠隆撰
甲乙剩言一卷　(明)胡應麟撰
新刻陳眉公重訂廣莊一卷　(明)袁宏道撰
陳眉公重訂瓶史一卷　(明)袁宏道撰
寶顏堂訂正偶譚一卷　(明)李鼎撰
陳眉公重訂野客叢書十二卷附錄一卷　(宋)王楙撰
陳眉公考槃餘事四卷　(明)屠隆撰
善 081/385－03

3232

尚白齋鐫陳眉公寶顔堂祕笈十七種四十九卷(存八種二十二卷)

(明)陳繼儒編

明萬曆間沈氏尚白齋刻本

十二册

八行十八字,白口,四周單邊。鈐"明善堂珍藏書畫記"印。

子目:
眉公見聞錄八卷
陳眉公珍珠船四卷
妮古錄四卷
眉公羣碎錄一卷
偃曝談餘二卷
巖棲幽事一卷
枕譚一卷
寶顔堂清明曲一卷　善 081/385－02

3233

寶顔堂祕笈(存十五種二十五卷)

(明)陳繼儒編

明末翻刻沈氏尚白齋本

十二册

八行十八字,白口,四周單邊。

子目:
玉照新志六卷　(宋)王明清撰
寶顔堂訂正荆溪林下偶談四卷　(宋)吳子良

撰
煮泉小品一卷　(明)田藝蘅撰
大學士高中玄公伏戎紀事一卷　(明)高拱撰
刻皇明吳郡丹青志一卷　(明)王穉登撰
寶顏堂訂正畫説一卷　(明)莫是龍撰
寶顏堂訂正次柳氏舊聞一卷　(唐)李德裕撰
寶顏堂訂正谿山餘話一卷　(明)陸深撰
眉公羣碎錄一卷
偃曝談餘二卷
巖棲幽事一卷
枕譚一卷
寶顏堂清明曲一卷
筆疇二卷　(明)王達撰
清暑筆談一卷　(明)陸樹聲撰

善 081/385 - 04

3234

秘書九種六十六卷

(明)鍾惺編

明刻本

二十册

九行十五字,白口,四周單邊。

子目:

韓詩外傳十卷　(漢)韓嬰撰
白虎通德論四卷　(漢)班固撰
風俗通議十卷　(漢)應劭撰
汲冢周書六卷　(晉)孔晁注
天祿閣外史八卷　題(漢)黄憲撰
鹽鐵論十二卷　(漢)桓寬撰
新序十卷　(漢)劉向撰
孔叢四卷　題(漢)孔鮒撰
新語二卷　(漢)陸賈撰　　善 5404

3235

快書五十種五十卷

(明)閔景賢編

明天啓六年(1626)快堂刻本

二十四册

八行十八字,白口,四周單邊。

子目:

秋濤一卷　(明)王聖俞撰
光明藏一卷　(明)倪允昌撰
晉塵一卷　(明)雙清撰
螢燈一卷　題(明)無如子撰
月鏡一卷
譚輅一卷　(明)張鳳翼撰
白雲梯一卷　(明)李何事撰
鶯筵辨一卷　(明)張虞侯撰
鑑古瑣譚一卷　(明)徐以清撰
黄辭一卷　(明)黄俞言撰
綠雪亭雜言一卷　(明)敖英撰
竹窗合筆一卷　(明釋)袾宏撰
雅述一卷　(明)王廷相撰
枕餘一卷　(明)徐汝廉撰
存論一卷　題(明)天臺野人撰
環碧齋小言一卷　(明)祝世祿撰
玉振一卷　(明)昌巖撰
郎川答問一卷　(明)徐常吉撰
頂門針一卷　(明)徐卷石撰
德山暑譚一卷　(明)袁宏道撰
閒情十二憮一卷　(明)蘇士琨撰
鴛鴦譜一卷　(明)衛泳撰
姝聯一卷　(宋)周守忠撰
惑溺供一卷　(明)林□撰
雙門調一卷　(明)鄭元夫撰
含少論略一卷　(明)葛見堯撰
擬易一卷　(明)張武略撰
石桃丙舍草一卷　(明)蔣若椰撰
史遺一卷　(明)丘兆麟撰
書憲一卷　(明)吳季子撰
讀書通一卷　(明)孫伯觀撰
諸子斟淑一卷　(明)朱君復撰
觀老莊影響論一卷　(明)憨山道人(釋德清)撰
測莊一卷　題(明)石人隱士撰
草木子一卷　(明)葉子奇撰
交友觀一卷　(明)吳從先撰
七幅菴一卷　(明)傅遠度撰
九發一卷　(明)支華平撰
錢冒一卷　(明)支華平撰
客齋使令一卷　(明)俞蜜僧撰
雅俗辨一卷　(明)黄孟威撰
書史紀原一卷　(明)夏浸之撰
畫塵一卷　(明)沈灝撰
花案一卷　(明)何仙郎撰
十處士傳一卷　(明)支中夫撰
弈律一卷　(明)王思任撰
五嶽卧遊一卷　(明)俞瞻白撰

文苑四史一卷　(明)鍾泰華撰
法楹一卷　(明)閔景賢輯
才鬼記一卷　(明)梅鼎祚撰

善 089.6/458

3236

津逮祕書十五集一百四十七種七百四十八卷

(明)毛晉編
明崇禎毛氏汲古閣刻本　有抄配
二百四十册

九行十九字,小字雙行同,白口,左右雙邊。版心鐫"汲古閣"。鈐"劉承幹字貞一號翰怡"、"吳興劉氏嘉業堂藏書印"等印。

子目:
(第一集)
詩序辯説一卷　(宋)朱熹撰
詩傳孔氏傳一卷
毛詩草木鳥獸蟲魚疏廣要二卷　(唐)陸璣撰　(明)毛晉參訂
詩説一卷　(漢)申培撰
詩外傳十卷　(漢)韓嬰撰
詩攷一卷　(宋)王應麟撰
詩地理攷六卷　(宋)王應麟撰
爾雅三卷　(宋)鄭樵注
(第二集)
京氏易傳三卷　題(漢)京房撰　(吳)陸績注
關氏易傳一卷　(北魏)關朗撰　(唐)趙蕤注
蘇氏易傳九卷　(宋)蘇軾撰
焦氏易林四卷　(漢)焦延壽撰
周易集解十七卷　(唐)李鼎祚撰
經典釋文一卷　(唐)陸德明撰
周易集解略例一卷　(魏)王弼撰　(唐)邢璹注
周易舉正三卷　(唐)郭京撰
元包數總義二卷　(宋)張行成撰
元包經傳五卷　(北周)衛元嵩撰　(唐)蘇源明傳　(唐)李江注
麻衣道者正易心法一卷
(第三集)
通鑑地理通釋十四卷　(宋)王應麟撰
通鑑問疑一卷　(宋)劉羲仲撰
小學紺珠十卷　(宋)王應麟撰
齊民要術十卷雜説一卷　(北魏)賈思勰撰
急就篇四卷　(漢)史游撰　(唐)顔師古注　(宋)王應麟音釋
漢制攷四卷　(宋)王應麟撰
(第四集)
佛説四十二章經一卷　(漢釋)迦葉摩騰　(漢釋)竺法蘭譯　(宋釋)守遂注
道德指歸論六卷　(漢)嚴遵撰
青烏先生葬經一卷　題(漢)青烏子撰　(金)兀欽仄注
葬圖一卷
古本葬經内篇一卷　(晉)兀欽仄注
葬經翼一卷　(明)繆希雍撰
難解二十四篇一卷
周髀算經二卷　(漢)趙爽注　(北周)甄鸞述　(唐)李淳風等注釋
周髀音義一卷　(宋)李籍撰
數術記遺一卷　(漢)徐岳撰　(北周)甄鸞注
古文参同契集解一卷箋注集解一卷　(漢)魏伯陽撰　(明)蔣一彪輯
三相類集解二卷　(漢)淳于叔通補遺　(明)蔣一彪輯
黄帝授三子玄女經一卷
丸經二卷
通占大象曆星經二卷
忠經一卷　(漢)馬融撰　鄭玄注
黄帝宅經二卷
墨經一卷　(宋)晁貫之撰
胎息經一卷　題幻真先生注
風后握奇經一卷　(漢)公孫弘注
握奇經續圖一卷八陣總述一卷　題(晉)馬隆撰
耒耜經一卷　(唐)陸龜蒙撰
五木經一卷　(唐)李翱撰　(唐)元革注
女孝經一卷
(第五集)
全唐詩話六卷　(宋)尤袤撰
六一詩話一卷　(宋)歐陽修撰
滄浪詩話一卷　(宋)嚴羽撰
後山詩話一卷　(宋)陳師道撰
彦周詩話一卷　(宋)許顗撰
二老堂詩話一卷　(宋)周必大撰

續詩話一卷　(宋)司馬光撰
中山詩話一卷　(宋)劉攽撰
竹坡詩話一卷　(宋)周紫芝撰
紫薇詩話一卷　(宋)吕本中撰
石林詩話一卷　(宋)葉夢得撰
(第六集)
法書要錄十卷　(唐)張彦遠輯
東觀餘論二卷附錄一卷　(宋)黄伯思撰
廣川書跋十卷　(宋)董逌撰
宣和書譜二十卷
(第七集)
圖畫見聞誌六卷　(宋)郭若虚撰
歷代名畫記十卷　(唐)張彦遠撰
古畫品錄一卷　(南齊)謝赫撰
後畫錄一卷　(唐釋)彦悰撰
續畫品一卷　(陳)姚最撰
續畫品錄一卷　(唐)李嗣真撰
宣和畫譜二十卷
圖繪寶鑑六卷補遺一卷　(元)夏文彦撰　(明)韓昂續
畫繼十卷　(宋)鄧椿撰
畫史一卷　(宋)米芾撰
(第八集)
詩品三卷　(梁)鍾嶸撰
詩品二十四則一卷　(唐)司空圖撰
風騷旨格一卷　(唐釋)齊己撰
芥隱筆記一卷　(宋)龔頤正撰
冷齋夜話十卷　(宋)釋惠洪撰
西溪叢語二卷　(宋)姚寬撰
捫虱新話十五卷　(宋)陳善撰
益部方物略記一卷　(宋)宋祁撰
歲華紀麗四卷　題(唐)韓鄂撰
玉蘂辨證一卷　(宋)周必大撰
桯史十五卷附錄一卷　(宋)岳珂撰
泉志十五卷　(宋)洪遵撰
(第九集)
酉陽雜俎二十卷續集十卷　(唐)段成式撰
誠齋襍記二卷　(元)林坤撰
甘澤謡一卷附錄一卷　(唐)袁郊撰
本事詩一卷　(唐)孟棨撰
五色綫二卷
却掃編三卷　(宋)徐度撰
劇談錄二卷　(唐)康駢撰
瑯嬛記三卷　(元)伊世珍撰
輟耕錄三十卷　(明)陶宗儀撰
(第十集)
洛陽伽藍記五卷　(北魏)楊衒之撰
洛陽名園記一卷　(宋)李格非撰
靈寶真靈位業圖一卷　(梁)陶弘景撰
東京夢華錄十卷　(宋)孟元老撰
西京雜記六卷　題(晉)葛洪撰
佛國記一卷　(晉釋)法顯撰
大唐創業起居注三卷　(唐)温大雅撰
老學菴筆記十卷　(宋)陸游撰
漢雜事秘辛一卷
淳熙玉堂雜記三卷　(宋)周必大撰
焚椒錄一卷　(遼)王鼎撰
唐國史補三卷　(唐)李肇撰
(第十一集)
搜神記二十卷　題(晉)干寶撰
搜神後記十卷　題(晉)陶潛撰
錄異記八卷　(前蜀)杜光庭撰
稽神錄六卷拾遺一卷　(宋)徐鉉撰
周氏冥通記四卷　(梁)陶弘景撰
異苑十卷　(南朝宋)劉敬叔撰
(第十二集)
東坡題跋六卷　(宋)蘇軾撰
山谷題跋九卷　(宋)黄庭堅撰
無咎題跋一卷　(宋)晁補之撰
宛丘題跋一卷　(宋)張耒撰
淮海題跋一卷　(宋)秦觀撰
鶴山題跋七卷　(宋)魏了翁撰
放翁題跋六卷　(宋)陸游撰
姑溪題跋二卷　(宋)李之儀撰
石門題跋二卷　(宋釋)德洪撰
西山題跋三卷　(宋)真德秀撰
(第十三集)
六一題跋十一卷　(宋)歐陽修撰
止齋題跋二卷　(宋)陳傅良撰
魏公題跋一卷　(宋)蘇頌撰
元豐題跋一卷　(宋)曾鞏撰
水心題跋一卷　(宋)葉適撰
益公題跋十二卷　(宋)周必大撰
後邨題跋四卷　(宋)劉克莊撰
晦菴題跋三卷　(宋)朱熹撰
容齋題跋二卷　(宋)洪邁撰

海岳題跋一卷　(宋)米芾撰
(第十四集)
樂府古題要解二卷　(唐)吳兢撰
紹興内府古器評二卷　(宋)張掄撰
癸辛雜識前集一卷後集一卷續集二卷别集二卷　(宋)周密撰
揮麈前録四卷後録十一卷三録三卷后録餘話二卷　(宋)王明清撰
(第十五集)
夢溪筆談二十六卷　(宋)沈括撰
湘山野録三卷續録一卷　(宋釋)文瑩撰
春渚紀聞十卷　(宋)何薳撰
錦帶書一卷　(梁)蕭統撰
齊東野語二十卷　(宋)周密撰
茅亭客話十卷　(宋)黄休復撰
河南邵氏聞見前録二十卷　(宋)邵伯温撰
河南邵氏聞見後録三十卷　(宋)邵博撰
避暑録話二卷　(宋)葉夢得撰
貴耳集三卷　(宋)張端義撰

善 080/781 - 02

3237

枕中秘二十二種二十二卷

(清)衛泳編
明末刻本
二册

九行二十二字,白口,四周單邊。鈐"盱眙王氏十四間樓藏書記"印。

子目:
閒賞一卷　(清)衛泳輯
二六時令一卷　(明)張鼐撰
國士譜一卷　(明)王路撰
書憲一卷　(明)吳從先撰
讀書觀一卷　(清)衛泳輯
護書一卷　(清)衛泳輯
悦容編一卷
勝境一卷
園史一卷　(清)衛泳輯
瓶花史一卷　(明)袁宏道撰
盆史一卷　(明)高濂撰
茶寮記一卷　(明)陸樹聲撰
酒緣一卷　(明)吳從先撰
香禪一卷　(明)屠隆撰
棋經一卷　(宋)張擬撰
詩決一卷　(清)衛泳輯
書譜一卷　(宋)姜夔撰
繪妙一卷　(清)衛泳輯
琴旨一卷　(清)衛泳輯
曲調一卷　(明)葉華撰
䏶陣指南一卷　(明)袁福徵撰
砭俗支言一卷

善 073/943

3238

秘書二十一種九十四卷

(清)汪士漢編
清康熙七年(1668)汪士漢據明刻《古今逸史》版重編本
十二册

十行二十字,白口,左右雙邊。

子目:
汲冢周書十卷　(晉)孔晁注
吳越春秋六卷　(漢)趙曄撰　(宋)徐天祐音注
拾遺記十卷　題(前秦)王嘉撰
白虎通德論二卷　(漢)班固撰
山海經十八卷　(晉)郭璞傳
博物志十卷　題(晉)張華撰　(宋)周日用等注
桂海虞衡志一卷　(宋)范成大撰
續博物志十卷　題(宋)李石撰
博異記一卷　(唐)鄭還古撰
高士傳三卷　(晉)皇甫謐撰
劍俠傳四卷　(唐)段成式撰
楚史檮杌一卷
晉史乘一卷
竹書紀年二卷　題(梁)沈約注
中華古今注三卷　(後唐)馬縞撰
古今注三卷　題(晉)崔豹撰
三墳一卷　(晉)阮咸注
風俗通義四卷　(漢)應劭撰
列仙傳二卷　題(漢)劉向撰
集異記一卷　(唐)薛用弱撰
續齊諧記一卷　(梁)吳均撰

善 18087

3239

雅雨堂叢書十三種一百三十八卷

(清)盧見曾編
清乾隆二十一年(1756)至二十五年(1760)盧氏雅

雨堂刻本

二十二册

十行二十一字,白口,四周單邊。版心下鎸“雅雨堂”。封面鎸“雅雨堂藏板”。

子目:

易傳十七卷　(唐)李鼎祚集解

周易音義一卷　(唐)陸德明撰

鄭氏周易三卷圖一卷　(漢)鄭玄撰　(宋)王應麟輯　(清)惠棟增補

鄭司農集一卷　(漢)鄭玄撰

周易乾鑿度二卷　(漢)鄭玄注

尚書大傳四卷　(漢)伏生撰　(漢)鄭玄注

附補遺一卷續補遺一卷　(清)盧文弨輯

考異一卷　(清)盧文弨撰

大戴禮記十三卷　題(北周)盧辯注

戰國策三十三卷　(漢)高誘注

匡謬正俗八卷　(唐)顔師古撰

唐摭言十五卷　(五代)王定保撰

封氏聞見記十卷　(唐)封演撰

北夢瑣言二十卷　(宋)孫光憲撰

文昌雜錄六卷補遺一卷　(宋)龐元英撰

善 080/493

又一部　二十二册　鈐“慭齋戊午以后藏書”、“許氏鞠霜樓藏書”、“鞠霜樓許氏慭齋所藏金石經籍記”等印。　善 5412

3240

鏡烟堂十種二十九卷

(清)紀昀編

清乾隆間嵩山書院刻本

十四册

十行二十一字,白口,四周單邊。

子目:

沈氏四聲考二卷

唐人試律説一卷

删正二馮評閲才調集二卷

删正方虚谷瀛奎律髓四卷

李義山詩集三卷

後山集鈔三卷

張爲主客圖三卷

風雅遺音二卷

庚辰集五卷

館課存藁四卷　善 089.74/859

3241

杜藕山房叢書十種二十七卷

(清)杜鈞編

清乾隆間杜甲補堂抄本

八册

九行二十字,紅格,白口,左右雙邊。鈐“吴興劉氏嘉業堂藏書記”印。

子目:

庭聞錄六卷　(清)劉健撰

六經奥論鈔一卷　(宋)鄭樵撰

西湖月觀一卷　(明)陳仁錫撰

太公三略三卷　題(漢)黄石公撰

江東十鑑十卷　(宋)李舜臣撰

笨夫詩鈔二卷　(清)畢廷斌撰

滄州近詩一卷　(清)陳鵬年撰

七頌堂詩集一卷　(清)劉體仁撰

風塵備忘錄□卷(存卷首)　(清)杜鈞輯

公餘偶筆一卷　(清)杜鈞撰　善 082/245

3242

敬修堂叢書十四種十九卷

(清)□□編

清敬修堂稿本

二十四册

九行二十字,白口,無格。鈐“敬修堂翰墨”、“明琦字少翰馬佳氏藏書”、“吴興劉氏嘉業堂藏書記”等印。

子目:

偶記一卷　(明)鄧龍如撰

説儲一卷二集一卷　(明)陳禹謨撰

自湖廣武陵至貴州水旱路程記一卷

震澤紀聞一卷　(明)王鏊撰

龍湖閒話一卷　(明)李贄撰

龍舒居士净土文一卷　(宋)王日休撰

石林燕語一卷　(宋)葉夢得撰

墨莊漫錄一卷　(宋)張邦基撰

閑窓括異志一卷　(宋)魯應龍撰

博識續箋四卷　(明)阮元聲撰

墨池浪語一卷　(明)胡維霖撰

搜採異聞錄二卷　(宋)永亨撰

曲洧舊聞二卷　(宋)朱弁撰

殷芸小説一卷　(宋)殷芸撰

善 082/551

3243

藝芳閣藝海奇鈔十四種四十六卷

(清)楊復吉編
清嘉慶十三年(1808)稿本
二十二册
十行十八字,白口,無格。鈐"楊復吉印"、"曾在上海郁泰峰家"印。
子目:
江表志三卷　(宋)鄭文寶撰
沈下賢文集十二卷　(唐)沈亞之撰
讒書(存卷五)　(唐)羅隱撰
醉翁談錄六卷　(宋)金盈之撰
續夷堅志二卷　(金)元好問撰
柴氏四隱集五卷　(宋)柴望等撰
金國南遷總略一卷　(宋)張師顔撰
異域志一卷　(元)周致中撰
困學齋雜錄一卷　(元)鮮于樞撰
近光集三卷　(元)周伯琦撰
後梁春秋二卷　(明)姚士粦撰
名蹟錄七卷　(明)朱珪撰
見只編一卷　(明)姚士粦撰
草莽私乘一卷　(明)陶宗儀撰　善 082/274

3244
緑滿書牕六種六卷
(清)龐佑清編
清嘉慶二十三年(1818)刻巾箱本
四册
八行十五字,黑口,左右雙邊。鈐"青燈盦"、"樂嘉藻印"等印。
子目:
六如詩鈔一卷　(明)唐寅撰
鵪鴿斑一卷　(清)吳偉業撰
四書詩一卷　(清)尤侗撰
庚子消夏錄碑帖攷一卷　(清)孫承澤撰
返生香一卷　(明)葉小鸞撰
小倉山房續詩品一卷　(清)袁枚撰
善 082/672

3245
頤素堂叢書十八種十九卷(存十七種十七卷)
(清)顧祿編
清嘉慶道光間顧氏頤素草堂刻本
四册
八行二十一字,黑口,左右雙邊。封面鎸"吳郡顧氏藏板"。鈐"野閒氏藏書印"、"尚古齋所藏"、"鏑木藏書"諸印。
子目:
雕蟲集一卷　(清)顧祿撰
紫荆花院排律一卷　(清)顧祿撰
駢香儷艷一卷　(清)顧祿撰
省闈日記一卷　(清)顧祿撰
買田二十約一卷　(清)顧祿撰
酒春秋一卷　(清)顧祿撰
看楓約一卷　(清)顧祿撰
壺中攬勝一卷　(清)顧祿撰
虎阜登涉圖儀注一卷　(清)顧祿撰
羽族棋譜一卷　題寅郎撰
煙草錄一卷　(清)褚逢椿　顧錄輯
御舟召見恭紀一卷　(清)顧嗣立撰
山堂五箴一卷　(清)韋光黻撰
雜纂新續一卷　(清)韋光黻撰
廣雜纂一卷　(清)顧錄撰
散花牌譜一卷　題棗花館主人撰
鬥花籌譜一卷　題海棠香國主人撰
善 082/959

3246
受經堂彙稾五種十四卷
(清)楊紹文編
清道光間刻本
四册
十一行二十三字,白口,左右雙邊。
子目:
茗柯文五卷詞一卷　(清)張惠言撰
竹隣遺稾二卷　(清)金式玉撰
齊物論齋賦一卷詞一卷　(清)董士錫撰
安甫遺學三卷　(清)江承之撰
雲在文稾一卷　(清)楊紹文撰　善 18178

3247
正誼齋叢書十種一百十八卷
(清)汪昌序編
清刻道光二十年(1840)汪氏正誼堂匯印本
三十六册
子目:
重編五經文字三卷九經字樣一卷　(清)孫偘撰　清嘉慶八年(1803)刻本
相臺書塾刊正九經三傳沿革例一卷　(宋)岳珂撰　清嘉慶十九年(1814)汪昌序影宋刻本
龍龕手鑑四卷　(遼)釋行均撰　清虛竹齋刻

本

龍學孫公春秋經解十五卷　(宋)孫覺撰　清康熙間通志堂刻本

春秋經傳集解三十卷考證三十卷　(晉)杜預撰　(唐)陸德明音義　佚名考證　春秋年表一卷考證一卷春秋名號歸一圖二卷考證二卷　清道光十九年(1939)儀徵汪氏刻本

公是先生七經小傳三卷　(宋)劉敞撰　清儀徵汪氏刻本

禮經會元四卷　(宋)葉時撰　清儀徵汪氏刻本

太平經國之書十一卷首一卷　(宋)鄭伯謙撰　清儀徵汪氏刻本

道統錄二卷附錄一卷　(清)張伯行撰　清康熙間正誼堂刻本

古品節錄六卷　(清)松筠撰　清嘉慶四年(1799)刻本　善 18926

3248

功順堂叢書十八種七十六卷(存十一種三十七卷)

(清)潘祖蔭編

清光緒間吴縣潘祖蔭刻本　(清)王鵬運校　劉盼遂題識

十二册

九行二十二字,小字雙行同,黑口,左右雙邊。鈐"劉盼遂印"印。

子目:

周人經説八卷(原存卷一至四)　(清)王紹蘭撰

王氏經説六卷　(清)王紹蘭撰

國史考異六卷　(清)潘檉章撰　(清)吴炎訂

平定羅剎方略書四卷　(清)□□撰

西清筆記二卷　(清)沈初撰

半氈齋題跋二卷　(清)江藩撰

涇林續記一卷　(明)周玄暐撰

廣陽雜記五卷　(清)劉獻廷撰

無事爲福齋隨筆二卷　(清)韓泰華撰

南澗文集二卷　(清)李文藻撰

冬青館宫詞三卷　(清)張鑑撰　(清)桂榮注　善 080/754 -1

3249

慶雪堂雜纂五種六卷

(清)賈臻編

清咸豐間稿本　(清)賈臻批注　馬叙倫跋

一册

九行十九字,白口,左右雙邊。版心下鎸"躬自厚齋",上鎸"賈氏叢書"。

子目:

李碧川文一卷　(清)李洲撰

曹伯繩文一卷　(清)曹肅孫撰

王癡園十二種詩選序一卷論九家詩詩一卷　(清)王化昭撰

段雪亭遺稿一卷　(清)段□撰

張笠雲詩一卷　(清)張星聚撰

此殆爲賈氏叢書外未鎸之稿。　善 2810

3250

沈氏韻初書屋校錄秘笈十二種八十六卷

(清)沈樹鏞編

清抄本　(清)沈樹鏞校

二十四册

行格不一。鈐"沈樹鏞印"印。

子目:

宣和奉使高麗圖經四十卷　(宋)徐兢撰　附錄一卷

大業雜記一卷　(南朝宋)劉義慶撰

東京夢華錄十卷　(宋)孟元老撰

夢粱錄十卷　(宋)吴自牧撰

黑龍江外紀八卷　(清)西清撰

春明退朝錄三卷　(宋)宋敏求撰

周氏冥通記四卷　(梁)陶弘景撰

困話錄三卷　(唐)趙璘撰

南燼紀聞錄二卷　題(宋)辛棄疾撰

唐國史補三卷　(宋)李肇撰

蓮社高賢傳一卷　(晉)□□撰

左氏蒙求一卷　(宋)吴化龍撰　善 082/741

3251

古逸叢書二十六種二百零二卷

(清)黎庶昌編

清光緒十年(1884)日本東京使署刻本

四十八册

美濃紙印本。鈐"紫陽精舍朱氏藏書"、"檉之"、"震旦第一山樵"、"矢杉館孝子"、"高閬仙藏書記"等印。

子目:

爾雅注三卷　(晉)郭璞撰

春秋穀梁傳集解十二卷　(晉)范甯撰

(唐)陸德明音義
論語集解十卷　(魏)何晏撰
周易傳六卷易圖集錄一卷　(宋)程頤撰　晦庵先生校正周易繫辭精義二卷　(宋)呂祖謙輯
御注孝經一卷　(唐)玄宗李隆基撰
老子道德經注二卷　(魏)王弼撰
荀子注二十卷　(唐)楊倞撰
南華真經注疏十卷　(晉)郭象　(唐)成玄英撰
楚辭集註八卷辯證二卷後語六卷　(宋)朱熹撰
尚書釋音二卷　(唐)陸德明撰
玉篇(殘存四卷)　(梁)顧野王撰
廣韻五卷　(宋)陳彭年等撰
廣韻五卷　(宋)陳彭年等撰
玉燭寶典十一卷(原缺卷九)　(隋)杜臺卿撰
文館詞林(殘存十四卷)　(唐)許敬宗等輯
琱玉集(殘存二卷)
姓解三卷　(宋)邵思撰
韻鏡一卷
日本國見在書目錄一卷　(日本)佐世在奥撰
史略六卷　(宋)高似孫撰
漢書食貨志注一卷　(唐)顏師古撰
急就篇一卷　(漢)史游撰
杜工部草堂詩箋四十卷外集一卷　(宋)蔡夢弼撰　補遺十卷　(宋)黃鶴撰　詩話二卷　(宋)蔡夢弼輯　年譜二卷　(宋)趙子櫟　魯訔撰
碣石調幽蘭一卷
天臺山記一卷　(唐)徐靈府撰
太平寰宇記補闕六卷　(宋)樂史撰
善 080/796

獨撰類

3252
陸放翁全集六種一百五十八卷
(宋)陸游撰
明毛氏汲古閣刻清毛扆增刻本
八十册
八行十八字,白口,左右雙邊。
子目:
渭南文集五十卷
劍南詩藁八十五卷
放翁逸藁二卷
南唐書十八卷　附音釋一卷　(元)戚光撰
家世舊聞一卷
齋居紀事一卷　善 089.52/392

3253
孫文恭公遺書六種二十卷
(明)孫應鼇撰
清抄本　小傳、雜文等配清光緒刻本　(清)莫祥芝校
八册
十行二十一字。四周雙邊。紅格或紫格。鈐"莫祥芝印"、"南通馮氏景岫樓藏書"、"馮雄"等印。
子目:
淮海易譚四卷
四書近語六卷
教秦緒言一卷
幽心瑶草一卷
學孔精舍詩鈔六卷
補輯雜文一卷附錄一卷　善 089.68/365

3254
王百穀集二十一種四十二卷(存七種十二卷)
(明)王穉登撰
明萬曆四十七年(1619)葉應祖刻本
八册
十行二十字,白口,四周單邊。鈐"無竟先生獨志堂物"印。
子目:
青雀集二卷
燕市集二卷
竹箭編二卷
明月篇二卷
客越志二卷
梅花什一卷　(明)孫承憲撰　(明)王穉登和
雨航紀一卷　善 089.6/119

3255
袁中郎十集十六卷
(明)袁宏道撰　(明)周應麐編
明周應麐刻本

八册

九行二十字,白口,左右雙邊。

子目:

狂言二卷

狂言别集一卷

觴政一卷

瓶史一卷

廣莊一卷

廣陵集一卷

敝篋集二卷

破研齋集三卷

桃源詠一卷

華嵩遊草二卷　　善 846.8/193-22

3256

鹿忠節公認真草十五卷(存六卷)

(明)鹿善繼撰　(清)鹿傳霖輯

清鹿傳霖抄本

四册

九行二十字,無格。

子目:

借發金花始末一卷

馬房本末一卷

籽粒本末一卷

扶孤始末一卷

篋餘一卷

農曹草一卷　　善 846.8/669-6

3257

胡氏六種二十四卷

(清)胡世安撰

明刻本

六册

九行二十一字,白口,左右雙邊。

子目:

衍𠼝語五卷

異魚圖贊補四卷贊閏集一卷圖贊箋四卷

離音弋載一卷

樂統博稽六卷

遺音輟筆一卷

絲系衍紀二卷

書名系本館自擬。　　善 089.71/216

3258

貫華堂才子書彙稿十種十五卷

(清)金人瑞撰

清學易堂刻本

十六册

十行二十二字,白口,左右雙邊。

子目:

唱經堂杜詩解四卷附沈吟樓借杜詩一卷

唱經堂古詩解一卷

唱經堂批歐陽永叔詞一卷

唱經堂左傳釋一卷

唱經堂釋小雅一卷

唱經堂釋孟子一卷

唱經堂通宗易論一卷

唱經堂聖人千案一卷

唱經堂語錄纂二卷

唱經堂隨手通一卷　　善 847.1/987-03

3259

古懽堂六種五十二卷

(清)田雯撰

附一種二卷

(清)田肇麗撰

清康熙乾隆間刻匯印本

十二册

子目:

古懽堂詩集十五卷

古懽堂集二十二卷

長河志籍考十卷

黔書二卷

蒙齋年譜一卷續一卷　(清)田雯撰　補一卷　(清)田肇麗撰

附:有懷堂詩集一卷文集一卷　(清)田肇麗撰　　善 6100

3260

八紘譯史九種二十九卷

(清)陸次雲撰

清康熙間刻本

十册

九行十九字,白口,左右雙邊。

子目:

譯史四卷

八紘荒史一卷

峒谿纖志三卷

纖志志餘一卷

譯史紀餘四卷

澄江集七卷

北墅緒言五卷
玉山詞三卷
湖壖雜記一卷　善 18215

3261

安溪先生解義三種四卷

(清)李光地撰
清康熙間居業堂刻本
一册

十一行二十字,白口,四周單邊。封面鎸"居業堂藏板"。原鈐"御賜教忠堂"印。鈐"國子監"(滿漢文)印。

子目:
離騷經注一卷附九歌注一卷
參同契注一卷
陰符經注一卷

此書板後匯入乾隆間印《安溪李先生全集》。

善 832.12/290

3262

西堂全集四種一百二十八卷

(清)尤侗撰

附一種六卷

(清)湯傳楹撰
清康熙間刻本
四十八册

十行二十一字,下細黑口,四周單邊或左右雙邊。鈐"張"、"漢鹿齋藏書印"印。

子目:
西堂文集二十四卷
西堂雜俎一集八卷
西堂雜俎二集八卷
西堂雜俎三集八卷
西堂詩集三十卷
西堂剩稿二卷
西堂秋夢錄一卷
西堂小草一卷
論語詩一卷
右北平集一卷
看雲草堂集八卷
述祖詩一卷
于京集五卷
哀絃集二卷
擬明史樂府一卷　(清)尤珍注
外國竹枝詞一卷　(清)尤珍注
百末詞五卷詞餘一卷
西堂樂府七卷
讀離騷一卷
弔琵琶一卷
桃花源一卷
黑白衛一卷
李白登科記(一名《清平調》)一卷
鈞天樂二卷
西堂餘集七十二卷
年譜圖詩一卷
年譜二卷
小影圖贊一卷　(清)尤侗輯
續論語詩一卷
性理吟一卷　(宋)朱熹撰　後吟一卷　(清)尤侗撰
艮齋雜説十卷
艮齋倦稿詩集十一卷文集十五卷
看鑑偶評五卷
明史擬稿六卷外國傳八卷
宫閨小名錄五卷
附:湘中草六卷　(清)湯傳楹撰

善 847.2/356-03

3263

讀書小記十五種二十七卷

(清)范爾梅撰
清雍正七年(1729)刻敬恕堂印本
十二册

十行二十三至二十四字不等,白口,左右雙邊。封面鎸"敬恕堂藏板"。

子目:
大學札記一卷
中庸札記一卷
論語札記二卷
孟子札記二卷
大易札記五卷
婁山易輪一卷
易卦考一卷
尚書札記一卷
讀書小記毛詩二卷
讀書小記周禮二卷
讀書小記禮記一卷
讀書小記樂律考一卷
讀書小記琴律考一卷

春秋札記五卷

雪庵文集一卷　善 091.337/532

3264

鹿洲全集七種四十二卷

(清)藍鼎元撰

清康熙雍正年間刻匯印本

二十册

子目:

鹿洲初集二十卷　清雍正間刻本

鹿洲公案二卷　清雍正間刻本

東征集六卷　清雍正十年(1732)王者輔刻本

平臺紀略一卷　清雍正十年(1732)王者輔刻本

脩史試筆二卷　清雍正間刻本

棉陽學準五卷　清雍正間刻本

女學六卷　清康熙間刻本　善 10834

3265

李氏成書五種四十四卷

(清)李文炤撰

清乾隆間四爲堂刻本

二十二册

子目:

周易本義拾遺六卷周易序例一卷周易拾遺一卷

恒齋文集十二卷

周禮集傳六卷綱領一卷

春秋集傳十卷首一卷

家禮拾遺五卷附錄一卷　善 089.72/291

3266

屏山草堂稿四種十五卷

(清)應麟撰

清乾隆十六年(1751)宜黄應氏家刻本

六册

九行二十字,下黑口,左右雙邊。鈐"深澤王氏洗心精舍所藏書畫"印。

子目:

易經碎言三卷

詩經旁參二卷

春秋剩義二卷

屏山草堂文集八卷　善 847.4/674

3267

文道十書四種十二卷

(清)陳景雲撰

清乾隆十九年(1754)蔣良騏刻本

四册

十行二十字,白口,左右雙邊。

子目:

綱目訂誤四卷

紀元要略二卷　附補輯一卷　(清)陳黄中撰

通鑑胡注舉正一卷

韓集點勘四卷　善 6056

3268

陳司業先生集四種十一卷

(清)陳祖范撰

清乾隆二十九年 1764)刻本

五册

十行二十三字,白口,四周雙邊。

子目:

經咫一卷

掌錄二卷

文集四卷

詩集四卷　善 6559

3269

杭大宗七種十八卷

(清)杭世駿撰

清乾隆間杭賓仁刻本

八册

十行二十字,小字雙行同,白口,四周單邊。

子目:

石經考異二卷

諸史然疑一卷

晉書補撰贊一卷

漢書蒙拾三卷後漢書蒙拾二卷

續方言二卷

榕城詩話三卷

文選課虚四卷　善 5405

3270

蘇齋叢書十八種一百三十六卷

(清)翁方綱撰

清乾隆嘉慶間刻匯印本

二十四册

行款、格式不一。鈐"李氏緘庵"印。

子目:

兩漢金石記二十二卷　清乾隆五十四年(1789)南昌使院刻本

五言詩十七卷七言詩歌行十五卷　(清)王士

槙輯　(清)翁方綱訂　清嘉慶十一年(1806)刻本
七言律詩鈔十八卷　(清)翁方綱輯　清乾隆四十七年(1782)曹振鏞刻本
經義考補正十二卷　清乾隆間刻本
粵東金石略九卷附二卷首一卷　清乾隆間刻本
蘇詩補注八卷志道集一卷　(宋)顧禧撰　清乾隆四十六年(1781)刻本
石洲詩話八卷　清嘉慶二十年(1815)蔣攸銛刻本
蘇米齋蘭亭考八卷　清嘉慶間刻本
嵐漪小草一卷　清乾隆間刻本
青原小草一卷　清乾隆間刻本
通志堂經解目錄一卷　清乾隆五十六年(1791)刻本
元遺山先生年譜一卷　清刻本
栖霞小稿一卷　清刻本
瘞鶴銘見存字一卷　清刻本
小石帆亭著錄六卷　清乾隆五十七年(1792)刻本
十三經注疏作者姓氏表一卷　清乾隆五十二年(1787)吉安使院刻本
春秋分年系傳表一卷　清刻本
詠物七言律詩偶記一卷　清嘉慶間刻本
善 089.74/893

3271

經韻樓叢書八種一百十二卷

(清)段玉裁撰
清乾隆至道光間金壇段氏刻匯印本
四十八册

子目:
經韻樓集十二卷　清道光元年(1821)七葉衍祥堂刻本
儀禮漢讀考一卷
戴東原集十二卷　(清)戴震撰　覆校札記一卷　(清)段玉裁撰　戴東原先生年譜一卷　(清)段玉裁撰　清乾隆五十七年(1792)經韻樓刻本
古文尚書撰異三十二卷
毛詩故訓傳定本小箋三十卷　清嘉慶二十一年(1816)七葉衍祥堂刻本
周禮漢讀考六卷　清嘉慶三年(1798)經韻樓刻本
春秋左氏古經十二卷五十凡一卷　清道光元年(1821)刻本
聲韻考四卷　清乾隆四十一年(1776)刻本
善 7067

3272

西澗草堂全集四種十四卷

(清)閻循觀撰

附一種一卷

(清)閻循厚撰
清乾隆三十八年(1773)樹滋堂刻本
四册

十行二十二字,白口,左右雙邊。封面鎸"樹滋堂藏板"。

子目:
西澗草堂集四卷詩集四卷
困勉齋私記四卷
尚書讀記一卷
春秋一得一卷
附:鈍齋詩集一卷　(清)閻循厚撰

又一部　四册　善 089.7/459

3273

果堂全集六種十九卷

(清)沈彤撰
清乾隆間沈氏果堂刻本
五册

九行二十一字,白口,左右雙邊。

子目:
果堂集十二卷
周官祿田考三卷
儀禮小疏一卷
儀禮鄭注監本刊誤一卷
尚書小疏一卷
春秋左氏小疏一卷　善 18210

3274

柚堂居士著述四種十八卷

(清)盛百二撰

附兩種三卷

清雍正乾隆間刻匯印本
八册

子目:
皆山樓吟稿四卷
柚堂文存四卷

尚書釋天六卷
柚堂筆談四卷
附:嶺西水陸兵紀二卷　(明)盛萬年撰
補漢兵志一卷　(宋)錢文子撰
善 089.74/340

3275

燕禧堂五種十五卷

(清)任大椿撰
清乾隆間刻本
八册

九行二十字或八行十七至十九字,小字雙行,四周單邊或左右雙邊。鈐"光緒初書歸黄縣王氏海西閣"印。

子目:
字林考逸八卷　(清)任大椿輯
深衣釋例三卷
列子釋文二卷　(唐)殷敬順撰　(宋)陳景元補遺
列子釋文考異一卷
釋繒一卷　善 18177

3276

薌嶼裘書七種三十七卷

(清)曾廷枚撰
清嘉慶間刻本
八册

十行十九字,黑口,左右雙邊。

子目:
字原徵古四卷
音義辨同七卷
樂府津逮三卷
稧帖緒餘四卷
西江詩話三卷
游戲三昧十二卷
古諺閒談四卷　善 089.7/981

3277

釣渭閑雜膾五種五卷附一種二卷

(清)潘炤撰
清嘉慶十一年(1806)小百尺樓刻本
六册

九行十六字,白口,四周雙邊。版心下鎸"小百尺樓"。封面鎸"小百尺樓藏板"。

子目:
海喇行一卷
涑水鈔一卷
從心錄一卷
西泠舊事百詠一卷
小滄桑一卷
附:烏闌誓二卷　善 089.75/754

3278

陳氏裛露軒叢書四種十五卷

(清)陳本禮撰
清嘉慶間陳氏裛露軒刻本
十二册

八行二十一字,小字雙行三十二字,黑口,四周雙邊;或八行二十二字,小字雙行同,白口,四周雙邊。封面鎸"裛露軒藏板"。

子目:
屈辭精義六卷
急就探奇一卷
漢詩統箋三卷
協律鈎元四卷外集一卷　(唐)李賀撰　(清)陳本禮箋注　善 089.7/378

3279

陳氏裛露軒叢書四種十五卷

(清)陳本禮撰
清嘉慶間裛露軒刻本　佚名朱、墨筆批注
九册

八行二十一字,小字雙行三十二字,黑口,四周雙邊;或八行二十二字,小字雙行同,白口,四周雙邊。鈐"高閬仙藏書記"印。　善 089.7/378-02

3280

西齋三種七卷

(清)博明撰
清嘉慶六年(1801)刻本
六册

十行二十字,白口,四周雙邊

子目:
西齋偶得三卷
西齋詩輯遺三卷
鳳城瑣錄一卷　善 089.74/180

3281

退廬叢輯不分卷

(清)黄輔辰撰　黄襄成輯
清末稿本
二十六册

八行字不等,紅格。鈐"黄氏家藏"、"貴筑黄襄成印”、“湘丞所守先世手澤”等印。

子目：

國朝徵獻錄不分卷（未完稿）

冀寧紀事不分卷續紀不分卷

晉案雜志不分卷

晉垣續紀不分卷

奎垣日紀不分卷

全蜀山川形勝志不分卷

通鑑地名今釋不分卷

讀史編詠不分卷

讀書日鈔不分卷

附：鄧伯昭先生行狀一卷　（清）黄彭年撰

善 089.76/169

書名索引

A

B

C

D

E

F

G

H

J

K

L

N

R

S

T

W

X

Y

著者索引

G

J

K

L

M

N

T

W

X

Y

責任編輯:宋安莉

封面設計:李　璀

ISBN 7-5013-1898-0

9 787501 318988 >